La Guerre d'Algérie : une histoire apaisée ?

Du même auteur

La Torture et l'Armée pendant la guerre d'Algérie
(1954-1962)
Gallimard, 2001

La guerre d'Algérie
(en coll. avec Sylvie Thénault)
La Documentation photographique, n° 8022
Documentation française, 2001

L'Histoire en débats

Raphaëlle Branche

La Guerre d'Algérie : une histoire apaisée ?

Éditions du Seuil

COLLECTION « POINTS HISTOIRE »
FONDÉE PAR MICHEL WINOCK

Ce livre est publié sous la responsabilité de Christian Delacroix
dans la série « L'Histoire en débats »
qu'il dirige avec François Dosse et Patrick Garcia.

ISBN 2-02-058951-6

www.seuil.com

Introduction

Quand la guerre d'Algérie apparaît dans le débat public en France, c'est presque autant comme un sujet d'histoire que comme un sujet d'actualité. Depuis la fin des années 1990, presse et médias audiovisuels lui consacrent régulièrement des rubriques, voire leur une. Les Français en parlent sans doute davantage entre eux, au bistrot ou autour d'un repas familial. Le lieu commun d'un silence de la société française sur cet épisode récent de son histoire va-t-il donc cesser de faire florès ? Le thème des « tabous » de la guerre d'Algérie qui seraient entretenus par des autorités complices, levés par des francs-tireurs courageux, à moins qu'ils ne soient honteusement partagés par des Français globalement coupables, sera-t-il bientôt considéré comme dépassé ? Il faut reconnaître que, s'il a, jusqu'à présent, touché un large public, c'est qu'il correspondait à une vision de la guerre répandue dans des milieux très divers.

De fait, malgré l'insistance sur ces « tabous », ou peut-être à cause d'elle, des interrogations sur la guerre ont régulièrement parcouru la société française. Ainsi cette histoire a bien été « en débats » même si c'était selon des normes peu académiques.

Les historiens, en France comme en Algérie, n'ont pas pu ignorer ces questionnements. S'ils ont, depuis longtemps, écrit sur la période, ils ne sont qu'une voix parmi d'autres, ne formant qu'un petit chœur, pas toujours à l'unisson, au sein d'un immense orchestre dans lequel chaque instrument joue sa partition sans se préoccuper du voisin autrement peut-être qu'avec le souci de se faire entendre mieux que lui. C'est pourquoi analyser leurs travaux passe nécessairement par la prise en compte de cet environnement, c'est-à-dire par l'étude des relations de la société française à ce passé, puisque c'est la France qui a toujours constitué l'espace principal de production et de réception de cette historiographie. Récemment les Français ont exprimé le désir d'en savoir plus sur cette période, de la connaître plus précisément, plus scientifiquement. Apaiser la guerre et ses feux parfois encore brûlants sous la cendre du passé et la poussière des archives semble être le rôle que la société française fixe aux historiens. Les plus hautes autorités de l'État ont de leur côté souhaité encourager leur travail. Autant de demandes qui, tout en témoignant d'un intérêt pour les recherches historiques, ont pu se muer en pressions sur leurs auteurs. Toutefois, si ces pressions sont sans doute plus importantes depuis les années 1990, elles n'ont pas nécessairement changé la nature de ce que les historiens écrivaient depuis la guerre : une histoire du temps présent, soumise à la lecture critique des contemporains et prise à partie dans des débats parfois très éloignés des enjeux scientifiques.

En revanche, depuis 1992, le paysage de la production historique française a été grandement modifié par un meilleur accès aux archives publiques et une modification du régime des thèses universitaires. Les historiens ont été plus nombreux à défricher les champs archivistiques qui s'offraient à eux. La connaissance de la période a accompli un saut quantitatif et la nature des débats sur la guerre a peu à peu évolué sous l'effet de cette multiplication des objets et des regards. Pour éclairer les caractéristiques de cette historiographie, ce livre a fait le choix de donner une large place au travail sur les sources. Au-delà des débats sur l'accès aux archives de la guerre, qu'on a pu décrire comme problématique, fermé, voire interdit, il existe effectivement une question des sources : avec quels matériaux décider d'écrire cette histoire ? Avec quelles méthodes, quelles précautions, quelles limites ? Contraints de naviguer entre dispositions légales et demandes sociales, entre contraintes législatives en évolution et témoins plus ou moins désireux de parler, les historiens ont adopté des stratégies et des tactiques variées.

Cette dimension matérielle n'est cependant ni détachée ni détachable d'une dimension intellectuelle. Les résultats de ces choix sont fort divers. La troisième partie de ce livre permet pourtant de ressaisir quelques dimensions collectives des travaux historiques qui, au-delà de l'individu, chercheur ou chercheuse, ont marqué des générations, des pays, des sensibilités. Pour éclairer cet aspect que la seule étude des textes ne permettait pas complètement d'atteindre, la plupart des historiens [1] ont été sollicités directement par l'auteure qui tient à remercier tous ceux qui ont bien voulu répondre à son bref questionnaire [2]. Ainsi cet ouvrage, construit comme une série de cercles concentriques qui formeraient en même temps une fusée à étages, distingue la demande sociale puis les sources et, enfin, les productions des historiens. Chacune des parties peut toutefois être lue hors de cet ordre et ce livre être offert à une lecture buissonnière.

---

1. Tous les historiens de la guerre, français et algériens, dont l'auteure a pu se procurer les coordonnées ont été contactés.

2. Xavier Boniface, Jacques Cantier, Omar Carlier, Fanny Colonna, Daho Djerbal, Andrée Dore-Audibert, Bernard Droz, Anne-Marie Duranton-Crabol, Samya el Mechat, René Gallissot, Jean-Charles Jauffret, Jean-Jacques Jordi, Camille Lacoste-Dujardin, Daniel Lefeuvre, Claude Liauzu, Gilbert Meynier, Guy Pervillé, Laure Pitti, Tramor Quémeneur, Annie Rey-Goldzeiguer, Jean-Pierre Rioux, Benjamin Stora, Ouanassa Siari Tengour, Sylvie Thénault, Maurice Vaïsse, Lucette Valensi et Pierre Vidal-Naquet.

PREMIÈRE PARTIE

Le poids de la demande sociale ou le passé visité par les mémoires

La guerre d'Algérie n'a pas commencé à la même date pour tous. Elle ne s'est pas finie non plus au même moment ; elle est même parfois encore continuée par des individus ou des groupes, en France comme en Algérie. La multiplicité des vécus de la guerre et, *a fortiori*, les divergences sur ce qui pourrait en constituer la fin (le cessez-le-feu, l'indépendance de l'Algérie, l'installation des Français d'origine européenne en métropole, les amnisties) ont été à l'origine de mémoires plurielles, constitutives de la société dans laquelle les historiens évoluent.

De ces expériences éclatées, l'après-guerre a perpétué des mémoires, parfois hostiles, plus souvent seulement parallèles. En France, chacun a dû s'arranger avec son passé ; des stratégies individuelles et collectives se sont mises en place. L'histoire de la guerre d'Algérie s'est donc trouvée portée par différents groupes de mémoire élaborant, en fonction des impératifs du présent, des récits sur le passé. Malgré leurs différences, les principaux groupes avaient en commun un vécu douloureux alimentant des mémoires de victimes. Cette victimisation était en fait tout autant ancrée dans le passé que dans le présent, et pouvait devenir alors synonyme de réclamations.

Quand ces groupes tentent de faire connaître leur histoire, ils demandent, de plus en plus, qu'elle soit en même temps reconnue. La lutte contre l'oubli est alors présentée comme un combat pour la mémoire qui se veut aussi triomphe de la vérité. Mais quand connaissance et reconnaissance sont si liées, cette vérité ne peut bien souvent rimer qu'avec justice. Les travaux historiques ne sont dès lors considérés que lorsqu'ils peuvent répondre à ces exigences mémorielles. Face à ce questionnement ardent de la demande sociale, les historiens ont adopté des positions diverses, cherchant les moyens de faire comprendre la complexité du passé, choisissant de s'engager dans des débats contemporains ou préférant maintenir une distance entre leurs travaux et les interrogations que la société française pouvait avoir sur la période.

CHAPITRE 1

Accepter et construire le passé

Rentrer chacun chez soi

En avril 1962, les Français de métropole ont approuvé à plus de 90 % des suffrages exprimés les accords d'Évian ; ils ont accepté les conditions de l'indépendance de l'Algérie et de sa nouvelle coopération avec la France[1]. Les habitants d'Algérie ont fait de même le 1er juillet. L'Algérie était indépendante le 3 juillet 1962[2]. Ainsi prenait fin la présence coloniale française en Algérie, après plus de cent trente ans. La guerre, elle-même, commençait à entrer dans le passé des deux pays.

Un premier retour eut d'abord lieu en France. Des hommes et des femmes arrivèrent dans un pays qu'ils avaient quitté pour faire la guerre (des militaires, des fonctionnaires) ou qu'ils n'avaient jamais connu autrement qu'en Algérie (les pieds-noirs, ceux qu'on avait auparavant appelés « Français de souche européenne » pour les distinguer des « Français de souche nord-africaine » ou, à partir de 1958, des « Français

1. Référendum du 8 avril 1962 auquel seuls les Français de métropole étaient invités à participer.

2. Référendum du 1er juillet 1962. À la question : « Voulez-vous que l'Algérie devienne un État indépendant, coopérant avec la France dans les conditions définies par la déclaration du 19 mars 1962 ? », plus de 99 % des suffrages exprimés ont opté pour le « oui » (et 91,2 % des inscrits).

musulmans d'Algérie »). Fut ainsi rendu possible un autre retour, au sens figuré, quand la guerre réapparut dans le débat public et quand elle commença à être mise en récit historique.

Ces retours furent marqués par de multiples formes de séparation, comme s'il s'agissait de redéfinir les espaces, les acteurs et les événements, de se les réapproprier. Pour la société française, les premiers passeurs, les premiers informateurs sur la guerre ont été les soldats, les appelés du contingent, partis puis revenus d'une terre lointaine et largement inconnue. Ces témoins de la guerre en Algérie ne parlèrent pas toujours, ne furent pas toujours entendus. Ils n'en constituèrent pas moins la preuve visible que quelque chose s'était passé là-bas. Le silence qui les entoura bien souvent – qu'il vienne d'eux ou de leur entourage – contribua à renvoyer rapidement cette guerre dans le passé, à lui tourner le dos.

Autres acteurs fondamentaux de l'affrontement militaire et politique, les Algériens ont peu à peu été moins présents dans le paysage social et économique français. La libre circulation entre la France et l'Algérie, permise par les accords d'Évian, a été limitée à un contingent de 12 000 Algériens par an dès 1964[3] puis de 35 000 Algériens pour trois ans en 1968. La durée de leur séjour a alors été réglementée et restreinte à cinq ou dix ans, période au terme de laquelle ces immigrés devaient retourner en Algérie et ne plus chercher de travail en France. La circulation des personnes fut ensuite bloquée : le 20 septembre 1973, le gouvernement algérien interdit toute émigration (Guidice, 1992 ; Liauzu, 1999) et, en juillet 1974, la France suspendit toute immigration d'où qu'elle vînt. Ainsi, malgré un contexte de forte croissance économique et une participation notable des étrangers – au premier rang desquels les Algériens – à la richesse du pays dans les années 1960, les années qui suivirent la fin de la guerre furent celles d'une progressive fermeture du territoire national français

3. Protocole du 10 avril 1964.

aux Algériens ou, au moins, d'un désir de marquer les nouveaux espaces d'appartenance. L'immigration participa, par sa nature même, à cette redéfinition.

La délimitation d'un « chacun chez soi » avait commencé dès la guerre : des Européens d'Algérie avaient pris des intérêts dans des affaires métropolitaines – installés dès 1957 en Corse, ils possédaient ainsi 70 % de son vignoble dès 1962-1963 ; un secrétariat d'État aux rapatriés avait été créé au mois d'août 1961. Les traces de la présence française en Algérie elles-mêmes avaient commencé à être rapportées en France. Dès 1959, la nécessité était apparue d'y conserver les documents militaires au motif qu'ils constituaient des archives (Sarmant, 2003 : 105). À partir de 1961, des archives de souveraineté avaient été rapatriées. À la même époque, le Service historique de l'armée avait envisagé le rapatriement de statues, monuments, stèles, bustes, etc. se rapportant à l'action de la France en Algérie et avait procédé à leur recensement[4].

La valeur symbolique de nombreux monuments n'échappait en effet ni aux Algériens ni aux Français. Le monument commémoratif de Sidi-Ferruch, immense stèle de plusieurs mètres de haut célébrant l'arrivée des Français en Algérie et dressée lors de cette autocélébration triomphante que fut le centenaire de l'Algérie française, en 1930, fut ainsi martelé en juillet 1962. L'inscription, de près de 40 mètres de long, située sur le monument à la colonisation de Boufarik subit le même sort : il n'était alors plus question de célébrer le « génie colonisateur français ». Au contraire, de nombreux monuments furent rapportés en France et installés dans des localités ayant un lien soit avec le personnage statufié, soit avec le lieu d'origine du monument (un jumelage par exemple), soit avec l'événement évoqué.

À défaut de monuments, des plaques, des cloches ont aussi été prises en Algérie et rapportées en France. Privées de

4. Alain Amato, *Monuments en exil*, Éditions de l'Atlanthrope, 1979, 253 p.

leurs lieux d'origine, les mémoires se sont attachées à en construire d'autres qui sont, peut-être, plus que des lieux de mémoire d'une Algérie française disparue, des lieux pour exilés, sur un territoire national parfois encore ressenti comme étranger, comme différent. C'est le cas de l'église du Sacré-Cœur construite à Antibes et inaugurée en 1972 : elle a été décorée avec des éléments venus de nombreuses paroisses d'Algérie et comporte une chapelle où des plaques rappellent les noms de familles enterrées en Algérie. C'est aussi le cas de la chapelle de la cité du Mas-de-Mingue, à Nîmes, construite pour accueillir la statue de Notre-Dame de Santa Cruz, permettant de reprendre, dès 1966, le pèlerinage annuel à la Vierge, le jour de l'Ascension.

Ces lieux artificiels ont pu faire souche et servir de creuset pour une nouvelle naissance dans l'identité nationale. Le pèlerinage à Nîmes a constitué une habitude de rassemblement, réunissant moins de 10 000 personnes dans les années 1960 et plus de 100 000 vingt ou trente ans plus tard. Il est devenu le lieu de « singulières retrouvailles » commémorant « un passé sans devenir, portant en lui la souffrance d'un deuil non fait, et une mémoire collective vouée à disparaître, faute de pouvoir se transmettre au-delà de la génération partie d'Algérie » (Baussant, 2002 : 6). Mais il fut aussi un endroit pour échanger et finalement accepter le sens de l'histoire.

Néanmoins, durant les deux premières décennies qui suivirent la guerre, la disparition de l'Algérie française était restée difficile à admettre pour certains. Des petits groupes se sont faits les porte-parole militants de ce refus, parlant, notamment, de « transplantés » ou de « pieds-noirs », mais pas de « rapatriés ». Une revue comme *Itinéraires. Chroniques et documents*, caractérisée par son anticommunisme et son intégrisme chrétien opposé à Vatican II, a ainsi ouvert ses colonnes à d'anciens Français d'Algérie continuant à mener une guerre entamée là-bas. En juin 1972, le numéro spécial « Dix ans qu'on est là » proposait ainsi des messages des généraux Salan et Jouhaud affirmant que « ce n'[était] pas l'OAS qui a[vait] chassé les Français d'Algérie. Elle n'a[vait] existé que pour les défendre »[5]. Une amnistie était d'ailleurs réclamée dans la revue.

En dépit d'une fidélité évidente aux engagements du passé, le numéro de juin 1982, spécial « Vingt ans après », reflétait une évolution dans la relation de ces extrémistes à la guerre d'Algérie. Délaissant des analyses du conflit et des plaidoyers pour l'action d'hier, la revue s'attachait alors à la situation des pieds-noirs en France : ils sont « admis, mais à condition, bien sûr, de renier ce qu'ils furent, ou de se taire là-dessus. C'est le passé, n'en parlons plus. D'ailleurs, eux non plus n'aiment pas en parler, sauf entre amis »[6]. Le numéro était marqué par des sentiments affichés, tels que le dégoût et la nostalgie, et caractérisé par une hostilité dirigée non plus contre les Algériens mais contre les gouvernements français successifs. Les combats du passé cessaient d'être réactivés tels quels pour devenir combats pour la mémoire et pour la vérité au nom des morts : « L'actuelle majorité pour n'être pas en reste, écrivait la revue, a fait donner Ben Bella à la télé, tandis que les drapeaux de la FNACA (Fédération nationale des anciens combattants en Algérie, Maroc et Tunisie) remontaient les Champs-Élysées pour mieux bafouer la mémoire des milliers d'hommes assassinés après le cessez-le-feu » (p. 127). La guerre pour l'écriture de l'histoire était explicite : les ennemis étaient désignés et ils étaient français.

Rien d'étonnant à ce que l'on retrouve dans cette même mouvance l'Association pour la sauvegarde des familles et enfants de disparus, terme désignant non pas les Algériens disparus dans les mains des militaires français, mais les personnes disparues après le cessez-le-feu. Cette association est alors dirigée par Hervé de Blignières, militaire de carrière se voulant « soldat chrétien »[7]. Ancien chef d'état-major de

---

5. Message du général Salan, *Itinéraires. Chroniques et documents*, 164, juin 1972.

6. *Itinéraires…, op. cit.*, 264, juin 1982, p. 139.

7. Hugues Kéraly, *Hervé de Blignières : un combattant dans les tourmentes du siècle*, Albin Michel, 1990, 341 p.

l'OAS-métropole, il avait été détenu pour cette raison jusqu'en 1965. Disposant de quelques relais parlementaires, l'association tenta régulièrement d'obtenir que les disparus ne soient pas considérés comme décédés. En 1986 encore, elle estimait que ces Français étaient des otages, laissant penser qu'ils pouvaient être vivants[8]. N'était l'aspect tragique de ces vies interrompues et de ces familles souffrant, ce combat était en complet décalage avec la réalité de la guerre – l'assassinat effectif de Français après le cessez-le-feu –, il résonnait surtout comme une lutte inachevée contre l'ennemi d'hier qui était, dans cette frange de l'opinion française, bien plus un ennemi intérieur français qu'un ennemi algérien.

L'expression parfois utilisée de « mémoire des vaincus » pour désigner les tenants de l'Algérie française et notamment les auteurs de récits nostalgiques de cette époque, qui constituèrent l'essentiel des témoignages publiés dans les années 1960, entérine d'ailleurs cette vision des choses. Elle est pourtant surprenante. En effet, qui sont alors les vainqueurs de la guerre ? Les partisans de l'indépendance de l'Algérie, des porteurs de valises au général de Gaulle qui négocia finalement cette indépendance ? Comment parler alors des Algériens ? Cette expression suggère que les seuls vaincus seraient ceux qui ont soutenu jusqu'au bout l'Algérie française. Elle fait l'économie d'une réflexion sur le silence de ces étranges « vainqueurs » dans les années d'après-guerre en sous-entendant le succès de leur camp. Or ce camp n'existait pas pendant la guerre et le silence de ces divers groupes « vainqueurs » (les partis politiques notamment mais pas seulement) leur permit surtout d'éviter de se pencher sur leur acceptation souvent tardive de la fin de l'empire et d'omettre de rendre compte de leur évolution pendant la guerre.

Conséquence de ces divers malaises dans la société, la fin des années 1960 fut marquée par un immense appétit de

8. Marc-Louis Leclair, *Disparus en Algérie. 3 000 Français en possibilité de survie*, Jacques Grancher, 1986, 260 p.

savoir sur la guerre d'Algérie. Des événements interpellèrent les contemporains sur ce passé proche : ainsi de la guerre des États-Unis au Vietnam et des manifestations d'opposition des étudiants américains, des révoltes de mai 1968 et de la question de l'engagement politique face à un pouvoir à l'autoritarisme dépassé, ou encore de la censure de *La Bataille d'Alger* de Gillo Pontecorvo, interdit en France mais Lion d'or à Venise en 1966. Les nouvelles générations, celles qui avaient été juste un peu trop jeunes pour partir en Algérie, celles qui avaient eu 10 ans en mai 1958 et 20 en mai 1968, se précipitèrent sur les livres d'Yves Courrière, *La Guerre d'Algérie*. Quatre volumes, un par an, pour satisfaire cette soif de savoir, ce besoin de comprendre ce qui s'était passé là-bas et ce qu'y avaient vécu les proches. Un million d'exemplaires furent vendus[9] et la soif non étanchée put trouver de nouvelles sources dans *Historia. Guerre d'Algérie*, dirigée aussi par Yves Courrière, regarder le livre de photographies du même (Courrière, 1972) ou encore le documentaire qu'il réalisa avec Philippe Monnier[10]. Des films ayant directement comme sujet la guerre d'Algérie connurent un succès certain comme *Élise ou la Vraie Vie*, adapté du roman de Claire Etcherelli, prix Femina en 1967, *Avoir vingt ans dans les Aurès*, prix de la critique internationale à Cannes en 1972, ou encore *RAS* en 1973[11]. La guerre devint presque populaire tandis que, dans le mouvement de retour sur le passé sombre qui s'amorçait alors à propos de la période de Vichy (Rousso, 1987), les Français commençaient à se demander ce qu'ils savaient sur la guerre d'Algérie[12].

---

9. Selon Stora, 1991a.

10. *La Guerre d'Algérie*, de Yves Courrière et Philippe Monnier, 1971-1972.

11. *Élise ou la Vraie Vie*, de Michel Drach (sorti en novembre 1970) ; *Avoir vingt ans dans les Aurès*, de René Vautier (sorti en mai 1972) ; et *RAS*, d'Yves Boisset (sorti en août 1973, interdit aux moins de 18 ans).

12. Le troisième volet du documentaire d'André Harris et Alain de Sédouy, *Français si vous saviez*, intitulé « Je vous ai compris » (1972), est presque totalement consacré à la guerre d'Algérie.

Autour du dixième anniversaire de la fin de la guerre, les récits se multipliaient : au cinéma, à la télévision, dans la presse, dans l'édition aussi. Après le succès international du film de Gillo Pontecorvo, ce fut encore « la bataille d'Alger » qui concentra l'essentiel du débat et, avec elle, la question de la torture pratiquée par des militaires français en Algérie. En réponse à ce film réalisé à Alger avec le soutien de Yacef Saadi et la participation des habitants de la Casbah à cette reconstitution de leur histoire, le responsable des troupes françaises chargées de réprimer le nationalisme et le terrorisme à l'époque, le général Massu, prit la plume : *La Vraie Bataille d'Alger* sortit en 1971. D'autres livres d'anciens militaires parurent aussi dans les années qui suivirent, se présentant comme des plaidoyers *pro domo*. Le récit du général Massu provoqua la réaction immédiate de deux officiers de renom, Jules Roy et Jacques Pâris de Bollardière. Avec des tons différents – comme l'exprimaient leurs titres : respectivement *J'accuse le général Massu* et *Bataille d'Alger, bataille de l'homme*[13] –, ces livres réfutaient les termes de l'analyse militaire en se situant sur le terrain des valeurs humaines.

La critique politique fut quant à elle fournie par l'historien Pierre Vidal-Naquet, ancien responsable du comité Audin – du nom du militant communiste arrêté par les parachutistes du général Massu et disparu à jamais entre leurs mains en 1957. Dans *La Torture dans la République*, il déplaçait les enjeux de la pratique de la torture du terrain militaire ou moral à celui des principes de la République française. Son but était « d'inquiéter, de montrer que les devises les plus solennelles n'empêchaient pas les bourreaux de manier la magnéto et le tuyau à eau et d'étouffer les hommes dans l'ombre » (Vidal-Naquet, 1998 : 353). Le livre, paru en France en 1972, était une traduction d'un texte déjà publié

---

13. Jules Roy, *J'accuse le général Massu*, Le Seuil, 1972, 119 p. ; et Jacques Pâris de Bollardière, *Bataille d'Alger, bataille de l'homme*, Desclée de Brouwer, 1972, 167 p.

en anglais et en italien en 1963[14] : il attendait que les Français fussent prêts à le lire. Son auteur pensait écrire pour les étrangers et les générations futures mais, en 1972 déjà, la guerre d'Algérie pouvait paraître lointaine à certains qui voulaient comprendre ce que souvent, dès l'époque, ils n'avaient pas compris ou peut-être même pas vu. Un nouveau livre, en 1975, vint remplir les mêmes buts, centré cette fois exclusivement sur l'armée de la République (Vidal-Naquet, 1975). L'historien mettait en garde contre la manière dont la guerre d'Algérie avait pénétré la société française : « Les anciens d'Algérie, écrivait-il, font prime sur le marché de brigades patronales. Les rapports hiérarchiques, les méthodes militaires d'encadrement se transmettent facilement de l'armée à l'usine. Au-delà enfin de l'armée et des anciens militaires, il est clair que, de temps à autre, les méthodes algériennes peuvent être utilisées » (Vidal-Naquet, 1975 : 11). Ce livre témoignait aussi de la lucidité de l'engagement de Pierre Vidal-Naquet pendant la guerre et de la pertinence de ses analyses. Comme les films et les autres livres qui paraissaient alors en France, il était centré sur la France et en particulier sur le comportement des forces de l'ordre.

Le point de vue des Algériens était pratiquement absent des livres comme des films de fiction ou des documentaires – le petit film de Marc Ferro et Marie-Louise Derrien constituant une exception[15]. Quant aux films réalisés par des Algériens, ils étaient peu vus en France même s'ils avaient été primés, tels *Le Vent des Aurès* (1966) ou *Chronique des années de braise* (1975)[16] de Mohamed Lakhdar Hamina.

---

14. Le livre paraît aux éditions de Minuit en 1972. Il était déjà sorti à l'étranger sous les titres suivants : *Torture : Cancer of Democracy* (Harmondsworth, Penguin Books, 1963) et *Lo Stato di Tortura* (Bari, Laterza, 1963).

15. *Algérie 1954, la révolte d'un colonisé*, de Marc Ferro et Marie-Louise Derrien, Hachette/Pathé cinéma, 1974 (13 minutes).

16. Palme d'or au Festival de Cannes, ce film retrace l'épopée des différents mouvements de résistance algériens depuis le début de la période coloniale jusqu'en 1954.

Leurs livres étaient encore très peu nombreux tandis qu'une histoire officielle de la lutte de libération se mettait en place en Algérie. Enfin, les Algériens restés en France paraissaient muets. *Octobre à Paris* du cinéaste militant Jacques Panijel, sur le 17 octobre 1961, fut projeté en mai 1968 mais cette mémoire de la guerre était cantonnée à des milieux militants ou familiaux.

Tous accompagnaient en définitive le mouvement de retrait de la France vis-à-vis de l'Algérie : il s'agissait de rentrer et, chacun chez soi, d'interroger les siens[17]. La guerre d'Algérie entra ainsi lentement dans le passé français, mais la Méditerranée redevenait une frontière : ses deux rives se tournaient le dos.

Vivre ensemble en France

Dans les années 1970 est apparu, d'abord en mode mineur puis de plus en plus nettement, un cheminement vers plus de tranquillité. Les reliquats de vengeance, définie comme une fidélité aux morts mais aussi comme un « échange de morts »[18], cédèrent peu à peu la place à une forme d'apaisement des mémoires. Des fictions s'attachant à décrire les tribulations de familles pieds-noires devinrent des succès de librairie ou de box-office, au premier rang desquels *Le Coup*

---

17. Dans ce contexte, les harkis et leurs enfants installés en France eurent le sentiment d'être les laissés-pour-compte de cette histoire collective à deux voix, dans laquelle personne ne semblait vouloir entendre leur point de vue trop discordant. Une grève de la faim, en septembre 1974, précéda la révolte qui explosa au printemps 1975 dans les camps de Bias et de Saint-Maurice-l'Ardoise à la suite de laquelle le secrétaire d'État Jacques Dominati tenta de résorber les camps (voir Müller, 1999 : 136). Sur la politique française envers les harkis après la guerre, voir, par exemple, Catherine Withol de Wenden « Les harkis : a community in the making ? », *in* Hargreaves et Heffernan : 1993.

18. Wolfgang Sofsky, *L'Ère de l'épouvante. Folie meurtrière, terreur, guerre*, Gallimard, 2002, p. 207.

de sirocco, sorti en 1978 et adapté au cinéma un an plus tard[19]. Bien que s'adressant d'abord à un public spécifique, le choix de formes commerciales permettait d'attendre un succès dépassant le cadre communautaire. Le cinéma eut, à partir de là, un rôle important de passeur, présentant à l'ensemble des Français ces cousins d'Algérie encore mal connus. Une nostalgie certaine du passé émergeait, gommant les inégalités de la situation coloniale. Il ne s'agissait pas de polémiquer. Le passé et le présent se construisaient dans un même mouvement.

Cette insertion plus tranquille en France, après le volontarisme et l'énergie déployés dans les années 1960 pour se bâtir une place, retrouver des marques familières pour les Français d'Algérie, correspondit à l'érection d'un monument d'hommage à ces citoyens particuliers. Il fut construit à Nice, ville dont le rattachement à la France avait été postérieur à celui de l'Algérie, et dans le square Alsace-Lorraine, symbole s'il en fut de la patrie perdue puis retrouvée, région d'origine de nombreux Français d'Algérie ayant gagné ce territoire à la suite de la défaite de 1870. Œuvre du sculpteur algérois André Greck, Grand Prix de Rome en 1936, il rejoignait dans ce square le monument en hommage à Paul Déroulède. Une main tenant une urne funéraire y était accompagnée d'inscriptions. Le projet était explicite : « 1830-1962. Passant, souviens-toi qu'il y eut une Algérie française et n'oublie jamais ceux qui sont morts pour elle. » Mais les inscriptions situées sur le côté étaient plus politiques. À droite : « Aux Français d'Afrique du Nord et des terres lointaines qui firent la France d'outre-mer, la ville de Nice a voulu donner, sous son ciel bleu et ses palmiers au bord de sa mer latine, l'image du pays perdu », puis « La joie de l'âme est dans l'action. Lyautey » ; et à gauche : « Roger Degueldre, symbole de l'Algérie française ». Le lieutenant Degueldre, chef des commandos delta de l'OAS, condamné

---

19. Daniel Saint-Hamont, *Le Coup de sirocco. Une famille de pieds-noirs en France*, Fayard, 1978, 255 p. Le film d'Alexandre Arcady sortit en 1979.

à mort et fusillé en juillet 1962, était célébré comme un héros. Une petite plaque située dans l'herbe, à ses pieds, précisait d'ailleurs : « Aux martyrs de l'Algérie française[20]. » Sous l'apparence d'un mémorial des rapatriés, c'était en fait la tendance activiste de l'Algérie française qui était célébrée. Dès le début, la ville de Nice avait su se montrer très accueillante avec les pieds-noirs qui s'y installèrent. L'alliance entre ces rapatriés et le maire Jean Médecin, puis son fils Jacques, s'était scellée sur la base d'un antigaullisme profond et d'une nostalgie de l'Algérie française. La mairie avait su témoigner de la compassion pour les pieds-noirs et de la sympathie pour les anciens membres de l'OAS. Les rapatriés avaient trouvé à Nice « une ville refuge, une terre d'accueil et, en la personne du "roi Jean" [Jean Médecin], un protecteur passionné et déterminé qui leur a[vait] offert une première et vraie revanche sur de Gaulle et la Ve République dont ils se proclam[ai]ent les victimes » (Olivesi, 2002 : 129) en prenant comme adjoint au maire Francis Jouhaud, le fils du général, et, plus généralement, en multipliant les gestes en faveur de ces nouveaux concitoyens.

Ce mémorial était très marqué par le contexte local. Il ne pouvait assurément pas rassembler l'ensemble des rapatriés autour de lui. D'autres projets furent proposés, ailleurs, pour construire un autre lieu de mémoire mais c'est en fait la ville de Nice qui, peu à peu, en vint à occuper elle-même cette place : en 1987, plusieurs dizaines de milliers de rapatriés s'y rassemblèrent pour commémorer le 25e anniversaire de leur arrivée sur le sol métropolitain. Se retrouver entre soi était devenu synonyme de plaisir et de nostalgie, la haine et la rancœur marquaient le pas tandis que, parallèlement, les médias s'attachaient à souligner la réussite économique et la bonne insertion des pieds-noirs en France. Enfin, une loi entendait régler définitivement l'indemnisation des rapatriés[21] :

---

20. Marguerite et Roger Isnard, *Sus lu barri. Les pierres racontent Nice*, Breil-sur-Roya, éditions du Cabri, 1989, 264 p.

21. Loi du 16 juillet 1987. En réalité, jusqu'en 2005, d'autres lois viennent compléter cette question des indemnisations.

le rappel du passé ne devait plus être un enjeu dans le présent mais occuper une place apaisée dans l'histoire nationale.

À partir des années 1970, les soldats décidèrent aussi de mettre en avant leur désir de tourner la page et d'inscrire la guerre dans le grand registre du passé. En 1974, une loi facilita cette normalisation en attribuant la carte du combattant à « ceux qui [avaient] pris part aux opérations effectuées en Afrique du Nord entre le 1er janvier 1952 et le 2 juillet 1962 »[22]. L'Union nationale des combattants, traditionnellement proche de la droite, publia un livre de témoignages et de photos affichant une relation pacifiée aux conflits passés. Ses membres s'y disaient fiers « d'avoir balayé de [leurs] cœurs toute rancune et toute haine, tant à l'égard de [leurs] ennemis d'hier qu'à l'égard de ceux qui n'[avaient] compris ni [leurs] combats, ni [leurs] sacrifices, ni [leurs] espérances »[23]. Là aussi, ce mouvement accompagna la construction d'un lieu de mémoire : un monument « à la mémoire des soldats, des marins, des aviateurs et des civils d'outre-mer morts pour la France » réalisé par un sculpteur originaire d'Oran. Représentant un guerrier à l'épée brisée dont le bouclier était orné d'une croix du Sud et de vagues, il fut inauguré le 1er octobre 1977 à la sortie d'Avignon en présence notamment du bachaga Boualem, du général Challe et de Jacques Dominati, secrétaire d'État auprès du Premier ministre, chargé des rapatriés. C'étaient cependant les partisans les plus fidèles de l'Algérie française qui se retrouvaient encore lors de cette cérémonie. Quelques jours plus tard, le 16 octobre 1977, le président de la République Valéry Giscard d'Estaing assista à l'inhumation des centres du soldat inconnu de la guerre d'Algérie à Notre-Dame de Lorette, dans le Pas-de-Calais.

Cette date allait constituer l'un des termes du débat divisant les anciens combattants autour d'une date de commé-

---

22. Loi n° 74-1044 du 9 décembre 1974.

23. François Porteu de la Morandière, *Soldats du djebel. Histoire de la guerre d'Algérie*, Société de production littéraire, 1979, 379 p.

moration de la guerre. Chacun cependant luttait pour que sa vision de la guerre soit reconnue par les autorités politiques et investie d'une valeur nationale, d'une dimension collective ; tous s'accordaient à mettre en avant leur désir de paix avec les Algériens, leur refus de réactiver les flammes du passé.

En France, des Algériens tentaient aussi de promouvoir une mémoire qui ne soit pas fragmentée et hostile. Même le souvenir de la répression sanglante d'Algériens désarmés le 17 octobre 1961 à Paris n'était pas brandi pour rappeler le racisme des forces de l'ordre françaises. Il était au contraire mis en relation avec la répression de la manifestation anti-OAS organisée par la gauche française en février 1962. L'Amicale des Algériens en France, proche du FLN, tenta d'ailleurs de promouvoir une commémoration commune des deux événements à partir de 1985[24]. Les deux États communiaient dans cette volonté d'apaisement. Le président Valéry Giscard d'Estaing s'était, peu de temps après son élection, rendu à Alger. Issu d'une tradition politique non gaulliste, il lui était sans doute plus facile d'accomplir des actes symboliques en direction de l'Algérie. Il déclara apporter le salut de « la France historique à l'Algérie indépendante » et le président Boumediene lui répondit : « Quand la mémoire donne sa chance à l'imagination, la réflexion exorcise les ombres et la rencontre alors peut devenir un rendez-vous de l'histoire » (Fabre, 1990 : 355). De bonnes relations étaient donc souhaitées des deux côtés ; l'apaisement sur le passé en était une des conditions. En 1983, la visite du président algérien à Paris vit l'hymne du FLN, devenu hymne algérien, joué pour la première fois en France de manière officielle. L'hebdomadaire de l'association Sans frontière, fondé par des jeunes issus de l'immigration et se voulant « fait par des immigrés pour des immi-

24. Voir Jim House et Neil MacMaster, « "Une journée portée disparue". The Paris massacre of 1961 and memory », *in* Kenneth Mouré et Martin S. Alexander (dir.), *Crisis and Renewal in France, 1918-1962*, New-York/Oxford, Berghahn Books, 2002.

grés » (Polac, 1994), titra : « La guerre d'Algérie est finie. » L'heure était plus que jamais à la réconciliation pour bâtir un avenir de relations privilégiées.

Ce souci avait aussi animé les partisans d'une amnistie en France. Les amnisties qui avaient accompagné les accords d'Évian prétendaient déjà établir un parallèle entre les deux groupes de personnes qu'elles concernaient : les auteurs d'« infractions commises au titre de l'insurrection algérienne » et ceux ayant agi « dans le cadre des opérations de maintien de l'ordre dirigées contre l'insurrection algérienne ». L'idée, acceptée par les deux parties signataires des accords d'Évian, était celle d'une réciprocité, d'une symétrie entre les deux anciens camps ennemis. En réalité, si les premiers bénéficiaires avaient bien été poursuivis ou condamnés pour leur participation à la lutte contre la présence française, les seconds n'avaient jamais été inquiétés puisqu'ils avaient accompli des actes que leur appartenance aux forces de l'ordre réclamait qu'ils fissent. Qu'importait pourtant : la réciprocité était affirmée[25]. Elle était un gage pour l'avenir (Heymann, 1972). En avril 1962, les accords d'Évian furent ratifiés par le peuple français et, avec eux, les amnisties[26]. Elles avaient des champs d'application définis par les enjeux du moment : elles visaient essentiellement à éviter que, d'une part, l'État français continue de poursuivre des nationalistes algériens et que, d'autre part, l'État algérien tente de traduire en justice les Français responsables de crimes ou de délits envers des Algériens. En avaient été exclus les porteurs de valises, les déserteurs et les membres de l'OAS, ressortant bien plus d'une guerre franco-française que de l'affrontement franco-algérien.

La condamnation, voire l'emprisonnement, de ces individus étaient le rappel vivant des divisions qui avaient déchiré

---

25. Stéphane Gacon fait bien remarquer que le second décret de mars 1962 « n'a pas été négocié à Évian et relève de la seule initiative du gouvernement français, qui le présente comme une décision réciproque » (Gacon, 2002 : 257).

26. Loi référendaire du 13 avril 1962.

les Français pendant la guerre. Après l'échec du combat pour l'Algérie française, ses partisans n'eurent de cesse d'obtenir de l'État français une nouvelle amnistie. Au-delà des soutiens acquis, dès 1962, au sein des milieux des rapatriés, de l'armée et de l'Église, ce projet fut soutenu par les socialistes en 1966 au motif que lui seul permettrait une bonne intégration des rapatriés en France : « Voter une amnistie générale, ce serait faciliter leur intégration ; la refuser, ce serait la compromettre et entretenir des rancœurs » (Gacon, 2002 : 280). L'argument porta, de même qu'il joua après mai 1968 – que le général de Gaulle ait eu besoin du soutien de cette partie de l'opinion pour raffermir son pouvoir et qu'il ait souhaité « apaiser le pays après la crise » n'étant, en l'occurrence, pas contradictoire[27]. La loi du 31 juillet 1968 permit à tous les anciens membres de l'OAS de sortir de prison ou de rentrer d'exil.

À cette date, l'amnistie avait connu une extension maximale. Dans les années qui suivirent, des décisions dépassèrent le cadre de la fonction sociale de l'amnistie comme ciment de réconciliation, nécessaire au retour de la paix civile, telle que décrite par Nicole Loraux ou Giorgio Agamben[28]. En effet, si l'amnistie entraînait la remise des peines et l'interdiction des poursuites, elle n'impliquait pas la réintégration dans les fonctions et grades, pas plus que la reconstitution de carrière. La réintégration dans l'ordre de la Légion d'honneur en était aussi exclue ainsi que le droit de porter des médailles. En 1974, ces points symboliques étaient acquis : les personnes concernées par les amnisties furent réintégrées dans l'ordre de la Légion d'honneur, l'ordre de la Libération, l'ordre national du Mérite et dans le droit au port de la médaille militaire et de toute décora-

27. Au total, trois lois d'amnistie furent votées les 23 décembre 1964, 17 juin 1966 et 31 juillet 1968. Elles visèrent d'abord les faits les moins graves jusqu'aux faits les plus graves.

28. Nicole Loraux, *La Cité divisée*, Payot, 1997, 291 p. Giorgio Agamben, « Du bon usage de la mémoire et de l'oubli », postface à Toni Negri, *Exil*, Éditions Mille et une nuits, 1998, 70 p.

tion[29]. En revanche la réintégration dans les grades civils et militaires se fit sans reconstitution de carrière.

Après cette date, cette ultime normalisation administrative était attendue pour 800 officiers, 800 policiers et 400 administrateurs civils renvoyés de la fonction publique entre 1961 et 1963. Pour les généraux putschistes, cette révision de carrière aurait signifié leur réintégration dans le cadre de réserve. Les associations de pieds-noirs, et en particulier Jacques Roseau, porte-parole du Recours, négocièrent avec le candidat socialiste à l'élection présidentielle de 1981, François Mitterrand : en échange d'une promesse d'amnistie totale, il semble qu'elles aient décidé de demander aux rapatriés de voter pour lui. Celui-ci avait en effet, dès 1966, déposé une proposition de loi prévoyant la « réintégration de plein droit dans les fonctions, emplois publics, offices publics ou ministériels ainsi que les divers droits à pension » et, en 1974, les socialistes avaient été partisans d'un élargissement de l'amnistie aux putschistes de 1961 (Guisnel, 1990).

Après la victoire socialiste à l'élection, un projet de loi fut proposé, en septembre 1982, par Raymond Courrière, secrétaire d'État chargé des rapatriés. Il s'agissait de porter « réparation de préjudices subis par les agents publics et les personnes privées en raison des événements d'Afrique du Nord ». Mais les députés rechignèrent à voter ce texte : les jeunes socialistes s'opposèrent à leurs aînés, en particulier sur la question des généraux putschistes. Cette hostilité était précisément une trace de la guerre d'Algérie : c'était justement parce que cette génération avait « été formée au militantisme et qu'elle a[vait] acquis une conscience politique au moment de la guerre d'Algérie, qu'elle s'[était] formée politiquement contre les compromissions de la SFIO » qu'il ne pouvait « être question que la République réhabilite les assassins de la République » (Gacon, 2002 : 306). Quant aux

29. La loi est étendue aux « officiers et sous-officiers exclus de l'armée pour des faits relatifs à la guerre d'Indochine » (loi n° 74-643 du 16 juillet 1974).

gaullistes et aux communistes, ils affichèrent une fidélité absolue à leurs positions d'antan en ajoutant leurs voix à l'amendement qui excluait les généraux putschistes de la loi. Le gouvernement de Pierre Mauroy engagea finalement sa responsabilité sur le projet de loi qui fut voté en deuxième lecture le 23 novembre 1982. Le Premier ministre prit alors soin de préciser : « Le pardon n'est pas l'oubli. Il n'implique aucune approbation des faits qui, hier, ont provoqué des condamnations. Mais la société française doit aider à l'apaisement des esprits. Elle doit aider à refermer les plaies. C'est le rôle du gouvernement[30]. » Malgré l'hostilité de nombreux députés et l'émotion de quelques personnalités, le gouvernement avait décidé d'accompagner à sa manière la neutralisation du passé algérien dans la société française[31].

À la rentrée suivante, une nouvelle preuve tangible de cette volonté fut apportée : la guerre d'Algérie fut mise au programme des classes de terminale des lycées à l'occasion de la refonte générale des programmes d'histoire et de géographie. La FNACA créa dans la foulée le GAJE (Guerre d'Algérie Jeunesse Enseignement) et organisa, dès 1983, une exposition sur la guerre d'Algérie conçue pour être prêtée notamment en milieu scolaire. Le journal de la Fédération quant à lui se proposait d'analyser un manuel scolaire par mois à partir de novembre 1983. Il s'agissait d'être vigilant sur la place accordée au contingent dans les analyses de la guerre.

Les Algériens aussi ont manifesté ce souci de contrôler l'écriture de l'histoire. Depuis les années 1970, il ne fut pas de rapprochement politique avec l'Algérie qui ne s'accompagnât d'une demande officielle de rapatriement des archives concernant la période coloniale. Les autorités françaises promirent parfois mais rien ne se fit et, en définitive, le principe fut affiché : il n'était pas question de céder des archives dites de souveraineté à un gouvernement étranger

---

30. Cité par Guisnel, 1990 : 72.
31. Loi du 3 décembre 1982.

– tout au plus pouvait-on envisager un microfilmage de ce que possédait la France. La question avait cependant fait suffisamment peur pour que des voix s'élèvent contre le rapatriement[32]. Selon Benjamin Stora, « personne, n'os[ait] dire clairement que révéler le contenu de ces archives pourrait être embarrassant, mais qu'il [était] indispensable d'y faire face » (Stora, 1991 : 274). On venait tout juste d'accepter de cicatriser les déchirures nationales liées à la guerre ; le temps ne semblait pas encore venu d'assumer le passé colonial[33].

L'actualité française se chargea pourtant de le faire resurgir. Vingt ans après la fin des affrontements, les enfants des Algériens venus pendant et après la guerre interrogeaient le modèle d'intégration français de l'intérieur. Avec leur présence dans l'espace social, puis dans l'espace public français, c'était « l'illusion du provisoire » qui s'effondrait, pour reprendre l'expression du sociologue Abdelmalek Sayad. « Les autorités des deux pays [avaient] feint de croire que l'immigration algérienne serait temporaire sans prendre en compte les enfants qui [avaient] ainsi à subir le contrecoup des mesures adoptées à l'égard de leurs parents ou plus généralement de l'ensemble de la politique migratoire française, envisagée au seul chapitre des conditions d'entrée et de séjour », dénonçait la juriste Jacqueline Costa-Lascoux en 1981 (Costa-Lascoux, 1981 : 301). La question de leur nationalité, par exemple, n'avait pas été réglée : les enfants nés en France après le 1er janvier 1963 de parents algériens possédaient la double nationalité. À l'âge de leur service militaire, aucune solution n'avait encore été trouvée. Cette situation de quasi-immigrés dans un pays dans lequel ils avaient toujours vécu était renforcée par le système scolaire qui ne faisait que « reproduire à l'égard de

32. Ainsi l'Association des professeurs d'histoire et de géographie, voir le communiqué publié in *Historiens & Géographes*, 308, mars 1986, p. 889.

33. Abdelkrim Badjadja, « Panorama des archives de l'Algérie moderne et contemporaine », *in* Harbi et Stora (dir.), 2004.

l'enfant de parents immigrés – et en plus exacerbé encore – toutes les formes de déni qui caractéris[ai]ent la position faite au sein de la société française aux groupes immigrés, et spécialement aux plus immigrés des immigrés, les Algériens ». Or « la révélation du déni d'existence des immigrés met[tait] en cause la représentation que la société a[vait] d'elle-même : démocratique sinon égalitaire, universaliste, innocente et compatissante par rapport au drame humain que [pouvait] représenter l'immigration »[34].

Le refus de considérer le passé colonial de la France pour réagir aux problèmes du présent était évident dans la politique de contrôle de l'immigration : celle-ci était considérée exclusivement comme une gestion de flux d'entrants et de sortants. On en occultait la dimension historique et humaine, en particulier, la question des enfants nés de parents immigrés sur le sol français. Après quelques émergences à la fin des années 1970 et au début des années 1980[35], la question de la nationalité de ces jeunes fut prise en charge par des groupes militants qui l'articulèrent à la question de la lutte contre le racisme et pour le respect de l'autre. Fin 1983, une marche pour l'égalité et contre le racisme portait une revendication tournée vers le présent et l'avenir, et exprimait un désir de vivre en France et d'y être reconnus. Un tract diffusé en août 1983 précisait ainsi : « Le but de notre marche, ce sera d'abord celui-ci : manifester qu'il y a en France un peuple nombreux qui veut que la vie ensemble des communautés d'origines différentes soit possible dans la paix et la justice, pour le bonheur de tous [...]. Habitants de France venus d'horizons divers, nous traversons ce pays qui est le nôtre pour dire à tous ceux que nous rencontrerons que nous

---

34. Françoise Henry-Lorcerie, « Enfants d'immigrés et école française : à propos du mot d'ordre de pédagogie interculturelle », *Annuaire de l'Afrique du Nord*, CNRS Éditions, 1981, p. 273.

35. Ainsi Tony Laîné et Daniel Karlin, *La Mal Vie*, Éditions sociales, 1978 ou le livre de Céline Ackaouy, *Un nom de papier : l'identité perdue d'un immigré ou l'histoire de Mahiou Roumi*, Clancier-Guénaud, 1981, 230 p.

voulons former ensemble une nation solidaire liée par la fraternité. Nous le traversons pour retrouver tous ceux et toutes celles qui veulent avec nous que l'égalité des droits et des chances l'emporte sur la ségrégation, que l'amitié ait raison du racisme, et que la paix sociale fasse taire les 22 long rifle » (Moumen, 2003 : 181).

Ces jeunes avaient résumé leurs différences en un mot, par lequel ils se désignaient : les « beurs ». Selon le principe du parler *verlan* alors revenu à la mode chez les jeunes, « beurs » signifiait « Arabes », dans une inversion des syllabes valant changement de point de vue : ils reprenaient pour eux le mot qui leur étaient souvent renvoyé comme une assignation d'origine, voire une insulte. « Beurs » était une invention dans la langue française, une manière d'affirmer leur (re)naissance en France. Mais le mot allait encore plus loin puisque « beur » faisait du français avec de l'arabe : il retournait le mot arabe « 'reub » comme reflété dans un miroir ('reub/beur).

Tandis qu'un mouvement beur prenait ses marques, le racisme, souvent insidieusement présent dans les discours politiques, fit une entrée fracassante sur la scène nationale avec le succès du Front national aux élections européennes de 1984 (10,95 % des suffrages exprimés). Des catégories de discours venus du passé se trouvèrent réemployées dans le débat politique et l'immigration devint un sujet de débat récurrent et un enjeu politique majeur en France, obligeant tous les partis à se positionner.

Les termes du débat empruntaient bien souvent à un imaginaire de l'islam, issu de l'imaginaire colonial (Savarèse, 1998, et Gastaut, 2000). Cet imaginaire associant toute personne d'origine maghrébine à l'islam, voire à un islam radical, fanatique, antirépublicain, trouva confirmation de ses craintes dans ce que l'on appela « l'affaire du foulard » en 1989. La question de savoir si l'école de la République pouvait accepter dans son enceinte des jeunes filles portant sur la tête un voile signifiant leur soumission à un ordre religieux enflamma l'opinion et embarrassa les gouvernements successifs. Au même moment, et alors que la réforme du code de la nationalité, en 1986, avait obligé les enfants à choisir entre la nationalité de leurs parents et celle de leur pays de naissance, des centaines de candidats d'origine maghrébine se présentèrent et furent élus aux élections municipales de 1989. « L'affaire du foulard » elle-même témoignait en fait d'une francisation des débats : la question était franco-française ; la guerre d'Algérie ne fut pas évoquée. De même qu'elle fut absente des débats autour des différentes lois sur l'immigration votées dans les années 1990.

Aux alentours du 30e anniversaire de la fin de la guerre, celle-ci semblait avoir trouvé sa place dans la temporalité nationale française, entre la période de Vichy et mai 1968. Et pourtant les mobilisations autour de certains événements du passé, autour de certaines commémorations, allaient révéler que cette histoire pouvait encore être l'objet de vifs débats.

Commémorer et revendiquer

À partir de l'automne 1988 arrivèrent d'Algérie des témoignages de plus en plus alarmants sur la violence d'État et la violence islamiste. Des Algériens commencèrent à se réfugier en France. Des membres du FIS (Front islamique du salut) d'abord. Ils furent reconnus par les autorités françaises comme « réfugiés politiques » avant de se voir retirer ce qualificatif en 1993 et d'être considérés comme des « terroristes en fuite », à l'instar des catégories mises en place par le pouvoir algérien (Benoît, 1995). Ensuite, les assassinats d'intellectuels, de médecins, de magistrats, de journalistes par des islamistes radicaux, privés de leur victoire électorale en janvier 1992, poussèrent d'autres Algériens à chercher refuge de l'autre côté de la mer. Des attentats vinrent, enfin, faire résonner aux oreilles des Français des échos de la réalité algérienne. La guerre semblait revenir d'Algérie. Parallèlement, une véritable explosion de récits sur la période 1954-1962 eut lieu ; la guerre était considérée comme l'événement le plus important survenu depuis la Libération par plus de la moitié des Français[36].

La guerre avait donné de ses nouvelles, dès 1991, avec la révolte des enfants de harkis, qui se différencièrent alors des autres acteurs du champ associatif et politique issu de l'immigration et portèrent sur le devant de la scène le mot « harki » (Müller, 1999). Ils interpellèrent les autorités, et les Français en général, sur le traitement subi par ces hommes qui s'étaient battus à leurs côtés. Porté par les enfants héritiers d'une identité-stigmate s'exprimait alors un désir de reconnaissance et de réparation (Enjelvin, 2003), tant il est vrai que leur mémoire était « une mémoire collective de la trahison, de l'abandon, de l'exclusion, de la perte, de l'oubli, de l'injustice et de la dette du sang versé », une mémoire fondant une « identité victime »[37]. Le passé était alors mobilisé pour un meilleur futur ; la période de la guerre était embrassée dans la perspective des trente années écoulées depuis[38].

---

36. Sondage Paris-Match/BVA/FR3 paru dans *Paris-Match* le 13 septembre 1990.

37. Nicole Gallant, « Les politiques de réparation transhistorique comme expression de justice », mémoire de DEA, IEP de Grenoble, 1996, 172 p., p. 108, cité par Enjelvin, 2003.

38. La loi du 11 juin 1994 affirma « la reconnaissance prioritaire de la dette morale de la nation à l'égard de ces hommes et de ces femmes qui ont directement souffert de leur engagement au service de notre pays ». En revanche la loi du 23 février 2005 déborda ce cadre strictement moral. Elle précisait dans son article 1er : « La nation exprime sa reconnaissance aux femmes et aux hommes qui ont participé à l'œuvre accomplie par la France dans les anciens départements français d'Algérie, au Maroc, en Tunisie et en Indochine ainsi que dans les territoires placés antérieurement sous la souveraineté française. Elle reconnaît les souffrances éprouvées et les sacrifices endurés par les rapatriés, les anciens membres des formations supplétives et assimilés, les disparus et les victimes civiles et militaires des événements liés au processus d'indépendance de ces anciens départements et territoires et leur rend, ainsi qu'à leurs familles, solennellement hommage. » Les harkis étaient ainsi associés à l'œuvre de la France en Algérie, dont la loi disait par ailleurs que sa dimension positive devait être mise en avant.

Ce poids du présent sur la manière d'appréhender le passé était explicitement assumé dans un documentaire produit par la télévision française, en 1991, intitulé *Les Années algériennes*. Ce film avait pour projet de rendre compte du mouvement d'aller et retour entre le passé et le présent qui nourrissait, en France (comme en Algérie d'ailleurs, le film le suggérait ponctuellement), les interrogations qu'une société entretenait sur son passé. Il avait été réalisé notamment par Benjamin Stora, auteur de la première étude sur la mémoire de la guerre d'Algérie (Stora, 1991). Ce thème mobilisa aussi la Ligue de l'enseignement qui organisa alors une vaste réflexion collective autour du thème de la mémoire et de l'enseignement de la guerre d'Algérie (Le Dain et Oussedik, Manceron et Gabaut (coord.), 1993).

Avec cette mémoire resurgissaient les individus. Plusieurs documentaires s'attachèrent alors à donner la parole à ceux que l'on pensait n'avoir jamais entendus ou jamais écoutés : appelés dépassés par les enjeux d'une guerre qui ne disait pas son nom[39] ; harkis et enfants de harkis pris entre justifications d'hier et mal-être présent[40] ; témoins de la répression du 17 octobre 1961 contribuant à faire connaître un événement longtemps ignoré du public[41] ; Français ayant soutenu activement la cause de l'indépendance algérienne[42] ; membres de l'OAS témoignant d'un engagement pour une cause défunte[43] ou encore immigrés et enfants d'immigrés[44]. La télévision joua alors son rôle de médium : diffusant et rendant accessibles des informations sur la diversité des

---

39. *Lettres d'Algérie*, d'Anne-Claude Bocquet, diffusé sur France 2 en juillet 1992 ; et *La Guerre sans nom*, de Bertrand Tavernier, sorti en 1992.

40. *Harkis, fils de l'oubli*, d'Alain de Sédouy et Éric Deroo, trois films de 52 minutes diffusés en 1993 et 1995 à la télévision.

41. *Le Silence du fleuve*, de Mehdi Lallaoui et Agnès Denis, 1992.

42. *Les Frères des frères*, de Richard Copans, diffusé sur FR3 en mars 1992.

43. *OAS contre de Gaulle*, de Pierre Abramovici, 1991 ; *Hélie de Saint-Marc : un homme d'honneur*, de Patrick Jeudy, 1996.

44. *Mémoires d'immigrés*, de Yamina Benguigui, 1997.

acteurs engagés dans le conflit algérien, elle préféra les portraits personnels aux documentaires composés exclusivement de documents d'archives. La guerre d'Algérie en devint plus familière, plus proche peut-être[45].

Tout se passa comme si les différents canaux qui avaient drainé, séparément et de manière souterraine, des pans entiers de mémoire sur la guerre, faisaient surface, dans les années 1990, en déversant leur poids d'histoires et d'interrogations, de désirs de reconnaissance et de revendication, dans un même fleuve irriguant l'ensemble de la société française. Outre la télévision, des supports aussi populaires et massifs que le roman policier, la bande dessinée ou la chanson contribuèrent à l'acclimatation de la guerre d'Algérie dans la mémoire collective – ce qui ne signifiait pas qu'une version consensuelle du passé fût acceptée pour autant. Ainsi, un sondage réalisé en 1990 révélait la plus grande prégnance de la guerre d'Algérie dans la culture politique de la gauche française : seuls 8 % des électeurs de gauche étaient incapables de mobiliser une catégorie interprétative pour désigner la guerre d'Algérie, ce qui était le cas de 22 % des électeurs de droite[46]. En outre la moitié des électeurs de gauche interrogés estimaient qu'il s'était agi d'une « guerre de libération nationale » alors qu'un tiers des électeurs de droite seulement choisissaient cette catégorie : l'empreinte d'une culture politique forgée dans la guerre était encore nette. Cependant la complexité des événements avait aussi marqué les mémoires : un tiers des sondés, toutes tendances politiques confondues, estimaient que la guerre avait été une guerre civile. L'assassinat de Jacques Roseau par trois anciens membres de l'OAS le confirma encore en mars 1993.

Dans ces années, les événements internationaux et nationaux vinrent renforcer la visibilité de la guerre d'Algérie

45. Karine Tisseyre, « À la télévision, dans les années 80 », *CinémAction*, 85, 1997, p. 94-106.

46. Sondage *Paris-Match*/BVA/FR3 paru dans *Paris-Match* le 13 septembre 1990.

pour les Français. Ce fut d'abord la guerre en Algérie qui les fit replonger dans un vocabulaire et dans des réalités évoquant la violence de la guerre d'indépendance algérienne. Les formes extrêmes de mises à mort révélées par les médias produisirent comme un effet de sidération, renvoyant le pays à une sorte de destin tragique, ancré dans un éternel culturel, éloigné de toute explication politique ou sociale particulière. Un journaliste pouvait, par exemple, écrire en 1999 : « La violence de la répression, la manipulation des groupes armés et le recours à la "sale guerre" se sont révélés tout à fait inefficaces en ce qui concerne l'objectif essentiel du pouvoir : faire basculer la population de son côté, comme avait tenté de le faire l'armée française avec des moyens analogues au cours de la "première guerre d'Algérie"[47]. » L'expression même de « seconde guerre d'Algérie » qui se répandit alors avait certes la vertu de nommer ce que subissaient les Algériens (une guerre), mais elle accrédita une vision des choses fondée sur la notion de répétition du passé, suggérant une certaine stagnation de la société algérienne depuis le départ de la puissance française.

Cette expression a aussi eu des effets rétroactifs. Elle a pu être utilisée pour relire le passé colonial, comme dans le livre que le général Faivre consacra aux harkis et notamment à leur massacre en Algérie. Il y présentait les assassinats de gendarmes algériens en 1994 comme le « deuxième acte de la guerre d'Algérie »[48] et établissait une continuité à rebours entre les deux événements lui permettant de valoriser les fonctions des harkis dans l'Algérie coloniale (considérés comme équivalents aux gendarmes) et de renvoyer leur assassinat à une hostilité envers les agents de l'État, atténuant ainsi la complexité de la situation des harkis au sein de la société algérienne pendant la guerre et immédiatement après. Témoignant au contraire du malaise des historiens

47. Djallal Malti, *La Nouvelle Guerre d'Algérie*, La Découverte, 1999, p. 69.

48. Maurice Faivre, *Un village de harkis : des Babors au pays drouais*, L'Harmattan, 1994, 259 p., p. 10.

face aux informations qui arrivaient d'Algérie au début des années 1990, Benjamin Stora préféra s'interroger sur l'existence d'une « deuxième guerre algérienne »[49], tant il était plus juste, effectivement, de parler, pour ces événements, de guerre en Algérie plutôt que de guerre d'Algérie. Quant à Mohammed Harbi, il refusa de s'appesantir sur cette question, estimant que, si des ressemblances existaient bien entre les deux guerres, elles ne portaient pas sur l'essentiel. En revanche, « pour comprendre l'Algérie d'aujourd'hui, expliqua-t-il, il faut commencer par l'exclusion massive du peuple du pouvoir et par le rejet du pluralisme »[50].

Nonobstant, cette violence en Algérie provoqua une reconsidération de la période coloniale. La nostalgie du passé perdu trouva des formes d'expression plus sensibles et plus complexes[51], laissant émerger quelquefois des interrogations, jusqu'alors retenues, sur d'autres possibles. La publication et l'immense succès de librairie du *Premier Homme* d'Albert Camus, en 1994, fut tout à fait symbolique de cet état d'esprit. Dans ce texte inédit et inachevé qu'Albert Camus avait décrit comme étant son *Guerre et Paix* (Wood, 1999), les lecteurs cherchèrent sans doute à comprendre le sens de la guerre. Alors que Camus avait été tant décrié, pendant la guerre, pour avoir refusé de choisir un camp et de s'engager publiquement, sa figure d'homme déchiré prenait valeur de guide pour appréhender les complexités du passé que le présent de l'Algérie rappelait sans cesse (Le Sueur, 2001b). L'histoire personnelle de Camus le prédisposait à ce rôle ; la parution de son œuvre posthume lui rendit, d'une certaine manière, une place qu'il n'avait pu occuper pendant la guerre elle-même. Le succès du *Premier Homme* témoigna qu'un pas vers « une reconsidération non manichéenne du passé et une ouverture vers un

---

49. Benjamin Stora, « Deuxième guerre algérienne ? », *Temps modernes*, 580, janvier-février 1995.

50. Mohammed Harbi, interview par Adam Shatz, *Historical Reflections*, 28 (2), 2002, p. 308.

51. Ainsi le film de Brigitte Roüan, *Outremer*, 1990.

avenir libéré des rancunes, même justifiées » était en train de s'accomplir[52].

Alors que, pendant cette décennie, l'ouverture des archives publiques laissait entrevoir la perspective de nouveaux travaux historiques sur la période, les anciens combattants se mobilisèrent pour être mieux reconnus. En 1988, ils avaient été 50 000 à manifester à Paris pour s'opposer aux restrictions budgétaires les concernant et pour obtenir la « reconnaissance de leurs droits d'anciens combattants d'Afrique du Nord »[53]. Plus largement, certaines associations, au premier rang desquelles la FNACA, n'eurent de cesse d'obtenir une reconnaissance officielle de l'état de guerre en Algérie, qui rangerait les soldats de 1954-1962 dans la filiation des combattants des deux guerres mondiales. Leur attention aux monuments aux morts témoignait de ce même souci de voir inscrits, à côté des autres, les morts tombés « en AFN », pendant la « guerre d'Algérie, 1952-1962 », la « guerre d'AFN, 1952-1962 » ou encore la « guerre d'Algérie ». En attente de commémorations nationales, les membres des associations d'anciens combattants avaient l'habitude de se réunir au cours de cérémonies locales aux monuments aux morts, le 8 mai ou le 11 novembre. Pour évoquer la guerre d'Algérie en effet, l'unanimité n'était pas de règle : le 19 mars, les anciens combattants de l'UNC ne se joignaient pas aux cérémonies organisées par la FNACA, le plus souvent avec le soutien des municipalités de gauche. Très active, la FNACA tenta cependant d'imposer la date anniversaire du cessez-le-feu pour commémorer la guerre. En 2002, elle recensa plus de 3 300 artères du 19-Mars-1962 mais elle échoua à établir un consensus politique sur cette base.

En revanche, en octobre 1999, le Parlement français décida de remplacer officiellement l'expression « opérations de maintien de l'ordre en Afrique du Nord » par « guerre d'Algérie »[54]. Les anciens combattants qui s'étaient battus

---

52. Paul Thibaud, *in* Guérin (dir.), 1986 : 197.
53. Cité par Benjamin Stora, 1991 : 358.
54. Loi du 18 octobre 1999.

pour cette dénomination considéraient qu'au-delà de leur expérience, c'étaient la justice et la vérité qui étaient reconnues. Mais parler de guerre n'amena pas une prise en compte plus juste des adversaires d'hier dans les récits mémoriels ou officiels : une guerre avait eu lieu, pas une guerre coloniale. Et de cette guerre coloniale qui ne disait pas son nom, la société française découvrait peu à peu d'étranges victimes : d'anciens militaires, supplétifs ou appelés, luttant pour leur dignité. Quant aux Algériens, ils étaient largement absents.

La redécouverte du massacre perpétré par les forces de l'ordre, le 17 octobre 1961, lors de la répression des Algériens qui, à l'appel du FLN, avaient boycotté massivement le couvre-feu instauré par le préfet de police de Paris à leur encontre, ne changea pas foncièrement les choses. La guerre restait cantonnée à un espace politique strictement français. Les faits, survenus en plein Paris, avaient été connus dès l'époque[55] ; la répression avait été brutale et de nombreux témoins pouvaient en attester[56]. Cependant cet événement fut rapidement effacé de la mémoire collective française qui lui préféra la manifestation de Charonne, en février 1962, au cours de laquelle la gauche refit tardivement son unité. Maintenu vivant dans des groupes militants et dans les familles immigrées, il refit surface à partir des années 1980. Des témoins de l'époque, devenus journalistes, proposèrent le sujet à leur rédaction. Jean-Louis Péninou dénonça ainsi dans *Libération*, en 1980 et 1981, « un massacre raciste » dont « les chefs des assassins [étaient] toujours parmi nous »[57]. Jean-François Kahn, dans *Les Nouvelles litté-*

---

55. Sylvie Thénault, « La presse silencieuse ? Un préjugé », *in Revue trimestrielle de l'association Carnet d'échange*, université Paris-VII, 1, mai 1999.

56. Voir l'enquête réalisée par la journaliste Paulette Péju et publiée immédiatement après sous le titre *Ratonnades à Paris*, Maspero, 1961.

57. *Libération*, le 17 octobre 1980. Membre de l'UNEF, Jean-Louis Péninou était devenu, après la guerre, le président de la Fédération des groupes d'études de lettres (FGEL, Paris-Sorbonne), puis membre du secrétariat général de l'UNEF. Voir Monchablon, 1983, et Fischer, 2000.

raires, témoigna de l'autocensure d'une partie de la presse de l'époque[58]. À la télévision, Antenne 2 passa, lors du journal du soir, un reportage de Marcel Trillat de près de cinq minutes dans lequel il donnait la parole à des témoins. Les chaînes de télévision publiques envisagèrent même de diffuser *Octobre à Paris*, le film de Jacques Panijel qui s'efforçait de reconstituer l'événement. Le réalisateur situait son action dans la continuité de la résistance : la guerre d'Algérie, c'était « la seconde aventure morale de ma vie. La première, c'était la lutte contre les nazis ; la seconde, c'était la lutte contre la nazification française. L'une était le décalque de l'autre, à mes yeux »[59]. Comme dans le témoignage d'Eugène Claudius-Petit qui, dans le sujet de Marcel Trillat, dénonçait une « politique raciste [...] du même ordre que celle que nous avons connue sous l'Occupation », le parallèle s'imposait pour certains acteurs de l'époque. Il allait marquer durablement l'histoire de la résurgence du 17 octobre. Dans son roman policier, *Meurtres pour mémoire*, paru en 1983, Didier Daeninckx, établit, par l'intermédiaire de Maurice Papon, un parallèle entre Vichy et la guerre d'Algérie promis à un riche avenir[60]. Il s'attacha en outre à redonner leurs noms aux victimes, mimant dans le domaine romanesque la démarche d'un Serge Klarsfeld pour les déportés juifs de France. Le roman policier fut un immense succès, adapté pour la télévision par Laurent Heynemann dès l'année suivante.

À côté de ce cheminement franco-français sur les pratiques et les conceptions du métier de policier, le 17 octobre 1961 était devenu le point d'ancrage d'une mémoire collective militante de l'immigration algérienne. Dès 1971, les

---

58. *Les Nouvelles littéraires*, 23 octobre 1980.

59. Sylvie Thénault, « La manifestation des Algériens à Paris le 17 octobre 1961 et sa répression », mémoire de maîtrise sous la direction de Jean-Jacques Becker, université de Paris-X, 1991, p. 110.

60. Henry Rousso, « Les raisins verts de la guerre d'Algérie », *in La Guerre d'Algérie*, Odile Jacob, « Université de tous les savoirs », 2004, p. 127-151.

publications de l'Amicale des Algériens en Europe avaient célébré cet anniversaire[61] mais la première manifestation qui lui fut consacrée eut lieu en 1984 à l'initiative d'enfants d'immigrés : le Collectif Jeunes soutenu par Radio Beur, l'association Sans frontière et l'Association de la nouvelle génération immigrée[62]. L'année suivante, SOS Racisme fut à l'initiative d'un deuxième rassemblement, pont de la Tournelle à Paris. Le 17 octobre s'ancra peu à peu dans le calendrier des commémorations militantes mais il s'inscrivait surtout dans un agenda guidé par des motivations politiques et sociales, faisant du passé une occasion de leçons pour le présent et l'avenir. « Les associations antiracistes gomm[aient] le contexte de la guerre d'Algérie pour ne retenir qu'un aspect de l'événement : le caractère raciste de la répression. La manifestation [sortait] ainsi de la guerre d'Algérie pour s'inscrire dans un contexte purement français : elle n'[était] plus une manifestation d'Algériens revendiquant l'indépendance, mais une manifestation d'immigrés pour la défense de leur droit à la dignité[63]. »

Ces revendications étaient articulées à une quête identitaire complexe tant, d'une part, le rôle de l'émigration dans la guerre n'était pas reconnu à sa juste place par les autorités algériennes et, d'autre part, les Algériens avaient du mal à rendre compte de ce passé alors qu'ils continuaient à habiter en France. La reconnaissance du massacre par l'État français aurait peut-être permis à ces Algériens et à leurs descendants de mieux vivre en France. En attendant, certains s'organisèrent pour commémorer spécifiquement cet événement : une association entreprit à partir de 1990 de recueillir des témoignages. Son nom était un programme : Au nom de la mémoire.

Tandis que des romans venaient prolonger le discours

61. Voir Sylvie Thénault, « La manifestation des Algériens… », *op. cit.*, p. 124.
62. Jim House et Neil MacMaster, « “Une journée…” », art. cit., p. 281.
63. Sylvie Thénault, *op. cit.*, p. 128.

mémoriel[64], des historiens aussi commençaient à s'intéresser au sujet. Jean-Louis Péninou s'était-il fait l'écho de la fermeture des archives de la préfecture de police[65] ? Qu'importe ! Ces pionniers travaillèrent à partir de la presse et des témoignages : Benjamin Stora (1992) dans son travail sur l'immigration, Michel Lévine (1985) ou encore Michel Winock[66]. Jean-Luc Einaudi se voyait quant à lui confier des archives de la Fédération de France du FLN par Georges Mattéi (Einaudi, 2004) et cet éducateur professionnel décidait de mener une enquête approfondie sur la répression[67]. Le 18 octobre 1986, l'Amicale des Algériens en Europe organisa une rencontre entre témoins et historiens[68], signe qu'un désir d'histoire cheminait parallèlement aux initiatives militantes. Les principaux responsables de l'époque, Ali Haroun[69], Maurice Papon[70] et Constantin Melnik[71], publièrent alors leurs souvenirs : mémoire et histoire émergeaient conjointement. À l'occasion de son 30e anniversaire, le 17 octobre apparaissait désormais comme un fait historique majeur de la guerre d'Algérie, nettement différencié de Charonne.

---

64. Nacer Kettane, *Le Sourire de Brahim*, Denoël, 1985, 178 p., et Mehdi Lallaoui, *Les Beurs de Seine*, Arcantère, 1986, 174 p.

65. « Le 17 octobre 1961 à Paris, c'était le massacre des Algériens », *Libération*, 17 octobre 1981.

66. Michel Winock, « Une nuit d'horreur et de honte », *Le Monde*, le 19 juillet 1986. Robert Bonnaud a aussi dirigé un mémoire de maîtrise sur cet événement : J.-L. Toni, « Le 17 octobre 1961 », Paris-VII, 1981. On peut aussi noter le travail précoce d'Amel Chouchane, « 17 octobre 1961 : le charnier de l'oubli », IEP de Grenoble, 1983.

67. Il publie un premier texte sur le sujet dans *Le Genre humain*, 18, automne 1988, p. 25-36 : « Un jour d'octobre à Paris. »

68. *Mémoire d'une communauté*, Éditions Actualité de l'émigration, 1987, 130 p.

69. Ali Haroun, *La 7e Wilaya : la guerre du FLN en France, 1954-1962*, Le Seuil, 1986, 522 p.

70. Maurice Papon, *Les Chevaux du pouvoir : le préfet de police du général de Gaulle ouvre ses dossiers, 1958-1967*, Plon, 1988, 539 p.

71. Constantin Melnik, *Mille jours à Matignon. Raisons d'État sous de Gaulle : guerre d'Algérie, 1959-1962*, Grasset, 1988, 310 p.

L'association Au nom de la mémoire fut à l'origine d'un colloque sur la répression, organisé à la Sorbonne, et d'un documentaire donnant la parole aux témoins du massacre – *Le Silence du fleuve* –, occasion de s'interroger sur l'événement et sur sa disparition de la mémoire dominante française pendant trente ans[72]. Le livre de Jean-Luc Einaudi, *La Bataille de Paris*, sortit au même moment et offrit une sorte de relais aux thématiques de l'association à laquelle Jean-Luc Einaudi n'appartenait toutefois pas. L'anniversaire de la manifestation ne prit plus comme avant la forme d'un rassemblement : une marche fut organisée du canal Saint-Martin au Rex, sur les pas des Algériens d'alors. Une plaque fut apposée par l'association Au nom de la mémoire au pont de Bezons. Il fallut cependant attendre 1993 pour que la télévision française diffuse *Le Silence du fleuve*, resté jusqu'alors cantonné au circuit militant. La même année, FR3 diffusa le documentaire franco-britannique de Philip Brooks et Alan Hayling, *Le 17 octobre 1961, une journée portée disparue*, après avoir consacré plusieurs programmes à la guerre d'Algérie en 1992[73]. À cette date, le 17 octobre était entré dans la mémoire collective de la guerre et dépassait largement les premiers cercles identitaires. Avec la fin des années 1990, il vint même occuper les premiers rangs des événements de la période évoqués par les médias, sa mémoire devenant omniprésente (House et MacMaster, 2006).

À partir du témoignage de Jean-Luc Einaudi devant le tribunal de Bordeaux jugeant Maurice Papon pour complicité de crime contre l'humanité, la question de la continuité entre Vichy et la guerre d'Algérie fut explicitement posée, à la recherche de coupables. Le contexte judiciaire relança aussi ceux qui souhaitaient faire reconnaître la répression du 17 octobre comme crime contre l'humanité mais l'écriture de l'histoire ici n'était pas d'abord le fait des historiens. Le

72. Film de Mehdi Lallaoui et Anne Tristan (Agnès Denis).
73. Film couronné par le Fipa d'or du documentaire en 1993.

récit s'en fit dans les prétoires et dans la presse, dans des tracts et des pétitions. Le travail historique y était mentionné… comme une exigence que l'État devait rendre possible, enfin.

Créée dans ce contexte, l'association 17 octobre 1961 : contre l'oubli affichait trois objectifs : « Obtenir la reconnaissance qu'un crime contre l'humanité a été commis par l'État les 17 et 18 octobre 1961 », « obtenir que soit créé un lieu du souvenir à la mémoire de ceux qui furent assassinés », « obtenir le libre accès aux archives concernant la période de la guerre d'Algérie ». Le droit, la mémoire et l'histoire étaient liés dans un combat qui eut un succès médiatique certain et recueillit le soutien de personnalités engagées à l'époque de la guerre telles que Pierre Vidal-Naquet, Jean-Jacques de Félice, Francis Jeanson ou Madeleine Rebérioux. Jean-Luc Einaudi en était aussi membre. La question dépassait le 17 octobre pour s'afficher comme un combat contre la raison d'État – dont l'actualité était rappelée[74]. Y compris parmi les signataires de la pétition « Le 17 octobre 1961 : pour que cesse l'oubli », les Algériens étaient peu présents. Ce combat semblait être devenu celui de Français défendant une certaine idée de l'universalisme et des valeurs de leur pays. La démarche identitaire était doublée d'un combat politique.

Ainsi l'association 17 octobre 1961 : contre l'oubli soutint neuf personnes ayant porté plainte pour crime contre l'humanité à propos du 17 octobre. Le juge d'instruction ayant refusé d'informer et le pourvoi en cassation des plaignants ayant été rejeté par la Cour de cassation, la Cour européenne des droits de l'homme fut saisie. Il s'agissait d'obtenir une condamnation de la raison d'État au nom des droits de l'homme. L'association présentait l'hypothèse d'une condamnation comme une « reconnaissance du crime commis contre des hommes qui n'avaient d'autre tort que d'appartenir à la nation algérienne

---

74. Voir Olivier Le Cour Grandmaison (dir.), *Le 17 octobre 1961, un crime d'État à Paris*, Éditions La Dispute, 2001.

en lutte pour sa reconnaissance », valorisant l'aspect politique de la lutte et non l'aspect raciste de la répression. Une condamnation générale du colonialisme se profilait dans l'agenda des combats futurs.

Le sujet intéressait les Français comme le prouva le succès des trois épisodes de la série *L'Algérie des chimères*, diffusée une première fois sur Arte en novembre 2001, puis sur France 2 en juillet 2003. Ce film de fiction réalisé par François Luciani retraçait, à travers les projets des saint-simoniens, les premières étapes de la conquête française jusqu'au « royaume arabe » de Napoléon III. L'actualité éditoriale attestait aussi, à sa manière, d'un regain d'intérêt évident pour cette période. Une maison d'édition comme Bouchène, d'abord installée en Algérie, put ainsi s'établir en France à la fin des années 1990 avec un projet éditorial explicitement tourné vers l'histoire des pays du Maghreb présentée comme une urgence pour « comprendre la société ». De fait, à côté de travaux de recherche inédits, furent réédités de nombreux témoignages du XVIe au XXe siècle qui trouvèrent leur public.

On observa le même mouvement de réédition à propos de la guerre d'Algérie. Une partie des Français cherchaient visiblement à mieux connaître les pratiques coloniales, sous un angle critique. Outre des rééditions militantes comme *Les Égorgeurs*, le témoignage accablant de Benoît Rey sur la violence mais aussi sur la complexité de la guerre menée par les Français, réédité par Las Solidarias puis les Éditions du Monde libertaire en 1999[75], La Découverte republia des ouvrages des éditions Maspero épuisés depuis longtemps tels que les livres de Pierre Vidal-Naquet (*La Raison d'État* et *Les Crimes de l'armée française*), ceux de Paulette Péju (*Les Harkis à Paris* et *Ratonnades à Paris*[76]) ou encore *Le Procès du réseau Jeanson*[77]. D'autres maisons d'édition

75. Benoît Rey, *Les Égorgeurs*, Minuit, 1961.
76. La Découverte, 2000, 200 p.
77. La Découverte, 2002, 251 p. Avec une préface inédite de Marcel Péju.

faisaient de même : les Éditions de Minuit avec *La Torture dans la République* de Pierre Vidal-Naquet en 1998[78], Berg avec *Notre guerre* de Francis Jeanson en 2001, L'Harmattan avec *Le Peuple algérien et la guerre* de Patrick Kessel et Giovanni Pirelli[79]. Un des premiers témoignages ayant fait connaître les crimes de la guerre était aussi mis à la disposition du public : le journal de bord du jeune Stanislas Hutin, dont des extraits avaient été publiés dans la revue jésuite *L'Action populaire* dès juin 1956 puis dans *Des rappelés témoignent* en mars 1957[80]. L'auteur expliqua qu'il avait accepté cette publication « en pensant aux générations de mes neveux et petits-neveux, en découvrant qu'elles ne savaient pour ainsi dire rien de ces "événements", qui ont pourtant marqué la mienne si profondément [...]. Pour que ces générations sachent que cette guerre, hélas, n'a été ni plus juste ni plus propre qu'une autre... et qu'elle n'a servi à rien. Pour qu'elles sachent surtout qu'il est toujours possible de témoigner selon sa conscience et qu'elles témoignent à leur tour s'il le faut »[81].

Les années 2000 et 2001 ont vu la guerre d'Algérie revenir au premier rang de l'actualité pendant plus d'un an. L'impression dominante, mise en scène par de nombreux médias, était celle d'un silence général sur la période et d'un dévoilement nécessaire. Dans ces années, l'attention s'est surtout focalisée sur la question de la pratique de la torture

---

78. Une première réédition (corrigée) avait été faite par les éditions Maspero en 1983.

79. Patrick Kessel et Giovanni Pirelli, *Le Peuple algérien et la guerre. Lettres et témoignages, 1954-1962*, L'Harmattan, 2003, 757 p. (1re édition, Maspero, 1962). Patrick Kessel a également réédité en 2002 une série de textes écrits pendant la guerre sous le titre *Guerre d'Algérie. Écrits censurés, saisis, refusés, 1956-1960-1961*, L'Harmattan, 287 p.

80. *Des rappelés témoignent...*, Clichy, Comité de résistance spirituelle, 1957, 96 p.

81. Stanislas Hutin, « Avant-propos », *Journal de bord, Algérie, novembre 1955-mars 1956*, Toulouse, Groupe de recherche en histoire immédiate, université de Toulouse-Le Mirail, 2002, 118 p.

par l'armée française en Algérie. Ce sujet d'histoire est devenu sujet d'émotion à partir de la publication en première page du *Monde*, quelques jours après la visite du président Bouteflika en France, du récit des sévices subis par une jeune Algérienne entre les mains des parachutistes français à Alger en 1957 [82]. Les prises de position successives et contradictoires des deux généraux mis en cause furent suivies d'un appel au chef de l'État et au Premier ministre, dit « Appel des douze », leur demandant de « condamner la torture qui a[vait] été entreprise [au nom de la France] durant la guerre d'Algérie ». La question agita considérablement l'opinion publique mais elle se déplaça imperceptiblement vers une désignation de coupables individualisés plutôt que vers une interrogation générale sur la guerre menée en Algérie. Ma thèse d'histoire, soutenue en décembre 2000, montrait que la torture était une pratique appartenant pleinement à l'arsenal répressif de l'armée française et qu'elle avait été utilisée sans être sanctionnée pendant toute la guerre, y compris par des militaires du contingent [83]. Mais l'attention se focalisa rapidement sur quelques individus et notamment sur le général Aussaresses qui avait admis avoir commis de nombreux assassinats [84].

Le général fut mis à la retraite et on lui retira sa Légion d'honneur. Son livre lui valut d'être condamné pour apologie de crime de guerre. Son témoignage lui assura cependant une notoriété exceptionnelle : il devenait l'incarnation de la raison d'État, le type du tortionnaire froid et sans regrets. En même temps, les débuts de la guerre menée par les Américains en Afghanistan redonnaient une actualité à la question des moyens à utiliser face à des adversaires utilisant

---

82. « Torturée par l'armée française, “Lila” recherche l'homme qui l'a sauvée », *Le Monde* du 20 juin 2000.

83. « L'armée et la torture pendant la guerre d'Algérie. Les soldats, leurs chefs et les violences illégales », sous la direction de Jean-François Sirinelli, soutenue à l'IEP de Paris en 2000.

84. Paul Aussaresses, *Services spéciaux, Algérie 1955-1957*, Perrin, 2001, 197 p.

le terrorisme – le général Aussaresses étant interrogé sur une chaîne de télévision américaine pour son expérience en la matière. La position du général Aussaresses était en réalité complexe : il avait surtout la particularité de reconnaître ce que beaucoup niaient ou taisaient.

Ainsi, à l'hiver 2000, plus de 300 généraux ayant servi en Algérie signèrent un manifeste dans lequel ils affirmaient vouloir « dépassionner les débats » et « rétablir la vérité historique »[85]. L'analyse du passé qu'ils proposaient était fidèle aux idées qui, pendant la guerre d'Algérie, avaient présidé à certains choix tactiques et stratégiques : l'ennemi était présenté comme marxiste-léniniste et la lutte en Algérie située dans la continuité de la guerre menée en Indochine. Les généraux célébraient la grandeur de l'armée française et de ses idéaux et imputaient aux adversaires d'antan la responsabilité des violences subies par la population algérienne. Ils renvoyaient de toute façon la torture et autres crimes au rang d'actes marginaux tout en soulignant la latitude – trop grande – que les autorités politiques leur avaient alors laissée. Ces officiers ayant servi en Algérie se présentaient en défenseurs de l'armée française et de son honneur.

Le ministère de la Défense ne les suivit pas, pas plus qu'il ne les sanctionna. Quelques mois plus tard, ce fut l'un des plus fameux d'entre eux qui fut accusé d'avoir dirigé des séances de tortures à Alger à l'été 1957. Le général Maurice Schmitt, ancien chef d'état-major de l'armée de terre, se défendit tous azimuts et entama une véritable contre-offensive médiatique pour diffuser son point de vue. D'abord regrettée par le général Massu, puis avouée par le général Aussaresses avant d'être niée par le général Schmitt, la pratique de la torture redevenait un sujet de discussion polémique. Une véritable régression cognitive était à l'œuvre. Des questions telles que « Fallait-il l'utiliser ? », « Pouvait-on faire autrement contre le terrorisme ? », « N'était-elle pas efficace ? » retrouvaient

85. Leur manifeste servait de préface à un *Livre blanc de l'armée française en Algérie*, Contretemps, 2001, 208 p.

une certaine légitimité. Elles balayaient les apports historiographiques anciens et récents et faisaient le lit d'un certain négationnisme.

Parallèlement cependant, la curée de la mémoire continuait. Loin des généraux Aussaresses ou Schmitt, la télévision publique dévoila, en mars 2002, des portraits d'hommes ordinaires avouant des actes d'une violence extrême à l'égard d'Algériens[86]. Avec ces hommes, le débat ne repartit pas vers des questions sur l'armée comme instrument d'une politique et agent d'un État. Au contraire, « l'insertion du contingent dans la mémoire collective était en train d'être rendue possible par le biais de sa victimisation, non pas en raison de la violence reçue, mais au regard du choc induit par l'acte de guerre lui-même : le trauma produit par la violence donnée [...]. Dès lors, la guerre d'Algérie perd[ait] son sens politique, au profit d'un sens psychologique »[87]. De fait, tout se passa comme si les grandes émotions des années 2000 et 2001, animées d'une angoisse souterraine sur les responsabilités des Français partis combattre en Algérie, avaient été purgées par ce documentaire qui avait apporté une réponse et des visages[88]. Le débat sur les méthodes utilisées par la France en Algérie quitta alors la scène publique et médiatique pour retourner dans les familles. Aucune commémoration n'aurait pu en effet prendre le relais de ces révélations.

La question de la torture avait mis à l'épreuve les formes dominantes de présence du passé de la décennie, commémoration et revendication. Mais un temps seulement. Elle n'avait pas conduit à des débats sur le passé et elle s'était, au contraire, accompagnée de la répétition des affrontements de l'époque. Repartie se loger dans le secret des familles

---

86. *L'Ennemi intime*, de Patrick Rotman, 2002.
87. Luc Capdevila, « Mémoire de guerre », *in Le Temps des savoirs*, n° 6 spécial « La mémoire », Odile Jacob, 2003, p. 88-89.
88. Deux autres documentaires ont apporté des regards complémentaires : *Paroles de tortionnaires,* de Jean-Charles Deniau (2002), et *Pacification en Algérie,* d'André Gazut (2003).

françaises, elle céda de nouveau la place aux querelles commémoratives divisant les anciens combattants et aux revendications devenues quasi rituelles sur la reconnaissance du 17 octobre 1961 comme crime d'État.

De la même manière, la question du sort réservé aux harkis a resurgi en 2003 mais portée cette fois par deux filles de harkis qui ne souhaitaient pas revendiquer ou demander réparation mais simplement connaître et faire reconnaître l'histoire de leurs pères[89]. Leur démarche était identitaire. Fatima Besnaci-Lancou expliqua ainsi que le discours prononcé par le Président algérien à l'Assemblée nationale en juin 2000, comparant les harkis aux collaborateurs pendant la Seconde Guerre mondiale, lui « avait transpercé le cœur » et qu'elle avait alors découvert « cette chose à peine croyable : j'avais presque oublié que j'étais une fille de "harki" ». Assignée à une « communauté de destin » par l'histoire, elle décidait alors de retourner là où sa vie avait basculé, quand sa famille était arrivée en France, en 1962. Plus que tout, elle souhaitait qu'un récit historique juste rende aux acteurs et à leurs descendants leur histoire afin que les deux rives de la Méditerranée se réconcilient, afin que les hommes se comprennent. La démarche identitaire faisait appel au pouvoir politique algérien, à qui il était demandé de cesser ses mensonges, mais aussi aux historiens, dont la diffusion des travaux était bien perçue comme un enjeu de société.

---

89. Dalila Kerchouche, *Mon père, ce harki*, Le Seuil, 2003, 262 p. ; Dalila Kerchouche, *Destins de harkis, 1954-2003 aux racines d'un exil* (photographies de Stéphane Gladieu), Autrement, 2003, 144 p. ; Fatima Besnaci-Lancou, *Fille de harki*, Éditions de l'Atelier, 2003, 125 p.

CHAPITRE 2

Désirs de connaissance et de reconnaissance

À chacun son histoire oubliée

Tout en s'attachant à faire connaître leur passé ou à maintenir vivantes les sources de leur identité, les différents groupes porteurs de mémoire à l'origine des résurgences de la guerre d'Algérie dans le paysage public français ont en commun une posture accusatrice. Ils dénoncent, s'indignent ou s'émeuvent d'une méconnaissance de leur histoire. Et, comme en réponse, ils diffusent leur propre interprétation des événements qui les ont touchés.

Cette méconnaissance déplorée semble en fait nécessiter deux antidotes subtilement mélangés, même s'ils ne sont pas toujours explicités : une meilleure connaissance et une plus grande reconnaissance de leur passé. Car les groupes ne peuvent se satisfaire exclusivement de ce qu'ils produisent et font connaître sur leur histoire, sauf à se cantonner dans une posture de victimes incomprises, ressassant un sempiternel récit déjà partagé par ses destinataires avant même d'être émis. Leur démarche est, en revanche, facilitée par les recherches de certaines personnes qui, tout en s'inscrivant dans le cadre légitimant de l'université, sont motivées par le désir d'œuvrer à la reconnaissance d'une histoire méconnue. Connaissance et reconnaissance sont alors intimement articulées : toute information historique servant un besoin de reconnaissance, toute revendication de reconnaissance s'appuyant sur une connaissance du passé élaborée dans un cadre scientifique.

Parmi ces porte-parole d'un genre particulier, ceux qui sont issus d'autres disciplines universitaires que l'histoire, ou sont venus tardivement à l'étude des sociétés passées, sont sur-représentés. Mohand Hamoumou en est un exemple emblématique. Après des études supérieures de droit, de psychologie et de commerce, il a soutenu une thèse de sociologie sur les harkis qui constitua le premier travail universitaire sur ce sujet[1]. Ce fils de harki a aussi fait de la défense des harkis et de leur mémoire un combat personnel. Son positionnement en marge de l'institution universitaire, puisqu'il était cadre dans une grande entreprise quand il publia sa thèse, fut compensé par le soutien que lui accorda toujours Dominique Schnapper.

Dans la préface qu'elle fit de son livre, la sociologue dressait un parallèle entre l'histoire des harkis et la politique antisémite de Vichy. « Ce que les juifs ont demandé [*i.e.* la reconnaissance par l'État français de sa responsabilité], estimait-elle alors, les enfants de harkis pourraient aussi le demander au nom de leurs pères silencieux, qui ignorent la langue des médias, et au nom de la vérité[2]. » Un tel propos fut suivi d'action puisque la sociologue publia encore en 1999 une tribune accusatrice dans *Le Monde*. Elle y dénonçait une « blessure morale » toujours vive chez ceux qui « devaient être d'abord pleinement reconnus comme citoyens français – et pas seulement au moment des élections, quand il s'agi[ssai]t d'obtenir leurs voix ». Elle reprenait la comparaison avec les Juifs qui, estimait-elle, « resteront toujours reconnaissants à Jacques Chirac, président de la République, [d'avoir] reconnu la responsabilité de la France dans le statut des Juifs d'octobre 1940 et dans les

1. « Les Français musulmans rapatriés, archéologie d'un silence », thèse de sociologie sous la direction de Lucette Valensi et Dominique Schnapper, à l'EHESS.

2. Dominique Schnapper, préface de Hamoumou, 1993 : 10.

déportations » et ajoutait : « Jacques Chirac a compris que les fautes refoulées et les mensonges empoisonnent la vie de la démocratie. Ce que les juifs ont demandé et obtenu, les enfants de harkis le demandent. » Pour elle, il ne pourrait y avoir de réconciliation entre l'Algérie et la France tant qu'existerait un tel « déni de justice » et sans que puisse être assouvi le désir de « vérité » des harkis. Justice et vérité étaient, selon elle, la seule « reconnaissance »[3].

Quant à Mohand Hamoumou, il s'engagea régulièrement dans la défense de la mémoire des harkis. Selon lui « l'histoire tragique des "musulmans pro-Français", des harkis en particulier, rest[ait] sans conteste le tabou de la guerre d'Algérie » ; les harkis avaient perdu « la bataille de la mémoire » (Hamoumou, 1993 : 15). Le chercheur se présentait alors en redresseur de torts, évoquant la vérité sur le massacre de Katyn ou la reconnaissance de la déportation des Juifs de France comme guides de son action. Dans la dernière partie de son travail, l'étude du « triple silence » (de l'Algérie, de la France, des « Français musulmans »), il n'hésitait pas à placer en exergue une citation du colonel de Blignières, l'actif président de l'Association pour la sauvegarde des familles et enfants de disparus. Quoique sensible aux silences des principaux acteurs de cette histoire eux-mêmes et à leurs effets, il concentra son action ultérieure sur la dénonciation du silence français, décrit sur le modèle de ce qui avait entouré les années noires (mythe résistancialiste, occultation, refoulement, retour du refoulé). Il situait explicitement son travail dans une démarche de connaissance articulée à une revendication sociale, politique et symbolique, présentée comme juste. Ainsi il concluait son livre en affirmant : « Il est tard, mais jamais trop tard, pour que justice soit rendue à cette population [...]. Mais la justice ne peut venir sans la vérité sur leur histoire et les responsabilités des acteurs de cette guerre civile si longtemps taboue » (Hamoumou, 1993 : 322).

---

3. « Justice pour les harkis », *Le Monde*, 4 novembre 1999.

Le chercheur s'était notamment engagé dans cette lutte par le biais de son association AJIR pour les harkis. *Esprit* l'avait accueilli, dès 1990, pour dénoncer « un trou de mémoire franco-algérien »[4]. Il était encore présent en 2001 pour contribuer au *Livre blanc de l'armée française en Algérie* et demander que d'anciens officiers de l'époque témoignent « de l'abandon criminel des harkis, afin d'éviter que le silence ne soit remplacé par le mensonge des médias, fût-il par omission ou par méconnaissance »[5]. Témoignage contre histoire ? Mohand Hamoumou semblait en tout cas ignorer les travaux de Charles-Robert Ageron. Ce dernier avait pourtant tenté d'éclairer l'histoire des harkis et il s'était aussi attaqué aux auteurs peu scrupuleux de méthode qui diffusaient des évaluations chiffrées hasardeuses, alimentant une certaine victimisation : dès 1994, il avait aussi qualifié les chiffres de Mohand Hamoumou de « légende noire » (Ageron, 1994 : 6) et avait récusé les critiques de l'auteur de *Et ils sont devenus harkis* à propos du chiffre donné par Jean Lacouture de 10 000 harkis massacrés entre le 19 mars et le 1er novembre 1962.

Quittant la polémique des chiffres, Charles-Robert Ageron avait choisi, en 1995, d'éclaircir le statut des différents supplétifs de l'armée française, abusivement englobés sous le terme de « harkis ». Il avait, au passage, noté que la question du « drame des harkis » était « obscurcie par des accusations contre l'armée, contre le “pouvoir gaulliste” et des polémiques sans fin » et qu'elle « ne pourrait être traitée scientifiquement que lorsque toutes les archives civiles et militaires ser[aient] ouvertes ». Il concluait alors seulement que « plusieurs milliers de supplétifs ayant été massacrés par leurs compatriotes, les harkis devinrent les martyrs arabes de l'Algérie française et furent désormais célébrés comme tels » (Ageron, 1995 : 12 et 20).

---

4. Mohand Hamoumou, « Les harkis, un trou de mémoire franco-algérien », *Esprit*, 161, mai 1990, p. 25-45.
5. *Livre blanc de l'armée française en Algérie, op. cit.*, p. 171.

Cinq ans plus tard, après avoir dépouillé les archives militaires et celles de Pierre Messmer, Charles-Robert Ageron s'attaqua plus directement à la question du bilan des massacres. Il récusa fortement le chiffre de 100 000 à 150 000 victimes qui tendait à s'imposer comme un lieu commun depuis la fin de la guerre, repris dans « d'innombrables articles et livres qui [retenaient] systématiquement les chiffres incroyables lancés dans cette campagne d'opinion ». L'historien avait décidé de montrer comment un mythe politique pouvait naître et être diffusé, alors que les sources ne permettaient pas de construire une donnée chiffrée précise. Son jugement était sans appel à propos des massacres des harkis : « Ces batailles de chiffres sont des batailles contre l'Histoire » (Ageron, 2000 : 11). En l'occurrence, cette focalisation sur les chiffres des victimes pouvait aussi être sous-tendue par un désir de qualification juridique de la violence : Mohand Hamoumou n'hésitait pas à parler de génocide à propos du massacre des harkis[6].

Très logiquement, Charles-Robert Ageron fut d'ailleurs qualifié de négationniste par certaines associations de défense des harkis. Pour le général Maurice Faivre, ancien officier en Algérie, les travaux de l'historien servaient le FLN puisque, revoir à la baisse le nombre de harkis et le nombre de victimes revenait, selon lui, à minorer la responsabilité du FLN. Le général Faivre se fixa donc comme tâche de rétablir la vérité dans un livre sur un village de Kabylie hostile à la colonisation, puis ayant soutenu le FLN/ALN, avant de se rallier à la France avec un groupe d'autodéfense notamment[7]. Il avait mené un travail sur archives et utilisé les témoignages d'anciens harkis et officiers français, ainsi que son propre témoignage d'ancien combattant intitulé « La mémoire d'un capitaine ». Détenteur d'un doctorat en sciences politiques sur « La nation armée (de Machiavel à Reagan) », le général Faivre s'était consacré ensuite à des

6. Mohand Hamoumou, in *Esprit*, mai 1990, cité par Ageron, 1994.
7. Maurice Faivre, *Un village de harkis*, *op. cit.*

recherches sur la guerre d'Algérie et plus particulièrement sur la question des harkis, intimement liée à celle de la politique de la France en Algérie, pendant la guerre et après le cessez-le-feu. Son premier livre sur le sujet s'adressait aux enfants de harkis : le général leur recommandait de ne pas avoir honte de leurs parents qui s'étaient bien conduits en Algérie puis, ensuite, en France. Sa conclusion s'éloignait définitivement de toute rigueur historique : il s'y réjouissait que ces enfants aient retrouvé leur religion (l'avaient-ils perdue ?) et y professait son attachement à la dignité humaine et à la famille, « valeurs traditionnelles », écrivait-il, auxquelles les médias avaient le tort de préférer des « modes passagères, aberrantes ou perverses (homosexualité, euthanasie, vagabondage sexuel, etc.) ». « La licence des mœurs, ajoutait-il, est contraire aux valeurs humaines, et, sur ce point, il n'y a pas de divergence entre les religions du Livre[8] ». Travailler sur des sources, et notamment des archives, est certes une condition nécessaire pour réaliser un travail historique, elle n'est assurément pas une condition suffisante.

En 2000, alors que le général Faivre venait de publier un livre au titre vendeur, *Les Archives inédites de la politique algérienne, 1958-1962*[9], il prit en charge la réalisation d'un livre blanc pour le compte du Cercle pour la défense des combattants d'AFN dont les buts affichés étaient : « revendiquer comme un honneur d'avoir servi la France dans la lutte décidée par son gouvernement en Afrique du Nord », « s'opposer aux calomnies à l'encontre de l'armée française dans son action en AFN », « mettre en valeur l'œuvre de développement accomplie par la France auprès des populations nord-africaines, y compris pendant la période opérationnelle », « combattre toute tentative de division entre appelés, engagés et supplétifs », « pour les harkis (supplétifs), veiller à ce qu'ils fassent l'objet de toutes les mesures

8. Maurice Faivre, *op. cit.*, p. 228.

9. *Les Archives inédites de la politique algérienne, 1958-1962*, L'Harmattan, 2000, 431 p.

morales et matérielles qui reconnaissent leur engagement à nos côtés »[10]. Inscrit dans une vision du monde marquée par une lutte continue contre les ennemis d'hier, le travail du Cercle visait à célébrer les actions des combattants et à transmettre une image juste de la guerre à « nos enfants, nos petits-enfants, nos descendants »[11].

Dans ce livre, le général Faivre put rendre compte de ses recherches personnelles dans les archives françaises. Le propos d'ensemble était d'insister sur la responsabilité des autorités politiques dans la conduite de la guerre, en particulier en ce qui concernait sa fin, le sort des harkis et des populations françaises d'Algérie. Le *Livre blanc...* offrait des chapitres sur différents aspects de la guerre, faisant référence à des travaux historiques variés, citant des archives. Les choix thématiques n'étaient pas anodins : ainsi les violences de l'OAS après le cessez-le-feu étaient tues alors que les porteurs de valises étaient décrits comme les « complices de crimes contre des civils, contre les combattants de l'armée et de la police, que l'amnistie de 1966 a[vait] effacés juridiquement mais pas moralement »[12].

L'essentiel était résumé en conclusion : « L'armée a[vait] rempli son rôle dans la guerre d'Algérie », « le peuple français et ses descendants [pouvaient] reconnaître que les appelés, les soldats de métier et les fidèles harkis [avaient] combattu avec courage et opiniâtreté pour instaurer la démocratie en Algérie. Ce qui n'a[vait] pas été »[13]. Si l'affirmation d'un tel but pouvait servir une entreprise mémorielle, qui plus est articulée avec une position politique sur l'Algérie contemporaine (le livre blanc établissant au détour d'une phrase une continuité entre les violences du FLN/ALN

---

10. *Mémoire et vérité des combattants d'Afrique française du Nord*, diffusé par le Cercle pour la défense des combattants d'AFN en novembre 2000; puis publié à L'Harmattan en 2001. Les pages citées ci-dessous renvoient à l'ouvrage de 2000.

11. Introduction du général Gillis à *Mémoire et vérité des combattants d'Afrique française du Nord.*

12. *Mémoire et vérité..., op. cit.*, p. 85.

13. *Ibid.*, p. 125.

– notamment la cruauté d'Amirouche – et les méthodes des « tueurs du FIS »[14]), elle n'avait rien de scientifique : à aucun moment, il n'avait été question pendant la guerre d'Algérie de charger l'armée d'instaurer la démocratie. Le souci de servir une certaine mémoire de la guerre avait manifestement dominé sur la recherche de la vérité.

De fait, le général Gillis, président de l'ASAF (Association de soutien à l'armée française), n'hésitait pas à sortir de la neutralité affichée par son association. Ainsi, en prévision de l'élection présidentielle de 2002, il appela explicitement à voter contre Lionel Jospin à qui il reprochait son manque de considération pour l'armée. Les différents témoignages publiés sur la pratique de la torture pendant la guerre d'Algérie et l'émergence d'un débat public sur ce sujet l'avaient en effet mis en fureur : « Alors que nous vivons dans une démocratie avancée, tolérante, une République un peu molle il est vrai, mais où nos libertés sont assurées, ces "fous d'idéologie" [précédemment mentionnés comme étant les maoïstes et les trotskistes] ont des réseaux clandestins, cloisonnés, et ils ne sortent de l'ombre que lorsqu'ils ont réussi à obtenir des postes d'influence dans les médias ainsi que dans les rouages de l'État. Ils peuvent ainsi, analysait-il, piétiner impunément les valeurs traditionnelles de l'armée au travers de celles de l'Armée d'Algérie en 1954-1962[15]. »

Rien d'étonnant dans ces conditions à ce que le premier livre blanc fût suivi de deux autres en trois ans, signe du sentiment d'urgence ressenti par certains anciens combattants de la guerre. En 2001, le *Livre blanc de l'armée française en Algérie* affichait un ton particulièrement offensif étant donné le contexte de la médiatisation de la question de la pratique de la torture par l'armée en Algérie. Il entendait prêcher à des convertis mais aussi convaincre le plus grand nombre. Rhétorique scientifique et arguments d'autorité y étaient mêlés pour tenter d'atteindre ces buts. Ce *Livre blanc* se pré-

---

14. *Ibid.*, p. 55.
15. *Bulletin de l'ASAF*, 65, mars 2002.

sentait en outre comme un beau livre, grand format, papier glacé, agrémenté de photos.

La campagne de presse au sujet de la torture y était qualifiée de « désinformation »[16] : les auteurs se proposaient de rétablir la vérité. Le rédacteur en chef du *Figaro*, Antoine-Pierre Mariano, indiquait ainsi dans un témoignage intitulé « L'autre torture » : « La torture pendant la guerre d'Algérie ? Voilà bien un secret de polichinelle que le parti communiste tente de transformer en affaire d'État en montant une entreprise de démolition de l'armée française[17]. » Afin de rétablir la vérité historique, les manuels d'histoire étaient passés au crible d'une critique attentive à la manière dont étaient traités l'armée et son engagement (« les opérations du général Challe en 1959-1960 ne sont pas enseignées », « la victoire [est] occultée ») ainsi que les partisans de l'Algérie française. Ma thèse de doctorat y était critiquée en mettant en avant des critères de rigueur scientifique que le jury aurait été incapable d'appliquer. Des citations nombreuses venaient appuyer le propos. Elles ne respectaient pas la règle de protection des personnes et exposaient aux lecteurs les noms d'individus, cités dans la thèse pour des raisons de validation universitaire, mais devant être protégés par l'anonymat dans une publication.

Ce *Livre blanc* se présentait comme une défense de l'armée française et de son honneur, dans la tradition des condamnations qui, pendant la guerre elle-même, avaient poursuivi les auteurs d'articles ou de livres « portant atteinte à l'honneur de l'armée ». Cependant, si plus de trois cents généraux dont deux anciens chefs d'état-major des armées (Jean Saulnier et Maurice Schmitt) en signèrent la préface, l'institution militaire était totalement extérieure à l'initiative, qui devait, en revanche, beaucoup à des personnalités proches de l'extrême droite. Y contribuaient ainsi l'ancien rédacteur en chef de *National Hebdo*, Martin Peltier, ou

16. Analysée par Vladimir Volkoff dans le volume.
17. *Livre blanc de l'armée française en Algérie*, *op. cit.*, p. 110.

Philippe Conrad, ancien de la revue *Nation Armée* dont l'objectif était, dans les années 1970, de diffuser les idées du GRECE dans les milieux militaires[18]. Michel de Jaeghere en fut l'artisan principal. Membre de la rédaction de *Valeurs actuelles*, ce journaliste participe aussi au conseil d'administration de Renaissance catholique : ses actions s'inscrivent dans le combat pour la défense d'une chrétienté assaillie. « Nous ne sommes qu'un petit nombre », écrivait-il en 1999, « [...] nous avons, nous, la Foi et l'Espérance. Nous avons avec nous l'histoire de France, et la longue succession de moines, de soldats, de rois, de laboureurs qui ont civilisé cette terre, par la Croix, par le livre, l'épée et la charrue : leur souvenir nous exalte et nous porte. Nous avons avec nous la justesse de nos principes, et la conscience qu'en nous battant pour eux, nous nous battons pour le règne du Christ, qui est la Voie, la Vérité, la Vie[19]. »

Un docteur en histoire participa en outre à ce livre qui n'hésitait pas à présenter l'OAS comme « l'ultime refuge de soldats refusant de trahir leur parole » et à rendre hommage aux officiers putschistes. Sa contribution était, étonnamment, présentée sous la rubrique « Témoignage ». Jean Monneret y dénonçait « la campagne d'agit-prop lancée en l'an 2000 » et affirmait vouloir parler de deux choses dont « personne », selon lui, ne parlait : les massacres d'Européens du 20 août 1955, qualifiés de « Saint-Barthélemy constantinoise », et « les enlèvements de 1962 ». Par sa thèse publiée parallèlement, il entendait fournir des arguments à certains porteurs de mémoire présentés doublement comme des victimes : victimes de violences qu'il interprétait comme expressions d'une guerre de religion (Saint-

---

18. Sur le GRECE, voir Duranton-Crabol, 1988, et Anne-Marie Duranton-Crabol, « Du combat pour l'Algérie française au combat pour la culture européenne. Les origines du GRECE », *Cahiers de l'IHTP*, 10, novembre 1988, p. 46.

19. Michel de Jaeghere, « Europe ou Chrétienté », *in Europe ou Chrétienté*, Issy-les-Moulineaux, éditions Renaissance catholique, 1999, p. 17.

Barthélemy), puis victimes d'un oubli dont l'auteur suggérait qu'il était organisé pour favoriser d'autres groupes mémoriels et politiques[20].

Également éloigné de la rigueur d'un propos scientifique, le général Maurice Faivre signait une contribution sur « les crimes contre l'humanité du FLN » et une autre visant à replacer l'Algérie dans une « interminable guerre civile », où il expliquait notamment que « le Maghreb central ne connut, tout au long de son histoire, que des périodes de troubles et de divisions internes qui se sont perpétués jusqu'aux crises de l'Algérie indépendante » [21]. La participation de ces auteurs à un tel ouvrage s'inscrivait dans une démarche militante que Me Jean-Marc Varaut, avocat de Maurice Papon, parmi d'autres, ancrait dans un refus de laisser « une histoire tronquée, dénaturée, se répandre dans les esprits ». La justesse du combat pour l'Algérie française devait être rappelée : « L'œuvre de la Francc a été, là-bas, civilisatrice. Et s'il est un devoir de mémoire qui s'impose, s'il y a une repentance à faire, s'il y a une honte à réparer, ce n'est pas celle de l'armée, c'est celle du gouvernement qui lui a ordonné d'abandonner ses auxiliaires, les harkis, permettant, par là, à un véritable crime contre l'humanité de s'accomplir[22]. »

La faible diffusion de ce livre édité par une maison d'édition d'extrême droite et la distance que l'institution militaire prit avec lui firent sans doute manquer son but à cette entreprise autoproclamée de rectification des esprits menacés par la désinformation « lancée par le parti communiste, soutenue par les anciens porteurs de valises, les professionnels de la repentance et leurs relais ». La contribution de quelques auteurs ayant mené des travaux dans un cadre universitaire témoignait cependant qu'une petite fraction d'individus ayant fréquenté l'université et en ayant été diplômés pouvait

20. Jean Monneret, « La phase finale de la guerre d'Algérie : le problème des enlèvements », thèse soutenue sous la direction de François-Georges Dreyfus, à l'université de Paris-IV en 1996.

21. *Livre blanc…*, *op. cit.*, p. 60.

22. *Ibid.*, p. 157.

accepter de se mettre au service d'une entreprise de mémoire luttant pour imposer une vision de l'histoire totalement idéologique.

En 2003, l'Association de soutien à l'armée française et le Cercle pour la défense des combattants d'AFN publiaient un autre livre prolongeant les précédents : *La France en Algérie, 1830-1962. Les réalisations, l'héritage*. Cette fois, le nombre d'auteurs était réduit, mais tous mettaient en avant leurs titres universitaires. Bien qu'il n'y ait qu'un seul docteur en histoire parmi eux, le général Faivre les présentait tous comme « des historiens militaires et civils ». Tellement soucieux « d'éviter les polémiques sur la conquête et sur la guerre d'Algérie, qui ne font qu'aviver les rancunes réciproques et nourrir la haine de part et d'autre », le livre évitait purement et simplement de parler de la guerre, comme si le meilleur moyen d'éviter les ressentiments était de passer sous silence ce qui divisait. La revendication de titres universitaires ou du statut d'historien n'était pas sans rappeler le souci de certains négationnistes, tentant de recouvrir d'une façade académique des écrits enracinés dans le mépris de la vérité et la haine de l'autre. De telles initiatives ne pouvaient qu'alimenter l'idée que toute histoire de la guerre d'Algérie était nécessairement idéologique. Elles faisaient en particulier le lit d'accusations renvoyant les travaux historiques à l'un des camps en présence pendant la guerre.

Pourtant, et sans craindre le paradoxe, ce qui était souhaité avec ces livres blancs, comme avec la plupart des initiatives d'autres groupes porteurs de mémoire, c'était une transmission et une diffusion de leur vision de l'histoire dans l'ensemble de la société. Or, pour ce faire, ils avaient besoin de relais plus larges que leur cercle initial, de relais attestant déjà d'une forme de reconnaissance. Ainsi, le GAJE de la FNACA était emblématique de l'énergie dépensée par un groupe pour faire connaître son histoire et son point de vue

---

23. Voir Nicolas Autier, « La FNACA et la mémoire de la guerre d'Algérie », mémoire de maîtrise sous la direction d'Antoine Prost, université de Paris-I, 1997.

en articulation avec un désir de reconnaissance[23]. Il n'était cependant qu'un des aspects d'une lutte d'influence pour faire reconnaître le vécu et les souffrances des appelés qui se traduisait aussi par un lobbying politique visant à obtenir des actes de reconnaissance officielle.

En effet, la reconnaissance peut être acquise *de facto* : on la constate en observant que certains récits sont repris dans l'opinion publique. Elle peut aussi être acquise *de jure* par un acte de l'autorité publique. Ces deux types de reconnaissance entretiennent des relations complexes. Une reconnaissance *de jure* n'entraîne pas nécessairement une reconnaissance *de facto*, pas plus que le fait de voir sa cause popularisée n'entraîne nécessairement un discours officiel en prenant acte et lui donnant un solennel écho. Mais les revendications circulent toujours entre ces pôles.

Ce désir d'être mieux connus trouva des échos dans la société française qui s'était globalement longtemps accordée à penser que la guerre d'Algérie était un trou noir de la mémoire nationale, un sujet tabou scellé par un pacte de silences. Benjamin Stora a pu écrire que les Français aimaient se mettre en scène amnésiques de leur passé. Effectivement, même si, depuis une vingtaine d'années, sondages et enquêtes montraient à quel point cette guerre était connue et reconnue comme un événement majeur par les Français, cette idée reçue d'une guerre occultée subsista jusqu'à la fin du siècle. L'émotion suscitée par les témoignages successifs de Louisette Ighilahriz, du général Massu et du général Aussaresses, mais aussi par l'« Appel des douze » obligea alors à nuancer ce type d'affirmation. Les sondages s'attachèrent d'ailleurs non plus à demander aux Français s'ils connaissaient la guerre mais à les interroger sur la torture[24]. Le rôle des médias fut majeur : lancée par *Le Monde* fin juin 2000, la question de la pratique de la torture par l'armée française trouva des relais dans les autres organes de

---

24. L'incroyable augmentation du nombre de sondages à cette période est signalée dans MacMaster, 2002.

presse ainsi qu'à la télévision et à la radio. Le général Aussaresses, porté rapidement au rang de personnage essentiel de cette histoire, était présent sur les plateaux de télévision et dans de très nombreux articles. Il devenait d'un coup plus connu qu'un Bigeard ou un Pâris de Bollardière, un peu comme Maurice Papon avait pu devenir le nom emblématique de la période de Vichy dans les années 1990.

Les enquêtes sur cette période de l'histoire de France étaient plus souvent présentées comme des révélations que comme des investigations. La dramatisation récurrente de certaines questions enclenchait un jeu de surenchères ayant peu de liens avec la réalité de « l'occultation » ou du « tabou ». L'exemple le plus évident est peut-être celui des révélations sur le passé de tortionnaire de Jean-Marie Le Pen. L'histoire était en fait connue depuis la guerre elle-même. Le député UDCA (Union de défense des commerçants et artisans), qui s'était mis en congé de l'Assemblée nationale et avait repris son uniforme de parachutiste pour aller en Algérie, avait été officier de renseignements à Alger dans les premiers mois de l'année 1957. Il a reconnu à plusieurs reprises y avoir torturé des Algériens, déclarant qu'« il n'y a[vait] que les hypocrites et les pharisiens pour croire que, même à Paris, un interrogatoire [était] une chose agréable »[25]. Il s'était même fait le défenseur de l'honneur de l'armée tout en expliquant la nécessité du recours à la torture face au terrorisme et à la « guerre révolutionnaire » à la tribune de l'Assemblée nationale, notamment au cours d'un dialogue avec Pierre Cot dans lequel il affirma que, si ce dernier avait « des témoignages émanant de gens qui [avaient] été l'objet de ces sévices, c'[était] donc qu'ils [étaient] revenus de ces interrogatoires en état de parler alors qu'on retrouv[ait] journellement ceux qui sort[aient] des interrogatoires du FLN dans les rues avec le lacet de

---

25. *Combat*, 19 avril 1957, cité par Pascal Perrineau, *in* Jean-François Sirinelli (dir.), *Dictionnaire historique de la vie politique française au XX*e *siècle*, PUF, 1995.

l'étrangleur autour du cou ou la gorge ouverte à coups de rasoir »[26]. Enfin, il avait précisé : « J'ai fait la bataille d'Alger comme officier de renseignements. On a beaucoup parlé de la bataille d'Alger. Je le sais. Je n'ai rien à cacher. J'ai torturé parce qu'il fallait le faire. Quand on vous amène quelqu'un qui vient de déposer vingt bombes qui peuvent éclater d'un moment à l'autre et qu'il ne veut pas parler, il faut employer des moyens exceptionnels pour l'y contraindre. C'est celui qui s'y refuse qui est le criminel, car il a sur les mains le sang de dizaines de victimes dont la mort aurait pu être évitée[27] ». Cet argument a l'apparence de l'évidence et Jean-Marie Le Pen ne fut pas le seul à l'utiliser. Seulement, il suppose que les militaires ont franchi le pas qui sépare le soupçon de culpabilité du jugement de quelqu'un considéré dès lors comme coupable. Surtout, il est en total décalage avec la réalité de la pratique de la torture pendant la guerre d'Algérie, qui était bien moins une lutte contre le terrorisme qu'un combat contre le nationalisme (Branche, 2001). Pour ce faire, des informations sur des réseaux politiques étaient bien plus souvent recherchées que l'emplacement d'une bombe prête à exploser.

Après cette déclaration, Jean-Marie Le Pen avait cependant fait remarquer que « les méthodes de contrainte utilisées pour démanteler les réseaux terroristes FLN [...n'avaient], dans les unités qu'[il avait] personnellement commandées, jamais pu être assimilées à des tortures »[28], indice d'un malaise lexical croissant qui n'allait cesser de faire réagir l'ancien parachutiste. Plus que le mot « torture », ce fut celui de « tortionnaire » qui eut la préférence des journaux depuis la guerre. *Vérité-Liberté*, journal militant né sous les auspices du comité Audin, publia ainsi dans son dernier numéro de l'été 1962 des « documents sur le tortionnaire Le Pen »[29]. Il

26. *Journal officiel des débats*, Assemblée nationale, 1re séance du 12 novembre 1957.
27. *Combat*, 9 novembre 1962, cité par Stora, 1999.
28. Rectificatif paru dans *Combat* le 10 novembre 1962.
29. *Vérité-Liberté*, 20, juin-juillet 1962.

était le premier d'une longue série de journaux qui, depuis la fin de la guerre, s'attachèrent à dénoncer les actions de l'homme politique en Algérie ou à en établir toujours plus précisément les preuves. La candidature de Jean-Marie Le Pen à l'élection présidentielle d'avril 1974 fournit l'occasion de premiers articles dans la presse d'extrême gauche : « Tortionnaire et candidat », affirma ainsi *Rouge*. Mais l'homme politique était encore peu connu du grand public comme le confirma son infime score électoral (0,75 % des suffrages exprimés). La question de son passé était donc de peu d'intérêt médiatique. La situation fut toute différente à partir de 1983-1984, quand le parti de Jean-Marie Le Pen débarqua avec fracas dans le paysage politique français. Dès 1985, des articles commencèrent à paraître régulièrement dénonçant son passé de tortionnaire[30] ; des émissions de télévision s'en firent aussi l'écho. Quelques années plus tard, son président attirait plus de 14 % des électeurs : il était devenu une figure politique incontournable ; les médias s'attachèrent à mieux le faire connaître aux Français. Ce fut encore le cas au moment de l'élection présidentielle de 2002. Jean-Marie Le Pen était arrivé en deuxième position avec 24 % des suffrages exprimés. Entre les deux tours, *Le Monde* publia des informations sur le passé de Jean-Marie Le Pen en Algérie et reproduisit une photo du poignard de l'ancien lieutenant abandonné en Algérie, accompagnée de récits d'Algériens racontant les sévices subis[31]. Un mois plus tard, une pleine page était encore titrée « Torture : quatre nouveaux témoins accusent Jean-Marie Le Pen »[32].

Pendant toutes ces années, la guerre d'Algérie du lieutenant Le Pen fut racontée pour ce qu'elle était censée révéler de l'homme qui se présentait au suffrage des Français. Si les récits étaient centrés sur son activité de tortionnaire, l'attention n'était pas focalisée sur cette violence, qui était considé-

---

30. *Le Matin* et *Libération* en janvier 1985, *Le Canard enchaîné* en avril 1985, *Libération* en juillet 1985.

31. *Le Monde*, 4 mai 2002.

32. *Le Monde*, 4 juin 2002.

rée alors comme une évidence. Dresser le portrait des différents candidats à la veille d'élections est une pratique classique des médias. Elle comporte tout à fait normalement son lot de répétitions. Néanmoins, dans ce cas, la mise en scène de la révélation du passé était évidente. Il ne s'agissait pas tant de refuser de banaliser cette réalité dans le *curriculum vitae* d'un homme que d'insister sur un aspect présenté comme tu, une face cachée de l'homme public. Or, si occultation il y avait, elle était le fait de Jean-Marie Le Pen et non des historiens. La connaissance historique et même la mémoire commune, qui se contenterait de lire la presse, existaient sur ce point.

Pourtant, en 2000, la pratique de la torture par l'armée française en Algérie fut bien présentée comme une quasi-révélation. Si des titres comme « Algérie : les Français ont-ils été des criminels de guerre ? » pouvaient encore paraître dévoiler une question taboue en 1990, quand la France redécouvrait massivement son passé algérien[33], ils ne pouvaient plus étonner en 2000 ou 2001. Or, ces années furent marquées par une réelle émotion où se mêlaient peut-être à la découverte de l'ampleur de cette pratique, pour certains, les remords des uns et la culpabilité des autres (de n'avoir pas parlé, de n'avoir pas interrogé, de n'avoir pas voulu savoir aussi). Les questions posées par les médias ou relayées par eux portaient aussi la marque d'un nouveau contexte international : au-delà des acteurs de la violence, l'État était désigné comme responsable ultime ; lui étaient adressées des demandes de repentance ou de condamnation. Ainsi, quand la journaliste Claire Tréan posa en première page du *Monde* la question : « Guerre d'Algérie : juger les tortionnaires ? », elle évoqua la Cour pénale internationale, Amnesty International et son combat contre l'impunité et la jurisprudence Pinochet[34]. Évidemment, c'était moins le passé que le présent qui avait changé.

À propos de ce qu'il appelait la « remontée du refoulé de la guerre d'Algérie », Claude Liauzu (2002) pointa

---

33. *L'Événement du jeudi*, 18-24 octobre 1990.
34. *Le Monde*, 2 décembre 2000.

« l'importance de la presse » en soulignant qu'elle n'était « pas exempte d'effets pervers, quand le devoir de mémoire et les jugements moraux entr[ai]ent en contradiction avec les exigences de la recherche, quand la compétence scientifique et l'audience n'[étaient] pas forcément synonymes ». De fait, dans ces interrogations, le poids du présent était immense qu'il s'agisse d'éléments portés à la connaissance du plus grand nombre par les médias pour éclairer un événement ou un homme politique contemporains, ou qu'il s'agisse d'une manière de déplacer vers le passé des interrogations devenues extrêmement présentes, telles que la lutte contre l'impunité ou la poursuite des crimes contre l'humanité. Il s'agissait moins alors de propédeutiques à la connaissance historique que d'utilisations du passé à des fins citoyennes ou politiques. Une certaine mise en scène de la révélation et du dévoilement d'un passé occulté servait la mobilisation sur des enjeux contemporains ; la prise de conscience de la gravité des questions révélées pouvait accompagner une réflexion dépassant largement ce contexte historique.

Plus simplement, le traitement médiatique de l'information oblige à une mise en scène fort éloignée du travail des historiens pour qui la recherche sur le passé se développe bien mieux dans la pénombre laborieuse d'une salle d'archives que sous des projecteurs pressés. Il n'en reste pas moins que chacun éclaire le passé de sa lumière en fonction de critères et de buts différents. En nourrissant une réflexion sur l'identité française et ses points aveugles, les journalistes peuvent contribuer à la réception de certains travaux historiques. Cependant, il semble qu'il existe, sur certains points, une routine accusatoire largement partagée dans les médias et l'opinion. Des réflexes se sont installés qui paraissent difficiles à déraciner tant ils correspondent aux idées dominantes que les Français se font de leur pays.

Depuis la fin des années 1990, la guerre d'Algérie fut régulièrement mise en regard des années noires. Ainsi, dans un éditorial intitulé « L'exception française », *Le Monde* s'indignait de la « loi du silence » existant sur « les conséquences sanglantes des politiques menées par des pouvoirs bénéficiant d'une sorte de consensus national » et appelait à une politique de refonte sur les archives « afin de permettre que les travaux menés aujourd'hui sur la période de l'Occupation puissent avoir leur équivalent sur celle de la guerre d'Algérie »[35]. De fait, le rappel régulier du scandale que constitua longtemps la situation des archives de la préfecture de police de Paris a pu contribuer à entretenir ce lieu commun des archives fermées de la guerre d'Algérie. On peut penser que la connaissance progressive des travaux d'historiens fondés sur ces sources s'accompagnera d'une lente disparition de ce grief incantatoire. Encore faudrait-il que la politique de communication publique n'évolue pas dans un sens régressif, encore faudrait-il aussi que les travaux historiques soient connus.

Sur ce point, un autre lieu commun existe : les manuels d'histoire ne parleraient pas de la guerre d'Algérie, ou si peu, ou si mal. Or ils constituent un vecteur privilégié de diffusion de la recherche historique et de transmission de l'histoire scientifique dans la société. L'attention qui leur est portée est donc tout à fait légitime, même s'il importe de rappeler qu'ils sont l'émanation d'éditeurs privés illustrant les instructions officielles de l'Éducation nationale concernant les programmes des différentes classes. Depuis la fin des années 1970, la situation s'est considérablement modifiée. Par exemple, la documentation pédagogique, qui ne faisait jusqu'alors aucune place à la guerre d'Algérie, l'intégra dans ses objets en 1978. En 1983, quand la guerre fut mise au programme des classes de terminale, les autorités politiques avaient répondu positivement à la question « peut-on enseigner la guerre d'Algérie ? ». Restait aux enseignants à trouver les mots pour le faire. Un atelier de réflexion avait été organisé par l'Association des professeurs d'histoire et de géographie à la rentrée 1983 afin d'accompagner les enseignants dans ce nouveau programme. La demande était

35. *Le Monde*, 18 octobre 1997.

importante chez eux ; le sujet était aussi polémique pour d'autres : l'atelier dut être protégé par un service d'ordre[36].

Selon Guy Pervillé, les manuels de terminale d'après 1983 tendaient « à expliquer et donc à justifier l'évolution de la politique française – qu'ils la trouvent lente ou pas. Ils admett[ai]ent sans réserve l'indépendance de l'Algérie ; ils estim[ai]ent que ce conflit [avait eu] pour cause principale les fautes commises du côté français, et, ajoutait l'historien, je crois que c'est une bonne chose ». L'historien regrettait cependant que les manuels ne soient pas assez compréhensifs envers les partisans de l'Algérie française, voire chargent les Français d'Algérie de tous les maux. Pour lui, c'était risquer de ne pas convaincre les élèves « désireux de comprendre, parmi la minorité de Français qui sont restés attachés à la cause perdue de l'Algérie française »[37]. De plus, les manuels avaient une tendance certaine au fatalisme historique, présentant les événements comme se déroulant selon un ordre inéluctable. Enfin, le côté algérien de la guerre était sous-représenté et la guerre d'Algérie avait tendance à être décrite « sur le modèle de la Seconde Guerre mondiale avec d'un côté les résistants et de l'autre les "collaborateurs", ces expressions se trouv[a]nt dans un certain nombre de manuels, au moins avec des guillemets »[38]. Depuis 1983, les manuels se sont améliorés. En 1992, un nouveau bilan était dressé par la Ligue de l'enseignement (Le Dain, Gabaut Manceron et Oussedik [coord.], 1993). C'est encore lui qui servit de base à un article accusateur paru dans *Libération* en décembre 2000 qui estimait que « les manuels scolaires refl[étaient] fidèlement la position des Français sur la torture pratiquée par la guerre d'Algérie : confuse et embarrassée »[39]. L'été suivant, dans un numéro intitulé « Polémiques

---

36. Atelier tenu lors des Agoras méditerranéennes à Marseille du 26 au 29 octobre 1983 (compte rendu dans *Historiens & Géographes*, 308, mars 1986).

37. *Historiens & Géographes*, 308, mars 1986, p. 895.

38. *Ibid.*

39. Emmanuel Davidenkoff, « La torture, sans commentaires »,

sur l'histoire coloniale », la revue *Manières de voir* s'indignait encore que « les manuels d'histoire so[ie]nt de véritables véhicules de l'histoire officielle »[40]. D'un autre côté, l' Association de soutien à l'armée française (ASAF) dénonçait « une véritable dérive dans [l']enseignement [de la guerre d'Algérie] qui tourne à une désinformation souvent systématique par omission ou occultation »[41]. Elle demandait même à ses membres de saisir le ministre de l'Éducation nationale, les enseignants, les parents d'élèves, les éditeurs pour « obtenir réparation des passages diffamatoires ou erronés des manuels scolaires ».

Si l'exagération sert la polémique, elle dessert la connaissance car elle bloque la réflexion. En l'occurrence, le constat récurrent des enseignants eux-mêmes n'est pas tant de déplorer l'absence de la guerre d'Algérie ou des points les plus noirs de cette histoire dans les manuels scolaires que la manière dont la guerre d'Algérie se trouve démembrée entre plusieurs thèmes du programme et le peu de temps dont ils disposent pour la traiter[42]. « Dans les séries L, ES et S, estime ainsi Yves Royer, les professeurs ont quatre attitudes possibles sur les grandes questions, dont la guerre d'Algérie : l'évacuer, l'évoquer, l'aborder et l'étudier[43] ». Mais surtout, les critiques les plus constructifs mettent le doigt sur la grande absente des manuels, celle sans qui

---

Libération, 5 décembre 2000. Outre le colloque de 1992, le journaliste s'appuyait sur cinq manuels récents.

40. « Polémiques sur l'histoire coloniale », *Manières de voir*, 58, juillet-août 2001, p. 25 (article paru initialement dans *Le Monde diplomatique* de février 2001). Claude Liauzu note (dans *Genèses*, 46, mars 2002) que *Le Monde diplomatique* est revenu, en novembre 2001, sur cette affirmation grâce à un article de Samuel Tomei, « Un retour sur la question coloniale. Leçons de morale de l'histoire ».

41. ASAF, « La vérité historique dans les manuels scolaires », *Pieds-noirs d'hier et d'aujourd'hui*, 85, décembre 1997, p. 12-25.

42. Michel Hagnerelle et Michel Lambin, *in* Borne, Nembrini et Rioux (dir.), 2002.

43. Yves Royer, « L'Algérie de nos manuels », *in* Olivier Le Cour Grandmaison (dir.), *Le 17 octobre 1961*, *op. cit.*, p. 115.

aucune compréhension des enjeux profonds de la guerre n'est possible : l'Algérie coloniale. Dans son essai sur la colonisation et la République, Gilles Manceron (2003 : 20) estimait qu'il fallait « d'abord réintégrer la colonisation dans le passé national et républicain, et prendre celle-ci comme un tout : éviter d'isoler sa dernière phase en oubliant les précédentes ». Il ajoutait : « Mettre l'accent seulement sur la torture ou les crimes de l'armée française dans la guerre d'Algérie n'incite pas à entamer la nécessaire réflexion globale sur le fait initial – d'où tout le reste a découlé – qu'est le consentement de la République à l'entreprise coloniale et sa légitimation par la doctrine des "races inférieures" » (2003 : 286).

Si une présentation trop limitée à la seule guerre d'Algérie rend plus difficile une réflexion globale, rien n'empêche cependant que celle-ci soit menée par les enseignants, par les élèves, par les lecteurs et par les citoyens.

Les historiens peuvent aussi y participer et y contribuer, notamment en proposant à un public élargi les résultats essentiels de leurs recherches.

Les historiens dans la mêlée ?

Dès après la guerre, des demandes de connaissance, des réclamations, des revendications ont pu être adressées à l'histoire – à ceux qui l'écrivent ou à ceux qui la rendent possible, notamment par l'accès aux archives. Elles ont toujours coexisté avec la parution de textes historiques sur la guerre. Par ailleurs, à côté de leurs publications scientifiques, certains historiens ont endossé la responsabilité sociale que ce sujet d'étude leur renvoyait parfois. Ils se sont soumis à l'exercice de la vulgarisation qui conduit, plus que tout autre écrit, à interroger les relations existant entre écriture historique et demande sociale. Accompagnant leur démarche d'un engagement pédagogique ou médiatique, quelques historiens ont aussi choisi de prendre position dans les débats qui ont agité la société française à propos de la guerre d'Algérie. Ces différentes formes d'engagement ont eu des effets en retour en connotant certains sujets. Elles ont aussi pu contribuer à brouiller les frontières de l'histoire et de la mémoire.

Dans les années 1970, l'histoire de la guerre est devenue un sujet de vulgarisation historique appréciée des Français. Ainsi, après une série sur la « Seconde Guerre mondiale » et une autre sur le « Vingtième Siècle », les éditions Tallandier publièrent chaque semaine, de 1971 à début 1974, un numéro d'*Historia Magazine* (112 au total) racontant, chronologiquement, la « Guerre d'Algérie », en affirmant « présenter au public passionné d'histoire contemporaine un récit complet des événements, écrits, chaque fois que cela [était] possible, par les témoins ou les acteurs, sans distinction de parti, de confession ni de nationalité »[44]. La publication était abondamment illustrée de photographies. Yves Courrière en fut le directeur, conseillé par le général Beaufre. De nombreux militaires eurent l'occasion d'y exprimer leur point de vue sous le couvert de décrire la guerre. Le dernier article de la série était même signé du général André Zeller et intitulé « Le point de non-retour… ». L'ancien putschiste y retraçait sa vision de l'Algérie française. Sans évoquer une seule fois le putsch, il appelait pour finir à de nouveaux liens entre Algériens et Français, entre « cette tranche d'Afrique » et « notre Europe »[45].

Spécialiste de l'Algérie des années 1960, Bruno Étienne ne cessa de déplorer la collaboration d'historiens à cette publication. Selon lui, « *Historia* particip[ait] à une vaste opération de mémorisation de l'histoire immédiate en clichés, stéréotypes donc de falsification. En gros la thèse [était] la suivante : les bandits (d'honneur) traditionnels en Algérie [avaient] été utilisés par les forces hostiles à la France venues ou manipulées par l'étranger (Le Caire, Moscou). La subversion interne [avait trouvé] des alliés

44. Éditorial, *Historia Magazine*, 112 (371), 1974.
45. *Historia Magazine*, 112 (371), 1974, p. 3232.

dans les membres du PC (on redi[sai]t plusieurs fois que c'[étaient] les armes de Maillot qui [avaient servi] à tuer les braves petits soldats du contingent dans l'affaire de Palestro) et surtout les libéraux, bêtes noires d'*Historia* [...]. Bien sûr on parl[ait] surtout des attentats faisant des victimes femmes et enfants. Mais on parl[ait] moins du napalm, des villages rasés, de la répression [...] et surtout des regroupements [...] avec tout ce qu'ils [avaient impliqué] de déracinement et de soumission »[46]. Quoique prêtant le flanc aux critiques, *Historia Magazine* connut un énorme succès. Il rencontrait une soif de connaissance que les livres d'Yves Courrière avaient déjà révélée. Après les hebdomadaires, les éditions Tallandier organisèrent des numéros spéciaux : ces « numéros de synthèse » tinrent lieu de premiers ouvrages de vulgarisation sur la guerre. Ils mettaient l'accent sur deux aspects : les combats et les armes, d'une part, les Français d'Algérie, d'autre part. Le public visé était composé de pieds-noirs et d'anciens combattants, même si des lecteurs plus jeunes purent y trouver aussi des réponses à des questions soulevées à l'occasion du 10e anniversaire de la guerre.

Après ces premiers récits généraux, après la vision d'ensemble proposée par Henri Alleg (1981), Bernard Droz et Évelyne Lever tentèrent le premier ouvrage de synthèse scientifique sur le sujet[47]. Mêlant travail personnel des auteurs sur certaines sources et synthèse des travaux scientifiques déjà menés, leur livre, paru en 1982, reste une référence, en particulier pour ses aspects d'histoire politique. Il était arrivé à point nommé pour les nouveaux programmes scolaires mais s'était largement émancipé de cette première demande conjoncturelle.

Par la suite quelques ouvrages présentèrent des vulgarisa-

---

46. *Annuaire de l'Afrique du Nord,* CNRS Éditions, 1971, p. 998-999.

47. Bernard Droz était maître de conférences à l'IEP de Paris et Évelyne Lever ingénieure de recherches au CNRS. *Histoire de la guerre d'Algérie*, Le Seuil, « Points Histoire », 1982, 375 p.

tions ponctuelles ou rapides[48]. Les éditions Complexe ont également promu une vulgarisation de haut niveau en publiant en format de poche des livres de recherche sur le nationalisme algérien, l'OAS ou encore le putsch qui, tout en offrant les résultats de travaux originaux, les présentaient de manière accessible à un public élargi[49].

Dix ans après le livre de Bernard Droz et Évelyne Lever, Benjamin Stora proposa deux petits ouvrages beaucoup plus synthétiques tout en étant moins exclusivement politiques : *Histoire de l'Algérie coloniale* et *Histoire de la guerre d'Algérie*[50]. Ils visaient à combler un manque. En 1992, un sondage avait en effet indiqué que seulement 38 % des jeunes de 17 à 30 ans s'informaient sur la guerre d'Algérie en lisant des livres (Coulon, 1993). La rareté d'un certain type d'offre n'y était pas forcément étrangère. En 2001, un livre écrit par un témoin portait un titre révélateur à cet égard : *Pour comprendre la guerre d'Algérie*[51]. Cependant, des textes de vulgarisation existaient, même s'ils étaient moins visibles : en particulier les chapitres consacrés par Charles-Robert Ageron (1990) à la guerre d'Algérie dans l'*Histoire de la France coloniale* ou encore ceux du livre de Gilles Manceron et Hassan Remaoun, *D'une rive à l'autre* (1993).

Après l'ouverture des archives, il fallut attendre dix ans pour que deux auteurs tentent des ouvrages de synthèse originaux rendant compte des nouvelles recherches[52]. Guy Pervillé (2002) proposa une histoire de la guerre en l'encadrant, en amont, d'une présentation de l'Algérie coloniale

---

48. Ferro, 1985 ; Delarue et Rudelle, 1990 ; Pervillé, 1992 ; Stora, 1992b ; Branche et Thénault, 2001 ; Jordi et Pervillé, 1999.

49. Ferro, 1982 ; Vaïsse, 1983 ; Harbi, 1984 et Duranton-Crabol, 1995. Il faut aussi signaler le numéro spécial de la revue *Cahiers d'histoire* (Presses universitaires de Lyon) dirigé par Daniel Rivet en 1986.

50. Stora, 1991b et 1993.

51. Jacques Duquesne, *Pour comprendre la guerre d'Algérie*, Perrin, 2003, 311 p. (1re édition : 2001).

52. Paru en 2005, le livre de Sylvie Thénault appartient aussi à cette catégorie.

depuis 1830 et, en aval, d'une réflexion sur la mémoire de la guerre jusqu'en 2002. Il prévenait qu'il n'était « pas question de présenter une histoire exhaustive et définitive de la guerre d'Algérie, parce qu'une telle histoire n'existe pas encore, et n'existera jamais ». En revanche l'ambition était clairement pédagogique : « Dresser un bilan provisoire des connaissances acquises et des problèmes à résoudre, en tentant de répondre aux questions que le public se pose, et qu'il pose aux historiens » (Pervillé, 2002 : 9). La demande sociale était située à l'origine de la démarche de l'historien, qui estimait de son devoir d'y répondre. Jacques Frémeaux se livra aussi à une mise en perspective historique mais son inclinaison le porta davantage à réfléchir sur les modalités des affrontements entre Français et Algériens, en s'interdisant tout développement ultérieur à 1962 (Frémeaux, 2002).

Si peu de livres tentèrent une vulgarisation scientifique d'ensemble sur la guerre d'Algérie, il faut peut-être aussi l'imputer à l'importance acquise par certains magazines en ce domaine, en particulier par le magazine *L'Histoire* qui, à partir de 1978, offrit aux Français un mensuel de qualité permettant un accès aisé aux résultats de la recherche de l'Antiquité à nos jours. La guerre d'Algérie y fut périodiquement traitée, Guy Pervillé étant régulièrement sollicité pour y participer. Il venait alors de soutenir sa thèse : « Les étudiants algériens de l'Université française de 1908 à 1962 »[53]. Depuis 1976, il participait à la rubrique bibliographique de l'*Annuaire de l'Afrique du Nord* en commentant les livres qui sortaient sur la guerre d'Algérie, qu'il s'agisse de fictions, de témoignages ou de travaux historiques. Cet *Annuaire* était né en 1962 à l'initiative de spécialistes en histoire, géographie, sciences politiques, économie, sociologie ou encore littérature. Ils y avaient affirmé leur désir de « mettre à profit leur expérience et la docu-

53. Thèse de 3e cycle d'histoire sous la direction de Charles-Robert Ageron, EHESS, 1980. Publiée en 1984 sous le titre *Les Étudiants algériens de l'Université française (1908-1962)*, CNRS Éditions, 346 p.

mentation accumulée, par la publication régulière d'un annuaire ». Après des contributions des politologues Bruno Étienne et Jean-Claude Vatin dans les premières années, Guy Pervillé était devenu le pilier de la recension des livres francophones sur la guerre d'Algérie. Il s'y était d'emblée montré extrêmement soucieux de contribuer à une relation plus apaisée des Français à leur passé algérien, souhaitant régulièrement l'avènement du temps de l'histoire.

Sa collaboration à *L'Histoire* mais aussi à *Historiens & Géographes* participait de ce même souci. Ainsi, en 1983, quand les nouveaux programmes intégrèrent la guerre d'Algérie dans l'enseignement dispensé au lycée, il proposa un accompagnement pédagogique des enseignants[54]. Dans le même but il participa aux journées organisées par l'Association des professeurs d'histoire et de géographie sur l'enseignement de la guerre d'Algérie considérant qu'il était du « devoir des historiens [...] d'intervenir pour combattre les mythes établis avant la publication des nouveaux manuels de terminale »[55]. Il s'engagea, à partir de cette date, dans une lutte qui lui tenait à cœur depuis quelques années déjà : la rectification des chiffres mythiques de la guerre contribuant à entretenir des interprétations faussées des événements[56]. Comme il le précisait en 1983, « l'historien a besoin d'une impartialité méthodique pour établir les faits et pour les expliquer avec toute l'objectivité possible. Il doit ensuite juger pour distinguer le vrai du faux, éliminer les innombrables erreurs qui circulent jusque dans des ouvrages sérieux ». Ce faisant, puisqu'il travaille sur « une histoire si contemporaine qu'elle touche à l'actualité, le jugement personnel ne peut être absent. » Mais, estimait Guy Pervillé, « [l'historien] peut rester relativement "impartial", dans la

54. *Historiens & Géographes*, 293, février 1983, « Le point sur... la guerre d'Algérie », p. 635-652.

55. Atelier tenu lors des Agoras méditerranéennes à Marseille du 26 au 29 octobre 1983 (compte rendu dans *Historiens & Géographes*, 308, mars 1986, p. 888).

56. *L'Histoire*, 53, février 1983, p. 89-92.

mesure où il défend des valeurs universelles plutôt qu'un parti ou une nation »[57].

Il publia donc régulièrement des mises au point dans *L'Histoire*, la rédaction ayant parfois tendance à attirer l'attention des lecteurs par des accroches insistant davantage sur la tragédie ou le drame que sur la rigueur ou la recherche scientifique, comme le numéro spécial intitulé « Les derniers jours de l'Algérie française » dans lequel Guy Pervillé signa un article posant la question : « La tragédie des harkis : qui est responsable ? » Sa protestation de neutralité scientifique lui fut, à cette occasion, reprochée par deux autres historiens, Gilbert Meynier et Mohammed Harbi, qui pointèrent une posture artificielle de redresseur de torts, ancrée dans un faux balancement : « Affecter comme il le fait de ne pas choisir, pour le nombre des victimes harki(e)s, entre les chiffres des uns – gonflés et incompatibles avec les documents démographiques – et les évaluations plus basses, plus plausibles, en un mot plus scientifiques – de Charles-Robert Ageron –, ne nous paraît pas correct. Laisser les lecteurs d'une revue comme *L'Histoire* dans une incertitude orientée et trompeuse en renvoyant dos à dos un historien impartial éprouvé et des historiens engagés en proie à la victimisation est une attitude qui nous déçoit[58] ». Dans la réponse qu'il leur fit, et sans revenir sur le reproche de fausse symétrie, Guy Pervillé explicita sa démarche : en évoquant en une phrase le sentiment d'horreur que Pierre Messmer avait exprimé à propos de l'Algérie, « pays sanguinaire », l'historien voulait « attirer l'attention des lecteurs algériens sur la gravité du préjudice que les représailles contre les "harkis" [avaient] infligé à la réputation de leur pays et [...] tenter de briser le mur qui sépar[ait] les perceptions française et algérienne de ce problème »[59]. Sa démarche, expliqua-t-il encore, était « motivée par le

57. *Historiens & Géographes*, 293, février 1983, p. 644.
58. *NAQD. Revue d'étude et de critique sociale*, 14/15, 2001, p. 212.
59. *Ibid.*, p. 217.

souci de l'avenir des Algériens autant que par celui de répondre aux doléances des "Français musulmans" »[60]. Guidé par le désir d'apaiser les mémoires et de promouvoir une vision équilibrée de la guerre, l'historien mettait en avant son refus de prendre parti, quitte à fabriquer des camps dans lesquels il inscrivait d'autres historiens… pour mieux émerger comme le seul réconciliateur ? De quelles mémoires divisées s'agissait-il en effet dès lors que Charles-Robert Ageron était réduit au rôle de héraut mémoriel ?

De fait, la guerre d'Algérie s'est installée, en quinze ans, comme un sujet médiatique et éditorial de plus en plus porteur. Le nombre de couvertures que *L'Histoire* lui consacra, sans compter les numéros spéciaux, en est un des signes. Les interviews d'historiens dans la presse, à la radio ou à la télévision aussi. De telles sollicitations ont pu susciter des jalousies et conduire à des comportements peu respectueux des exigences scientifiques, aussi bien de la part des historiens médiatisés que de celle de leurs contempteurs.

Quoi qu'il en soit, la manière dont la période de la guerre revint au premier plan de l'actualité en 2000, l'éclosion de témoignages d'anciens combattants qu'elle occasionna alors, put laisser penser qu'un lectorat spécifique existait sur ce sujet et que les historiens désireux de faire connaître leurs travaux trouveraient tous leurs lecteurs. Attentive à cet air du temps favorable et forte de succès commerciaux rencontrés sur d'autres périodes historiques, une entreprise de presse lança, en janvier 2002, un nouveau magazine bimestriel consacré exclusivement à ce conflit : *Guerre d'Algérie magazine*. Le premier éditorial affichait un souci de rigueur scientifique et revendiquait un « esprit d'ouverture […] sans positionnement partisan ». Le comité éditorial rassemblait trois des principaux professeurs d'université spécialistes de la question : Jacques Frémeaux, Jean-Charles Jauffret et Benjamin Stora. Dès le premier numéro, ils apportèrent chacun leur réponse à la question suivante : « La guerre

60. *Ibid.*, p. 221.

d'Algérie, le temps des historiens ? » La demande sociale y était reconnue et rattachée au poids de l'actualité algérienne en France, à un phénomène générationnel ainsi qu'aux implications politiques et sociales des résurgences de la guerre d'Algérie dans le débat public français. Les historiens refusaient de déplorer la « surmédiatisation » – un nouveau magazine n'y participait-il d'ailleurs pas ? Au contraire, ils préféraient y voir un signe d'intérêt pour la période, somme toute bénéfique à l'audience des travaux historiques : « On peut même se féliciter d'un trop-plein de critiques plutôt que de l'absence de réactions », notait ainsi Benjamin Stora[61]. Il s'agissait enfin de rendre accessibles au plus grand nombre les épisodes d'une « histoire tragique » (Jacques Frémeaux) dont la guerre fut la dernière étape, de « ne pas oublier d'évoquer tout ce qui blesse » (Jean-Charles Jauffret), de « comprendre le drame qui s'[était] joué » (Benjamin Stora). Les trois historiens s'accordaient manifestement sur leur rôle dans la cité ; malgré des nuances que les lecteurs pouvaient percevoir, ils semblaient partager une même compassion pour les souffrances et les blessures du passé avec leurs prolongements contemporains. Au fil des numéros, le comité éditorial s'étoffa : Daniel Lefeuvre, Jean-Jacques Jordi et Mohand Hamoumou y entrèrent à l'occasion d'un « numéro spécial : été 1962 » : « Harkis et pieds-noirs ». Guy Pervillé les rejoignit à partir du numéro suivant qui titrait sur « Les pertes militaires ». Autant de thèmes qui maintenaient une cohésion dans la démarche et l'esprit annoncés initialement. En outre, ce magazine ne se contentait pas d'ouvrir ses colonnes à des historiens patentés. De jeunes docteurs ou des doctorants y étaient invités à proposer leurs travaux. Certains auteurs non historiens en furent aussi des collaborateurs réguliers.

Le magazine avait opté pour une définition de la guerre d'Algérie qui permettait de présenter certains aspects socio-économiques et politiques de l'Algérie coloniale depuis sa

61. *Guerre d'Algérie magazine*, 1, janvier 2002, p. 7.

mise en place au XIXe siècle : ainsi environ 20 % des articles ne portaient pas sur la période de la guerre. Toutefois, la guerre et les aspects militaires restaient largement dominants, atteignant souvent de 50 % à 60 % des articles publiés par numéro. Les couvertures attiraient en outre l'attention sur ce point, reflet, peut-être, du lectorat visé.

De fait, tout en rendant compte de l'état des recherches grâce à des articles de vulgarisation, ce magazine faisait une place non négligeable à la mémoire de la guerre. Des témoins de l'époque, anciens militaires ou journalistes notamment, furent conviés à faire ce que la rédaction nommait parfois « récit » ou « souvenirs », même si le statut de ces textes n'était pas toujours précisé. Le magazine avait néanmoins un souci de rigueur scientifique tout en affichant, selon son directeur de rédaction, une « volonté première : évoquer avec un esprit d'ouverture et sans positionnement partisan une période essentielle de l'histoire contemporaine de notre pays ». *Guerre d'Algérie magazine* dut cependant s'arrêter après six numéros, le lectorat captif n'étant pas aussi important qu'attendu et le souci d'équilibre de la rédaction n'ayant pas été apprécié par certains groupes porteurs de mémoire. Peut-être aussi la forme choisie n'était-elle pas la plus adaptée à la demande, alors même que l'absence de manuels de base récents sur la guerre d'Algérie commençait à se faire cruellement sentir.

D'autres tentatives éditoriales, profitant aussi d'un air du temps jugé propice, virent le jour sans partager le souci de rigueur et d'équilibre de la rédaction de *Guerre d'Algérie magazine*. Ce fut en particulier le cas du bimestriel *Reportages de l'histoire* lancé en 2002 et consacré à la « guerre d'Algérie » ou à l'« Algérie 1954-1962 ». Au travers de témoignages d'acteurs de l'époque ou de textes non signés, il s'agissait de célébrer le combat pour l'Algérie française, y compris après le 19 mars 1962 : une présentation tout à fait orientée du passé où la nostalgie de l'Algérie d'antan côtoyait un négationnisme à peine masqué sous couvert de critiquer ou de contredire ceux qui étaient appelés « les historiens ». Une confrontation pseudo-scientifique était mise en scène dans le but de promouvoir une vision de l'histoire totalement idéologique. La familiarisation du grand public avec la notion d'interprétation historique et de débat historiographique n'en était pas facilitée.

L'Histoire a aussi pu alimenter parfois une certaine confusion entre débat historiographique et débat politique. Elle organisa ainsi un dialogue imaginaire entre Pierre Vidal-Naquet et Raoul Girardet sur la question de la torture[62]. Ces deux historiens avaient joué un rôle actif pendant la guerre et leur opposition, mise en scène dans le magazine, ne trouvait pas fondamentalement son origine dans deux manières de faire de l'histoire ou dans deux interprétations d'une même réalité historique mais dans deux positionnements politiques opposés quant à l'avenir de l'Algérie, en particulier dans les dernières années de la guerre, puisque Raoul Girardet fut sympathisant actif de l'OAS et Pierre Vidal-Naquet engagé dans la lutte contre la torture. Une telle confusion ne contribuait pas à clarifier les enjeux historiographiques et risquait plutôt d'alimenter dans les esprits des lecteurs l'idée d'un passé dont il serait difficile de faire l'histoire, voire dont toute histoire serait nécessairement sujette à caution, suspecte de parti pris idéologique.

Aux prises avec « des interprétations simplificatrices et impropres »[63], certains spécialistes de la guerre d'Algérie ont pu préférer se retrancher dans des publications scientifiques ou des vulgarisations aux formes contrôlées, refusant en particulier toute présence dans les médias audiovisuels auxquels sont reprochées des normes peu compatibles avec l'exposition d'une démarche critique. Certes, ceux-ci offrent aussi – la radio publique en particulier – des émissions où les historiens peuvent avoir le loisir de développer leur pensée et leur méthode, mais le sentiment de méfiance reste répandu vis-à-vis de médias ancrés dans une autre culture, où l'oral domine l'écrit, où l'actualité guide les regards. Le risque

62. *L'Histoire*, 140, janvier 1991.

63. François Hartog et Jacques Revel, *Les Usages politiques du passé*, Éditions de l'EHESS, 2001, 206 p., p. 8.

de laisser le terrain médiatique occupé par des personnes prétendant faire de l'histoire alors qu'elles élaborent une construction idéologique en prenant prétexte du passé est alors réel. Ainsi, en 2003, la sortie d'un livre intitulé *Un mensonge français. Retours sur la guerre d'Algérie*[64] a donné lieu à une débauche de couverture médiatique dans laquelle les historiens peinèrent à faire entendre leur voix, si tant est qu'ils souhaitèrent répondre aux sollicitations des médias visant à créer un débat sur des questions très largement biaisées par la présentation qu'en avait faite l'auteur dans un livre destiné avant tout à provoquer un scandale. Mohammed Harbi et Gilbert Meynier ont toutefois pris soin de répondre. Leur critique était précise et informée ; elle comptait une dizaine de pages[65]. On était loin du format de la presse non spécialisée dans laquelle seules des critiques lapidaires purent trouver place, venant alimenter une polémique que l'auteur ne pouvait qu'appeler de ses vœux, alors qu'elle ne permettait pas de progresser dans la connaissance du passé.

Cependant, en dépit de ces risques, certains historiens tenant compte de la transformation du statut de l'historien, et notamment du spécialiste des périodes récentes dans notre société[66], ont pu prendre « l'initiative d'intervenir dans le débat public, de le nourrir ou de l'initier »[67]. Pierre Vidal-Naquet est assurément un modèle en ce domaine. Ses travaux historiques en histoire contemporaine furent toujours à la fois des avancées pour la recherche et des prises de position. Travailler sur « les crimes de l'armée française » ou sur « les assassins de la mémoire », c'était en effet imposer à ses contemporains l'urgence d'une question, la nécessité

64. Georges-Marc Benamou, *Un mensonge français. Retours sur la guerre d'Algérie*, Robert Laffont, 2003, 345 p.
65. Mohammed Harbi et Gilbert Meynier, « La dernière frappe du révisionnisme médiatique », *Confluences méditerranéennes*, janvier 2004.
66. Voir Olivier Dumoulin, *Le Rôle social de l'historien : de la chaire au prétoire*, Albin Michel, 2002, 343 p.
67. François Hartog et Jacques Revel, *Les Usages…*, *op. cit.*, p. 7.

d'une interrogation et refuser de cantonner son horizon aux débats entre spécialistes. Il dit de lui-même : « Je suis un homme passionné qui s'engage doublé d'un historien qui le surveille de près, enfin, qui *devrait* [sic] le surveiller de près » (Vidal-Naquet, 1998 : 340), la modestie du spécialiste n'ayant ici d'égale que son extrême exigence scientifique.

Se positionnant « face à la guerre d'Algérie », dans une attitude de résistance inspirée des intellectuels dreyfusards, Pierre Vidal-Naquet avait incarné une position résolument critique. Le doute méthodique et la rigueur étaient toujours proposés comme uniques moyens pour atteindre la vérité et la leçon ne visait pas seulement les historiens[68]. Mis d'emblée au service d'une action politique, son travail sur la guerre d'Algérie porta toujours l'empreinte de cette conception de l'intellectuel engagé. Il signa aussi de nombreuses pétitions, soutint de multiples causes dépassant le cadre de son champ de compétences scientifiques propres. Considérant en effet que l'histoire sert « à prendre parti dans le présent », il avait aussi pris position contre l'interruption du processus électoral en Algérie en 1992 et s'était prononcé contre une conception exclusivement répressive et éradicatrice de la violence terroriste dans ce pays[69]. Fidèle à ses positions d'antan, il a toujours agi pour que le scandale de la disparition de Maurice Audin ne soit pas étouffé. Il a aussi adhéré à l'association 17 octobre 1961 : contre l'oubli et cosigné un texte paru dans *Le Monde* estimant que l'État français s'était ce jour-là rendu coupable d'un crime contre l'humanité. En 2000 encore, il signa l'appel aux plus hautes autorités de l'État leur demandant de reconnaître que la pra-

---

68. Citons ce « Manifeste pour la vérité et la moralité en politique » rédigé en juin 1973 et amendé par Laurent Schwartz, Charles Malamoud et Richard Marienstras, dans lequel il écrivait : « La fonction critique, qui est l'essence même de l'activité intellectuelle et dont l'abandon est la seule véritable trahison des clercs, apparaît aujourd'hui scandaleusement comme la chose au monde la moins répandue », Vidal-Naquet, 1998 : 362.

69. *Ibid.*, p. 356.

tique de la torture « a[vait] été entreprise [au nom de la France] durant la guerre ».

Rares sont les historiens de la guerre d'Algérie à avoir assumé aussi nettement un engagement qui, pour être articulé à leurs travaux intellectuels, nécessitait néanmoins de s'en distinguer pour s'inscrire explicitement dans le champ du politique. En effet, au moins autant qu'une réflexion, l'engagement pouvait être aussi une réaction. Or, quand la parole historienne se donne comme telle, elle doit respecter les codes déontologiques du métier – sans confondre témoignage et contribution scientifique par exemple. Inversement, certains engagements conduisent à des positions décalées des exigences universitaires, justifiées par des motivations extérieures à la recherche : il est alors nécessaire de le préciser. En aucun cas, le brouillage des identités sociales ne peut être un allié honnête pour l'intellectuel engagé.

Le début des années 1990 voit émerger deux personnalités dans le débat public sur la guerre d'Algérie : Jean-Luc Einaudi et Benjamin Stora. Le premier publia un livre sur la répression policière d'octobre 1961, alors que cet épisode de la guerre d'Algérie sortait des milieux confinés des mémoires immigrées ou militantes pour revendiquer sa place dans une histoire de France qui soit plus large, plus accueillante et plus critique envers elle-même[70]. Il s'associa alors aux actions visant à faire reconnaître la réalité de la répression et y contribua pour sa part en continuant ses recherches sur ce sujet. Historien non universitaire, chercheur hors des laboratoires du CNRS, il rencontra de nombreux obstacles sur sa route. Claude Liauzu, spécialiste d'histoire coloniale et enseignant à l'université de Paris-VII, s'engagea souvent à ses côtés pour dénoncer le traitement qui lui était fait et surtout, plus généralement, la frilosité française en matière d'histoire coloniale. *Le Monde diplomatique* lui ouvrait alors ses colonnes, permettant à un

70. Voir plus haut.

public plus large de se familiariser avec une réflexion liant mémoire et histoire. L'engagement de Claude Liauzu se situait à côté de ses recherches historiques personnelles mais était rattaché à un projet politique affiché : lutter contre la montée du Front national et le racisme présent dans la société française[71]. Selon lui, l'historien devait « assurer un travail de mémoire » mais en passant par l'établissement des faits et l'organisation de débats « entre spécialistes », puis par une transmission dans le cadre scolaire[72]. Un travail de mémoire ancré dans la recherche historique en quelque sorte : la position n'était pas évidente à tenir et elle a pu lui être reprochée.

Quant à Benjamin Stora, il commença à populariser ses analyses sur le poids de la guerre d'Algérie dans notre société et notre mémoire nationale – de même qu'en Algérie qu'il étudiait parallèlement. Selon lui, les mémoires collectives pesaient d'autant plus lourd qu'elles n'avaient pas été soumises à un juste examen et à une reconnaissance étatique. Cela justifia son engagement aux côtés de l'association Au nom de la mémoire qui, lors du procès de Maurice Papon à Bordeaux, manifesta pour faire connaître le rôle que le même Maurice Papon avait eu à Paris en 1961. Pour plus de clarté, l'historien – alors enseignant à l'université de Paris-VIII – s'attachait à expliciter ses positions, redoublant l'engagement citoyen d'un discours intellectuel, assumant définitivement une position d'historien engagé. Cependant, la plupart de ses interventions médiatiques ne se situaient pas dans cette optique et contribuèrent, au contraire, à faire de lui le spécialiste incontournable de la période pour le grand public. Benjamin Stora a en effet accepté de jouer le rôle original de commentateur avisé de l'actualité politique algérienne et de l'actualité française concernant la guerre

---

71. Il publia ainsi une anthologie critique intitulée *Race et civilisation. L'autre dans la culture occidentale*, Syros, 1992, et *La Société française face au racisme. De la Révolution à nos jours,* Bruxelles, Complexe, 1999.

72. *Le Monde diplomatique*, février 1999.

d'Algérie et ses échos, capable d'en proposer des mises en perspective historiques.

Si, pendant toute la décennie 1990, Benjamin Stora a été un passeur privilégié, c'est aussi parce qu'il montra une attention particulière aux images, conscient de leur pouvoir et de leur importance dans l'imaginaire collectif. Avec Jean-Pierre Rioux et Laurent Gervereau, il dirigea, en 1992, une exposition organisée par la BDIC et le musée d'Histoire contemporaine : « La France en guerre d'Algérie ». De nombreuses photographies de l'armée mais aussi des affiches, sources jusqu'alors peu exploitées sur l'histoire de la guerre, en constituaient les principaux supports (Gervereau, Rioux et Stora [dir.], 1992). Le vecteur choisi – les images fixes – pouvait espérer toucher un large public. Dix ans plus tard, en 2002, des photographies constituèrent la base d'une nouvelle exposition. Entre-temps, Benjamin Stora avait écrit un livre illustré sur les appelés (Stora, 1997b) et proposé plusieurs réflexions sur le rôle des images dans les représentations des conflits[73].

L'historien s'était aussi fait une spécialité du conseil historique sur de nombreux films, qu'il s'agisse de fictions ou de documentaires. Il avait surtout franchi le cap de la réalisation en participant à un documentaire pour la télévision en 1991, dans la lignée de son ouvrage *La Gangrène et l'Oubli*. « Mon idée de base, expliqua Benjamin Stora, correspondait à un travail historique traditionnel, tout simplement la restitution de mémoires, la confrontation et la circulation des différentes mémoires[74]. » Ce faisant pourtant, l'historien sautait de plain-pied dans le réel : il devenait acteur d'une histoire de la mémoire qu'il venait d'étudier. En effet, intitulé

73. Benjamin Stora, *La Guerre invisible : Algérie, années 90*, Presses de Sciences-Po, 2001, 128 p. ; ainsi que *Imaginaires de guerre : Algérie-Viêt-nam, en France et aux États-Unis*, La Découverte, 1997, 251 p.

74. Entretien de Benjamin Stora avec Dimitri Nicolaïdis, *in* Dimitri Nicolaïdis (dir.), *Oublier nos crimes ? L'amnésie nationale, une spécificité française ?*, Autrement, 2002, p. 209.

Les Années algériennes, ce film souhaitait « expurger les silences, fouiller les interdits, déverrouiller les discours établis qui maintiennent des vérités contraires et tenter enfin d'écrire ensemble notre histoire commune »[75]. Il s'agissait de proposer une analyse des méandres et des enjeux de la mémoire de ces événements pour sortir des deux dangers pointés par l'historien : la gangrène et l'oubli. Les auteurs avaient peut-être le désir d'aboutir à un nouveau *Le Chagrin et la Pitié* pour la guerre d'Algérie. « Seule une réappropriation consciente des mémoires permet[tait] de reconnaître le passé comme passé, c'est-à-dire de ne plus le vivre comme présent », expliquait notamment Benjamin Stora qui ajoutait : « En ce sens, je confesse volontiers que mon travail n'[était] pas exempt d'une certaine visée cathartique[76]. »

Les Années algériennes donnaient à voir la guerre à travers des récits individuels, des histoires personnelles. La fragmentation était assumée comme projet narratif. Comme projet subjectif aussi puisque le film commençait par le retour en Algérie de la mère de Benjamin Stora. Dix ans plus tard, l'historien définissait ce film comme « un documentaire et une enquête », « également un travail de deuil sur soi-même », « à la fois un travail d'historien et une enquête subjective »[77]. Revenu de certaines illusions, il disait avoir mené alors un travail de déconstruction et proposé non pas une histoire de la guerre d'Algérie mais « l'une des histoires possibles de cette guerre »[78]. Il décrivait le travail historique en lui assignant des exigences similaires : « La critique historiquement la plus féconde de la mémoire est celle qui en dévoile l'alchimie et parvient à montrer que la manière même dont la guerre d'Algérie a été vécue du côté français

75. Thierry Fabre, « France-Algérie : questions de mémoire », *in* Kacem Basfao et Jean-Robert Henry (dir.), *Le Maghreb, l'Europe et la France*, CNRS Éditions, 1992, 413 p., p. 354.
76. Entretien de Benjamin Stora avec Dimitri Nicolaïdis, *in Oublier nos crimes ?...*, *op. cit.*, p. 211.
77. Interview de Benjamin Stora, *Historical Reflections*, 28 (2), 2002, p. 204.
78. *Ibid.*, p. 207.

a permis aux mémoires françaises d'être produites comme mémoires et de continuer à vivre d'une vie souterraine, longtemps après que la guerre elle-même eut pris fin. » Pourtant l'historien ne manquait pas de noter aussi l'« incomplétude [...] irréductible » de l'image, ajoutant qu'il ne pouvait « pas y avoir d'"écriture de l'histoire en images". En revanche, ajoutait-il, il y a[vait] une place, plus modestement, pour une contribution de l'image à l'écriture de l'histoire »[79].

Si l'image ne suffit peut-être pas pour « énoncer des vérités », elle garde cependant une force de persuasion que l'historien désireux de transmettre ne peut ignorer. En 1992, 83 % des jeunes de 17 à 30 ans avaient été informés sur la guerre d'Algérie par la télévision (Coulon, 1993). Benjamin Stora s'était alors félicité que « la télévision s'adapte, correspond[e] à cette forme de mémoire de guerre restée privatisée, familiale » et il notait, citant Roger Fayolle, que « loin d'être un péril pour la vraie culture littéraire ou humaniste, le développement de l'audiovisuel [pouvait] être pour elle une chance magnifique de diffusion de ses richesses et de ses bienfaits. À la condition que ce développement soit maîtrisé et ne soit pas abandonné au pouvoir des marchands »[80]. Un documentaire comme celui de Yamina Benguigui sur l'immigration maghrébine en France, de l'arrivée des premiers hommes (« les pères »), à l'installation de leurs femmes (« les mères ») et aux interrogations des enfants, en apporta la confirmation cinq ans plus tard[81]. Réalisé sans conseiller historique, il s'inscrivait explicitement dans une démarche identitaire en s'appuyant sur les souvenirs d'individus. Il fut, nonobstant, un film sur l'immigration, donnant à comprendre des aspects économiques et sociaux de cette histoire certes connue des historiens mais, à partir de la diffusion de ce documentaire à la télévision, mieux connue aussi du grand public.

79. Entretien de Benjamin Stora avec Dimitri Nicolaïdis, *in Oublier nos crimes ?..., op. cit.*, p. 210-211.
80. Préface de Benjamin Stora à Coulon, 1993 : 8.
81. *Mémoires d'immigrés*, de Yamina Benguigui, 1997.

Est-ce à dire que les documentaires historiques devraient être réalisés sans les historiens ? Critiqué par certains collègues, Benjamin Stora afficha une certaine désillusion après *Les Années algériennes*. J'ai cru, expliquait-il, à « la force de l'image qui vient se répandre dans les profondeurs d'une société pour atteindre des millions de personnes. J'ai cru au “pouvoir de guérison” de l'image, à sa capacité de cicatrisation, d'apaisement. Et puis, je suis tombé de haut parce que cette image, en fait, ne se répand que parmi les gens concernés. Elle ne va pas bien au-delà. J'ai compris que ce n'est pas l'image qui peut guérir des traumatismes ou énoncer des vérités »[82]. La déception de l'historien a cependant su se tempérer elle-même puisqu'il continua à participer à des films comme à des expositions.

Il paraît difficile d'imaginer aujourd'hui que la vulgarisation puisse se passer du média télévisuel. Si son utilisation doit s'accompagner d'une réflexion sur les caractéristiques de ce média, conduisant l'historien à inventer les formes d'un discours différent, il serait dommage de l'éviter au prétexte de ses limites car l'amélioration de la diffusion du savoir participe pleinement au progrès de la connaissance dans une société. En revanche, ce progrès a des effets en retour sur le pouvoir politique tant les désirs de reconnaissance semblent croître à mesure que la connaissance se diffuse et que l'écart paraît augmenter entre les politiques publiques et le poids, mieux cerné, de l'État dans cette histoire. Les autorités politiques sont alors mises en demeure de prendre position sur le passé.

---

82. Benjamin Stora, *in Historical Reflections*, *op. cit.*, p. 217.

À la recherche d'une reconnaissance consensuelle, à l'ombre de Vichy

Les appels à une reconnaissance officielle de pans de l'histoire de la guerre d'Algérie considérés comme oubliés se sont multipliés à partir des années 1990. Ils ont pu être relayés par certains historiens. La comparaison avec la manière dont la société et les autorités françaises avaient construit leur relation au régime de Vichy fut souvent évoquée. Sur ce thème, le moment paroxysmique fut le procès, du 8 octobre 1997 au 2 avril 1998, de Maurice Papon pour complicité de crime contre l'humanité pendant la Seconde Guerre mondiale. La reconnaissance du « massacre » du 17 octobre 1961 en fut une des conséquences. Elle put laisser croire à la pertinence de la comparaison entre Vichy et l'Algérie.

À partir de ce procès, ceux qui agirent pour faire sortir cette date de l'oubli assistèrent à la victoire de leur combat. En 1998, un tribunal reconnut le caractère non diffamatoire du mot « massacre » pour désigner les événements de cette soirée ; l'anniversaire du 17 octobre 1961 donna régulièrement lieu à des manifestations ou des rassemblements qui attiraient un public extérieur au milieu strictement mémoriel ; l'Assemblée nationale accepta, en octobre 2000, qu'un colloque soit organisé dans ses locaux sur le thème : « 17 et 18 octobre 1961 : un massacre d'Algériens sur ordonnance ? ». Demande sociale et pressions associatives s'ajoutaient au jugement d'un tribunal et à la diffusion de travaux sur le massacre et son contexte. Finalement, en octobre 2001, pour son 40e anniversaire, le massacre était reconnu officiellement et son « occultation » officiellement dénoncée. Inaugurant l'exposition organisée à la Conciergerie par l'association Au nom de la mémoire, le secrétaire d'État au Patrimoine et à la Décentralisation culturelle, Michel Duffour, fit en effet un discours très précisément informé sur l'événement, citant « l'historien Jean-Luc Einaudi ». Il reprit l'idée d'une société française « atteinte de troubles de la mémoire collective », ajoutant : « Comme si le refus de nommer une guerre, un massacre, pouvait faire que ce qui a eu lieu n'ait pas eu lieu. » L'homme politique mettait plutôt l'accent sur la mémoire : « Le travail de mémoire, pour s'accomplir, a tout simplement besoin de la reconnaissance officielle de ce qui s'est produit. Il ne s'agit pas de rédemption ou de repentance, mais d'un acte de justice pour le présent et l'avenir », estima-t-il enfin comme solde de tout compte. Le matin même, en effet, le maire de Paris, Bertrand Delanoë, avait accompli le premier geste de reconnaissance officielle du massacre, attendu depuis quarante ans par beaucoup. Il s'agissait de la pose d'une plaque commémorative au niveau du pont Saint-Michel d'où des Algériens avaient été jetés dans la Seine, le 17 octobre 1961. Son texte avait été l'objet de multiples amendements pour recueillir l'accord d'une majorité d'élus du conseil municipal. Il stipulait : « À la mémoire des nombreux Algériens tués lors de la sanglante répression de la manifestation pacifique du 17 octobre 1961 ». Sur une plaque apposée en face de la préfecture de police était seulement évoquée une « sanglante répression » ayant tué de « nombreux Algériens » : aucun acteur n'était désigné, aucun responsable non plus. Si la reconnaissance était réelle, elle était donc partielle. En outre, elle était le fait de la mairie de Paris, municipalité socialiste alors que le pouvoir sous lequel avait été accompli ce massacre était gaulliste. L'État, lui, ne s'était pas manifesté autrement que par la présence d'un secrétaire d'État se félicitant de l'action du maire. Persévérant dans ces actions symboliques, dont l'existence rendait encore plus visible l'absence de geste étatique, la mairie de Paris a inauguré, en mai 2004, une place au nom de Maurice Audin.

Cette frilosité de l'État ne rappelait-elle pas son attitude concernant la période de Vichy ? En 1995, le président de la République Jacques Chirac avait, finalement, reconnu la responsabilité de l'État dans la rafle du Vel' d'Hiv. Mis en demeure, cinq ans plus tard, de reconnaître cette même responsabilité dans la pratique de la torture pendant la guerre d'Algérie, il s'y refusa. Quant à son Premier ministre, Lionel Jospin, il déclara, au cours du dîner annuel organisé par le CRIF (Conseil représentatif des institutions juives de France), en novembre 2000, qu'il fallait « se souvenir qu'en des heures sombres les institutions de notre pays avaient failli ». Sa déclaration ne faisait qu'écho à celle du président Chirac, le 16 juillet 1995. Elle ne franchissait pas le seuil de la reconnaissance. La repentance collective fut même mise en avant pour être mieux rejetée : elle permettait de faire l'impasse sur la question de la reconnaissance politique.

Si la comparaison avec le régime de Vichy était si présente pour les différents acteurs, qu'ils soient politiques, associatifs ou simples citoyens, c'était aussi parce que certains liens apparaissaient entre ces deux périodes de l'histoire récente. La carrière du haut fonctionnaire Maurice Papon en sembla la démonstration évidente, permettant de souligner la continuité de pratiques discriminatoires officielles instituées par l'État vis-à-vis des Juifs sous Vichy (indépendamment de toute demande allemande), ou vis-à-vis des Algériens. Qu'un régime autoritaire et un régime républicain aient pu se livrer à des politiques semblant similaires dans leur esprit avait de quoi troubler et déranger. En outre, la guerre d'Algérie introduisait une chronologie politique d'autant plus perturbante qu'elle avait en partie eu lieu sous la Ve République. Enfin, elle rappelait qu'à côté de la France républicaine habituelle, il avait existé une autre France, la France coloniale. Pouvait-il s'agir de la même ?

Les questions héritées de la comparaison avec le régime de Vichy induisaient, en réalité, de fausses perspectives. Pour le régime de Vichy, les gestes politiques avaient été précédés d'une historiographie abondante. Les travaux historiques étaient anciens et les interprétations fondamentales sur la nature du régime, et notamment sa politique antisémite, étaient établies depuis les années 1970 et admises par tous. La décision des autorités publiques consista à entériner une réalité avérée et bien informée par les historiens, à lui donner un sens politique dans le présent.

L'historiographie de la guerre d'Algérie était, elle, moins ancienne ; de nombreux points sombres de cette histoire n'avaient été éclaircis que récemment et/ou restaient encore à creuser. Prendre une position, pour les représentants de l'État, aurait abouti – dans certains cas – à sanctionner une seule recherche, souvent récente, plutôt que de nombreux travaux, voire à privilégier une interprétation mémorielle plutôt qu'une autre, sur des épisodes douloureux du passé. On conviendra que la situation était, et est encore, bien différente. De fait, la plus grande prudence a caractérisé les décisions étatiques concernant la guerre d'Algérie.

Pourtant la conviction qu'une reconnaissance officielle viendrait panser les plaies toujours ouvertes d'une société française malade de sa guerre d'Algérie s'est peu à peu imposée. Les analyses développées par Benjamin Stora depuis *La Gangrène et l'Oubli*, en 1991, sont devenues une évidence, presque un lieu commun. L'historien fut d'ailleurs cité lors des débats parlementaires aboutissant à la requalification des « événements » en « guerre » en 1999 : le rapporteur au Sénat ayant désigné ce « qu'un historien a pu appeler "l'amnésie mise en scène" régnant autour de la guerre d'Algérie »[83]. Benjamin Stora fut aussi consulté, avec Jean-Charles Jauffret, par la commission réfléchissant à l'élaboration d'un mémorial de la guerre d'Algérie. Parallèlement, il continuait régulièrement à déplorer l'absence de gestes officiels. Sous un titre évocateur, « Cicatriser l'Algérie », il a pu écrire, en 1999, qu'« à la différence de Vichy, il n'exist[ait] absolument aucune reconnaissance d'une quelconque culpabilité, parce qu'il [était] impensable de reconnaître que la France ait conduit une guerre contre une fraction d'elle-même, puisque l'Algérie était la France ! [...] Dans l'espace public commémoratif, il n'y a[vait] rien : le 17 octobre 1961 n'[était] pas la rafle du Vel' d'Hiv »[84]. « C'est la reconnaissance par l'État français des crimes

83. Sénat, 5 octobre 1999.

84. *In* Nicolaïdis (dir.), *Oublier nos crimes ?..., op. cit.*, p. 227-243.

commis pendant la guerre d'Algérie qui permettra de dépasser ce traumatisme, et non le simple fait de montrer », recommandait-il encore en 2002[85].

Il ne s'agissait pas tant de souhaiter que le passé soit condamné mais, plus radicalement et plus simplement à la fois, que le passé soit reconnu comme ayant été, qu'il soit pris en charge par un discours qui en rende compte officiellement. La reconnaissance devrait être d'abord celle-là. D'autres spécialistes de la guerre d'Algérie estimèrent aussi qu'un tel geste était nécessaire ou qu'il l'aurait été. Pour les signataires d'une tribune dans *Le Monde*, c'était « à l'autorité politique d'assumer ses responsabilités et celles de ses prédécesseurs »[86]. Pour Jacques Frémeaux, « la répugnance de bien des anciens combattants à évoquer cette période [... provenait] sans doute aussi du refus des plus hautes autorités françaises, à la fin de la guerre, de prononcer des paroles qui auraient réconcilié les citoyens avec leur histoire ». Mais, ajoutait-il, pessimiste, il était trop tard, « la mémoire [était] définitivement blessée »[87].

Connaisseur des réalités coloniales françaises et fin observateur de la France contemporaine, William B. Cohen a, quant à lui, mis en relation cet accent porté sur la reconnaissance officielle avec la connaissance que les Français avaient de la guerre (Cohen, 2002). Prolongeant son raisonnement, on peut faire l'hypothèse que la demande de reconnaissance officielle a crû à mesure que les connaissances des Français sur la guerre se diffusaient. Cette demande est devenue d'autant plus forte dans les années 1990 que l'opinion publique était sensibilisée aux thèmes de la mémoire et

85. Benjamin Stora, *in Historical reflections*, *op. cit.*, p. 217.

86. « Les historiens et la guerre d'Algérie », *Le Monde*, 10 juin 2001. Tribune signée par le sociologue Aïssa Kadri et les historiens Claude Liauzu, André Mandouze, André Nouschi, Annie Rey-Goldzeiguer, Pierre Vidal-Naquet.

87. Jacques Frémeaux, compte rendu critique du livre de Claire Mauss-Copeaux (*Appelés en Algérie. La parole confisquée*, Hachette, 1998, 333 p.), *Revue française d'histoire d'outre-mer*, 328-329, 2000, p. 373.

des silences sur le passé. Les travaux historiques apportaient-ils lentement des connaissances plus précises, plus fines sur la guerre ? Le sens à donner politiquement à ces événements n'en paraissait que plus absent. C'est aussi l'hypothèse que faisait un psychologue en 2001 : « Parce qu'ils sont collectifs, écrivait-il, [l]es fantômes [de la guerre d'Algérie] appellent probablement une parole publique[88]. »

De fait, peu à peu, la légitimité et la nécessité d'une reconnaissance officielle se sont imposées. Restait encore, pour les autorités politiques, à décider ce qu'elles allaient reconnaître. Les décisions semblent toujours avoir été prises en réaction à une demande sociale faisant sentir son urgence. Ainsi du mémorial de Nice pour les rapatriés ou du timbre qui leur fut consacré en 1987, accompagnant leur grand rassemblement de 1987. Ainsi de la loi du 11 juin 1994 affirmant « la reconnaissance prioritaire de la dette morale de la nation à l'égard de ces hommes et de ces femmes qui ont directement souffert de leur engagement au service de notre pays », à savoir « les rapatriés, anciens combattants des forces supplétives en Algérie ». Cette loi fut votée à l'unanimité, après les révoltes des enfants de harkis de l'été 1991 et leur organisation en groupe de pression pour obtenir une meilleure considération de leurs parents et une amélioration de leur sort. Quoiqu'il fût ancien officier de l'armée française et non pas de ses forces supplétives, la nomination d'Hamloui Mekachera, président du Conseil national des Français musulmans, comme délégué général à l'intégration, en juin 1995, apparut aussi comme une réponse à ces demandes de reconnaissance. De même, quelques années plus tard, en août 2001, alors que certaines associations d'anciens harkis soutenaient une plainte déposée contre la France pour crime contre l'humanité, l'État travaillait avec d'autres à une journée d'hommage officiel à ces hommes, qui fut fixée et célébrée le 25 septembre 2001. Le président

88. François Giraud, « Les âmes cassées de la guerre d'Algérie », *Le Journal des psychologues*, 189, octobre 2001.

de la République y admit l'impuissance française lors des massacres de 1962, en rejetant implicitement toute responsabilité supplémentaire. Des plaques commémoratives furent apposées en une trentaine de sites symboliques, proclamant la « reconnaissance » de la République envers ces hommes. C'est encore de reconnaissance qu'il fut question le 23 février 2005 quand le Parlement adopta une loi sur « les souffrances éprouvées et les sacrifices endurés par les rapatriés, les anciens membres des formations supplétives et assimilés, les disparus et victimes civiles et militaires des événements liés au processus d'indépendance ». L'analyse détaillée de la loi permettait de repérer les groupes de pression à l'œuvre : certaines associations représentant les intérêts des Français rapatriés d'Algérie et des harkis. Au-delà, l'article 13 complétait les dispositions de la loi d'amnistie de 1982 en proposant une indemnisation forfaitaire aux Français ayant été, entre le 31 octobre 1954 et le 3 juillet 1962, l'objet de condamnations ou de sanctions « en relation directe avec les événements d'Algérie » les ayant amenés à cesser leur activité professionnelle : les déserteurs, les porteurs de valises mais aussi les membres actifs de l'OAS se voyaient ainsi offrir une compensation financière pour leur engagement pendant la guerre.

Ainsi, et *a fortiori* depuis les années 1990, l'État n'a jamais pris position sur la guerre d'Algérie sans y avoir été obligé par la pression de l'opinion ou de certains groupes. Tout se passe comme si le burin de l'État s'enfonçait sur la plaque de bronze de la reconnaissance officielle en fonction des pressions que lui communiquent les différents groupes d'intérêts. En fait, les ombres et les lumières de cette plaque sont davantage les reflets des différentes demandes sociales que la traduction d'une politique de reconnaissance ou d'une occultation du passé. La reconnaissance du passé est finalement d'abord reconnaissance de la légitimité des revendications de tel ou tel groupe. Il ne s'agit pas tant, pour l'État, de tenir un discours sur le passé que de construire, pour aujourd'hui et pour demain, une relation avec un groupe donné.

Les pressions régulières des anciens combattants ont ainsi abouti à mettre l'accent sur la qualification des événements d'Algérie en « guerre ». Mais il s'agissait d'une guerre présentée dans la filiation des conflits auxquels avaient été confrontées les générations précédentes de Français et pas d'une guerre coloniale. Aucun groupe de pression suffisamment puissant n'avait exprimé de revendication en ce sens.

L'action des pouvoirs publics a en revanche été marquée par le souci de promouvoir une version consensuelle du passé ; le Parlement fut, pour cette raison, le lieu privilégié des décisions. Il fallut parfois qu'une idée y vienne à plusieurs reprises : ce fut le cas emblématique de la reconnaissance de l'état de guerre en Algérie. En décembre 1968, le Sénat avait voté à la quasi-unanimité une proposition de loi tendant à reconnaître la qualité de combattant aux anciens d'Algérie mais l'Assemblée nationale ne le suivit pas. En 1974, en revanche, leur fut attribuée la carte du combattant[89]. Leur statut était alors aligné sur celui des militaires des conflits antérieurs (les supplétifs étant par ailleurs assimilés aux militaires), même si les conditions nécessaires pour obtenir la carte ne contentaient pas tous les anciens combattants. Une nouvelle loi vint améliorer les choses en 1982 ; elle fut votée à l'unanimité à l'Assemblée nationale[90]. En 1992, l'État faisait un pas de plus mais de manière décalée : un décret reconnaissait aux anciens combattants d'Algérie le statut de victimes de névroses traumatiques si un lien de causalité directe et déterminante entre l'imputabilité de névrose et un fait de service était établi (même si l'événement traumatisant avait été méconnu ou minimisé à l'époque)[91]. Sans être nommée, c'était bien la névrose de guerre qui était reconnue et pouvait donner lieu à réparation : un lien entre les individus souffrants et l'État était ici admis, une responsabilité esquissée, mais le mot guerre n'était pas assumé. Les parlementaires ne s'étaient pas prononcés. La notion d'imputabilité accompa-

89. Loi du 9 décembre 1974.
90. Loi du 23 septembre 1982.
91. *Journal officiel* du 12 janvier 1992.

gnait la reconnaissance de l'état de guerre en Algérie. Elle suggérait l'idée que ces militaires étaient, mais peut-être aussi avaient été, des victimes. Le sens qui se dégageait alors des « événements d'Algérie » était un sens psychologique, pas un sens politique. Le 11 novembre 1996, le président Chirac inaugura d'ailleurs un petit monument parisien dédié aux « victimes et combattants morts en Afrique du Nord, 1952-1962 » en estimant que « nul n'[en était] revenu vraiment indemne ». L'ancien lieutenant Chirac employa l'expression de « troisième génération du feu », inscrivant l'action des Français en Algérie dans une grande lignée patriotique tout en célébrant « l'œuvre civilisatrice de la France »[92]. Il avait admis alors, devant les associations d'anciens combattants, qu'il fallait « mettre le langage officiel en conformité avec le langage courant ».

L'apposition d'une plaque mentionnant « la guerre d'Algérie » à la nécropole de Notre-Dame de Lorette, où repose le soldat inconnu d'Algérie, et d'une autre sous l'arc de Triomphe n'était pas acquise pour autant. Elle causa quelque difficulté mais son installation, fin 1998, annonçait le ralliement général à l'idée d'une reconnaissance de la guerre. En juin 1999, les députés s'accordèrent à l'unanimité sur la substitution des expressions « la guerre d'Algérie » et « combats en Tunisie et au Maroc » à la formule « opérations effectuées en Afrique du Nord » dans les dispositions à caractère législatif du code des pensions militaires d'invalidité et des victimes de guerre et du code de la mutualité. Le rapporteur de la loi, Alain Néri, exhorta ses collègues : « Mettons une fin à l'hypocrisie que traduisaient les mots "événements", "maintien de l'ordre" ou "pacification". Ne soyons pas frileux. Osons rompre un tabou. C'est l'honneur d'un peuple et d'une nation d'assumer son histoire. Oui, en Algérie c'était la guerre. » De fait, beaucoup de députés avaient combattu en Algérie ; beaucoup avaient

92. Cité par David Schalk *in* « Of Memories and Monuments : Paris and Algeria, Frejus and Indochina », *Historical Reflections*, 28 (2), 2002, p. 245.

fait leurs premières armes politiques à cette époque. Tous étaient acquis à l'idée de cette reconnaissance. En revanche, les débats furent vifs quand certains se mirent à évoquer des épisodes précis de la guerre. L'unanimité obtenue le fut finalement *a minima*.

Les sénateurs laissèrent moins percer leurs différends. Ils s'attachèrent plutôt à affirmer la légitimité des demandes de reconnaissance dont ils se voulaient les relais et célébrèrent l'acte symbolique qu'ils s'apprêtaient à accomplir : donner « sa véritable signification historique » au « conflit d'Algérie » selon le secrétaire d'État aux Anciens Combattants[93], « qualifier l'histoire ». Les « progrès de la recherche historique » furent évoqués : comme « l'évolution des esprits », ils avaient été pris en compte par les représentants du peuple français. Cette reconnaissance d'une qualification acquise partout et par tous devait surtout réparer le refus de dire antérieur qui avait cherché à « atténuer la réalité d'un conflit par des circonvolutions sémantiques ». Il s'agissait aussi de « rapprocher [les] mémoires éparses » de la guerre[94].

Cependant, là encore, les premiers bénéficiaires, fussent-ils symboliques, de la loi votée à l'unanimité, étaient les anciens combattants. D'autres décisions plus concrètes furent également prises qui les concernaient d'abord. Enfin, le dernier acte de cette reconnaissance de l'état de guerre en Algérie fut l'édification d'un mémorial, sur le modèle du *War Memorial* de Washington. Tel était bien, en effet, le sens ultime de la reconnaissance votée en 1999 : rendre hommage. Ce mémorial était une sorte de pendant officiel du Conservatoire de la mémoire des conflits d'Afrique du Nord installé à Montredon-Labessonnié, dans le Tarn. Son emplacement devait dire l'importance du sacrifice. À Paris, tout près des Invalides, le long du quai Branly que pourraient arpenter les touristes à la recherche du musée des

93. Sénat, le 5 octobre 1999.

94. Marcel Lesbros, rapporteur de la commission des affaires sociales du Sénat, 5 octobre 1999.

Arts premiers ou de la tour Eiffel. Après tant d'années, la France honorait ses morts et entendait que cela se voie. Le mémorial était composé de trois colonnes sur lesquelles défilaient en continu les prénoms et noms des militaires morts en Afrique du Nord entre 1952 et 1962 – supplétifs compris. Il fut inauguré l'année du 40e anniversaire de la fin de la guerre d'Algérie, le 5 décembre 2002.

Ainsi se dégageait un récit consensuel sur le passé. Il faisait nécessairement silence sur de nombreux points, quand il n'adoptait pas la version la moins contestée en lieu et place de vérité historique. Les atermoiements sur la question de la torture, d'une part, et sur une date pour commémorer la guerre, d'autre part, furent les exemples emblématiques de cette volonté politique partagée par les gouvernements de droite et de gauche.

Lors de la discussion de la proposition de loi sémantique en 1999, il avait été assuré aux parlementaires que la substitution de l'expression « guerre d'Algérie » ne risquait pas de déboucher sur des poursuites pénales. Pourtant, lors du débat sur la torture en 2000-2001, la question du jugement des tortionnaires émergea un temps, parallèlement à celle de la reconnaissance par l'État de cette pratique. Le Premier ministre, Lionel Jospin, comme le président de la République, Jacques Chirac, proposèrent alors tous deux leurs versions de l'histoire. Malgré des divergences notables dans l'emploi des mots et la présentation des faits, ils se retrouvèrent pour minimiser l'importance des actes de torture en les attribuant à des dérives marginales, refusant ainsi toute réflexion en termes de système. La question de la responsabilité était alors renvoyée uniquement à des actes individuels, condamnables moralement. Les parlementaires ne firent pas davantage – la demande d'une commission d'enquête parlementaire formulée par les députés communistes étant restée lettre morte.

Or, en refusant d'accomplir tout acte politique au sujet de la torture, les autorités de l'État n'en accomplissaient pas moins un. En affirmant que la torture avait été le fait d'une minorité d'individus, elles contribuaient à déformer une page de l'histoire de France et entravaient le nécessaire travail d'historisation du passé. Pourtant cette attitude rassemblait la majorité des parlementaires : aucune autre position n'aurait été plus consensuelle. La question de savoir si cela rassemblait aussi la majorité des Français reste cependant posée. Brigitte Jelen fait ainsi remarquer qu'en mai 2001, un sondage estimait que 50 % des Français considéraient que « les autorités politiques françaises de l'époque » étaient responsables de la pratique de la torture pendant la guerre (contre 31 % pour les officiers de l'armée française) et que 56 % souhaitaient que l'on puisse engager des poursuites judiciaires contre les officiers ayant ordonné ces actes. Elle y voit le signe d'un décalage « entre l'opinion publique française et le gouvernement à propos des crimes de la guerre d'Algérie » (Jelen, 2002).

Quant au choix d'une date officielle de commémoration de la guerre d'Algérie, une importante fracture existait depuis la guerre. Le clivage gauche/droite y était plus net puisque la FNACA avait toujours insisté pour que le 19 mars soit considéré comme marquant la fin de la guerre alors que l'UNC et la quasi-totalité de la droite refusaient la pertinence de cette date au nom des nombreux morts ayant suivi le cessez-le-feu. Or, une fois les événements qualifiés de guerre, il paraissait nécessaire d'arrêter une date de commémoration. Cela fut même évoqué dès les débats de 1999, le sénateur socialiste Michel Dreyfus-Schmitt ayant tenu à préciser : « J'espère qu'il ne faudra pas attendre quarante-quatre ans pour qu'il soit admis officiellement et une fois pour toutes que la guerre d'Algérie a pris fin en tant que telle non le 16 octobre 1977, mais le 19 mars 1962 », tandis que le RPR Joseph Ostermann avait rappelé – après avoir évoqué un débat entre « spécialistes et historiens » dont on serait bien en peine de trouver la trace dans les échanges scientifiques – que « si le 19 mars 1962, date des accords d'Évian [*sic*], sembl[ait] satisfaire un grand nombre, on ne [pouvait] nier que la violence ne cessa pas à cette date ». Et il ajoutait qu'un « débat serait le bienvenu pour que la date de commémoration soit choisie le plus judicieusement possible »[95]. Les divergences entre parlementaires ne s'étaient donc qu'à peine tues le temps d'un vote consensuel sur la reconnaissance de la guerre.

Une proposition de loi visant à faire du 19 mars la « journée nationale de souvenir à la mémoire des victimes des combats en Afrique du Nord » recueillit cependant la majorité des voix à l'Assemblée en janvier 2002. Mais le malaise était visible : si une vingtaine de voix de droite vinrent voter pour la proposition, une trentaine de voix de gauche manquèrent dans le camp des pour. La majorité l'emporta pourtant par 278 voix contre 204 mais le gouvernement avait prévenu que le texte serait transmis au Sénat seulement « si un très large consensus se dégage[ait] à l'Assemblée nationale ». Le consensus était estimé à la majorité des deux tiers ; il ne fut pas atteint.

Le nouveau secrétaire d'État chargé des Anciens Combattants, Jacques Floch, prit cependant sur lui de présider une cérémonie d'hommage organisée par la FNACA, le 19 mars 2002. Le maire de Paris choisit aussi cette date pour poser la première pierre du mémorial dédié aux militaires parisiens morts ou disparus pendant la guerre d'Algérie et les combats de Tunisie et du Maroc. Ces cérémonies ne pouvaient être que des ersatz à défaut du consensus toujours recherché qui attesterait de la réconciliation des mémoires antagoniques.

Finalement, la décision fut prise, lors de l'inauguration du mémorial du quai Branly en décembre 2002, de s'en remettre à une commission pour fixer une date. La commission regroupait des représentants du monde combattant et était présidée par un historien de renom, médiéviste et ancien directeur des Archives de France, Jean Favier. Puisque les divergences sur la date venaient des associations d'anciens combattants qui, par ailleurs, souhaitaient une commémoration, le gouvernement évita la charge du choix en leur demandant de s'entendre. Malgré l'hostilité de la FNACA et de deux autres associations sur douze, la date du 5 décembre

---

95. Sénat, le 5 octobre 1999.

fut retenue[96] comme si, en s'inscrivant dans la continuité de l'inauguration du mémorial, on voulait renouveler les effets positifs qu'avait eus cette construction. Les autorités politiques s'étaient engagées au minimum mais, la date de la commémoration étant devenue un enjeu essentiel dans la lutte pour l'histoire que se livraient les associations d'anciens combattants, ne pas choisir celle de la FNACA, association regroupant le plus grand nombre de membres, c'était participer à la victoire de ses adversaires.

L'hostilité ou l'incompréhension que provoqua pour beaucoup le choix de cette date inattendue rappelait que l'État n'était pas tenu pour quitte et que, à moins d'un consensus préalable, aucun acte de reconnaissance ne pourrait être vraiment satisfaisant. À défaut d'un consensus présent, cependant, le pari était fait qu'il s'élaborerait dans l'avenir ; il était risqué. En l'occurrence, il est difficile d'envisager que la FNACA se rallie jamais à la date du 5 décembre tant la revendication de la reconnaissance du 19 mars fait partie de ses piliers.

Cependant, cette occasion constitua une intervention originale des pouvoirs publics tentant, pour dépasser les blocages des oppositions mémorielles, de se poser en précurseurs plus qu'en suiveurs. Le consensus politique avait été écarté ; la voie parlementaire aussi. La reconnaissance de l'État n'était pas la sanction d'une version de l'histoire issue de la société ou d'un de ses groupes mémoriels mais une proposition pour sortir des affrontements et un déplacement implicite de l'histoire à la mémoire, puisque le 5 décembre était déjà la date d'une commémoration, même si elle n'avait eu lieu qu'une fois.

Il est impossible de savoir si cette attitude pourra être renouvelée sur d'autres sujets. En tout cas, un an plus tôt, quand elles avaient été confrontées à la demande de reconnaissance de la pratique de la torture, les autorités politiques

---

96. Décret du 26 septembre 2003 fixant au 5 décembre la « journée nationale d'hommage aux "morts pour la France" pendant la guerre d'Algérie et les combats du Maroc et de la Tunisie ».

n'avaient pas su trouver de réponse adaptée. Outre l'invocation de la morale, le recours aux historiens était alors apparu comme « une parade »[97], au moins comme un moyen de gagner du temps. Le Premier ministre avait annoncé la mise en place d'une commission d'historiens qui n'a jamais vu le jour, mais ce recours permettait à l'autorité publique de signifier une prise en compte du passé tout en se dispensant d'un discours politique sur lui.

Réponse dilatoire, elle n'était que partiellement une réponse puisque l'État semblait remettre à d'autres – les spécialistes de l'histoire, les professionnels du passé – le soin de dire la vérité du passé. Rien de moins vrai en réalité quand on voyait que, parallèlement, les hommes politiques tenaient des discours sur ce même passé, ayant pour effet de contourner la question des responsabilités politiques. Les historiens se voyaient cependant promettre de meilleures conditions de travail : une révision de la loi sur les archives semblait imminente et une circulaire organisa un meilleur accès aux archives publiques de la guerre d'Algérie[98]. Le Premier ministre insista sur la nécessité d'un « travail objectif d'explication et de compréhension »[99]. « Il n'y a, face au passé, qu'une attitude qui vaille : la lucidité. Ma conviction est que, loin d'avoir à le redouter, notre Nation sort renforcée de l'examen serein de son passé[100]. » Lionel Jospin ne quittait pas son rôle de prescripteur de principes. S'il affirmait agir en observant « un double impératif de vérité et de mémoire »[101], son action politique se limitait à offrir des conditions de travail aux historiens et des lieux de souvenir aux anciens combattants.

Ainsi, aucun acte solennel ne fut accompli à propos de la torture. Cette absence était d'autant plus visible que, sur la

97. Pour reprendre l'expression d'Olivier Dumoulin (*Le Rôle social…*, *op. cit.*, p. 57) à propos du cas suisse et de l'indemnisation des victimes juives lors de la Seconde Guerre mondiale.
98. Circulaire du 13 avril 2001.
99. Assemblée nationale, le 28 novembre 2001.
100. Conseil des ministres du 29 août 2001.
101. Déclaration du Premier ministre, le 3 mai 2001.

Seconde Guerre mondiale en particulier, le Premier ministre avait su être moins frileux. De même les députés avaient fait montre de plus d'audace sur d'autres sujets historiques, votant par exemple en mai 2001 une loi « tendant à la reconnaissance de la traite et de l'esclavage en tant que crime contre l'humanité »[102]. Le silence de l'État se doublait d'une nuance morale : tout en refusant de se prononcer sur les « actions judiciaires que les déclarations du général Aussaresses pourraient appeler », Lionel Jospin tint à affirmer que « les faits qui [venaient] d'être reconnus et presque revendiqués constitu[ai]ent des exactions terribles qui appel[ai]ent de [sa] part, *comme Premier ministre de la République*, une totale condamnation morale »[103]. La morale tenait lieu de position politique.

Cette prudence, à l'image des relations des autorités françaises avec le passé algérien, ne satisfaisait pas tout le monde. Une demande sociale s'exprimait alors, qui recherchait des prises de position plus nettes, des affirmations plus précises. Dans ce contexte, la justice a pu apparaître comme le lieu d'énonciation idéal de la vérité sur le passé. Pour les historiens et pour l'écriture de l'histoire, cela n'était pas sans poser de questions.

---

102. Loi du 21 mai 2001.
103. *Ibid*. C'est nous qui soulignons.

CHAPITRE 3

Le risque d'un effacement judiciaire de l'histoire

À l'assaut de la citadelle Amnistie : traduire la guerre en termes judiciaires

L'arène judiciaire est peu à peu devenue un lieu privilégié d'énonciation de discours sur ce passé. Les derniers criminels français liés au régime nazi ou compromis avec la politique d'extermination de cette époque ayant été jugés, les prétoires vont-ils désormais voir défiler d'anciens responsables de la répression pendant la guerre d'Algérie ? Tout se passe en effet comme si les modalités de résurgence de la guerre d'Algérie dans le débat public français avaient été préparées par le précédent de la période de Vichy. Sur le terrain du droit, toutefois, le chemin est malaisé. Le droit pénal, en particulier, a organisé la clôture de cet événement. Sans même évoquer la prescription des crimes de guerre au bout de dix ans, les amnisties qui ont accompagné la fin de la guerre se sont chargées d'ordonner le silence.

L'impunité des agents de l'État responsables de crimes avait été organisée dès la guerre. Un projet d'amnistie pour les « violences exercées à l'occasion du maintien de l'ordre » avait été envisagé dès l'automne 1958 dans la foulée du changement de régime. Les militaires l'attendaient. Dès la parution du décret d'amnistie en mars 1962, la plupart des plaintes en cours furent abandonnées[1]. Il en était de même des rares affaires jugées (Branche et Thénault, 2002). Alors que le décret d'amnistie rendait possible le maintien de poursuites devant les tribunaux français de ressortissants français, la jurisprudence lui donna immédiatement une extension plus large. Dès lors, non seulement la justice algérienne ne pouvait pas poursuivre des Français, mais la justice française se l'interdisait aussi.

En outre, le texte du décret précisait que nul ne pouvait « être inculpé, recherché, poursuivi, condamné ni faire l'objet de décision pénale, de sanction disciplinaire ou de discrimination quelconque » pour des « faits commis dans le cadre des opérations de maintien de l'ordre dirigées contre l'insurrection algérienne ». Contrairement au décret d'amnistie visant « les infractions commises au titre de l'insurrection algérienne » – infractions qui avaient donné lieu à des sanctions, des condamnations voire des exécutions –, l'amnistie ne visait pas précisément des décisions de justice ou des poursuites en cours. À propos de faits qu'elle ne désignait que par leur contexte, l'amnistie interdisait de transposer sur le plan pénal des procès déjà entamés par une partie de l'opinion publique. Les victimes se retrouvaient privées du droit d'accuser, privées de perspective de réparation judiciaire et, conséquence prévisible, de toute reconnaissance par l'État et la société française. L'amnistie venait redoubler, sur le plan individuel, les constructions juridiques séculaires ayant programmé, pour reprendre l'expression du romaniste Yan Thomas, l'innocence de l'État au criminel[2].

Ainsi les personnes désireuses de porter plainte à propos de faits commis dans le cadre de la guerre d'Algérie durent

1. À la suite de Roger Errera (1968), Pierre Vidal-Naquet (1989a : 173) a montré que l'amnistie de 1966 visant les faits commis « dans le cadre d'opérations de police administrative ou judiciaire » avait permis de compléter les manques de l'amnistie de 1962 en élargissant son champ de compétence.

2. Yan Thomas, « La vérité, le temps, le juge et l'historien », *Le Débat*, 102, novembre-décembre 1998, p. 32.

chercher des brèches dans ce mur de silence judiciaire imposé. Pour atteindre l'État, il fallait tenter d'obtenir la qualification de crime contre l'humanité ; à défaut, on tenta de poursuivre des individus. Mais les poursuites au pénal étant impossibles, il fallut se contenter d'attaquer en correctionnelle… pour des délits de presse. En même temps, ce contexte juridique obligeant à atteindre, par des voies détournées, les responsabilités pendant la guerre d'Algérie se combina au silence des autorités politiques pour faire des procès des lieux de parole privilégiés où passé et présent étaient questionnés d'un même mouvement, où vérité, politique et justice se trouvaient mélangées, au risque de l'indistinction.

Parce qu'il était imprescriptible, le crime contre l'humanité était le seul chef d'accusation sous lequel des faits commis pendant la guerre d'Algérie auraient pu être poursuivis en France. La définition, reprise par la France en 1964, était celle figurant dans l'accord de Londres ayant instauré le tribunal militaire international de Nuremberg[3]. Les crimes contre l'humanité y étaient décrits ainsi : « L'assassinat, l'extermination, la réduction en esclavage, la déportation, et tout autre acte inhumain commis contre toutes populations civiles, avant ou pendant la guerre, ou bien les persécutions pour des motifs politiques, raciaux ou religieux, lorsque ces actes ou persécutions, qu'ils aient constitué ou non une violation du droit interne du pays où ils sont perpétrés, ont été commis à la suite de tout crime entrant dans la compétence du tribunal ou en liaison avec ce crime. » Tentant de tirer parti du fait que la définition de 1945 devrait être interprétée quarante ans après, Me Vergès, l'ancien avocat du FLN devenu avocat de Klaus Barbie, tenta de relativiser les crimes dont son client était accusé en dressant un parallèle entre les actions des nazis en France et celles des Français en Algérie. Il prolongeait là certaines des accusations lancées par le FLN pendant la guerre et élargissait son propos en

---

3. Loi nº 64-1326 du 26 décembre 1964.

qualifiant le colonialisme de crime contre l'humanité[4]. La Cour de cassation y trouva l'occasion de redéfinir ce crime de manière à en exclure tout acte n'ayant pas été commis « de façon systématique au nom d'un État pratiquant une politique d'hégémonie idéologique contre des personnes en raison de leur appartenance à une collectivité raciale ou religieuse » et contre celles qui s'opposaient à cette politique[5]. La question du crime contre l'humanité fut reposée à propos de faits commis pendant la guerre d'Indochine : là encore, la Cour de cassation écarta cette qualification[6].

À cette époque, Pierre Vidal-Naquet affronta toutefois le problème en affirmant dans un article du *Monde* : « Il est évident que nous autres Français avons commis de nombreux crimes contre l'humanité en Algérie, bien sûr, mais auparavant en Indochine et à Madagascar[7]. » Mais, soucieux de prévenir les confusions, l'historien précisait qu'en Algérie la France n'avait pas commis le crime de génocide. Il alla cependant jusqu'à souhaiter que les responsables politiques et militaires soient jugés et les amnisties annulées, explicitant ainsi les motivations politiques de son intervention. De telles motivations ne furent pas absentes non plus du texte que publia alors Mohammed Harbi. Il s'y démarquait des « amalgames » faits à l'occasion du procès Barbie : les crimes de guerre qui avaient jalonné le chemin de

---

4. *Chronique du procès Barbie pour servir la mémoire*, Le Cerf, 1988, 504 p. Voir aussi le livre d'un des défenseurs de Barbie, Jean-Martin Mbemba, *L'Autre Mémoire du crime contre l'humanité*, Paris/Dakar, Présence africaine, 1990.

5. Arrêt de la Cour de cassation du 20 décembre 1985. Sur le crime contre l'humanité et les procès plusieurs décennies après les faits : Éric Conan et Henry Rousso, *Vichy, un passé qui ne passe pas* (Fayard, 1994, 327 p.) ; Jean-Paul Jean et Denis Salas (dir.), *Barbie, Touvier, Papon... : des procès pour la mémoire,* Autrement, 2002, 172 p. ; Florent Brayard (dir.), *Le Génocide des Juifs entre procès et histoire : 1943-2000,* Bruxelles, Complexe, 2000, 308 p.

6. Arrêt du 1er avril 1993.

7. *Le Monde* du 16 juin 1987. Pierre Vidal-Naquet discuta aussi ce point dans *Les Assassins de la mémoire*, La Découverte, 1987, p. 175-180.

l'Algérie vers l'indépendance, écrivait-il, n'avaient pas été « le résultat d'une idéologie visant à l'extinction totale d'un peuple jusqu'au dernier de ses descendants ». Pour cette raison, il réfutait le terme de « crime contre l'humanité » tout en regrettant que l'amnistie de 1962 ait couvert des crimes qu'il qualifiait de crimes de guerre[8]. Ce faisant, Pierre Vidal-Naquet comme Mohammed Harbi se livraient à un exercice périlleux pour un historien : tenter d'apprécier la pertinence d'une catégorie juridique face à une réalité historique ; estimer, en quelque sorte, si une plainte pour crime contre l'humanité concernant la guerre d'Algérie était recevable. Leurs écrits s'inscrivaient en fait hors du champ historique. Pierre Vidal-Naquet continua d'ailleurs dans cette voie en soutenant que la qualification de crime contre l'humanité était valable pour le massacre du 17 octobre 1961.

Depuis le procès Barbie, en effet, cette question connut un développement considérable : les plaintes pour crime contre l'humanité à propos de la guerre d'Algérie se multiplièrent. Non seulement elles obligèrent les juges à prendre position mais, parallèlement, elles imposèrent la pertinence de la démarche visant à qualifier juridiquement un passé vieux de trente ou quarante ans. Spécialistes de ces périodes, les historiens se trouvèrent, par voie de conséquence, questionnés sur la légitimité des qualifications proposées : le 17 octobre était-il un crime contre l'humanité ? et la torture pratiquée par l'armée française ? et le massacre des harkis ?

La chambre criminelle de la Cour de cassation avait, parallèlement, affiné sa position par des arrêts qui revenaient à attribuer, par défaut, une qualification juridique aux crimes commis par des éléments des forces de l'ordre françaises en Algérie, puisque était exclu de la catégorie de crime contre l'humanité tout crime lié à la période coloniale[9]. Certains tentaient régulièrement de provoquer une nouvelle décision de la Cour de cassation en continuant à porter plainte pour

8. *Sou'Al*, 7, 1987.
9. Arrêt du 1er avril 1993.

crime contre l'humanité. Ainsi, le réseau Damoclès, bras judiciaire de Reporters sans frontières, estimait que « cette jurisprudence [était] contraire aux obligations internationales de la France, dans la mesure où elle priv[ait] les victimes de crimes contre l'humanité commis avant 1994 et en dehors de la Seconde Guerre mondiale, du droit à un recours en justice effectif, principe affirmé par les textes et consacré par les standards internationaux en matière d'administration de la justice ». Il conseillait « aux victimes de tels crimes d'essayer, à titre subsidiaire, de renverser cette jurisprudence obsolète afin de permettre la qualification de crimes contre l'humanité à des exactions qui en étaient jusqu'alors privées ». Des plaintes pour crime contre l'humanité ont ainsi été déposées par Louisette Ighilahriz et le MRAP (Mouvement contre le racisme et pour l'amitié entre les peuples) ainsi que par les enfants de Larbi ben M'hidi. Dans cette logique, le MRAP et la FIDH (Fédération internationale des droits de l'homme) avaient aussi déposé une plainte avec constitution de partie civile contre le général Aussaresses au printemps 2001. D'autre part, une plainte contre X à propos de la répression du 17 octobre 1961 s'était vu opposer un refus d'informer en 1998 ; saisie, la Cour de cassation rejeta le pourvoi à l'été 2000. Une autre plainte contre le général Katz à propos des morts européens à Oran le 5 juillet 1962 fut interrompue par la mort du général. Enfin, une plainte contre X avec constitution de partie civile fut déposée par neuf harkis à l'été 2001. Deux ans plus tard, l'automne 2003 fut encore agité par la perspective d'une plainte pour crimes contre l'humanité déposée par des harkis et visant cette fois Pierre Messmer. Au-delà des circonstances individuelles ayant pu motiver ces plaintes, leur aspect politique ne doit pas être négligé : il s'agissait aussi de contribuer à imposer une certaine vision de l'histoire, de populariser la notion de crime contre l'humanité pour désigner certains drames du passé pour lesquels aucune reconnaissance officielle n'avait jamais été obtenue.

En outre, la recrudescence de ce type de plaintes depuis le procès de Maurice Papon pour complicité de crime contre l'humanité témoignait d'une chronologie qui ne devait pas tant à la guerre d'Algérie ou à sa mémoire qu'à un contexte politique et juridique plus large. Pour l'historien Robert Belot, le procès Papon, « parce que ce n'était pas son objet, a[vait] laissé inassouvie une demande d'histoire sur le comportement des institutions françaises lors des "événements" d'Algérie »[10]. Ce spécialiste de la Résistance pendant la Seconde Guerre mondiale y voyait un tropisme de notre temps et un danger pour le métier d'historien : « L'histoire, écrivait-il en 2000, est devenue la troisième source de la morale. On l'instrumente, on l'exploite, on en use et abuse, tout ceci au grand dam de l'historien de métier qui devient, peu à peu, un auxiliaire ou un obligé tant de la morale que des institutions[11]. » Sans partager nécessairement ce jugement sans espoir, on peut noter effectivement une forte moralisation du regard sur le passé algérien de la France ces dernières années, tout en précisant que cette moralisation a recherché, et de plus en plus, une traduction judiciaire.

Depuis la guerre en ex-Yougoslavie et le génocide rwandais, les crimes contre l'humanité sont revenus au premier plan de l'actualité et, depuis la fin des années 1990, ils sont appréhendés dans un cadre judiciaire renouvelé. Après la création du TPIY (Tribunal pénal international pour l'ex-Yougoslavie) et du TPIR (Tribunal pénal international pour le Rwanda), la mise en place de la Cour pénale internationale peut laisser imaginer que l'impunité n'est pas une fatalité pour ce genre de crimes. L'impunité des criminels du passé a pu alors sembler plus intolérable encore. L'arrestation du général Pinochet en 1998 montra qu'une traduction judiciaire était possible. Le cas chilien permit d'ailleurs de tracer des parallèles entre les disparus de la dictature et les personnes disparues entre les mains des militaires français en Algérie : les corps n'ayant pas été retrouvés, les

---

10. Robert Belot, présentation de la réédition de *Notre guerre* de Francis Jeanson, « L'honneur d'un porteur de valises », Berg international, 2001, 89 p., p. 7.
11. *Ibid.*, p. 8.

crimes étaient continus et donc toujours susceptibles d'être jugés. Josette Audin déposa ainsi une plainte pour crime contre l'humanité et séquestration à propos de la disparition de son mari. Elle fut cependant déboutée le 10 juillet 2002.

La médiatisation de plaintes sur ce thème était assurée auprès d'une opinion publique sensibilisée aux conflits et aux crimes du présent. Patrick Baudoin, président d'honneur de la FIDH, estimait ainsi, à propos de la plainte déposée contre le général Aussaresses, que la justice ne pouvait que « conforter les avancées de l'histoire et de la politique »[12] : il s'agissait d'un vœu – le fait même de lier les avancées de l'histoire et celles de la politique relevant plus de l'assertion performative au service d'un engagement politique que d'une analyse.

De fait, la perspective de voir des plaintes pour crime contre l'humanité reçues est faible. Pas de quoi néanmoins effrayer des associations et des militants qui visent une modification des positions de la Cour de cassation, mais assurément de quoi décourager des plaignants aux ambitions plus exclusivement personnelles. C'est pourquoi, à côté de ces plaintes déposées surtout entre 1998 et 2001, des individus tentèrent d'obtenir, plus sûrement, réparation des dommages dont ils estimaient avoir été victimes pendant la guerre. Il fallait pour cela passer par-delà l'amnistie, trouver un biais. Mohamed Garne en trouva un, en 1998, avec le tribunal des pensions militaires. Il tenta d'y faire reconnaître une invalidité liée aux conditions de sa conception (sa mère ayant été victime de viols à répétition par des soldats français) et au traumatisme causé par le fait qu'il ne les avait découvertes qu'une fois adulte. Après avoir été rejeté une première fois en mars 2000, son cas fut examiné en novembre 2001. Mohamed Garne trouva dans cette procédure judiciaire menée à terme une première reconnaissance, une forme de psychothérapie, comme il l'exprima alors.

---

12. « Le juger pour crime contre l'humanité », *Le Monde*, 18 mai 2001.

Voir sa plainte déboutée, en revanche, c'est non seulement se voir refuser le statut de victime – que seul un jugement pourrait établir – mais aussi se voir dénier, d'une certaine manière, le statut de justiciable : pour des Algériens ayant connu une législation coloniale refusant l'égalité juridique et judiciaire, ces refus d'information sont chargés d'une forte violence symbolique. Le moyen le plus sûr d'échapper à cette épreuve est assurément de l'éviter.

En revanche, une brèche existe bien dans la loi d'amnistie : le procès pour diffamation. L'amnistie interdisait à « toute personne en ayant eu connaissance dans l'exercice de ses fonctions, de rappeler sous quelque forme que ce soit ou de laisser subsister dans tout document quelconque, les condamnations pénales, les sanctions disciplinaires ou professionnelles et les déchéances effacées par l'amnistie ». La tâche des historiens ne s'en trouvait pas facilitée puisque, non seulement l'anonymat s'imposait comme règle absolue de citation, mais encore l'accès à certaines informations se trouvait compromis. Surtout, les accusations pour propos diffamatoires n'étaient pas à exclure. Jean-Marie Le Pen porta ainsi régulièrement plainte dans le but d'obtenir la confirmation du caractère diffamatoire des propos tenus sur lui et, par conséquent, de nier purement et simplement la réalité des faits désignés. Mais d'autres acteurs ont pu s'emparer de ce même recours dans un but opposé : tenter de briser le silence judiciaire imposé. Pierre Vidal-Naquet avait prévu cette voie de recours dès 1962 quand, commentant les décrets d'amnistie, il écrivait : « Comme pendant la guerre d'Algérie, les tortures ne pourront être évoquées en justice que grâce à des à-côtés, procès en diffamation par exemple » (Vidal-Naquet, 1962 : 324-325).

Au printemps 2002, pour obtenir, comme par procuration, une reconnaissance de leur statut de victimes, Louisette Ighilahriz et Henri Pouillot attaquèrent ainsi le général Schmitt pour les avoir diffamés publiquement au cours d'une émission de télévision. Il s'agissait pour Louisette Ighilahriz de ne pas voir contester la véracité des violences qu'elle avait subies à Alger en 1957 – quand bien même son récit aurait été entaché d'erreurs ponctuelles[13]. Quant à l'ancien appelé Henri Pouillot, il avait été qualifié de « menteur ou criminel » par le général Schmitt alors que son témoignage écrit constituait précisément une dénonciation des viols et des violences commis par les militaires de son unité[14]. Entamer une procédure judiciaire, c'était prolonger la démarche initiée par l'écriture. Le chemin jusqu'au témoignage avait pu être difficile ; il n'était pas question de le laisser saboter sans réagir. « J'ai tellement souffert pendant la guerre d'Algérie que j'ai pensé que c'était important que je parle », expliqua ainsi Henri Pouillot à la barre. « J'ai voulu parler pour dire aux jeunes, à mes petits-enfants, que ça ne devait pas recommencer[15]. » Ces plaintes continuaient certes à alimenter la surmédiatisation dont la guerre d'Algérie était alors l'objet mais elles tentaient surtout d'opposer une réplique judiciaire à la révision de l'histoire esquissée alors par certains. Le choix de l'enceinte judiciaire avait des effets symboliques importants pour les plaignants, comportait des risques non négligeables quant à l'issue des procès et disait aussi le besoin de reconnaissance officielle des crimes des forces de l'ordre françaises, reconnaissance qui faisait d'autant plus défaut que la médiatisation faisait porter sur les épaules de quelques personnes le poids d'une histoire non assumée collectivement.

C'est encore à cette absence de reconnaissance que des associations tentèrent de s'opposer en portant plainte contre les propos tenus par le général Aussaresses dans son livre *Services spéciaux, Algérie 1955-1957* (2002). Signe des temps manifeste puisque des propos similaires tenus par le colonel Argoud en 1974 n'avaient donné lieu à aucune réaction[16]. La plainte n'était pas déposée pour diffamation mais

---

13. Louisette Ighilahriz, *Algérienne. Récit recueilli par Anne Nivat*, Calmann-Lévy, 2001, 273 p.

14. Henri Pouillot, *La Villa Susini. Tortures en Algérie, un appelé parle, juin 1961-mars 1962*, Tirésias, 2000, 151 p.

15. « Torture en Algérie : le général Schmitt à nouveau en diffamation », *Le Monde*, 13-14 juillet 2003.

16. Antoine Argoud, *La Décadence, l'imposture et la tragédie*, Fayard, 1974, 360 p.

pour apologie de crimes de guerre. Le mécanisme judiciaire utilisé était toutefois le même : obtenir une reconnaissance des faits par le truchement d'un jugement sur les propos. Les effets de cette démarche sur l'écriture de l'histoire n'étaient pas pris en compte ou plutôt ils étaient estimés d'une manière exclusivement politique.

Exemplaire à cet égard avait été le procès intenté par Maurice Papon à Jean-Luc Einaudi. En dépit des apparences en effet, ce fut l'historien qui se trouva à l'origine de la procédure. Après le procès de Maurice Papon à Bordeaux dans le cadre duquel avait publiquement été posée la question de la répression du 17 octobre 1961, Jean-Luc Einaudi s'attaqua à l'amnistie et au silence officiel par l'autre côté : la voie de la diffamation. La manœuvre était fine ; elle aurait pu échouer. L'historien publia dans le journal *Le Monde* un article affirmant qu'il y avait eu, à Paris, le 17 octobre 1961, « un massacre perpétré par des forces de police agissant sous les ordres de Maurice Papon »[17]. L'ancien préfet de police de Paris réagit et attaqua pour diffamation. La machine judiciaire se mit en marche : l'enjeu était énorme, tout en étant décalé. Décalé parce qu'il s'agissait pour les juges d'apprécier le caractère diffamatoire du propos et non la réalité des faits dont il était question, et énorme parce qu'il s'agissait de juger une interprétation de la répression qui avait toujours été rejetée officiellement.

Des historiens se trouvèrent ainsi interpellés par la voix de la justice. Qu'ils fussent poursuivis pour diffamation ou appelés à témoigner d'une histoire qu'ils étudiaient, ils étaient confrontés à un domaine étranger, où s'énonçaient des vérités sur le passé selon des règles qui, pour avoir des airs de familiarité avec les leurs, étaient pourtant bien différentes.

---

17. « Octobre 1961 : pour la vérité, enfin », *Le Monde*, 20 mai 1998.

Les historiens dans les procès : accepter le questionnement judiciaire ?

Face aux circonstances exceptionnelles constituées par des procès pour crime contre l'humanité plusieurs décennies après les faits, le recours aux historiens dans les prétoires s'est progressivement imposé en France. Lors du procès de Maurice Papon, ils furent nombreux à défiler à la barre. Leur présence fut justifiée précisément par le décalage temporel séparant les jurés du crime supposé et par l'hypothèse que le contexte historique était une donnée importante à connaître pour ceux qui auraient à émettre un jugement sur la culpabilité de l'accusé.

Dans le but d'assombrir le profil de Maurice Papon, les avocats des parties civiles décidèrent d'évoquer la suite de sa carrière. Ils tentèrent une présentation de son rôle à la tête de la préfecture de police de Paris pendant la guerre d'Algérie et notamment lors de la répression du 17 octobre 1961 et des jours suivants. L'idée sous-jacente était à la fois de présenter cette répression comme une récidive et d'accroître, par un effet rétrospectif, la culpabilité de l'accusé. Or, comme le rapporta le journaliste Éric Conan, « l'échange se rév[éla] catastrophique, les avocats n'[avaient] qu'une connaissance sommaire de cet épisode, tandis que Maurice Papon a[vait] réponse à tout. Mais personne ne se montr[ait] capable de lui porter la plus élémentaire contradiction ». L'ancien responsable de la police parisienne se livra à une justification de ses actes en reprenant la thèse officielle en vigueur depuis la guerre : les morts algériens avaicnt été peu nombreux et surtout victimes de règlements de comptes entre nationalistes. La présentation était « tout à fait plausible et adroitement exposée ». Pour Éric Conan, très sensible aux méandres des mémoires françaises sur les périodes troubles de son histoire récente[18], « le risque [était] déjà

18. Il est l'auteur, avec Henry Rousso, de *Vichy, un passé qui ne passe pas*, Gallimard, 1996, 513 p.

grand de vouloir faire dire l'Histoire par la justice, mais la falsification [pouvait] triompher quand ceux qui dis[ai]ent plaider pour l'Histoire et la vérité ignor[ai]ent celles-ci »[19]. Pas plus que les juges, les avocats n'étaient historiens : le meilleur connaisseur de la période devenait alors l'accusé ; son procès était en passe de devenir sa tribune.

Le témoignage de Jean-Luc Einaudi, le lendemain, à la demande du MRAP, contrebalança cet effet. L'historien connaissait bien la question puisqu'il l'étudiait depuis près de dix ans ; il pouvait répondre aux avocats et démonter la thèse de Maurice Papon. Pour Éric Conan cependant, il n'y avait pas de quoi se réjouir. « Belle démonstration du sort de l'Histoire dans un prétoire : un jour dans un sens, un jour dans l'autre. [...] La justice ne fait pas le point sur une question comme peut le faire un colloque. Elle écoute ce que l'on veut bien lui dire[20]. » En outre, l'entrée d'un historien dans un prétoire n'y assure pas pour autant l'installation de la méthode historique.

Le procès de Maurice Papon a fait apparaître au grand jour la question de la place des historiens dans le processus judiciaire. Mais des cas existaient auparavant, y compris sur la guerre d'Algérie. En l'occurrence, lors des procès pour diffamation qui émaillèrent la carrière politique de Jean-Marie Le Pen, Pierre Vidal-Naquet vint régulièrement apporter au tribunal les conclusions de son travail sur la période et sur la question de la torture. Il le fit par exemple en 1985 lors du procès opposant le leader d'extrême droite au *Canard enchaîné* et n'hésita pas à renouveler ce genre de déposition. Le cadre du procès pour crime contre l'humanité donna cependant à la question une plus grande ampleur, tout en provoquant une déformation de perspective : le recours aux historiens était ramené à la nécessité d'éclairer une période lointaine alors qu'il se rattachait sans doute davantage,

---

19. Éric Conan, *Le Procès Papon. Un journal d'audience*, Gallimard, 1998, 325 p., p. 27.
20. *Ibid.*, p. 29.

comme l'écrit Olivier Dumoulin[21], à une montée en puissance de l'expertise dans le cadre judiciaire, quel que soit son objet historique mais aussi quel que soit son objet tout court (sang contaminé, « vache folle », par exemple). François Hartog expose ainsi le rôle des experts dans un procès : leur mission « ne peut avoir pour objet que l'examen de questions d'ordre technique », ils exposent à l'audience le résultat de leur expertise. Le serment qu'ils prêtent est celui d'« apporter [leur] concours à la justice en [leur] honneur et [leur] conscience » ; il est fort différent de celui du témoin qui est de « parler sans haine et sans crainte et de dire toute la vérité, rien que la vérité ». Enfin, l'expert dépose sur la base d'un rapport écrit alors que le témoin n'a droit à aucune note et produit une déposition exclusivement orale[22].

Or, dans le cadre des procès français, l'historien n'est pas commis comme expert mais comme témoin. « Il est soumis au régime de l'oralité pure, sans disposer d'aucune note, ce qui lui est inconfortable, car il est habitué à s'appuyer sur des documents » ; ces conditions « ne favorisent ni sa sérénité ni la précision de son propos », estime Jean-Noël Jeanneney[23]. Et Olivier Dumoulin résume ainsi l'inconfort de leur position paradoxale : « Faute de connaître l'inculpé, ils ne peuvent être considérés comme des témoins de moralité ; faute de pouvoir témoigner d'un contact effectif avec la réalité sensible des faits et des actes incriminés, ils ne peuvent guère être envisagés comme des témoins matériels ». « Ces experts, qui n'en sont pas, témoignent donc de ce dont ils n'ont pas été les témoins[24]. »

L'expertise historique n'existe pas en France puisque les historiens n'ont accès ni au dossier ni à l'accusé. *Stricto sensu*, ils ne sont donc pas amenés à apporter leur concours

21. Olivier Dumoulin, *Le Rôle social…*, *op. cit.*

22. François Hartog, « L'historien et la conjoncture historiographique », *Le Débat*, 102, 1998, p. 8.

23. Jean-Noël Jeanneney, *Le Passé dans le prétoire : l'historien, le juge et le journaliste*, Le Seuil, 1998, 165 p., p. 16.

24. Olivier Dumoulin, *Le Rôle social…*, *op. cit.*, p. 11-12.

à la justice mais sommés de dire toute la vérité – dans les limites de ce qu'ils connaissent, comme tous les témoins, mais sans avoir d'expérience personnelle de ce qu'ils décrivent. Face à cette situation particulière, les historiens ont pu ressentir un certain malaise. La diversité de leurs réponses témoigna surtout de l'impossibilité pour la profession d'élaborer une position commune, dès lors que les historiens étaient convoqués en tant qu'individus devant les tribunaux. En outre et en dépit du cadre du témoignage dans lequel ils pouvaient être convoqués, cette convocation provoqua des distinctions entre eux : entre ceux qui étaient convoqués et ceux qui ne l'étaient pas ; entre ceux qui acceptaient et ceux qui refusaient ; entre ceux qui acceptaient selon les affaires. Un statut d'expert officiel aurait amené aussi à interroger les critères qui faisaient d'un historien un expert près les tribunaux : étaient-ils internes ou externes à la profession ? Étaient-ils le fruit d'un compromis entre exigences judiciaires et exigences historiennes et, dans ce cas, les historiens experts étaient-ils encore des historiens ? Le maintien des historiens dans la catégorie des témoins permit que ces questions soient effleurées sans provoquer de scission au sein de la profession. Or, ce qui fut possible à propos du régime de Vichy, où une historiographie plus ancienne a marginalisé définitivement les porteurs de mémoire prétendant faire de l'histoire, n'est pas encore acquis à propos de la guerre d'Algérie.

Dans le déroulement des procès, la mémoire et l'oralité sont valorisées. Carlo Ginzburg ou Yan Thomas ont pu montrer à quel point la vérité judiciaire n'était pas construite selon les mêmes règles que la vérité historique[25]. En amont même, les faits construits dans le cadre d'un témoignage en justice ne sont pas de même nature que ceux que produit le travail d'un historien. En outre, dans le cadre du procès, une parole s'oppose à une autre et leurs poids

25. Carlo Ginzburg, *Le Juge et l'Historien. Considérations en marge du procès Sofri*, Lagrasse, Verdier, 1997, 187 p. ; Yan Thomas, « La vérité, le temps... », art. cit.

sont, *a priori*, équivalents. Ainsi la parole d'un historien et celle d'un témoin sont mises sur le même plan, comme si leur connaissance avait la même origine, comme si la validation professionnelle n'existait pas. Ainsi « l'historien est désorienté dans un procès qui le soumet à des normes, à des questionnements et à un rituel qui lui est étranger. [...] Il découvre une mémoire qui veut, comme lui et parfois contre lui, obtenir sa part de vérité historique[26]. » Cette reconnaissance de la mémoire ne saurait être contestée : c'est le sens même d'un procès que d'entendre les témoignages divergents ou convergents sur des faits. En revanche, elle a des conséquences importantes sur le statut de la parole historienne et sur sa réception dans le cadre judiciaire et, bien au-delà, dans l'ensemble de la société. On peut difficilement partager ici l'optimisme du magistrat Denis Salas qui assigne comme tâche à l'historien de « dialectiser la mémoire et l'histoire. L'expertise historique a[yant] valeur de digue quand les dérives de la mémoire peuvent tout envahir »[27]. La place assignée à l'historien dans un procès est, en effet, fixée par la justice. Rien n'assure qu'il soit distingué des autres témoins, par l'instauration d'un ordre de passage par exemple.

Bien plus, alors que le procès reconnaît des individus et non des qualités, celui-ci peut devenir une sorte de lieu parallèle de consécration historienne. Puisqu'elle reçoit les témoins proposés par les parties dès lors qu'ils peuvent l'éclairer sur l'affaire jugée, la justice constitue ainsi, à son corps défendant, une forme de qualification. Témoigner à un procès est déjà l'occasion d'énoncer des thèses qui ne recevraient pas nécessairement de validation académique, puisque rien n'exige d'elles, dans le cadre judiciaire, qu'elles obéissent aux règles historiennes. Dès lors, cela ne pourrait-il pas devenir une manière de court-circuiter la

26. Denis Salas, « La justice entre histoire et mémoire », *in* Jean-Paul Jean, Denis Salas (dir.), *Barbie, Touvier, Papon...*, *op. cit.*, p. 22.

27. *Ibid.*, p. 27.

reconnaissance de la profession par une apparence de reconnaissance judiciaire, qui plus est, relayée médiatiquement ? Le général Faivre a ainsi été cité comme témoin par Maurice Schmitt lors du procès pour diffamation intenté contre lui par Henri Pouillot : le témoin était présenté comme « général en deuxième section et historien ».

Très rares ont été, en fait, les historiens spécialistes de la guerre d'Algérie à témoigner dans des procès. Pour Jean-Luc Einaudi et Pierre Vidal-Naquet, leur démarche était alors inséparable d'un engagement militant pour que soit reconnue officiellement une vérité qu'ils tenaient pour bafouée par les mensonges de l'accusé. L'absence des autres spécialistes est difficile à interpréter. S'agit-il d'une absence de sollicitation ou d'un refus d'y répondre ? Les ambiguïtés qu'offre le cadre judiciaire à la réception des propos d'un historien peuvent en tout cas être d'autant plus lourdes que sa parole n'est pas largement reconnue comme faisant autorité à l'extérieur du prétoire. Il paraît difficile de participer à un procès, d'incarner une vérité historique établie par la recherche, si cela implique de devoir affronter une remise en cause de son discours, au nom d'impératifs de mémoire ou de stratégies de défense peu soucieux des qualités du travail scientifique ayant présidé à l'énonciation du discours, ou « témoignage », dans le cadre judiciaire. Sur ce point, la situation des historiens spécialistes de Vichy et des spécialistes de la guerre d'Algérie est fort différente.

Si des points de consensus existent bien sur la guerre d'Algérie, ils sont communs à un nombre peu important d'historiens : tout se passe comme si un seuil critique quantitatif n'était pas encore tout à fait atteint, qui permettrait d'avancer, ensemble, dans la construction d'une histoire de la guerre qualitativement meilleure, gagnant notamment en finesse d'analyse et en subtilité de compréhension. Alors la participation d'historiens à des procès aurait des effets certains sur la représentation collective du passé et sur le rôle des historiens dans la société, il n'y aurait pas à craindre que les conséquences sur l'écriture de l'histoire de la guerre d'Algérie soient trop graves.

En revanche, jusqu'à aujourd'hui, les relations entre mémoire et histoire sur ce sujet sont telles que la participation des historiens au jeu judiciaire paraît plutôt périlleuse. Et ce d'autant plus que les historiens se trouvent aux prises avec des injonctions de nature judiciaire, au-delà de l'enceinte du palais de justice proprement dite. À côté de « l'effet de clôture de la sentence »[28] – la justice imposant une interprétation figée du passé alors que l'écriture de l'histoire est, par définition, toujours révisable –, les historiens ont à redouter un questionnement réducteur sur le passé, interrogé en termes de responsabilité et de culpabilité. Jean-Marc Berlière a déploré ce « rôle de justicier attribué de plus en plus à l'historien ». Il a estimé que l'histoire ne s'écrivait « pas plus dans les prétoires que les historiens n'[avaient] à se faire procureurs », ajoutant que « s'il leur arriv[ait] souvent de découvrir et démontrer des responsabilités longtemps occultées ou ignorées, leur rôle [devait] se cantonner à cette compréhension explicative chère à Max Weber » et que « l'histoire n'a[vait] pas pour fonction de "rattraper les coupables" que la police [avait] oubliés »[29]. Rappelant les exigences du métier d'historien, ce spécialiste de la police estimait que « les historiens ne cess[ai]ent de travailler à montrer la complexité du réel sans occulter aucun de ses aspects noirs, mais sans les simplifier ou les caricaturer non plus et surtout sans chercher à répondre aux impératifs de l'actualité et à la demande pressante des médias »[30]. Plus que des rythmes et des modalités de travail qui opposeraient médias et historiens et devraient amener les historiens à rejeter toute demande venant de l'actualité, le véritable danger est plutôt, comme l'écrit Yan Thomas, l'alignement des fins du travail historique sur des fins qui lui sont étrangères[31].

---

28. *Ibid.*, p. 26.
29. Jean-Marc Berlière, « Archives de police/historiens policés », *Revue d'histoire moderne et contemporaine*, 48, 2001, p. 61-62.
30. *Ibid.*, p. 63.
31. Yan Thomas, « La vérité, le temps… », art. cit., p. 23.

La pression médiatique et l'insistance portée sur une lecture judiciaire du passé risquent de provoquer le retranchement de l'historien sur son territoire, barricadé d'impératifs méthodologiques. Elles peuvent aussi l'amener à s'engager dans le débat public. Les deux positions ont existé et continueront à exister. Dans les deux cas, la demande sociale oblige les historiens à une vigilance de tous les instants. De fait, demande sociale et contrôle des pairs ajoutent leurs pressions, parfois dans des sens opposés, pour élever le niveau des travaux historiques. Cela n'empêche pas certains auteurs d'être visés par des plaintes pour diffamation. Là encore, la justice est amenée à dire l'histoire.

La montée en puissance d'une écriture judiciaire de l'histoire

Juger du caractère diffamatoire d'écrits portant sur le passé, c'est se retrouver en position de dire ce qu'est un bon historien et, par conséquent, quelles sont les règles de la méthode historique. La guerre d'Algérie ne constitue pas, en la matière, un cas à part. On retrouve à son égard les ingrédients déjà apparus à propos de la période de la Seconde Guerre mondiale ou au sujet du génocide des Arméniens[32].

Les historiens ont d'abord été traités différemment des autres personnes accusées de diffamation : ils avaient la possibilité de prouver leur bonne foi, c'est-à-dire d'apporter la preuve de ce qu'ils disaient. Ils n'étaient alors condamnés qu'en cas « d'erreur manifeste ou manque de rigueur méthodologique »[33]. Cependant la position des juges était malaisée. Ainsi, dans un jugement visant les auteurs d'un livre accusés de diffamation par un officier, auquel ils avaient

---

32. Loi du 13 juillet 1990, article 9, ajoutant un article 24 *bis* à la loi du 29 juillet 1889 sur la liberté de la presse.

33. Jean-Pierre Le Crom, « Juger l'histoire », *Droit et Société*, 38, 1998, p. 33-46, p. 41.

imputé des cas de tortures en Algérie, le tribunal correctionnel de Paris autorisa les prévenus à prouver leur bonne foi en précisant que cela ne devait pas revenir à « établir la vérité des faits visés à l'imputation diffamatoire »… Ils devaient prouver qu'ils avaient « agi sans malveillance, uniquement avec prudence, circonspection, et obéi aux impératifs de la nécessité d'informer le public par la production de faits généraux qui se rattachent à l'histoire ancienne ou moderne et par des études historiques sérieuses »[34]. Le juge fixait alors des limites au travail de l'historien sommé de faire preuve de « conscience, sincérité, impartialité, prudence » : « Malgré les exigences propres à sa discipline, précisait le jugement, [il devait] se montrer d'autant plus circonspect que par des imputations ou des allégations il [était] susceptible de porter atteinte à l'honneur et à la considération de particuliers. »

Quant aux autres auteurs, il leur était impossible de prouver leur bonne foi, en particulier quand leurs écrits portaient sur des faits amnistiés. La loi précisait en effet que la preuve de la vérité du fait diffamatoire était interdite si l'imputation « se [référait] à un fait constituant une infraction amnistiée »[35]. Cet argument a pu être opposé à Michel Rocard qui a été condamné en première instance – condamnation confirmée par la Cour de cassation après que l'homme politique a été relaxé en appel – pour avoir déclaré, en 1992, que Jean-Marie Le Pen avait torturé en Algérie. Cependant, Michel Rocard a finalement obtenu gain de cause et bénéficié d'une seconde relaxe qui fut confirmée par la Cour de cassation. Dans son arrêt du 24 novembre 2000, celle-ci déclarait s'appuyer sur le principe de la liberté d'expression protégée par la Convention européenne des droits de l'homme mais insistait aussi sur la bonne foi de l'ancien

34. Tribunal correctionnel de Paris, 24 novembre 1969. *Revue de science criminelle et de droit pénal comparé*, 1970, 2, IIb, chronique de Georges Levasseur, p. 395-396.

35. Article 35 de la loi du 29 juillet 1881. Modifiée par l'ordonnance du 6 mai 1944.

Premier ministre « lorsque les imputations exprimées dans le contexte d'un débat politique concernent l'activité publique de la personne mise en cause, en dehors de toute attaque contre sa vie privée, et à condition que l'information n'ait pas été dénaturée ». Sur ce point, la Cour pouvait s'appuyer sur les déclarations de Jean-Marie Le Pen lui-même entre 1957 et 1962.

De fait, depuis le début des années 1990, la distinction entre auteurs de propos diffamatoires est peu à peu devenue moins nette. Ainsi, sur la question des activités du président du Front national en Algérie, les tribunaux furent de plus en plus enclins à ne pas considérer leur rappel dans la presse comme diffamatoire[36]. Parallèlement, les critères appliqués aux historiens devinrent aussi valables pour les journalistes. La bonne foi était centrale. Elle était estimée à l'aide de quatre critères : « Légitimité du but poursuivi, absence d'animosité personnelle, sérieux de l'enquête et fiabilité des sources, prudence et modération dans l'expression[37]. » Ce furent les critères examinés par la juge d'instruction lors du procès intenté par Jean-Marie Le Pen au journal *Le Monde* en 2003. Dans les affaires impliquant des écrits de Pierre Vidal-Naquet, il en avait été de même. Cet alignement des exigences visant les journalistes sur celles visant les historiens élargissait la marge de manœuvre offerte à la presse – ou à tout autre auteur non historien – en lui permettant de faire la preuve de sa bonne foi, y compris à propos de faits amnistiés. D'une part, il offrait de plus amples garanties à la liberté d'expression mais, d'autre part, en n'isolant plus l'historien comme producteur d'un discours scientifique, il participait d'un mouvement général de confusion quant au statut des discours coexistants sur le passé.

Ainsi, s'éloignaient à la fois les craintes qu'avait pu susciter la loi Gayssot quant à l'écriture d'une histoire officielle dont les déviations seraient sanctionnées par la loi et la peur

36. Nathalie Guibert, « Quand le regard sur l'histoire fait évoluer la justice », *Le Monde*, 28 juin 2003.

37. Olivier Dumoulin, *Le Rôle social…*, *op. cit.*, p. 136.

de voir les juges dire ce qu'était un bon historien en fixant les règles de la méthode[38], comme ils l'avaient fait en 1995 à propos de Bernard Lewis[39]. En revanche, l'évolution des procès impliquant des écrits sur le passé faisait émerger la justice comme une instance de discours sur l'histoire à part entière. En quelques années, ce glissement était manifeste.

Le cas de Mohamed Garne, jugé en appel par le tribunal des pensions de Paris, l'illustre nettement. Ce procès marquait la dernière étape d'une démarche personnelle entamée par le plaignant en quête de ses origines. Mais les juges se trouvaient, eux, aux prises avec l'intérêt que les médias avaient manifesté pour le plaignant et avec une question historique délicate, puisque à peine repérée par les historiens (Branche, 2002). Voici comment ils présentèrent « les faits eux-mêmes et la procédure » dans cette affaire : « Ultérieurement rejoint par une persévérante campagne de presse souhaitant faire de son cas une illustration des turpitudes imputées à l'armée française pendant la guerre d'Algérie, Mohamed Garne, né le 19 avril 1960 d'une mère algérienne affirmant avoir été violée par des militaires français, la naissance de l'enfant étant le fruit de ces viols, a présenté le 25 novembre 1998 une demande de pension d'invalidité rejetée par lettre du secrétaire d'État aux Anciens Combattants du 15 février 1999. » La mise en avant de la campagne médiatique par les juges laisse penser que son existence

---

38. Voir notamment les réactions d'une historienne et d'un politologue : Madeleine Rebérioux, « Le génocide, le juge et l'historien », *L'Histoire*, 138, novembre 1990, et Michel Troper, « La loi Gayssot et la Constitution », *Annales, HSS*, 54 (6), novembre-décembre 1999.

39. L'historien fut condamné pour avoir affirmé, notamment dans un article paru dans *Le Monde*, qu'il n'existait « aucune preuve sérieuse d'une décision et d'un plan du gouvernement ottoman visant à exterminer la nation arménienne ». Le jugement précisait qu'il avait « ainsi manqué à ses devoirs d'objectivité et de prudence, en s'exprimant sans nuance, sur un sujet aussi sensible » et lui reprochait d'avoir occulté « les éléments contraires à sa thèse » (TGI de Paris, 21 juin 1995).

avait eu une influence négative sur eux, contribuant à faire douter de la véracité des faits invoqués. L'emploi du mot « turpitudes » signalait d'emblée une confusion du registre moral et du registre juridique. Pourquoi en effet ne pas parler de crimes imputés à l'armée puisqu'il s'agissait de viols ?

Un expert fut chargé d'estimer le handicap du plaignant et de proposer un taux d'indemnisation. Dans son rapport, il décrivit un sujet « atteint de diverses infirmités, essentiellement psychiques [...] et accessoirement physiques ». Il en situait la cause principale dans la séparation mère-enfant imposée quand le bébé avait 6 mois. Il mettait aussi en avant les « mauvais traitements et tentatives d'avortement qui auraient été infligés à la mère durant les derniers mois de la grossesse » et, enfin, le traumatisme psychique lié à la révélation des conditions de sa conception quand le patient avait 30 ans. Le professeur Louis Crocq concluait notamment : « L'imputabilité de ces trois causes est attribuable à la responsabilité de l'État français, qui a ordonné en 1959 l'arrestation de l'adolescente Bakhta Kheïra Garne (âgée alors de 16 ans), et sa détention, isolée des siens, dans un camp de concentration (ou de regroupement), qui est responsable des sévices, mauvais traitements ou contraintes subis par cette adolescente pendant sa détention, et qui est responsable de la séparation arbitraire mère-enfant et de son placement dans des conditions pathogènes[40]. » Il se prononçait sans ambiguïté pour une polypathologie. Conformément à sa mission, il estimait ensuite la responsabilité de l'État.

Or, pour cette estimation, le professeur Crocq ne se référa pas exclusivement à des critères psychiques ou physiques : il prit en compte le contexte historique. Il abonda ainsi dans le sens du plaignant qui tenait à replacer son affaire dans ce cadre historique précis et qui se disait, ainsi, « Français par crime ». Son expertise se trouvait mêlée de considérations extérieures à l'individu étudié ; en l'occurrence, Louis Crocq put y introduire des remarques provenant des débuts de sa

---

40. Exposé du jugement du 22 novembre 2001.

carrière, quand il était médecin-lieutenant d'active, pendant la guerre d'Algérie[41]. Pour apprécier le cas de Mohamed Garne, il s'attacha à restituer la nature du camp dans lequel sa mère aurait été violée en le qualifiant de « camp de concentration ». Estimant « l'hypothèse du viol collectif [...] plausible, voire vraisemblable », l'expert se montra extrêmement sévère pour l'État français. Il conclut que « la revendication première [de Mohamed Garne était] d'être reconnu, l'État français demeurant son père symbolique, et son seul père possible ».

Le commissaire du gouvernement discuta âprement des taux d'invalidité proposés et des causes imputées. L'appréciation des faits historiques vécus par le plaignant et par sa mère se trouvait suspendue au cadre dans lequel le jugement devait être énoncé, le droit ayant un « maniement propre [...] des faits eux-mêmes, avant tout jugement »[42]. Un fait n'entrant pas dans le cadre de la procédure fut ainsi admis sans difficulté par le commissaire du gouvernement qui nota que « le demandeur [était] né d'un viol perpétré sur sa mère par des soldats français » : ce fait n'avait en effet aucune influence sur le raisonnement qu'il conduisait. Pour Mohamed Garne et, dans un deuxième temps, pour l'opinion publique, il s'agissait cependant d'une forme de reconnaissance officielle qu'il y avait bien eu des viols commis par des soldats français dans les camps de regroupement. Si une journaliste nota bien qu'il s'agissait d'« un acte de reconnaissance des plus alambiqués »[43], la plupart y virent surtout un premier aveu officiel.

---

41. Sa compétence en matière de névrose traumatique est unanimement reconnue. Le professeur Crocq a été un des acteurs ayant permis l'adoption du décret de 1992 qui revenait à reconnaître les névroses de guerre dont souffraient les anciens combattants de la guerre d'Algérie. Louis Crocq, *Les Traumatismes psychiques de guerre*, Odile Jacob, 1999, 422 p.

42. Yan Thomas, « La vérité, le temps... », art. cit., p. 21.

43. Jacqueline Coignard, « Le viol, torture cachée de la guerre d'Algérie », *Libération*, 23 novembre 2001.

Pourtant, les magistrats avaient tenu, dans un premier jugement, à rejeter le viol comme source d'imputabilité du préjudice allégué par le plaignant et ils réitérèrent leur refus de considérer le viol comme source du droit à pension éventuel, celui-ci ne pouvant concerner que des dommages physiques. En appel, ils ne suivirent que très partiellement le rapport de l'expert sur le pourcentage d'invalidité proposé et sur les causes imputables du traumatisme. Seuls les coups reçus par la mère de Mohamed Garne, aux fins de provoquer une fausse couche, furent finalement reconnus à l'origine possible des troubles du plaignant. Ce fut à ce seul titre qu'il fut indemnisé : c'était la souffrance fœtale qui se trouvait reconnue et non le viol. Les effets politiques d'une telle reconnaissance étaient fort éloignés des enjeux touchant la guerre d'Algérie.

Les magistrats proposèrent, en revanche, une leçon d'histoire, pour mieux justifier leur position, tout en se défendant d'« écrire l'histoire » ou de « commenter les polémiques qu'elle a[vait] suscitées plusieurs années après ». Ils retracèrent les débuts de la guerre en précisant que l'« amplification de la dimension et de l'âpreté de la lutte donn[a] lieu, *de part et d'autre*[44], à la commission d'actes innommables » et que « pour les besoins de la politique dite “de pacification”, de larges parties de la population civile algérienne [avaient] été rassemblées dans des camps dits de regroupement (qualifiés non sans quelque outrance de camps de concentration, termes à connotation particulière) ; camps où les conditions de vie étaient précaires, et l'humanisme et la compassion largement absents ». En outre, après avoir pris leur distance avec les descriptions de l'expert psychiatre, ils tinrent aussi à se démarquer du commissaire du gouvernement, estimant qu'il avait accepté avec « libéralisme » de reprendre la version de Mohamed Garne à propos des viols subis par sa mère. Au-delà du cas du plaignant, les magistrats prenaient position sur les trois versions du passé proposées devant eux

44. Souligné par l'auteure.

(par l'expert, par le plaignant, par le commissaire du gouvernement). Le tribunal s'était révélé un lieu où des opinions diverses sur la guerre d'Algérie pouvaient être formulées, où des jugements de valeur pouvaient prendre en charge le passé et où, finalement, les magistrats s'autorisaient d'une certaine vision du passé et de ses implications (médiatiques) présentes pour rendre leur jugement. Au-delà du cas de Mohamed Garne et du revirement très partiel du tribunal, cette affaire révéla l'importance prise par la justice dans la relation que la société française entretenait à son passé algérien. Le cas de Mohamed Garne avait en effet été médiatisé et le jugement en appel était très attendu ; les juges en avaient conscience[45].

Leur arrêt montrait à quel point nombre d'acteurs judiciaires tenaient un discours sur le passé alors que leur légitimité en la matière ne reposait sur aucun travail de type historique. Leur légitimité judiciaire en revanche était grande : les confusions sur le sens de leurs propos risquaient dès lors d'être maximales. Quand le jugement lui-même exprimait une position sur le passé, il devenait difficile de ne pas considérer que les juges étaient porteurs d'une version quasi officielle de l'histoire.

C'est ce qui arriva au sujet du 17 octobre 1961, dans le procès opposant Maurice Papon à Jean-Luc Einaudi devant la 17e chambre du tribunal correctionnel de Paris à propos de la phrase : « En octobre 1961, il y eut un massacre perpétré par des forces de police agissant sous les ordres de Maurice Papon[46]. » Le substitut du procureur qualifia la répression de la manifestation algérienne de « massacre » mais il critiqua le « jugement personnel non étayé » de Jean-Luc Einaudi sur le deuxième point : l'affirmation que la police agissait alors « sous les ordres de Maurice Papon ». Il proposa une ligne médiane, considérant que le préfet de police « n'était ni le seul ni le premier responsable » et qu'il ne fallait pas oublier « les

---

45. Mohamed Garne, *Lettre à ce père qui pourrait être vous*, Lattès, 2005.

46. *Le Monde*, 20 mai 1998.

meurtriers eux-mêmes » et « la hiérarchie intermédiaire ». Cette ligne ne fut pas retenue par les juges qui relaxèrent le prévenu au bénéfice de la bonne foi, le 26 mars 1999.

À cette date, aucune autorité politique n'avait encore pris position sur cette répression – ou alors pour reprendre les mensonges officiels de l'époque. Ce procès était donc devenu, dans l'opinion, celui de la répression du 17 octobre 1961 : le jugement en était particulièrement attendu. Il revêtit une valeur symbolique immense, même si la responsabilité de l'ancien préfet de police n'était pas précisément affirmée, encore moins établie ou sanctionnée judiciairement. De fait, la confusion entre décision judiciaire, reconnaissance politique et interprétation historique était totale pour de nombreux acteurs qui avaient souhaité voir admise, d'une manière ou d'une autre, la vérité du massacre.

Par défaut, l'enceinte judiciaire apparaissait comme le seul lieu ayant une audience nationale où l'on pouvait débattre des responsabilités des acteurs de la répression du nationalisme algérien entre 1954 et 1962. Il n'était pas anodin que la réalité du massacre du 17 octobre 1961 ait été, pour la première fois, reconnue dans un cadre judiciaire. Les effets sociaux d'une telle sentence étaient réels et les relations de la société française avec son passé algérien passèrent, dès lors, souvent par le chemin de la justice. « Les juges doivent trancher de tout, écrit François Hartog, c'est-à-dire "guérir" les maux privés et publics passés, présents et même à venir. Il leur revient donc aussi de guérir la mémoire[47]. »

Éprouvent-ils une « jubilation secrète » à « s'ébattre dans le territoire de Clio »[48] ? Pour Jean-Clément Martin, spécialiste d'une autre guerre à la mémoire complexe – la guerre de Vendée –, leur intervention est en tout cas tout à fait légitime : plus que les travaux des historiens « ne faut-il pas admettre que, dans les cas d'urgence mémorielle et sociale, la Justice est seule capable de poser un acte imposant une

47. François Hartog, « L'historien et la conjoncture... », art. cit., p. 9.

48. Jean-Noël Jeanneney, *Le Passé dans le prétoire...*, *op. cit.*, p. 35.

vérité immédiatement nécessaire ? »[49]. Prenant acte des temporalités différentes dans lesquelles juges et historiens travaillent, l'historien estime que ces deux professions sont, ensemble, impliquées « dans la fabrication du lien social » et « confronté[e]s à la nécessité de proclamer les règles qui doivent organiser la compréhension du foisonnement du réel »[50]. Pourtant, on peut se demander si ces différences de temporalité, si ces manières opposées de construire une vision du passé (figée, définitive, simplifiée d'un côté, évolutive, révisable, complexe de l'autre) sont bien perçues comme telles. En outre, à côté des juges et des historiens, les Français et les Algériens attendent aussi de voir quelles seront les actions et les positions de l'État. La justice vient proposer sa temporalité en réponse aux demandes répétées et urgentes de reconnaissance. Elle offre l'immuabilité apparente de ses jugements à ceux qui souhaiteraient la fin des silences politiques.

Pour Robert Belot, introduisant la réédition de *Notre guerre* de Francis Jeanson – occasion de rappeler la complexité d'une guerre où les camps étaient eux-mêmes divisés, où France et Algérie ne rimaient assurément pas simplement avec Français et Algériens –, « le recours au procès est devenu, dans la perception collective, le moyen naturel d'écrire l'histoire de nos événements douloureux, parce qu'on imagine qu'il sera ainsi possible d'objectiver et de figer cette écriture dans une ultime sentence insusceptible d'aucun recours, ce qui apaisera d'un coup nos questionnements et nos inquiétudes »[51]. Réductrice mais non officielle, la parole de la justice offre peut-être une solution de compromis à une société en peine de passés apparemment inconciliables, encore en partie fermés aux discours des autres.

Beaucoup d'historiens partageraient sans doute l'affirma-

---

49. Jean-Clément Martin, « La démarche historique face à la vérité judiciaire. Juges et historiens », *Droit et Société*, 38, 1998, LGDJ, p. 17.
50. *Ibid.*, p. 20.
51. Préface à Francis Jeanson, *Notre guerre*, *op. cit.*, p. 9.

tion de Tzvetan Todorov : « On peut penser que la recherche de la vérité, la confrontation sans concessions avec un passé qui, aujourd'hui, fait honte est plus utile à la santé morale de la France que la recherche du jugement pénal »[52]. Or la demande sociale se formule de plus en plus en des termes judiciaires. Qu'ils soient invités ou non à témoigner dans des procès, les historiens se trouvent donc confrontés à des questions qui ne relèvent pas de leur champ de compétences et qui, en outre, peuvent entrer en contradiction avec leur manière de travailler. Le déplacement temporel nécessaire à l'historien pour comprendre, de l'intérieur, comment pouvaient vivre, agir et penser des hommes d'une autre époque n'est-il pas opposé à l'anachronisme intrinsèque à la démarche judiciaire qui utilise des catégories juridiques actuelles pour appréhender les faits à juger ? La démarche historienne est, en tout cas, difficile à faire comprendre. Ce qu'écrit l'historien Didier Guyvar'ch à propos du « devoir de mémoire » pourrait être généralisé à la relation de la société française à la guerre : elle « induit un rapport affectif, moral, au passé peu compatible avec la mise à distance et la recherche d'intelligibilité qui font le métier d'historien. Cette attitude de déférence, de respect figé à l'égard de certains épisodes douloureux du passé peut rendre moins compréhensible par un public non initié l'enquête historique qui se nourrit de questions et d'hypothèses nouvelles »[53].

La manière dont les archives – matériau fondamental des historiens – sont devenues un objet de polémiques dans les années 1990 témoigne à la fois de l'envie grandissante de la société française d'en savoir plus sur la guerre d'Algérie et du questionnement multiforme adressé au passé que les historiens doivent s'efforcer de mettre à distance le temps de leurs recherches.

---

52. Tzvetan Todorov, « La torture dans la guerre d'Algérie », *Le Débat*, 122, novembre-décembre 2002.

53. Didier Guyvar'ch, « La mémoire collective, de la recherche à l'enseignement », *Cahiers d'histoire immédiate*, 22, automne 2002.

DEUXIÈME PARTIE

Quelles sources pour quelle histoire ?

Objet de multiples discours mémoriels, la guerre d'Algérie est aussi un objet d'histoire à part entière depuis des décennies. Les enjeux de mémoire et la demande sociale contribuent cependant à faire peser sur le métier d'historien une pression telle que d'aucuns ont pu estimer qu'il était trop périlleux de se lancer dans l'aventure. Xavier Yacono (1993) a pu ainsi affirmer qu'il était « encore impossible d'écrire une véritable histoire de cette guerre faute de disposer de toutes les archives, essentiellement françaises et algériennes ». Dans le champ âprement concurrentiel des récits sur ce passé, les historiens ont à faire valoir les spécificités de leurs méthodes pour imposer leur scientificité. La manière dont ils élaborent leur récit repose sur une construction de la preuve, validée par l'ensemble d'une communauté réunie autour du respect de quelques règles fondamentales[1].

Les archives sont le matériau essentiel de leur travail. D'accès longtemps difficile, celles de la guerre d'Algérie sont devenues depuis les années 1990 beaucoup plus aisément consultables. Plus largement, luttant contre l'impression

---

1. Sur la question de la preuve en histoire voir – entre autres – l'entretien de Carlo Ginzburg avec Charles Illouz et Laurent Vidal : « Carlo Ginzburg, "L'historien et l'avocat du diable" », *Genèses*, 53, décembre 2003, p. 113-138, et 54, mars 2004, p. 112-129 ; et Antoine Prost, « Histoire, vérités, méthodes. Des structures argumentatives de l'histoire », *Le Débat*, 92, octobre-décembre 1996.

de secret et d'opacité entourant la question des archives et de leur communication en France, les réflexions se sont multipliées pour améliorer la gestion, la conservation et l'accès aux archives[2]. Annoncée plusieurs fois, précédée par certaines circulaires précises, une nouvelle loi fut même préparée qui devrait aboutir, notamment, à raccourcir les délais d'accès.

L'insistance médiatique portée sur les archives de la guerre d'Algérie a pu laisser penser qu'elles étaient l'alpha et l'oméga de la recherche historique. Rien de moins vrai, bien sûr, puisque les archives sont toujours incomplètes et orientées, qu'elles sont toujours une construction, un discours sur la réalité. Comme le fait remarquer Élisabeth Roudinesco, « si tout [était] archivé, si tout [était] surveillé, noté, jugé, l'histoire comme création [ne serait] plus possible : elle [serait] alors remplacée par l'archive devenue savoir absolu, miroir de soi. Mais si rien n'[était] archivé, si tout [était] effacé ou détruit, l'histoire tend[rait] vers le fantasme ou le délire, vers la souveraineté délirante du moi, c'est-à-dire vers une archive réinventée fonctionnant comme un dogme [...]. L'obéissance aveugle à la positivité de l'archive, à son pouvoir absolu, conduit autant à une impossibilité de l'histoire que le refus d'archive »[3]. Ce sont précisément l'attention à leur construction et l'effort fait pour restituer la réalité dont les archives sont, au moins, des indices, qui font le travail de l'historien et sa spécificité.

---

2. Notamment « Transparence et secret. L'accès aux archives contemporaines », *La Gazette des Archives*, 177-178, 1997 ; « Le secret et l'État », *Les Cahiers de la fondation pour les études de la défense*, 12, avril 1998 ; « Le secret en histoire », *Matériaux pour l'histoire de notre temps*, 58, avril-juin 2000 ; « Transparence et secret », *Pouvoirs*, 97, 2001 ; « Économie politique du secret », *Politix. Revue des sciences sociales du politique*, vol. 14, 54, 2001 ; Sophie Cœuré et Vincent Duclert, *Les Archives*, La Découverte, 2001, 124 p. ; Sébastien Laurent (dir.), *Archives « secrètes », secrets d'archives ? Historiens et archivistes face aux archives sensibles*, CNRS Éditions, 2003, 288 p. ; ou encore le colloque organisé par la CADA en octobre 2003 sur « Transparence et secret ».

3. Élisabeth Roudinesco, *L'Analyse, l'archive*, Bibliothèque nationale de France, 2001, 57 p., p. 10.

Néanmoins l'état des connaissances sur la guerre d'Algérie a longtemps nécessité une étude positiviste de ce passé, cherchant d'abord à établir ce qui avait été, pour permettre ensuite que ce récit soit saisi par des interprétations divergentes. Et cela a pu alimenter une approche naïve des archives de la guerre, un certain « fétichisme des archives ». L'élaboration d'une histoire critique de la guerre d'Algérie nécessite le dépassement de ce stade initial. Une « réflexion approfondie sur l'usage et le statut des sources »[4] amène notamment à se détacher de la prééminence positiviste de l'archive écrite pour établir un autre rapport aux sources et en inventer de nouvelles. C'est à cette condition, en particulier, que l'historien peut espérer dépasser une relation souvent conflictuelle ou concurrentielle avec les groupes porteurs de mémoire et faire de la mémoire, non son ennemie, mais son alliée[5].

---

4. Vincent Duclert, Présentation du rapport de Philippe Bélaval, *Genèses*, 36, septembre 1999, p. 133, p. 134.
5. Paul Ricœur, *La Mémoire, l'histoire, l'oubli*, Le Seuil, 2000, 675 p.

CHAPITRE 1

Les archives, entre ouverture et dévoilement

Du document à l'archive

La situation des archives en France a manqué de clarté jusqu'à ce que des textes légaux fixent, en 1979, les règles de versement et de communication des documents produits par les services de l'État. Chaque service public producteur d'archives pouvant intéresser l'historien de la guerre d'Algérie a ainsi eu, de 1954 à 1979, une politique spécifique de gestion de ses documents. Certes, dès 1952, des conservateurs des Archives de France avaient été placés dans quelques ministères afin de récolter leurs archives. Mais, à défaut d'un quelconque pouvoir de contrainte, ils ont dépendu de la bonne volonté des administrations en place. La diversité des archives existant sur la guerre d'Algérie est donc importante, en premier lieu du fait de leurs conditions de constitution.

À partir de 1979, la loi fait obligation aux administrations de verser leurs archives : la situation s'améliore alors, même si les archivistes sont longtemps unanimes à déplorer le peu de respect que les ministères, en particulier, ont de cette obligation. Un véritable travail mêlant pédagogie et persuasion doit être entrepris par les « missionnaires » afin de faire prendre conscience aux administrations versantes, dès la production des documents, qu'elles sont en train de produire d'éventuelles archives qui seront à verser aux Archives nationales afin que l'ensemble de la nation puisse – à plus ou moins long terme – les connaître[1]. Les administrations doivent alors aussi verser les documents produits antérieurement à 1979.

Puisque cette obligation n'existait pas à l'époque de la guerre d'Algérie, les responsables publics ont pu avoir le sentiment qu'ils resteraient maîtres de leurs dossiers. Par la suite, leurs successeurs ont pu souhaiter préserver les habitudes antérieures et protéger leurs prédécesseurs de toute curiosité extérieure – ce que le versement n'interdit cependant aucunement puisque le service producteur reste maître des conditions d'accès à ses archives. À propos des refus de certaines administrations de communiquer des archives, le conservateur général des archives de la Défense, Paule René-Bazin, parle de « solidarité entre générations », d'une quasi-« culture d'entreprise » qui unit par-delà le temps les représentants d'un même service dans la même loi du silence. Même si ces cas sont exceptionnels, on peut estimer que ce jugement peut s'appliquer dès l'étape du versement, ou du non-versement, de certains fonds[2]. Certes les administrations peuvent avoir besoin de conserver certains dossiers qu'elles utilisent encore mais cet argument ne doit pas occulter l'existence de cultures administratives très différentes selon les services versants. Le ministère de l'Intérieur, en particulier, s'est longtemps distingué par sa « frilosité », pour reprendre l'expression de Denis Peschanski à propos de la période de Vichy[3]. Ce n'est qu'à partir de la fin des années 1980 et le début des années 1990 qu'il a versé des fonds importants sur la guerre d'Algérie, tels que les dossiers sur les différents camps d'internement situés sur le territoire

1. Voir les communications de Christine Pétillat et Martine de Boisdeffre, *in* Sébastien Laurent (dir.), *Archives « secrètes », secrets d'archives ?.., op. cit.*

2. Paule René-Bazin, *in* « Table ronde sur la sûreté de l'État », *La Gazette des Archives*, 1997, 177-178.

3. « Table ronde sur la sûreté de l'État, » *La Gazette des Archives, op. cit.*

français, rejoints plus tard par les dossiers individuels des Algériens internés dans ces camps. Des dossiers concernant la guerre d'Algérie ont ainsi été versés après d'autres qui traitaient des relations beaucoup plus contemporaines de la France avec l'Algérie. Jean-Marc Berlière, en connaisseur des archives policières, estime que les lenteurs de versement s'expliquent bien plus par le souci de la police de ne pas « divulguer ses méthodes » et celui de ne pas révéler les faiblesses apparentes des dossiers que par la volonté de garder des secrets d'État inavouables[4].

Il ne faut en effet pas sombrer dans une théorie du complot ou de la raison d'État pour éclairer les versements tardifs : des dossiers sentant certainement plus la poussière que le soufre ont ainsi pu être versés très tardivement, comme ce dossier de la direction générale de la police nationale versé en 1997 qui contient des coupures de presse de *La Tribune du peuple* et d'une brochure du PCF de 1958 visant le général de Gaulle. Des contingences matérielles peuvent aussi faire que certains documents dorment sans doute encore dans quelques caves ou quelques bureaux. Tous cependant ne sont peut-être pas ignorés des responsables en place. Une politique systématique de versement permettrait seule de lever le doute.

Le désir de protéger certains aspects de la guerre d'une divulgation publique est avéré. Dans les mois qui suivirent l'indépendance algérienne, l'armée de terre rapatria ainsi de nombreux documents en obéissant aux consignes de son chef d'état-major : « Éviter la divulgation de certains documents dont une exploitation tendancieuse pourrait être nuisible aux intérêts de la France[5]. » Des destructions massives ont sans doute alors eu lieu sans que l'on puisse envisager, estime le conservateur du Service historique de l'armée

---

4. Jean-Marc Berlière, *in* « Table ronde sur la sûreté de l'État », *op. cit.*, p. 187.

5. Lettre du chef d'état-major de l'armée de terre au commandant supérieur des forces en Algérie, le 3 août 1962, citée par Thierry Sarmant *in* Sébastien Laurent (dir.), *op. cit.*, p. 105.

de terre (SHAT) rapportant cette information, que des tris plus précis, qui auraient attesté d'une volonté de censure, ont été possibles, étant donné les conditions dans lesquelles ces archives ont été rapatriées en France à partir de l'été 1962. En revanche, quelques années plus tard, il semble que des officiers restés fidèles à une certaine idée de l'Algérie française ont tenté d'éliminer des documents peu glorieux pour l'armée. Même si elles furent minimes, certaines destructions d'archives aux critères peu scientifiques semblent bien avoir eu lieu.

La diversité des situations concernant les archives publiques est encore compliquée par le statut des archives produites par les hommes publics, au premier rang desquels les membres des gouvernements, mais aussi par les officiers, les magistrats ou tout fonctionnaire dans l'exercice de sa fonction. L'habitude s'était installée, pour les hommes politiques en particulier, d'emmener avec eux leurs dossiers à leur sortie de fonction : tel chef de cabinet pouvait ainsi partir avec des dossiers concernant les affaires publiques qu'il pouvait ensuite verser au titre d'archives privées dans un centre d'archives ou aussi ne jamais verser. Cette confusion de dossiers de nature différente – certains authentiquement privés, d'autres liés à la personne dans le cadre de son travail mais étant, de ce fait, publics puisque ayant trait à une activité faite au service de l'État – provoque un véritable imbroglio quant au statut des fonds privés pouvant être constitués. Ils sont considérés comme privés mais peuvent contenir des documents publics. Pour les historiens, cette pratique – aujourd'hui clairement interdite – a pu faciliter l'accès à des documents qui n'avaient pas été jugés communicables par l'administration versante mais dont une copie pouvait se trouver dans des fonds privés plus accessibles. Inversement certains individus refusent toujours de donner accès à leurs fonds privés qui contiennent pourtant des documents publics qui auraient dû être versés dans les fonds de leur administration. Les archivistes peuvent alors tenter un rôle de médiateurs en attendant d'aboutir à une clarification du statut et de la communication de ces documents.

La loi protège déjà une partie des producteurs d'archives. Ainsi les cabinets ministériels : « Le ministre signataire du protocole est admis à conserver un droit d'accès permanent aux documents qu'il a versés ; il en va de même pour ses collaborateurs, du moins pour la part d'archives qui leur est propre. [...] C'est le signataire du protocole qui délivre son accord [sur la communication des documents] et non son successeur dans le cabinet ministériel concerné[6]. » Au-delà de la continuité de l'administration, c'est bien la continuité d'une politique qui peut ainsi être préservée puisqu'un ministre peut garder la haute main sur l'accès aux documents produits par son cabinet des décennies après les faits.

De fait, la loi de 1979 définit bien un droit des archives[7] qui interdit, théoriquement, qu'une archive publique puisse échapper à la loi. Mais la réalité est plus complexe, certaines archives publiques étant même hors la loi de 1979 comme celles du Conseil constitutionnel, soustraites au droit commun d'après un arrêt du Conseil d'État d'octobre 2002[8], ou les archives de la préfecture de police de Paris. Ces dernières sont régies par un décret du 5 janvier 1968... devenu incompatible avec la loi de 1979. La préfecture continue pourtant à gérer directement ses archives, tout en étant théoriquement contrôlée par la Direction des Archives de France.

Néanmoins, à part ces quelques exceptions, la plupart des archives publiques dépendent de la loi du 3 janvier 1979 et de ses décrets d'application qui en ont fixé les délais de communicabilité. Elles sont communicables passé un délai de trente ans depuis leur date de production (ou depuis la date finale de la période dans laquelle s'insère cette date, en l'occurrence, pour la guerre d'Algérie, 1962) et peuvent être

6. Christine Pétillat, « Le rôle des missions des Archives nationales dans la collecte des archives contemporaines », *in* Sébastien Laurent (dir.), *op. cit.*, p. 68.

7. Hervé Bastien, *Droit des archives*, La Documentation française, 1996, 192 p.

8. Cette dérogation au statut commun est repérée par Vincent Duclert et dénoncée *in* Sébastien Laurent (dir.), *op. cit.*, p. 45.

consultées librement. Cette loi réalisa un « compromis entre l'ouverture et le maintien du secret »[9] en mettant fin à une évolution plus que centenaire vers la fermeture, depuis la loi extrêmement démocratique du 7 messidor an II (1794), qui avait fait des archives publiques, propriété de la nation, des archives transparentes et accessibles à tous, mais qui ne fut jamais appliquée.

Au sein des archives publiques versées, plusieurs types de documents sont exclus du délai trentenaire général et sont communicables après des délais plus importants. Les historiens de la guerre d'Algérie se voient, plus particulièrement, opposer un délai de soixante ans visant les « documents qui contiennent des informations mettant en cause la vie privée ou intéressant la sûreté de l'État ou la défense nationale ». Le caractère flou de ces notions amène une réelle difficulté d'appréciation quand il s'agit d'établir le délai de communicabilité d'un document ou d'instruire une demande de dérogation, nous y reviendrons. Quelles que soient les critiques qu'on peut lui adresser, on peut considérer ce délai comme un moindre mal concernant les archives intéressant la sûreté de l'État ou la défense nationale et comme une protection appréciable protégeant la vie privée. En 1996, Paule René-Bazin, alors chef de la section du XXe siècle aux Archives nationales, avait estimé périmée la notion de sûreté de l'État telle qu'elle était définie dans le décret n° 79-1038 sur les archives. Elle expliquait que « si les informations contenues dans ces dossiers menaçaient très certainement la sûreté de l'État lorsqu'elles ont été produites [...] le plus souvent, cette menace n'[était] plus d'actualité » et qu'elle n'était d'ailleurs plus prise en compte par les autorités versantes quand elles donnaient leur avis[10]. Quatre ans plus tard, la loi prit acte de cette évolution : la notion de sûreté de l'État disparut. Ne demeurent que les documents « dont la

9. Odile Krakovitch, « La responsabilité de l'archiviste : entre mémoire et histoire », *La Gazette des Archives*, 1997, *op. cit.*

10. Paule René-Bazin, *in La Gazette des Archives*, 1997, *op. cit.*, p. 178.

consultation ou la communication porterait atteinte au secret de la défense nationale »[11].

En revanche, l'ensemble des documents produits par les services du président de la République et du Premier ministre, indépendamment de leur contenu « sans autres précisions, les dossiers de la sécurité militaire, les dossiers du SDECE (Service de documentation extérieure et du contre-espionnage) et les dossiers des deuxièmes bureaux des états-majors et des bureaux de renseignement et de relations internationales militaires »[12] sont toujours soumis à un délai de soixante ans. Auteur d'un rapport critique sur les archives à la demande du Premier ministre, en 1996, le président de section honoraire au Conseil d'État Guy Braibant suggérait de limiter ces régimes spéciaux et d'abaisser les délais, notamment de trente à vingt-cinq ans pour le délai courant et de soixante à cinquante ans pour le premier type de documents spéciaux. Cette proposition avait fait l'unanimité dans les milieux de la recherche, sans recevoir de traduction législative. Guy Braibant avait aussi fait remarquer « l'absence d'une délimitation juridique précise » de la notion de « vie privée » et la grande marge d'appréciation laissée de fait aux archivistes et aux administrations versantes[13]. C'est cette notion qui est le plus souvent opposée aux personnes qui souhaitent consulter des archives – historiens compris.

À ces règles communes visant les archives publiques s'ajoutent des spécificités concernant les documents produits par la Défense nationale et les Affaires étrangères et classifiés dès leur production en fonction d'un degré de confidentialité. Ainsi, pour la défense, il existe, jusqu'en 1998, 4 niveaux de secrets : « très secret défense », « secret défense », « confidentiel » et « diffusion restreinte ». Les

---

11. Loi du 12 avril 2000.

12. Guy Braibant, *in Une cité pour les archives nationales, Les Français et leurs archives. Actes du colloque au Conseil économique et social 5 novembre 2001*, Fayard, 2002, 227 p., p. 51.

13. *Ibid.*, p. 56-57.

documents appartenant aux deux premières catégories sont communicables à soixante ans tandis que les documents qui sont, dès l'origine, « confidentiel » ou « diffusion restreinte » sont communicables au bout de trente années. Comme l'explique un conservateur du SHAT, ce secret, indiqué comme tel dès la production du document, est « garant de la protection des documents. Les règles de rédaction, de suivi et de conservation des documents sont d'autant plus strictes et contrôlées que le niveau de classification s'élève ». En revanche, « le danger est dans la rétention de l'information et la difficulté est d'organiser le passage au statut d'archives historiques »[14]. C'est dans la manière dont les documents sont versés et/ou communiqués qu'un glissement peut s'opérer entre la notion administrative de « secret défense » à celle, strictement politique, de secret d'État.

Si on peut comprendre qu'il y ait des nécessités à préserver la confidentialité de certaines informations pendant une certaine durée – encore faudrait-il peut-être revoir les délais aujourd'hui en vigueur –, il est aussi nécessaire que soient mieux connues les règles qui régissent ces différentes natures de secret afin que les citoyens ne se sentent pas exclus d'une pratique du pouvoir censé être exercé en leur nom. En revanche, il est à craindre qu'une politique exigeant des administrations françaises une transparence immédiate sur leurs productions ne se heurtent à des réticences importantes et, surtout, comme l'écrivent Sophie Cœuré et Vincent Duclert, à « la destruction accélérée par leurs producteurs des archives politiques ou économiques, en cas de crise, de départ du pouvoir ou de poursuites judiciaires, ou bien [à] la constitution de dossiers parallèles et jamais archivés car illégaux »[15].

Les archivistes occupent une place de médiateurs cruciale entre les services producteurs, qui peuvent souhaiter que

---

14. Nathalie Genet-Rouffiac, « De l'esprit des lois… Le cas des documents classifiés au ministère de la Défense », *in* Sébastien Laurent (dir.), *op. cit.*, p. 77.

15. Sophie Cœuré et Vincent Duclert, *Les Archives*, *op. cit.*, p. 94.

les documents produits ne soient pas communicables immédiatement, et les citoyens désireux de consulter ces documents, devenus des archives. Dans le cas d'une communication différée, les centres d'archives fonctionnent comme des sas séparant des documents jugés trop brûlants de l'ensemble des citoyens. Un inventaire d'archives ressemble ainsi à la cartographie des frontières d'un territoire secret : d'un côté, les archivistes, qui connaissent les dossiers signalés par des descriptions lapidaires suggérant le contenu des cartons, et de l'autre, les usagers des archives, qui n'ont accès qu'à une réalité en creux et doivent deviner ce que désignent les mots de l'inventaire. Cette impression de secret alimente des fantasmes sur les archives de la puissance publique qui peuvent se trouver renforcés par les pratiques entourant certains fonds – en particulier autour de leur communication. Le respect du secret, exprimé souvent sous la forme du respect de la vie privée, est perçu par certains comme un faux-semblant visant à masquer notamment des turpitudes politiques.

En fait l'utilisation d'un délai de communicabilité variable et amendable par un système de dérogations individuelles concilie les exigences de vérité et le souci de confidentialité dont chacun peut avoir envie de bénéficier. Que la règle de l'égalité des citoyens devant l'accès aux archives ne soit pas respectée n'est pas forcément condamnable. On peut comprendre en effet les arguments justifiant que l'on protège la vie privée des personnes de la curiosité publique, voire de la vindicte. Le fait que cet argument ait pu être utilisé de manière excessive pour camoufler des réticences politiques ne suffit pas à l'invalider. Un de ses abus est d'ailleurs rapporté par Paule René-Bazin à propos d'archives concernant la guerre d'Algérie : « Les documents n'avaient plus d'actualité immédiate, mais ils impliquaient des personnalités qui s'étaient exprimées librement au moment des événements dans de hautes instances gouvernementales. Ces personnalités vivent encore et, de ce fait, explique l'archiviste, il semble légitime de refuser de communiquer leur position de l'époque, non pour des questions de fond, mais tout simplement parce qu'elles vivent encore »[16]. L'argument qui prévaut apparemment ici est celui de la protection de la vie privée – tant que la personne concernée vit encore – mais peut-on vraiment considérer un propos prononcé dans un cadre gouvernemental comme relevant de la vie privée ? Il ne faudrait pas que le critère de la protection de la vie privée vienne remplacer celui de la sûreté de l'État et continuer « ainsi, par d'autres voies, de produire des niches archivistiques à l'intérieur desquelles se maintiennent des pratiques ou des dispositifs d'occultation et de secret »[17]. De telles justifications ne peuvent en effet que donner des arguments aux opposants du système dérogatoire.

Pourtant, malgré des défauts certains, ce système semble toujours satisfaire la plus grande partie des historiens qui en acceptent les aspects gênants, tout en souhaitant parfois que ses modalités de fonctionnement gagnent en transparence. Charles-Robert Ageron s'est ainsi régulièrement étonné du caractère non communicable de certains dossiers militaires mais il n'en estimait pas moins que certains documents ne devaient pas être librement communiqués « à des personnes qui poursuivent un autre but que celui de la simple vérité historique »[18]. Il suggéra une alternative au fonctionnement de l'instruction des dérogations en proposant que soient instaurées, sur « des dossiers sensibles », des « commissions restreintes d'archivistes et d'historiens » habilitées à accorder ou non les autorisations dérogatoires de consultation[19]. Sa proposition témoignait du souci que certains historiens soient associés au travail sur les archives sur le modèle des commissions créées à propos de la Seconde Guerre mondiale. Elle prenait acte de la plus grande compétence de certains histo-

---

16. *La Gazette des Archives*, 1997, *op. cit.*, p. 178.

17. Vincent Duclert, « Le secret en politique au risque des archives ? Les archives au risque du secret en politique. Une histoire archivistique française », *in Matériaux pour l'histoire de notre temps*, 58, avril-juin 2000, p. 26.

18. *La Gazette des Archives*, 1997, *op. cit.*, p. 182.

19. *Ibid.*, p. 183.

riens sur certains dossiers et du fait qu'à défaut d'une formation adéquate et d'une familiarisation progressive avec les documents, il était difficile de pouvoir les utiliser.

Sur ce point, les historiens ne sont pas égaux entre eux non plus et leurs compétences doivent être appréciées pour chacun des dossiers demandés. Les formulaires de demandes de dérogation sont accompagnés d'une question sur les diplômes qui suggère un critère universitaire de distinction. On trouve encore parfois la mention d'une différence entre historiens professionnels et historiens amateurs. Il y a certes un métier d'historien avec des règles propres : leur respect est la seule garantie d'un travail honnête dans les archives. Mais rien n'interdit à un citoyen d'acquérir cette maîtrise des règles du métier. Les acceptations des demandes de dérogation pourraient peut-être, à côté de la reconnaissance académique de l'individu demandeur, tenir surtout compte de sa capacité réelle à lire correctement les archives.

Les archives sont-elles ouvertes ?

L'accès aux archives est un droit, dans la limite de certaines règles et, serait-on tenter d'ajouter, de certaines interprétations des règles. Le thème de l'ouverture des archives de la guerre d'Algérie est fréquemment présenté comme un sujet polémique, suggérant une raison d'État œuvrant à occulter le passé. Lors d'une enquête effectuée en 2001, 62 % des personnes interrogées pensaient d'ailleurs que le ministère en charge des archives était le ministère de l'Intérieur[20].

Les archives non communicables peuvent être consultées à condition de demander une autorisation dérogatoire. La loi de 1979 codifie alors ce qui existait avant, faisant regretter à certains la liberté qu'ils avaient quand leurs relations avec

20. Enquête réalisée en octobre 2001 pour *Le Monde* à l'occasion du colloque « Les Français et leurs archives », *Le Monde* du 5 novembre 2001.

tel ou tel archiviste étaient bonnes. Ces autorisations sont strictement personnelles et les modalités selon lesquelles elles sont accordées ou refusées témoignent d'une inégalité entre les demandeurs, selon qu'ils mènent ou non une recherche, selon leurs diplômes universitaires, selon leur sujet de recherche, etc. Ce système dérogatoire pèse sur les conditions de la recherche et laisse son empreinte sur les productions historiques.

Les archives privées dépendent soit de celui ou celle qui les a versées (ou de ses ayants droit), soit de l'institution qui a pu recevoir mandat sur cette question. Les archives publiques restent la propriété du service versant : c'est lui qui transmet à la Direction des Archives de France son avis sur la demande qui lui est soumise. Ainsi, par exemple, les services du Premier ministre continuent à avoir un pouvoir décisionnel sur la consultation des archives des précédents chefs de gouvernement pour lesquelles une dérogation est nécessaire. Pour les archives du gouvernement général d'Algérie et des départements algériens, déposées au Centre des archives d'outre-mer (CAOM), et à l'exception des documents judiciaires, c'est le ministère de l'Intérieur qui est chargé d'émettre un avis. Face à des demandes indésirables, il était coutumier de laisser traîner la réponse de longs mois, voire, dans certains services, plus d'une année. Réagissant à ces abus, le Premier ministre Lionel Jospin imposa un délai maximum de deux mois, précisant : « Je souhaite que les demandes de dérogation soient traitées avec diligence. Il conviendra, en tout état de cause, d'y statuer dans les deux mois, délai à l'issue duquel naîtrait, en l'absence de réponse, une décision implicite de rejet[21]. » Deux ans auparavant, le directeur des Archives de France avait déjà exigé que les refus soient motivés. Depuis la loi du 12 avril 2000, un refus de dérogation n'est par ailleurs pas définitif : le requérant peut saisir la Commission d'accès aux documents administratifs (CADA) qui doit lui répondre sous

21. *Journal officiel* du 26 avril 2001.

deux mois. Cette possibilité d'appel permet de lutter contre l'arbitraire de certaines décisions et l'opacité générale du système dérogatoire.

De fait, ce sont les archivistes qui instruisent les demandes de dérogation, et ils ne consultent les autorités politiques que sur des dossiers jugés sensibles. Même s'ils ne prennent pas la décision d'accorder ou non l'autorisation de consultation dérogatoire, leur pouvoir est bien réel et la crainte de devoir assumer l'usage d'archives pour lesquelles ils auraient donné un avis favorable peut parfois expliquer certains refus. Puisqu'il n'existe aucun critère officiel concernant les conditions nécessaires à remplir pour se voir accorder une dérogation, l'archiviste qui émet un avis sur la demande doit estimer la fiabilité du demandeur. Il ne s'agit pas, comme l'affirme Sonia Combe, de donner « accès aux documents non communicables à des "personnes fiables" du point de vue de la raison d'État [...], des personnes dont on sait, par les travaux antérieurs et par leurs titres, qu'elles ne divulgueront pas des noms propres ou des informations qui pourraient mettre en cause "l'honneur" de la France »[22], mais, effectivement, de s'assurer que les documents soumis à dérogation ne risquent pas d'être utilisés à l'encontre de la raison pour laquelle ils sont protégés, s'ils sont consultés par dérogation. Ce système dérogatoire a pu être accusé de favoriser les historiens professionnels au détriment des chercheurs amateurs – expression qui ne connote pas ici la qualité des travaux mais le statut professionnel des chercheurs : alors que certains ont l'histoire pour profession, en tant que chercheurs au CNRS ou enseignants-chercheurs, d'autres pratiquent en effet la recherche historique à titre privé, en marge de leur activité professionnelle.

En réalité les relations de travail qui s'instaurent entre archivistes et historiens au cours d'une recherche permettent de mieux se connaître : les liens interpersonnels, fondés

---

22. Entretien avec Sonia Combe dans *Différences*, 215, février 2000, p. 5.

sur la connaissance des méthodes de travail des uns et des autres, l'assurance du sérieux et de l'honnêteté des démarches scientifiques, ont alors un rôle important dans le cheminement des demandes de dérogation quel qu'en soit l'auteur. Cette connaissance réciproque permet à l'historien, amateur ou professionnel, d'apprécier les chances qu'il a de voir ses demandes trouver une issue favorable et à l'archiviste de mesurer les effets potentiels d'une consultation de certains dossiers. Confondant familiarisation avec les centres d'archives, et donc avec leurs gardiens que sont les archivistes, et complaisance envers les institutions productrices d'archives, certains ont décrié des historiens à la botte du pouvoir, « à l'échine souple »[23]. C'est mal cerner la dimension humaine qui nourrit aussi le travail de recherche et mal estimer les intérêts réciproques objectifs qu'ont aujourd'hui à travailler ensemble, en bonne entente, historiens et archivistes, le travail des uns étant nécessaire au travail des autres et réciproquement.

Il est donc évident que tous les citoyens ne sont pas égaux devant le système dérogatoire. Leurs demandes n'émanent d'ailleurs pas des mêmes lieux : certains cherchent des informations sur un membre de leur famille, d'autres un *scoop* à publier dans la presse, d'autres des éléments pour un travail d'investigation, scientifique ou non. Ces différences de motivation sont prises en considération par les archivistes. Les chercheurs des laboratoires reconnus et les universitaires ont certainement un accès plus facile à certains dossiers, la légitimité de leur demande correspondant à un des axes de la loi de 1979 : « La documentation historique ». Ainsi Jean-Luc Einaudi s'est heurté de nombreuses fois à des refus pour

23. « Sans hypocrisie, il importe de veiller à l'ouverture des fonds militaires et civils, non pas au compte-gouttes pour quelques privilégiés dont a testé l'échine souple, mais à tous les chercheurs et surtout aux jeunes qui découvrent une réalité difficile à imaginer », pouvait-on lire notamment dans un texte paru dans *Le Monde* le 10 juin 2001 et signé par Annie Rey-Goldzeiguer, Aïssa Kadri, André Nouschi, André Mandouze, Claude Liauzu et Pierre Vidal-Naquet.

cette raison non avouée. Claude Liauzu y voit une volonté de stigmatiser l'historien amateur[24]. Il s'était pourtant vu, lui aussi, alors universitaire, refuser l'accès à certains dossiers de la préfecture de police de Paris pendant longtemps. En matière de communication, cette institution et ses archivistes se font plus geôliers que sourciers, pour reprendre une image d'Odile Krakovitch[25]. En juin 2002, l'ancien responsable du service des archives de la préfecture de police n'a d'ailleurs pas été autorisé par le cabinet du préfet de police à venir parler de ces archives lors d'une journée d'études portant sur la question des « archives sensibles » où étaient pourtant présents de très nombreux archivistes[26].

Le cas des archives sur la répression du 17 octobre 1961 a révélé au grand jour l'extrême sélectivité du service et son étrange conception d'une ouverture graduelle des archives. Jean-Paul Brunet, professeur à l'École normale supérieure, expose ainsi les démarches qu'il a entreprises pour y avoir accès : en 1992, il a tenté de faire jouer ses liens politiques au plus haut niveau de la République pour appuyer sa demande de dérogation. En vain : la préfecture lui en refusa l'accès jusqu'en 1998. Proche de Jean-Luc Einaudi, Claude Liauzu a tenté lui aussi d'obtenir cet accès. Le refus qui lui a été opposé était motivé non pas en fonction de la nature de la demande mais du calendrier de travail des chercheurs ayant déjà obtenu des dérogations, dont Jean-Paul Brunet : « Trois historiens ont obtenu une dérogation pour la consultation de ces dossiers et documents, qui ne sont pas complètement classés ni inventoriés. Ce travail est actuellement en cours et il me semble donc impossible pour l'instant de vous communiquer ces archives en l'état. Il me paraît donc plus opportun de différer l'instruction de votre demande jusqu'au

---

24. Claude Liauzu, « Note sur les archives de la guerre d'Algérie », *Revue d'histoire moderne et contemporaine*, 2001, 48.

25. Odile Krakovitch, « La responsabilité de l'archiviste… », art. cit., p. 237.

26. Sébastien Laurent (dir.), *Archives « secrètes »…, op. cit.* Ce refus est signalé p. 10, note 16.

moment où ces historiens auront réalisé leurs premiers travaux. À ce moment, c'est bien volontiers que j'examinerai votre demande de dérogation[27]. » Les archives, qui attendaient la fin de leur classement, ont été proposées à des historiens connaisseurs de la police, dans l'idée, sans doute, qu'ils seraient plus à même de les utiliser sans contresens que des non-spécialistes. La préfecture de police s'est en quelque sorte autorisée à constituer une commission d'experts *ad hoc :* en l'occurrence, sur le 17 octobre 1961, commission réduite à un seul chercheur, Jean-Paul Brunet. Le raisonnement tel qu'il est mené dans la réponse faite à Claude Liauzu est peu défendable. Il semble organiser la production d'une histoire officielle, ou du moins autorisée, et connote ainsi négativement le travail de ces trois historiens.

L'inégalité fondamentale du système dérogatoire peut en particulier entraver le développement de recherches de petite envergure comme celles que les étudiants peuvent effectuer en maîtrise ou en master. Les délais de réponses aux demandes sont désormais réduits mais ils ont pu être de plusieurs mois, rendant impossible un travail à rendre en moins d'un an. Plus généralement certains lieux de conservation ont pu décider de rejeter systématiquement ce type de demandes.

Outre la vigilance des archivistes, soucieux de respecter la loi et de se protéger de l'usage abusif qui pourrait être fait des documents dont ils ont la charge, des logiques politiques agissent aussi sur le système. Les variations dans l'obtention de dérogations suggèrent bien l'influence réelle du contexte sur les conditions de la recherche historique. Plus radicalement encore, des fonds peuvent voir leur délai de communicabilité modifié. Les journaux de marches et opérations des unités militaires sont ainsi devenus soumis à dérogation, alors qu'ils avaient été déclarés librement communicables

27. Lettre du service des archives de la préfecture de police à Claude Liauzu citée dans *Différences*, février 2000, p. 9.

en 1992. Les autorités militaires ont estimé que, dans le contexte de guerre civile que connaissait l'Algérie, ces archives contenaient des informations qui, consultées par des lecteurs dont les fins ne seraient pas exclusivement scientifiques, pourraient mettre en danger la vie de certains Algériens (Sarmant, 2003 : 109). Ce raisonnement prévaut toujours. D'autres fonds conservés au SHAT ont connu le même sort : les fonds du ministère de la Défense concernant la guerre d'Algérie (sous-séries 1R, 2R, 3R), complémentaires de la sous-série 1H. Ils contenaient des dossiers communicables qui, à la fin des années 1990, ont été basculés à soixante ans, nécessitant dès lors une dérogation pour être consultés. Ces documents pouvaient être aussi anodins que des articles de presse, même si la plupart contenaient des informations plus directement politico-militaires. Des cartons qui auraient pu être consultés à partir de 1992 – une fois le délai trentenaire dépassé – ont ainsi pu être refusés à la consultation dérogatoire quelques années plus tard. Que des refus soient opposés à des demandes de dérogation fait partie du système. En revanche, de tels refus confinent à l'absurde quand il s'agit d'un fonds ayant été librement accessible pendant quelques années.

Le cas des archives militaires déposées au SHAT est emblématique de ces variations. Avant même leur ouverture proprement dite, les autorités responsables ont manifesté un véritable souci de transparence. En 1990 était publié un recueil titré *La Guerre d'Algérie par les documents*, portant sur les années 1943-1946. Dix à douze autres tomes étaient alors annoncés, devant aller jusqu'au retour en métropole des dernières troupes françaises, après l'indépendance algérienne. Livrant une des règles suivies pour cette publication, le général commandant le SHAT indiquait la voie à suivre pour les futurs historiens qui utiliseraient ces archives : « Les passages pouvant mettre en cause des individus et, d'une manière générale, les noms de personnes ont été supprimés [dans la publication]. Il était important que ces documents indispensables à la connaissance historique soient publiés, mais il était non moins essentiel que l'esprit de la loi soit respecté et que la divulgation de ces archives ne puisse porter tort à quelqu'un. » L'entreprise avait été supervisée par le chef du SHAT, le général Robert Bassac, mais effectuée par une équipe dirigée par l'universitaire Jean-Charles Jauffret. Le général Bassac se plaçait dans une optique d'ouverture et annonçait une volonté de favoriser « l'objectivité » sur « le dossier algérien », objectivité qu'il opposait au « climat passionné » qui régnait selon lui sur le sujet, même parmi les historiens – ce qui ne l'empêchait pas de décrire, dans une brève préface, les relations entre la France et l'Algérie depuis 1830 à travers le vocabulaire connoté d'une « glorieuse et douloureuse histoire d'amour »[28].

La citation de Cicéron en exergue du tome 1 reflétait bien l'état d'esprit qui sous-tendait cette publication : « La première loi de l'histoire est de ne rien dire de faux. La seconde est d'oser dire ce qui est vrai. » Signe des temps ? C'est Gallieni qui fournit l'exergue du tome 2 : « Nos administrateurs doivent défendre au nom du bon sens les intérêts qui leur sont confiés et non pas les combattre au nom des règlements. » On ne peut s'empêcher d'y lire une allusion aux difficultés rencontrées par l'entreprise collective qui a pâti, dans un premier temps, du départ du général Bassac puis d'un manque de volonté politique évident : ce n'est qu'en 1998, avec l'arrivée du général André Bach à la tête du SHAT, que sort le deuxième tome de ce recueil. Par ailleurs, Claude Liauzu rapporte que des chercheurs ayant voulu consulter les documents publiés se sont vu opposer un refus à leur demande de dérogation[29]. Le « vent nouveau » soufflant sur le SHAT, pour reprendre les mots employés par Gilbert Meynier à propos de ce volume, est en effet un vent changeant[30]. D'ailleurs aucun nouveau tome n'est plus annoncé.

---

28. Général Robert Bassac, « Préface », *La Guerre d'Algérie par les documents*, tome 1, Vincennes, SHAT, 1990.

29. Claude Liauzu, « Note sur les archives de la guerre d'Algérie », art. cit.

30. *NAQD*, 14-15, automne-hiver 2001.

Entre les deux tomes, la question des archives de la guerre d'Algérie est devenue un sujet extrêmement sensible. En 1997, le procès de Maurice Papon, pour son rôle comme secrétaire général de la préfecture de Bordeaux pendant la Seconde Guerre mondiale, a suscité de nombreuses questions sur la répression qu'il dirigea en tant que préfet de police de Paris, le 17 octobre 1961. Ce procès fut l'occasion pour les autorités politiques de promouvoir un accès plus aisé aux archives. Le 2 octobre 1997, d'abord, le Premier ministre Lionel Jospin publia une circulaire sur « l'accès aux archives publiques de la période 1940-1945 » en précisant : « C'est un devoir de la République que de perpétuer la mémoire des événements qui se déroulèrent dans notre pays entre 1940 et 1945. La recherche historique est, à cet égard, essentielle. Les travaux et publications des chercheurs constituent une arme efficace pour lutter contre l'oubli, les déformations de l'histoire et l'altération de la mémoire. [...] Pour que de telles recherches puissent être menées, il faut que leurs auteurs disposent d'un accès facile aux archives qui concernent la période. » Ce texte a été à l'origine d'un vaste mouvement de déclassement des archives qui mit à la disposition du public de nombreux documents jusqu'alors non communicables, c'est-à-dire consultables uniquement par dérogation individuelle.

De telles dérogations générales, autorisées par la loi de 1979, offrent à tous les citoyens les moyens de connaître les documents passés pouvant les concerner ou les intéresser mais elles améliorent aussi les conditions de la recherche et du débat historiques puisqu'elles seules rendent possible la confrontation d'une interprétation avec les sources sur lesquelles elle s'appuie, proposant ainsi à l'ensemble des historiens la possibilité réelle d'un débat d'interprétation que la nécessité de demander des dérogations individuelles ralentit fortement. « À quoi bon des notes de bas de page si les fonds se referment derrière l'historien qui a eu la chance de les consulter ? », notait ainsi Annette Wieviorka, à propos de la commission chargée d'étudier, à travers les archives, la spoliation des Juifs de France. « L'historien à qui est donnée une dérogation bénéficie ainsi d'un pouvoir, une toute-puissance sur son objet d'étude, une liberté sans la limite nécessaire que constitue le contrôle de ses pairs et de ses lecteurs. Le système de dérogation individuelle peut être porteur d'effets pervers[31]. »

Cette perversité du système est réelle puisque les mêmes dossiers peuvent être communiqués à un chercheur et refusés à un autre, selon des critères – implicites, non officiels – qui peuvent être indépendants de son travail. Guy Braibant l'a regretté dans son rapport sur les archives[32]. Ce système fonctionne actuellement comme un moindre mal mais le déclassement général de nombreux fonds sur la guerre d'Algérie serait certainement possible et est éminemment souhaitable. Les responsables du SHAT eux-mêmes ont pu exprimer ce désir pour certains « fonds pour lesquels les dérogations sont accordées systématiquement puisqu'ils ne renferment aucune information sensible »[33] . Ce qui a été fait sur la Seconde Guerre mondiale ne peut-il être envisagé sur la guerre d'Algérie sans attendre cinquante ans après les faits ? Une telle ouverture éviterait peut-être des accusations calomnieuses envers les historiens bénéficiant de dérogation, qui pourraient se voir soupçonnés de ne tenir leur autorité scientifique que de leur « privilège de l'accès aux archives », comme l'avait fait Sonia Combe à propos des historiens de l' Institut d'histoire du temps présent travaillant sur la Seconde Guerre mondiale[34].

Inversement, Jean-Luc Einaudi, qui avait publié un livre sur la répression policière parisienne d'octobre 1961 dans

---

31. Annette Wieviorka, « Entre transparence et oubli », *Le Débat*, 115, mai-août 2001, p. 139-144, p. 140.

32. Guy Braibant, *Les Archives en France*, *op. cit.*

33. Lieutenant-colonel Bodinier, art. cit., p. 185.

34. Sonia Combe, *Archives interdites. Les peurs françaises face à l'histoire contemporaine*, Albin Michel, 1994, 327 p. Ces accusations ont été reprises par Brigitte Laîné et Philippe Grand dans un entretien donné à *Vacarme* en septembre 2000 – la première expliquant même que l'IHTP « ne souhaite pas que ce soit librement communicable, puisque son privilège serait aboli ».

lequel il proposait un décompte des morts à partir des documents et des témoignages qu'il avait pu rassembler, s'était vu longtemps refuser l'accès aux archives de la préfecture de police et aux archives de Paris. Plus que sa qualité d'amateur, c'était la démarche militante que l'on soupçonnait derrière sa demande qui fut sans doute la cause de ces refus, dont Philippe Grand et Brigitte Laîné, conservateurs en chef aux archives départementales de Paris, ont témoigné publiquement à l'occasion du procès intenté par Maurice Papon à l'historien en février 1999.

Brigitte Laîné a choisi de citer des documents dont elle avait la charge en tant que responsable des archives judiciaires aux archives départementales de Paris. Elle s'est ainsi livrée au dénombrement des cadavres imputables, selon elle, à la répression policière. Elle est sortie de son devoir de réserve pour apporter une caution scientifique à l'historien accusé de diffamation, qui n'avait pu consulter toutes les archives nécessaires à sa démonstration. Pour l'archiviste, il s'agissait de faire acte citoyen, « de montrer que malgré la disparition de certaines archives, il exist[ait] encore nombre de dossiers qui témoign[ait]ent des crimes commis. La société comme le gouvernement d[evaient], ajoutait-elle, regarder courageusement ces crimes en face »[35]. Ce témoignage et celui de Philippe Grand illustrent le dilemme que connaît tout archiviste, tiraillé « entre son devoir envers l'histoire et son obligation envers l'histoire officielle, entre la recherche de la vérité et le souci des personnes privées physiques et morales », comme l'exprime une de leurs collègues[36]. Un dilemme que l'obligation de réserve et de discrétion professionnelle faisait trop pencher vers la protection de l'État et de ses secrets aux yeux de Philippe Grand notamment[37].

---

35. Entretien paru dans *Différences*, février 2000, p. 10.
36. Odile Krakovitch, « La responsabilité de l'archiviste... », art. cit.
37. Entretien avec Philippe Grand paru dans *Différences*, février 2000, p. 10.

Les choix de ces deux archivistes ont été condamnés par l'Association des archivistes de France pour manquement « aux principes juridiques et déontologiques régissant la profession ». L'association professionnelle rappela à cette occasion que « l'archiviste, comme tout médiateur d'information, [pouvait et devait] remplir son devoir d'information et d'ouverture maximale à l'égard des usagers sans remettre en cause l'indispensable contrat de confiance qui le li[ait] aux administrations et aux personnalités qui lui remett[ai]ent leurs archives, comme le lui enjoi[gnait] le code de déontologie approuvé par le Conseil international des Archives ». Mais elle demandait aussi la réforme de la loi sur les archives et l'ouverture des « archives policières et judiciaires concernant le 17 octobre 1961 », « dans le respect des procédures », à « tous ceux, dont M. Einaudi, qui ont entrepris des recherches scientifiques sur cet épisode, dans la pleine conscience du rôle essentiel des archives dans une société démocratique » [38]. Les enjeux étaient complexes et la défense des règles d'une profession souvent montrée du doigt tenait à prendre ses distances avec les deux francs-tireurs, tout en se prononçant en faveur d'une gestion politique plus transparente de l'accès aux archives.

Les deux conservateurs n'ont cependant pas été sanctionnés administrativement pour leurs témoignages puisque Catherine Trautmann, la ministre de la Culture, a classé l'affaire. À la suite de la déposition de Jean-Luc Einaudi au procès de Bordeaux, elle avait en effet déclaré être prête à faire la lumière sur la répression d'octobre 1961 en facilitant l'accès aux archives la concernant. Philippe Grand avait dès lors pris la liberté de communiquer à David Assouline, membre de l'association Au nom de la mémoire, les registres d'information du parquet de Paris disponibles aux archives départementales. Celui-ci y constata l'importance du nombre de « FMA » (Français musulmans d'Algérie) morts et, pour certains, « repêchés ». Il communiqua des

38. Communiqué de presse de l'AAF, 4 mars 1999. Publié dans *La Lettre des archivistes*, 47, mars-avril 1999.

photographies de ces registres au journal *Libération* qui les publia le 22 octobre 1997. Mais l'enthousiasme de la ministre avait été tempéré par son Premier ministre, Lionel Jospin, qui préférait attendre le rapport ordonné par le ministre de l'Intérieur à un de ses collaborateurs au sujet des archives de la préfecture de police et du ministère de l'Intérieur[39]. Ce rapport, remis au Premier ministre quelques mois plus tard, ne fut pas rendu public immédiatement (le procès de Maurice Papon était encore en cours[40]). Il témoignait de la disparition de certains documents essentiels pour l'établissement d'un bilan définitif de la répression tout en proposant un chiffre minimal du nombre de tués qui constituait une première remise en cause par un haut fonctionnaire du bilan officiel de l'époque. C'est dans la foulée que la préfecture de police avait décidé d'ouvrir ses archives à trois historiens.

Quelques mois plus tard, la ministre de la Justice, Élisabeth Guigou, demanda, elle aussi, un rapport sur les archives de son ministère, afin de savoir quels étaient les documents disponibles et à quel bilan ils permettaient d'aboutir. En mai 1999, le rapport de l'avocat général Jean Géronimi établissait un nouveau bilan de la répression à partir de ces autres archives. Il fut suivi d'une circulaire du Premier ministre sur l'accès aux archives publiques qui recommandait de « faciliter les recherches historiques sur la manifestation organisée par le FLN le 17 octobre 1961 et plus généralement sur les faits commis à l'encontre des Français musulmans d'Algérie durant l'année 1961 »[41]. En dépit de ce titre général, la médiatisation de la question des archives sur le 17 octobre 1961 continua cependant à orienter la recherche sur cet événement dans deux directions : le bilan chiffré de la répression et l'évaluation des responsabi-

---

39. Catherine Trautmann, *Sans détour*, Le Seuil, 2002, p. 56-57, citée par Vincent Duclert *in* Sébastien Laurent (dir.), *op. cit.*

40. Le rapport fut remis par Dieudonné Mandelkern début janvier 1998 et publié par *Le Figaro* le 4 mai suivant.

41. Circulaire du 4 mai 1999.

lités, centrée sur la personne de Maurice Papon. Non seulement les experts nommés par les ministres avaient cantonné leurs recherches à ces deux questions mais il paraît difficile aujourd'hui d'aborder cette histoire sans s'y consacrer largement. C'est en particulier ce qu'a fait Jean-Paul Brunet. Ayant été le seul historien autorisé à travailler sur les archives policières, son travail est apparu comme le premier ouvrage basé sur ces fameuses archives, complétées par d'autres fonds. L'historien se faisait ici perceur de secrets : « L'ouverture des archives de police, écrivait-il, apporte une vaste moisson d'informations, dont certaines étonnantes, qui contribue à saisir les ingrédients du drame d'octobre » (Brunet, 1999 : 25). Son livre porte la marque de ce contexte archivistique par l'abondance des citations d'archives venant rappeler que son auteur y avait eu accès.

Sur le fond de la démonstration, en revanche, Jean-Paul Brunet n'a pas atteint ses buts de conciliation (« rallier la communauté historienne sur un certain nombre de lignes directrices et contribuer à faire passer le drame d'octobre de la mémoire à l'histoire[42] ») ; son livre s'est inscrit rapidement dans le cadre d'un affrontement de mémoires. Seul un accès plus large aux différentes archives, permettant la coexistence d'une pluralité d'interprétations, basées sur des documents communs, permettra de construire un débat proprement historique sur ce sujet. L'ouverture extrêmement partielle qui prévalait jusqu'à il y a peu à la préfecture de police n'a pas permis l'émergence d'un débat scientifique sur la question du 17 octobre : au contraire, cette attitude a contribué à faire des archives un enjeu polémique, construisant un objet mémoriel et politique entouré de secrets (Thénault, 2000), un objet finalement plutôt répulsif pour les historiens, peu soucieux de s'inscrire dans un contexte aussi passionné et aussi piégé.

L'ouverture prônée par le Premier ministre participait encore de ce contexte complexe. La circulaire du 4 mai 1999

---

42. Brunet, 1999 : p. 22.

recommandait en effet de favoriser les recherches historiques sur une période définie par le pouvoir politique, l'année 1961, et sur un objet donné aussi par lui, « les faits commis à l'encontre des Français musulmans d'Algérie ». Or l'historien doit pouvoir être maître de sa problématique et, ici, les sources qui lui sont proposées orientent beaucoup son travail. Pourquoi en effet considérer que le 1er janvier 1961 marquerait une date légitime pour commencer à étudier la répression policière ? Que s'est-il passé alors qui justifie cette borne ? Un historien répond à cette question par une réponse liée à l'objet de l'étude (une décision des autorités politiques visant les Algériens à Paris, un recrutement policier particulier, etc.) alors que la circulaire propose un cadre purement calendaire. Pourquoi également ne s'intéresser qu'aux « faits commis à l'encontre des Français musulmans d'Algérie » ? Toute recherche historique construit son objet en le ciselant tel le sculpteur dégageant son œuvre du bloc de matière brute. Lui seul sait les morceaux que son ciseau doit éliminer – mais pour cela, il faut qu'il les connaisse... En ne facilitant pas, en même temps, l'accès à d'autres documents, notamment sur l'organisation du FLN, sur le fonctionnement de la police ou sur l'existence de groupes parapoliciers qui semblent avoir joué un rôle trouble lors de la répression du 17 octobre 1961, la circulaire du Premier ministre modèle à l'excès le cadre des recherches qu'elle dit chercher à promouvoir. L'esprit est ici trahi par la lettre.

Le Premier ministre a, de toute façon, mis plus d'un an et demi avant d'arrêter sa position. Sur le sujet des dérogations individuelles, il disait réagir aux critiques sur « la prudence excessive ou la lenteur de certaines administrations » et insistait pour que les demandes de dérogation faites « pour effectuer des recherches historiques », en particulier par des enseignants, des chercheurs ou des étudiants préparant une thèse mais aussi un mémoire, soient largement satisfaites. Le Premier ministre demandait aux archivistes de fonder leurs avis sur le sérieux des demandes et interdisait aux administrations toute « enquête sur la personnalité ou la motivation des personnes qui sollicitent une dérogation », attestant ainsi de l'existence d'une telle pratique.

Parallèlement, une nouvelle loi sur les archives était en préparation depuis que Guy Braibant, puis le directeur des Archives de France, Philippe Bélaval, avaient rendu des rapports préconisant une réforme radicale de la loi de 1979. Ce nouveau texte devait, en particulier, réviser les délais de communicabilité et les régimes spéciaux. Mais la loi avait tardé à être présentée en Conseil des ministres. Le 13 avril 2001, c'était donc de nouveau un texte portant sur une période spécifique qui était publié : après plusieurs mois de débats sur l'utilisation de la torture pendant la guerre d'Algérie et après avoir déclaré qu'il souhaitait laisser les historiens faire leur travail, le Premier ministre édicta une circulaire visant à faciliter « l'accès aux archives publiques en relation avec la guerre d'Algérie ». Inspiré de la circulaire du 2 octobre 1997 sur la Seconde Guerre mondiale, le texte comprenait les mêmes invitations faites aux services concernés de verser leurs archives, de traiter avec diligence les demandes de dérogation et de délivrer largement les autorisations lorsqu'elles étaient demandées par des chercheurs ou des universitaires. Les étudiants en maîtrise ou en thèse n'étaient plus explicitement mentionnés. En revanche, une spécificité suggérait le caractère plus sensible encore de la guerre d'Algérie : le recours à une personnalité « spécialement désignée à cet effet et disposant de la hauteur de vue et de l'expérience requises » était envisagé pour améliorer et harmoniser le traitement des demandes. Enfin, et contrairement à la circulaire sur la période 1940-1945 qui commençait par ce point, la perspective de dérogations générales était seulement annoncée dans un futur indéterminé.

Ce texte constitua un engagement réel du Premier ministre. Il témoignait d'une volonté nouvelle au sommet de l'État d'assumer cette part de l'histoire nationale. Les trois années et demie qui séparent les premières déclarations de cette circulaire permettent aussi de saisir le haut degré de sensibilité de cette question, alors que le débat sur les archives ne se cantonnait pas à la guerre d'Algérie et que l'émotion sur celle-ci débordait le cas des archives ouvertes ou fermées. Dans la foulée, les conditions de travail sur la guerre en ont été améliorées, les dérogations traitées avec plus de diligence et un effort important fait pour valoriser les fonds existants sur la guerre d'Algérie. Mais on attend toujours la nomination d'une personnalité susceptible d'intervenir sur la question des demandes de dérogation et, plus généralement, une nouvelle loi sur les archives.

Cette circulaire, qui aurait pu être un terminus *a quo*, ressemble finalement à un terminus *ad quem* : dernière étape d'un processus de libéralisation lente de l'accès aux archives plutôt que premier pas vers une ouverture élargie. Elle améliore les conditions de travail des historiens mais maintient toujours ceux-ci dans le cadre des dérogations individuelles et des délais spéciaux. Or les procédures de dérogation et leur fonctionnement réel ont pu amener certaines personnes à dénoncer l'écriture par ce biais d'une histoire officielle. Selon Brigitte Laîné, par exemple, le danger existe « d'une histoire consensuelle, raisonnée et raisonnable, faite à partir des recherches d'une seule école de pensée »[43]. Cette idée d'une école de pensée unique n'a pas encore pris corps à propos de la guerre d'Algérie. De fait, il n'existe aujourd'hui aucun laboratoire spécialisé dans ce domaine. Le champ de recherche n'est pas suffisamment développé pour que des programmes d'ampleur aient pu être entrepris, donnant lieu à de pareilles critiques. Tout laisse cependant à penser que, si les conditions actuelles d'accès aux archives demeurent les mêmes, de telles critiques verront inéluctablement le jour ; le système dérogatoire incite en effet à ce type d'accusations.

Sans retenir l'aspect polémique et les sous-entendus calomniateurs de propos suggérant que les historiens en question ne respectent pas les règles de leur métier et écrivent une histoire qui plaît au pouvoir, il est indispensable de

---

43. Entretien de Jean-François Perrier et Isabelle Saint-Saëns avec Brigitte Laîné et Philippe Grand, *Vacarme*, septembre 2000.

réfléchir aux conséquences sur l'écriture de l'histoire d'un travail accompli souvent largement à partir de documents soumis à dérogation. Plus qu'une autre, en tout cas, cette histoire est susceptible de révisions.

Questions pratiques : questions politiques ?

Collecter, inventorier, communiquer : les aspects pratiques du travail des archivistes sont nombreux. Ils sont toutefois rarement exclusivement matériels. Comme les lecteurs des archives peuvent en faire l'expérience, ces aspects sont bien souvent révélateurs du traitement de la guerre d'Algérie par les autorités politiques.

Qui veut travailler sur cette période doit d'abord essayer d'établir, au sens propre, un état des lieux des archives. En l'absence de guide général, le CARAN (Centre d'accueil et de recherche des Archives nationales) sert de point de centralisation des informations puisqu'on peut y consulter les inventaires des différents centres d'archives en France, à condition de savoir où peut se trouver ce que l'on cherche. Ainsi, avant le travail de présentation des fonds du Centre des archives contemporaines (CAC) effectué en 2003, comment pouvait-on imaginer que des documents sur l'OAS puissent se trouver dans le fonds du cabinet du ministre des DOM-TOM ?

La dispersion des centres oblige à un travail d'enquête pour repérer tel ou tel fonds. On peut par exemple trouver dans des archives départementales des fonds privés d'hommes d'État ayant eu des responsabilités ministérielles, comme celles de Max Lejeune dans la Somme ou celles de Robert Lacoste en Dordogne. Cependant, les principaux fonds français sont répartis entre Aix-en-Provence et la région parisienne. L'éclatement des centres d'archives publiques et l'isolement du CAC de Fontainebleau compliquent notablement la tâche des chercheurs ; ils témoignent aussi d'une réflexion politique avortée sur la place des archives dans la cité. Plusieurs rapports, puis déclarations politiques, ont déploré cette situation et préconisé ou soutenu la création d'un unique centre pour les fonds modernes et contemporains. « Il faut une Cité des Archives pour remettre les Archives au cœur de la Cité », écrivait ainsi le directeur des Archives de France, en 1998[44]. Alors qu'aucune décision politique effective n'était prise, archivistes et usagers des archives s'organisèrent en 2001 pour faire pression sur les autorités et obtenir, parallèlement à une nouvelle loi sur les archives, une amélioration notable des conditions de versement, de conservation et de communication par la création d'« une cité pour les archives nationales ». Leur manifeste fondateur[45] fait explicitement référence aux « débats concernant l'histoire récente de notre pays sur la Deuxième Guerre mondiale ou la guerre d'Algérie ». Fin 2001, la présence du Premier ministre et du président de la République à un colloque organisé par l'association donna de légitimes espoirs quant à la construction d'une telle cité. Mais le changement de majorité au pouvoir a fini d'enterrer toute perspective de voir à court terme émerger un centre d'archives moderne offrant toutes les qualités de service à la hauteur d'un pays friand d'histoire et proclamant régulièrement l'importance qu'il accorde à la connaissance du passé. Au printemps 2003, l'Association des archivistes français, comme l'assemblée générale de l'association Une cité pour les Archives nationales appelèrent de nouveau le pouvoir politique à une action immédiate, en l'occurrence, la construction de ce centre sur un site adéquat répondant aux critères suivants : accessibilité et proximité des services producteurs d'archives et des principaux centres de recherche les exploitant. Les conditions de travail aux Archives nationales se sont en effet considérablement dégradées depuis la fermeture du CARAN en novembre 2001 et son déménagement temporaire… régulièrement prolongé. À l'automne 2001 aussi, la salle de lecture du SHAT ferma pour quelques mois,

---

44. Rapport de Philippe Bélaval publié dans *Genèses*, 36, septembre 1999, p. 147-161, p. 153.

45. Consultable sur le site Internet : *http://membres.lycos.fr/citearchives.*

le temps pour l'institution de réagir au problème de personnel provoqué par la fin de la conscription obligatoire qui lui fournissait jusqu'alors une main-d'œuvre essentielle. Depuis sa réouverture au public, la restriction à trois du nombre de cartons consultables par jour pèse beaucoup sur les chercheurs, et des menaces plus graves encore planent sur l'ouverture même de la salle de consultation au printemps 2005.

Ainsi, depuis fin 2001, les conditions de travail dans les archives parisiennes se sont notablement détériorées, alors que les déclarations politiques sur l'importance des archives avaient rarement été aussi nettes. L'Association des usagers des Archives nationales, créée début 2003, tenta de s'imposer comme interlocutrice vis-à-vis des responsables pour faire entendre le point de vue des lecteurs, qui semblait peu pris en compte par les différentes autorités. Elle fit remarquer que « les dysfonctionnements des archives pèsent directement sur les orientations de la recherche » et nota que, si les archives ne sont pas « "interdites" », les usagers sont, « en revanche, "interdits d'archives" »[46]. La situation des Archives nationales était un révélateur aigu du peu de considération politique réelle dans laquelle était tenue la question des archives : elle témoignait, par la négative, du caractère éminemment politique des questions pratiques surgissant sans cesse dans ce domaine. En mars 2004, la construction d'une Cité des archives en banlieue parisienne, à Pierrefitte-sur-Seine, annonçait un avenir embelli… à l'horizon 2009.

Pour la guerre d'Algérie, cet aspect politique est évident dès l'origine puisque certaines archives ont totalement disparu, alors qu'elles ont pu concerner des aspects importants de la guerre. Des fonds ont été détruits dès l'époque de la guerre ou après. La prise du bâtiment du gouvernement général d'Alger, le 13 mai 1958, s'est ainsi accompagnée de la destruction d'archives. D'autres documents ont aussi été brûlés sciemment, dès lors que l'issue de la guerre a paru incertaine (Boyer, 1982). Enfin, le départ d'Algérie a donné

---

46. *Bulletin de l'association des usagers du service public des Archives nationales*, 2, juillet 2003.

lieu à des pertes définitives. Dans les deux décennies qui ont suivi, des documents se sont encore volatilisés. Le rapport Mandelkern a ainsi établi la disparition des archives du Centre d'identification de Vincennes et celles du Service d'assistance technique aux Français musulmans d'Algérie. Au début des années 1970, puis en 1981, quand il a été envisagé d'envoyer en Algérie certaines archives, il est également probable que certains dossiers ont subi le même sort.

En outre, toutes les archives concernant la présence française en Algérie et sa dernière séquence, la guerre, ne sont pas en France : une importante partie est restée en Algérie, mais il est difficile de savoir exactement où trouver quels documents. « La priorité était de bâtir un pays, non de préserver une histoire ancienne ou proche, telle une parenthèse coloniale, jugée négativement », écrit Benjamin Stora (2002 : 98) à propos du Maghreb où, estime-t-il, les « lieux de conservation tirent le diable par la queue ». En Algérie, le partage qui a prévalu au moment de l'indépendance a pu connaître des exceptions, et les relations entre les deux pays n'ont pas facilité un travail harmonieux sur ce sujet. Période fondatrice de l'État algérien contemporain, l'histoire de la guerre ne pouvait être écrite que par des Algériens. Il n'était pas forcément aisé pour des Français d'y travailler.

Plus prosaïquement, rares sont les Français spécialistes de la guerre d'Algérie à maîtriser l'arabe classique qui leur permettrait de lire certains documents écrits ainsi que la bibliographie existante. Mohammed Harbi a pu ainsi dénoncer les nombreuses erreurs des notices bibliographiques du volume 2 publié par le SHAT et mettre en relief tel ou tel point que seuls des ouvrages en langue arabe pouvaient éclairer. Il s'est aussi offusqué des erreurs dans la transcription des noms arabes témoignant d'une méconnaissance de cette langue, largement répandue en France mais véritablement problématique dans un outil de recherche[47]. Cette lacune est en partie compensée par l'abondance des sources

47. Intervention de Mohammed Harbi lors de la présentation publique de ce volume.

écrites en français par les Algériens, y compris au sein du FLN. Mais seul un arabophone peut remarquer, par exemple, les divergences existant dans les tracts de l'armée française entre le texte français et sa version arabe située au dos. En outre, dans certaines régions, l'arabe était la seule langue écrite utilisée : ainsi en Oranie, les procès-verbaux des collecteurs de fonds de niveau inférieur sont tous en arabe (Meynier, 2002 : 142). L'accès partiel aux documents qui découle de cette méconnaissance caractérise aussi l'accès à la bibliographie : si la plupart des Algériens publient les résultats de leurs recherches en français, de nombreux livres de témoignages sont publiés exclusivement en arabe. De fait, en l'absence d'une bonne maîtrise de la langue arabe, un certain nombre de sujets ne peuvent être abordés par des auteurs français que de manière incomplète.

Dans les années 1990, les violences ont éloigné les chercheurs d'Algérie, amenant aussi de nombreux intellectuels algériens à s'exiler. Les historiens algériens qui continuent à travailler dans leur pays le font dans des conditions difficiles et, s'il n'est pas toujours aisé pour un Français d'aller en Algérie pour consulter des archives, il leur est au moins tout aussi compliqué de pouvoir venir en France travailler sur cette histoire partagée.

De part et d'autre, mais à des degrés très différents, ils rencontrent des difficultés pour connaître le contenu des fonds. Depuis 1992, de nombreux inventaires ont été faits en France pour rendre accessibles les documents communicables au bout de trente ans. Ces inventaires sont le plus souvent disponibles sur le lieu de conservation des documents. Certains ont aussi été déposés dans les autres centres d'archives, ce qui facilite alors grandement le travail. Disponibles sur papier, ils ont rarement fait l'objet d'une publication, mais l'utilisation de l'informatique rend possible une révolution dans ce domaine. Désormais des centres importants comme le CHAN (Centre historique des Archives nationales), le ministère de l'Intérieur ou le ministère de la Justice publient un état de leurs sources disponible sur Internet : il est possible ainsi d'avoir une bonne idée de ce qui y est conservé, sans pouvoir toujours savoir ce qui est soumis à des délais spéciaux de communication et sans dispenser, de toute façon, de la consultation des inventaires détaillés. Le site du ministère de la Justice se caractérise toutefois par un remarquable travail destiné à guider les utilisateurs parmi les fonds. D'autres centres se contentent en revanche d'indiquer sur Internet la nature des fonds qu'ils conservent, à charge pour les lecteurs de se déplacer pour consulter les inventaires (ainsi au CAOM ou au ministère des Affaires étrangères). Quant au CAC, une base de données (Priam 3) recense l'ensemble des versements et permet une orientation sommaire dans les archives. Une consultation des répertoires reste indispensable pour localiser un document. Enfin, certains centres mettent en vente leurs inventaires : ainsi le SHAT propose l'inventaire de la sous-série 1H, dont la version définitive a cependant mis plus de sept ans à être établie. Dans la mouture vendue en 1994, il manquait en effet plus d'un millier de cotes sans que cela soit précisé à l'acheteur ! Un index général a également été ajouté en 1999 améliorant l'utilisation de l'inventaire, par ailleurs, précis. Les conditions de travail sont en effet très différentes suivant que les inventaires sont faits par document, par dossier ou par carton (Banat-Berger et Noulet, 2000). Ce degré de précision a une incidence importante sur la communicabilité puisqu'une seule pièce non communicable peut faire basculer l'ensemble d'un carton à soixante ans ou plus si l'inventaire ne permet pas de faire une demande pièce par pièce ou dossier par dossier.

Inversement, un fonds non classé et non inventorié étant incommunicable par définition, les délais dans l'établissement des inventaires ont pu être utilisés pour retarder l'accès à un fonds. On pense ici au fonds du cabinet du préfet de police de Paris, qui attend encore son inventaire. Les conditions matérielles – en particulier le manque de personnel – sont cependant plus souvent la cause de ces retards qu'une volonté de ralentir les choses. Quoi qu'il en soit, dans ce contexte de pénurie, toute décision de classement et d'inventaire revêt une dimension politique évidente. Réalisé dans la foulée de la circulaire Jospin du 13 avril 2001, l'inventaire de la seconde commission de sauvegarde, essentielle pour éclairer les violations des droits individuels dans la seconde moitié de la guerre, en est un exemple ; les efforts pour faire connaître les archives existantes sur l'Algérie dans le cadre de l'Année de l'Algérie en France en 2003 aussi. Le CAC a notamment saisi cette occasion pour organiser un recensement systématique de ce qu'il possédait sur l'Algérie et que le classement par versements ne permettait pas de repérer. Les fonds sont ainsi reconstitués et leurs inventaires accessibles au public ; l'ensemble de ce travail est destiné à être mis en ligne sur le site Internet du CAC. De même le CAOM et le service central d'état civil du ministère des Affaires étrangères ont entrepris, à l'occasion de l'Année de l'Algérie en France, de numériser et d'indexer l'ensemble des microfilms de l'état civil des « Européens » d'Algérie. Ce travail colossal devrait faciliter les recherches pour les actes centenaires, librement communicables, et, plus généralement, permettre un travail à distance puisqu'un inventaire devrait être disponible sur Internet. Ces occasions politiques passées, il est cependant à craindre que d'autres priorités, plus quotidiennes, n'accaparent les conservateurs, laissant encore dormir sans inventaire des fonds sur la guerre d'Algérie – comme sur de nombreux autres sujets d'ailleurs.

Les différents textes ministériels sur l'accès aux archives ont en revanche définitivement amélioré certains aspects pour les documents soumis à dérogation. Le délai de traitement des demandes s'est considérablement réduit, la possibilité de faire appel à la Commission d'accès aux documents administratifs (CADA) offre une voie de recours réelle qui tempère le sentiment d'arbitraire que pouvait susciter un refus d'autorisation, enfin, il n'existe plus de dérogations à titre temporaire qui limitaient le droit de consultation à une période de quelques mois, obligeant le lecteur à redemander la même autorisation une fois cette période écoulée.

Le nombre de demandes de dérogation concernant la guerre d'Algérie tourne autour de 85 par an depuis l'an 2000 (une demande peut concerner des dizaines de dossiers).

C'est beaucoup moins que pour la Seconde Guerre mondiale (entre 600 et 700 demandes par an) ou pour l'histoire des étrangers (177 demandes en 2002). Dans un climat globalement très libéral, cette période bénéficie d'une moindre accessibilité puisque, alors que plus de 95 % des réponses sont favorables sur l'ensemble des demandes de dérogation, ce ne sont que 85 % des demandes concernant la guerre d'Algérie qui reçoivent un accord favorable et près de 15 % un accord partiel (contre un infime pourcentage tous sujets de recherche confondus). Le pourcentage de refus total est extrêmement faible voire nul. On peut se féliciter de ces résultats, sans négliger pour autant l'autocensure qui les fausse en amont et le cercle vicieux qui risque alors de s'installer. En effet, comme l'expose Monique Constant, chef de la division historique au ministère des Affaires étrangères, « les chercheurs n'osent pas présenter de demandes d'accès dont ils pensent *a priori* qu'elles seront refusées »[48]. Cette limitation du nombre de dossiers demandés, pour ne pas ralentir le traitement de la demande d'autorisation et pour d'autres raisons matérielles que les archivistes présentent parfois afin d'optimiser les demandes, a un effet limitatif réel.

Sonia Combe va jusqu'à évoquer le « sentiment de gratitude » envers l'État que ressentirait celui qui reçoit une autorisation dérogatoire de consultation – sentiment qui nourrirait en retour une histoire complaisante envers les secrets d'État dont l'historien se ferait alors, nécessairement, un complice. Comme souvent, derrière un ton polémique et volontiers accusateur, Sonia Combe pointe ce qui n'est pas une complicité mais bien une difficulté objective issue du système dérogatoire, qui produit des contraintes pesant sur l'écriture de l'histoire. Il est de fait nécessaire à celui qui travaille sur des documents non communicables d'entretenir des relations correctes avec les archivistes instruisant ses demandes. Il lui est surtout imposé de respecter les engage-

48. « Table ronde sur la sûreté de l'État », *La Gazette des Archives*, 1997, *op. cit.*, p. 172.

ments qu'il doit prendre lors de la délivrance d'une autorisation. Les contraintes sont principalement liées au respect de la protection de la vie privée : toute personne consultant des documents soumis à dérogation doit s'engager à « ne pas citer de noms ».

Cet engagement est un compromis entre le désir de protéger la vie privée et celui de permettre aux recherches historiques d'être menées. Il ne pèse pas excessivement sur les historiens qui, sauf exception, travaillent moins sur des individus que sur des relations, des structures, des fonctionnements. Ainsi l'historien n'a pas besoin du nom précis de tel ou tel harki pour écrire sur les supplétifs de l'armée française, mais il a besoin de connaître ces noms pour repérer éventuellement des liens familiaux, des trajectoires individuelles qui, une fois l'étude menée, pourront être restitués en faisant l'économie des noms en question. En revanche, il peut être difficile de maintenir un anonymat complet quand on travaille sur tel ou tel responsable, identifiable non seulement par son nom, mais par sa fonction. Ainsi l'historien devrait s'interdire de parler du lieutenant Maindt et des sous-lieutenants Sanchez et Blanié, mais pourrait décrire les actions de ces officiers accusés d'avoir torturé à mort Sadia Mebarek à Alger dans la nuit du 25 au 26 mai 1960 et acquittés par le tribunal permanent des forces armées de Paris en janvier 1962 après avoir reconnu les faits. Dans ce cas précis, les noms qui se trouvent dans des dossiers soumis à dérogation du ministère de la Justice ont aussi été publiés dans la presse de l'époque, rendant dès lors caduc par avance le maintien de l'anonymat.

Le cas des soldats de l'armée française ou des agents de l'État ayant pratiqué la torture permet néanmoins de s'interroger sur les justifications de la préservation de l'anonymat. S'agit-il de protéger leur vie privée ? Dans le cas de fonctionnaires, on peut considérer qu'il s'agit plutôt de défendre l'État qui n'a pas, à l'époque, sanctionné ces agents – sans qu'une telle raison soit officiellement avancée. En réalité, ce sont les différentes lois d'amnistie ayant accompagné la fin de la guerre qui interdisent de faire mention d'une condamnation ayant visé, par exemple, un membre de l'OAS, un militaire déserteur, un individu ayant apporté son soutien actif à la cause nationaliste ou encore un membre des forces de l'ordre ayant commis un délit ou un crime « dans le cadre des opérations de maintien de l'ordre dirigées contre l'insurrection algérienne ».

Le nouveau code pénal de 1994 restreint cependant le champ d'application de l'interdiction de rappeler une condamnation amnistiée de « toute personne en ayant eu connaissance » à toute personne en ayant eu connaissance « dans l'exercice de ses fonctions »[49]. L'historien retrouve alors son entière liberté de citation, à condition de ne pas tenir de propos diffamatoires. La question du statut d'un fonctionnaire (ou d'un appelé) ayant accompli un crime dans l'exercice de ses fonctions reste entière. En maintenant le secret sur les identités des fonctionnaires dont il croise les noms, l'historien ne peut-il être accusé de faire corps avec la raison d'État ou, plus mesquin, de ménager son accès aux archives en protégeant l'État qui, *in fine*, lui reconnaît cet accès ? De telles accusations ont pu être portées. Même si elles ne correspondent sans doute que très marginalement à une réalité, elles témoignent d'une interrogation réelle sur les conditions de travail des historiens dans un système dérogatoire. La plupart des sources sur la guerre d'Algérie ne sont toutefois pas concernées par ces problèmes : elles sont nombreuses, variées et, de plus en plus, accessibles.

---

49. Article 133-11 du code pénal de 1994.

CHAPITRE 2

Toujours plus de sources !

Diversité et abondance des sources disponibles

« En histoire, tout commence avec le geste de *mettre à part*, de rassembler, de muer ainsi en “documents” certains objets répartis autrement [1]. » Le travail historique passe par l'invention des sources. Comme ces hommes du Moyen Âge friands de reliques « inventées », c'est-à-dire trouvées comme par miracle alors qu'elles avaient été enfouies, cachées, enterrées auparavant, l'historien réalise une mise à jour des sources, une production, aurait pu écrire Michel de Certeau. Guidé par un problème à résoudre, une question posée au passé, il amasse le matériau nécessaire en tentant d'être le plus exhaustif possible dans sa quête. Concernant la guerre d'Algérie, cette tâche nécessite un certain goût de l'enquête tant les sources disponibles sont dispersées. Cette dispersion est le fruit de processus archivistiques particuliers, tant au regard de la nature des fonds que de la qualité des producteurs d'archives.

Pendant la guerre déjà, certains auteurs ont eu le souci de collecter des documents pouvant servir à écrire l'histoire de cette période. Ainsi Robert Aron sur les origines de la guerre (Aron, Lavagne, Feller et Garnier-Rizet, 1962) ou André

1. Michel de Certeau, « L'opération historique », *in* Jaques Le Goff et Pierre Nora, *Faire de l'histoire*, I, « Nouveaux problèmes, Gallimard, 1974, p. 41.

Mandouze sur le FLN (1961). Des acteurs de la guerre ont également pris soin de réunir leurs écrits ou leurs déclarations datant de cette époque, afin d'en faciliter la consultation. Ils sont aussi divers que, par exemple, le général Ély[2], Jean Bastien-Thiry[3], Malek Bennabi[4], Mgr Duval[5] ou Jean-François Lyotard (1989). Quelques procès ont été publiés pendant la guerre ou immédiatement après : *Mon procès*, de Georges Arnaud, en 1961[6], les procès des quatre généraux putschistes[7], celui de Jean-Marie Curutchet[8] ou encore celui de Jean Bastien-Thiry[9]. Des soldats ont aussi recopié des notes de service, des directives dont ils avaient connaissance, afin d'en garder une trace, pour l'avenir. Certains les ont communiquées ensuite à des fins de publication. Pierre Vidal-Naquet engrangeait ainsi les documents originaux pour instruire le procès des méthodes avec lesquelles la guerre était menée en Algérie[10]. La plupart furent publiés dès la guerre dans le journal militant *Vérité-Liberté* puis réunis dans un volume au titre éloquent paru au printemps 1962, *La Raison d'État*. Il s'agissait pour l'essentiel de textes officiels et secrets. Pierre Vidal-Naquet offrit ainsi aux Français un recueil de documents qui n'auraient jamais

2. Paul Ély, *L'Armée dans la nation*, Fayard, 1961, 196 p.

3. Jean Bastien-Thiry, *Vie, écrits, témoignages*, Albatros, 1974, 264 p. Publié à titre posthume.

4. Malek Bennabi, *Pour changer l'Algérie*, Ouled Fayet, société d'édition et de communication, 1989, 267 p.

5. Léon-Étienne Duval, *Messages de paix, 1955-1962*, Desclée de Brouwer, 1962, 320 p. ; et, du même auteur, *Au nom de la vérité*, Cana, 1982, 200 p.

6. Éditions de Minuit, 200 p.

7. *Le Procès de Raoul Salan. Compte rendu sténographique*, Albin Michel, 1962, 555 p. ; et Nouvelles Éditions latines, 1962, 476 p. *Le Procès d'Edmond Jouhaud. Compte rendu sténographique*, Albin Michel, 1962, 356 p. *Le Procès des généraux Challe et Zeller*, Nouvelles Éditions latines, 1962, 320 p.

8. Nouvelles Éditions latines, 1965, 356 p.

9. *Procès de l'attentat du Petit-Clamart*, publié aux Nouvelles Éditions latines et chez Albin Michel en 1963.

10. Pierre Vidal-Naquet, préface à l'édition 2002 de : Vidal-Naquet, 1962.

dû leur parvenir et qui, précédés d'une longue introduction, constituaient un matériau unique suggérant les principaux axes d'un travail sur les violations du droit par l'État républicain de 1954 à 1962. La chute de la IVe République, fait historique majeur, explique un certain déséquilibre chronologique au détriment de la documentation existant sur la Ve République. La fin du régime avait en effet conduit quelques hauts fonctionnaires à communiquer au comité Audin ou à Pierre Vidal-Naquet des textes témoignant des pratiques contre lesquelles celui-ci luttait. Cette circonstance explique que les documents officiels soient moins nombreux sur la période gaulliste alors que ce déséquilibre avait pu laisser croire longtemps à une diminution des illégalités sous le général de Gaulle. En fait, il n'en est rien, au moins jusqu'à l'été 1960.

Refusant de s'en tenir à une dénonciation de la « répression colonialiste » alors qu'il fallait – selon eux – s'attaquer au « colonialisme en lui-même », Patrick Kessel et Giovanni Pirelli ont publié un recueil de documents pour montrer qu'il s'agissait bien, en Algérie, d'un « peuple en guerre », d'une véritable « expérience révolutionnaire »[11]. Paru à la fin de l'année 1962, ce livre était encore un acte de combat, une « forme de lutte », écrivaient ses auteurs qui avaient choisi de publier des textes personnels écrits par des Algériens. Les conditions dans lesquelles l'ouvrage a été réalisé le marquent : les documents – inédits pour la plupart – proviennent essentiellement « des camps et des prisons de France et d'Algérie » et sont adressés à des avocats défendant les nationalistes algériens ; Patrick Kessel et Giovanni Pirelli ont effectué des coupes ou rendu anonymes certains documents dans le but de protéger leurs auteurs.

C'est peut-être aussi une démarche militante visant à faire connaître une cause aux générations futures qui inspira l'historien Raoul Girardet quand il communiqua aux éditions

---

11. Patrick Kessel et Giovanni Pirelli, *Le Peuple algérien et la guerre. Lettres et témoignages, 1954-1962*, Maspero, « Cahiers libres » nos 41-42-43, 1962, 757 p.

Julliard des textes émanant de l'OAS [12]. Cette publication était une manière de proposer à cet objet de quitter le champ du combat politique pour entrer dans celui de l'écriture historique.

Un troisième historien œuvre régulièrement à faire connaître au public des documents permettant d'éclairer une histoire dont il a aussi été l'acteur, c'est Mohammed Harbi. Dès 1975, il joignit à son livre sur la scission du MTLD (Harbi, 1975) des documents inédits provenant de son escarcelle de militant nationaliste. Il prit dès lors l'habitude d'insérer dans ses livres des documents inédits à l'appui de ses démonstrations. C'est ainsi qu'il en est venu logiquement à publier un ouvrage composé exclusivement de 115 documents d'archives. La présentation de sa démarche, en introduction des documents publiés, signale peut-être une évolution personnelle, à moins qu'il ne s'agisse d'un appel à témoignages lancé à d'autres possesseurs d'archives ? « Peut-on éclairer une scène où règne la confusion sans finir avec le culte du secret et la censure, forcée ou volontaire, que chacun s'impose ? » écrit-il, en effet, pour affirmer : « Évidemment non. La publication de ces archives se veut donc une réponse à cette question. » L'historien se fait ici archiviste : il collecte ou reçoit des documents de différents acteurs et s'interdit de les trier. Leur publication est conçue comme une mise à disposition des pièces d'un dossier, que Mohammed Harbi continue à décrypter par ailleurs. « Il ne s'agit pas de distribuer blâmes ou éloges, mais de rendre intelligible un devenir social que l'action quotidienne et les affrontements tendent à obscurcir » (Harbi, 1981 : 10-11). Les vingt années suivantes le voient ainsi publier régulièrement, à côté de ses communications scientifiques, des documents sur l'histoire du nationalisme algérien. En 1987, par exemple, il réagit au livre d'Ali Haroun sur la Fédération de France du FLN, en dénonçant un travail marqué par l'histoire officielle. Il

12. *OAS parle*, Julliard, 1964, 356 p.

publie alors, à côté d'un entretien dans le journal dont il est le rédacteur en chef, des documents « sur certains faits occultés du FLN en France »[13]. En 1996, il joint à sa communication sur le complot Lamouri, présentée à la table ronde « La guerre d'Algérie et les Algériens », le texte du jugement ayant mis fin audit complot (Harbi *in* Ageron [dir.], 1997). En 2001, il publie dans la revue *NAQD* un rapport du chef politique de la zone autonome d'Alger visant à informer le Comité central exécutif de la situation début 1957, après les premiers mois de la répression française. Destiné également aux responsables installés en Tunisie, un autre document permet d'avoir un aperçu sur la manière dont les particularismes locaux étaient perçus par les représentants du FLN[14]. Enfin, après avoir ouvert ses archives à Gilbert Meynier pour qu'il écrive son *Histoire intérieure du FLN*, Mohammed Harbi a publié avec lui un très volumineux ensemble de documents qui semble marquer l'aboutissement de ce travail de mise à disposition des matériaux historiques en sa possession (Harbi et Meynier, 2004).

Sans vouloir construire une histoire scientifique ou participer à briser les mythes d'une histoire officielle, d'autres auteurs ont pris l'habitude de publier des documents originaux en annexe de leurs livres de mémoires. Les anciens officiers de l'armée française semblent même s'en être fait une spécialité, qu'on pense par exemple à Godard, Pouget, Lemire, Léger ou encore Jouhaud. Mais c'est aussi le cas d'acteurs algériens comme Abderrahmane Farès[15] ou Belkacem Krim[16]. Enfin, dès les années 1960, des journalistes ont publié des recueils de documents globalement

---

13. *Sou'Al* (revue de l'Association pour le développement de la culture et de la science dans le tiers-monde), 7, 1987.

14. *NAQD*, 14-15, automne 2001.

15. Abderrahmane Farès, *La Cruelle Vérité : l'Algérie de 1945 à l'indépendance*, Plon, 1982, 251 p.

16. Amar Hamdani, *Krim Belkacem, le lion des djebels*, Balland, 1973, 255 p.

fiables qui ont permis, dès cette époque, une bien meilleure connaissance de la guerre. Claude Paillat a, par exemple, publié ses *Dossiers secrets de l'Algérie* (Paillat, 1961 et 1962), récits au style romancé qui utilisaient des informations confidentielles et reproduisaient des documents qui ne l'étaient pas moins. Quelques années plus tard, Yves Courrière a adopté la même formule, publiant certains documents et citant notamment longuement une interview qu'il avait faite de Belkacem Krim. Des recueils de documents et d'articles de l'époque ont également été publiés ou republiés plus récemment[17].

Dès la guerre donc et dans les quinze années qui suivirent, de très nombreux documents permirent l'étude de multiples aspects de la période. Les années 1980 voient ce mouvement de publication ralentir tandis que les archives ne sont qu'exceptionnellement ouvertes sur dérogation, depuis la loi de 1979. Avec l'expiration du délai trentenaire, un nouvel âge archivistique s'ouvrit pour la recherche, permettant un travail direct sur les documents d'époque – et non par le biais de publications dont il n'était pas toujours possible de contrôler l'origine. Les sources connurent alors une immense inflation et quelques éléments nouveaux vinrent s'ajouter encore à une diversité déjà importante.

Cette diversité des sources est d'abord linguistique. Si les principaux acteurs de la guerre parlaient tous français, celle-ci s'est aussi jouée sur le plan international, mobilisant des militants, des groupes de pression, des liens économiques ou commerciaux, militaires aussi avec de nombreux pays. L'étude de la presse, par exemple, livre des éléments intéressants sur l'opinion publique internationale vis-à-vis de la guerre d'Algérie, que ce soit dans les pays du bloc communiste auprès desquels le FLN a pu chercher des appuis ou dans les pays alliés de la France au sein de l'OTAN notamment[18]. Les pays de l'OTAN ont d'abord perçu la guerre

---

17. On peut citer, parmi d'autres, les textes de Messali Hadj choisis et présentés par Jacques Simon aux éditions Bouchène en 2000 (299 p.).

comme une affaire intérieure française. Des réserves commencèrent cependant à émerger avant même le bombardement de Sakiet-Sidi-Youssef qui constitua un tournant. Les pays du traité de l'Atlantique-Nord virent alors le danger que constituaient les événements d'Algérie pour leurs relations avec le Maghreb et critiquèrent plus volontiers ce qui était alors de plus en plus présenté comme une guerre coloniale (Bagnato, 2001). Même les Britanniques, pourtant longtemps solidaires des Français par une communion d'intérêts coloniaux, souhaitèrent peu à peu, à partir de 1958, la fin du conflit (Thomas, 2002).

Quant aux gouvernements nord-américains, ils suivaient avec un intérêt croissant l'affaire algérienne et commencèrent à s'opposer aux Français en 1957. Les archives du Département d'État permettent de travailler en détail sur cette vigilance agacée. À partir d'archives américaines, françaises, britanniques, maghrébines et onusiennes, Samya el Mechat a montré ainsi le décalage entre des discours américains fortement teintés d'anticolonialisme et des politiques guidées par le souci de la sécurité de l'Occident au moins autant contre le communisme que contre Nasser (El Mechat, 1991 et 1997). Il existait en fait une opposition au sein du Département d'État entre les partisans d'un soutien inconditionnel à la France au nom de la défense du bloc occidental et ceux qui souhaitaient éclairer l'alliée qui s'égarait. Le critère principal des décisions n'était toutefois pas la situation franco-algérienne mais l'image que les États-Unis avaient de leur position dans le monde.

Pour travailler sur la Ligue arabe, sur les relations des Algériens avec les pays voisins ou « frères » tels que l'Égypte, la connaissance de l'arabe est nécessaire. Il était

---

18. On peut citer, en français : Klaus-Jürgen Müller, « La guerre d'Algérie vue par la presse ouest-allemande », *Relations internationales*, 1989, 58, p. 177-185 ; Mario Giovana, « Partis et opinion publique en Italie face à la guerre d'Algérie (1954-1962) », *Matériaux pour l'histoire de notre temps*, 1992, 26, p. 63-65 ; Nicolas Pas, « La guerre d'Algérie vue des Pays-Bas (1954-1962) », *Vingtième Siècle. Revue d'histoire*, 86, p. 43-58.

aussi utilisé par les Algériens eux-mêmes, même si la langue du colonisateur restait d'un usage très courant, notamment parce qu'elle unissait arabophones et berbérophones. Aucune étude sérieuse du nationalisme ne peut ignorer les documents en arabe. Les travaux d'Omar Carlier, de Mohammed Harbi ou de Gilbert Meynier, par exemple, le montrent bien. L'arabe est également essentiel pour qui veut interroger les témoins encore vivants de ce passé. Si les Algériens des années 1950 avaient tous des rudiments de français, les Algériennes, elles, n'étaient que rarement familiarisées avec la langue française et, de toute façon, le temps venant, les témoins ont souvent plus d'aisance en arabe qu'en français. Ce travail sur le terrain peut également être accompli en tamazight, comme le fit l'ethnologue Camille Lacoste-Dujardin, avec les récits des Iflissen Lebhar de Kabylie maritime. Dans cette commune, où humains et paysage étaient terriblement marqués par la guerre, l'ethnologue recueillit notamment une complainte chantée par les femmes et des témoignages oraux qui lui permirent de repérer l'existence d'un événement peu glorieux de la guerre d'Algérie, côté français : une tentative de création par les services secrets français d'un contre-maquis qui se solda par un échec total puisque les hommes recrutés pour le contre-maquis étaient en réalité déjà partisans du FLN et partirent avec les armes données par les Français[19].

La diversité linguistique ne recouvre pas exactement la diversité géographique : les archives militaires françaises contiennent des documents en arabe, tels que des tracts destinés à la population algérienne ou des papiers trouvés sur des combattants morts ou faits prisonniers ; la Hoover Institution située à Stanford, en Californie, est dépositaire des archives du colonel Godard, en français ; de nombreux documents administratifs français sont restés en Algérie après l'indépendance. L'éparpillement est, en tout cas, une caractéristique dominante pour ces sources.

---

19. Camille Lacoste-Dujardin a consacré de nombreux articles à cette opération « Oiseau bleu » et un livre (Lacoste-Dujardin, 1997).

Si les plus simples d'accès, *a priori*, sont les archives publiques, la réalité est tout autre. Avant 1992, elles étaient souvent laissées de côté par les chercheurs qui leur préféraient des archives plus aisément consultables. Les fonds privés d'hommes politiques, recelant des documents issus de leurs fonctions officielles, par exemple, ont pu constituer des palliatifs extrêmement intéressants : il est toujours nécessaire d'y avoir recours maintenant que les archives publiques sont ouvertes. Il en est ainsi, par exemple, des fonds de Pierre Mendès France, de Guy Mollet, d'Edmond Michelet ou de ceux qui sont déposés aux Archives nationales.

D'autres institutions conservent des fonds plus ou moins importants, versés selon des logiques personnelles qu'il n'est pas toujours aisé de deviner – au risque de laisser certains fonds ignorés des chercheurs parce que déposés dans des endroits inattendus. On peut citer, parmi de nombreux endroits, l'IMEC, le Centre d'histoire de Sciences Po et l'IHTP. À l'Institut mémoires de l'édition contemporaine se trouvent les archives d'Emmanuel Roblès et celles des éditions François Maspero. Au Centre d'histoire de Sciences Po, des hommes politiques tels qu'Alain Savary ou Michel Debré ont déposé leurs papiers ; ainsi que des hommes influents comme Hubert Beuve-Méry, Daniel Mayer, Yves Jouffa ou des hauts fonctionnaires comme Paul Delouvrier ou Jean Vaujour. L'IHTP a reçu les archives de Roger Paret, secrétaire du Comité France-Maghreb, une partie des archives de Charles-André Julien, un fonds documentaire sur le plan de Constantine, enfin, des documents (tracts militants notamment) et des témoignages sur la guerre d'Algérie (Pathé, 2001). Des bibliothèques sont aussi dépositaires de certains fonds privés, comme la Bibliothèque nationale de France (département « manuscrits » et « imprimés »), la bibliothèque Méjanes à Aix-en-Provence où se trouve le fonds Albert Camus[20], la

20. La bibliothèque Méjanes abrite depuis 1989 la bibliothèque du Centre de documentation historique sur l'Algérie (CDHA).

bibliothèque municipale de Marseille avec le fonds Jules Roy[21], ou encore la Bibliothèque de documentation internationale contemporaine. Dans cette dernière, on peut trouver, entre autres[22], des brochures officielles sur l'Algérie, des tracts de l'armée destinés à la population algérienne, des périodiques de mouvements favorables à l'Algérie française, des collections plus ou moins complètes des publications du FLN, des documents du Mouvement national algérien et de nombreux autres groupements politiques, et également les archives de Daniel Guérin ou celles du photographe Élie Kagan (Benayoun, 1999). Très récemment y ont été versés des papiers du général Tubert, essentiels sur les événements de mai et juin 1945, les archives du Comité pour la libération de Messali Hadj et des victimes de la répression ainsi que les archives personnelles d'un soldat du contingent, comprenant notamment des centaines de photos.

Guidés parfois par l'impossibilité d'avoir accès aux archives publiques, des historiens ont mis à jour des sources privées de grand intérêt. C'est ainsi qu'Alexis Berchadsky a utilisé dans le cadre de son mémoire de maîtrise les archives des Éditions de Minuit, celles de la Ligue des droits de l'homme et surtout celles d'Henri Alleg. Il a réalisé un travail novateur sur l'histoire de l'écriture, de la diffusion et des effets politiques de *La Question* d'Henri Alleg (Berchadsky, 1994). On pense aussi aux archives de Messali Hadj utilisées par Benjamin Stora dans sa thèse[23] ou à des thèses beaucoup plus récentes, fondées en grande partie sur des fonds privés : les archives de l'entreprise Renault pour celle de Laure

---

21. Voir Claudine Irles, « Le fonds Jules Roy à la bibliothèque municipale de Marseille » ; et Émile Temime, « Quelques directions de travail à partir du fonds Jules Roy », *in* Temime et Jordi (dir.), 1996.

22. Pour une présentation en 1992, voir Martine Lemaitre (Lemaitre, 1992). Pour une mise à jour régulière et récente, voir le site Internet de la BDIC.

23. *Messali Hadj, 1898-1974*, Sycomore, 1982, 299 p.

Pitti[24] et celles de la Mission de France pour le travail de Sybille Chapeu[25].

Depuis 1992, les archives publiques de la guerre d'Algérie ont rejoint le statut banalisé des autres archives communicables. L'essentiel des archives des ministères et de la présidence de la République se trouve aux Archives nationales. Avec les fonds privés, ces archives offrent, selon deux de ses conservatrices, « une perception institutionnelle du conflit [...] à même d'éclairer les fonctions régaliennes de l'État, mises à l'épreuve par un contexte de guerre » (Callu et Gillet, 2002). Il manque néanmoins, pour parfaire ce tableau des « mécanismes de la prise de décision politique et de ses effets », les archives de deux ministères qui ne relèvent pas de la Direction des Archives de France et ont des services d'archives autonomes : les Affaires étrangères et la Défense nationale. On peut distinguer trois villes principales conservant des archives publiques sur la guerre d'Algérie : Paris, où sont normalement déposées les archives produites jusqu'en 1958, ainsi que l'ensemble des archives de la présidence de la République ; Fontainebleau, pour les documents des administrations centrales de l'État postérieurs à 1958 ; et Aix-en-Provence où ont été rapatriées les archives dites « de souveraineté » en provenance d'Algérie, les autres archives, dites « de gestion », devant rester en Algérie pour assurer la continuité de l'administration – répartition théorique que la situation effective des archives dans les deux pays ne confirme que partiellement (Bader, Guignard et Kudo, 2004). Ce dernier centre, créé en 1966, a une identité très particulière. Devenu centre des archives d'outre-mer, il a

24. « Les ouvriers algériens à Renault-Billancourt de la guerre d'Algérie aux grèves d'OS des années 1970. Contribution à l'histoire sociale et politique des ouvriers étrangers en France », sous la direction de René Gallissot, université de Paris-VIII, 2002. Une version remaniée doit paraître chez Bouchène en 2006.

25. « La Mission de France dans la guerre d'Algérie. Église, politique et décolonisation », sous la direction de Jean-François Soulet, université de Toulouse 2, 2002. Une version remaniée est parue en 2004 aux Éditions de l'Atelier.

reçu en 1986 les archives ministérielles concernant les anciennes colonies françaises et l'Algérie. Ce transfert des archives initié dès 1960, à l'occasion de microfilmages de sécurité, a permis de recevoir de nombreux documents qui auraient sans doute souffert de la précipitation du départ (Boyer, 1982). Le fonds du ministère, puis secrétariat général aux Affaires algériennes, n'est quant à lui versé qu'en partie au CAOM, une autre partie se trouvant aux archives du ministère des Affaires étrangères. S'y sont agrégés ensuite des fonds économiques, tels que les fonds des chemins de fer d'Afrique du Nord, en 1995 (Rabut, 1995). Néanmoins, les « archives conservées au CAOM sont de nature essentiellement politique et policière »[26] et s'arrêtent bien souvent en réalité en 1960.

S'il est facile d'identifier ce qui concerne l'Algérie au CAOM, puisque la spécialisation régionale est caractéristique de ce centre, il n'en est pas de même ailleurs. L'Algérie ou la guerre d'Algérie ne forment pas toujours des dossiers distincts et des éléments d'information doivent être recherchés dans des cartons aux intitulés plus ou moins précis. Rien de particulier ici à la guerre d'Algérie : c'est le lot de tout travail historique puisque, par définition, les classements archivistiques obéissent à une logique de versement et pas à une problématique scientifique visant à construire un objet historique. Qui voudrait travailler sur le droit de grâce pendant la guerre d'Algérie devrait ainsi, comme le suggèrent Françoise Banat-Berger et Christèle Noulet (2000), consulter les archives du Conseil supérieur de la magistrature (versées pour les années 1956-1958), mais aussi le fonds de la présidence de Valéry Giscard d'Estaing qui contient les dossiers du Conseil supérieur de la magistrature pour la période 1947-1981.

La variété des fonds conservés est grande et permet, théoriquement, des approches extrêmement diverses. Nous ver-

---

26. Agnès Goudail, « Les sources françaises de la guerre d'Algérie », *in La Guerre d'Algérie au miroir des décolonisations*, *op. cit.*, p. 29.

rons dans la partie suivante ce qu'il en est précisément. Notons cependant que les trois centres des Archives nationales regroupant les archives ministérielles privilégient un point de vue central sur la guerre, que le centre soit Alger (comme pour les archives du gouvernement général conservées au CAOM) ou Paris. S'ils permettent d'avoir des informations sur les réalités locales, il est cependant nécessaire, pour la France, de compléter la recherche par l'utilisation des archives départementales. Quant à l'Algérie, les archives de la plupart des préfectures ont été rapatriées à Aix-en-Provence ainsi que celles de certaines communes mixtes ou de sous-préfectures. On trouve aussi des notations très précises dans les archives des secteurs militaires de l'armée française déposées au Service historique de l'armée de terre à Vincennes. En revanche, l'essentiel des archives municipales est resté en Algérie.

Au total, les archives conservées dans les centres dépendant de la Direction des Archives de France sont riches et la plupart sont communicables. Dans un article tenant lieu de guide sommaire de ces archives, en 2000, deux archivistes lançaient un appel à travailler sur ces fonds, en particulier autour de quelques thématiques sur lesquelles elles abondent : l'OAS et les partisans de l'Algérie française ; le versant pénitentiaire de la répression ; la vie quotidienne des Algériens en métropole ; le rôle de la presse et la manière dont l'État informait les citoyens français ; enfin, les processus de prise de décision (Banat-Berger et Noulet, 2000 : 350).

Le support imprimé n'est pas la seule source disponible. En Algérie, Mahmoud Bouayed incite à travailler sur l'audiovisuel par sa bibliographie sur *La Guerre de libération dans la littérature et l'audiovisuel*[27]. En France, l'INA permet de consulter les actualités françaises et l'ensemble de la production télévisuelle de l'époque. En 1996, un CD-Rom intitulé « La Guerre d'Algérie, une histoire par la radio et l'image » a permis de se familiariser avec ces documents. Il

27. Alger, SNED, 1982, 207 p.

comprend une centaine de documents sonores : journaux parlés, reportages, magazines des armées, conférences de presse, discours[28]. Les premières études à partir de ces sources commencent à être réalisées. Ainsi, après le travail d'Hélène Eck sur *Cinq colonnes à la une*, Béatrice Fleury-Vilatte a pu suggérer de nouvelles pistes grâce à un travail sur les images de l'émission[29]. Après quelques travaux à la fin des années 1980 (Bookmiller, 1989 ; Martin, 1988), la radio commence elle aussi à être étudiée. L'ensemble de ces sources constitue cependant encore un vaste champ d'investigations : la réticence de nombreux universitaires à quitter les sources écrites n'est sans doute pas étrangère à cet état de fait. On le constate aussi pour les sources cinématographiques qui n'ont encore été que partiellement étudiées, que ce soit pendant la guerre ou après.

Enfin, d'importants gisements de photographies existent à l'ECPAD (Établissement de communication et de production audiovisuelle de la Défense) ou dans les différentes agences de photos de presse. Quelques livres et quelques recueils d'iconographie permettent d'avoir accès à cette source[30]. Les acteurs de la guerre en ont aussi été les photographes et ces multiples documents ont rarement été exploités par les historiens. Claire Mauss-Copeaux est une exception, qui a consacré la dernière partie de sa thèse à l'étude des 2 000 photographies et 100 diapositives prises par les 27 appelés qu'elle avait interrogés. Considérant ces images comme une sorte de première mémoire, elle a demandé à leurs auteurs de produire un second discours dessus en les commentant, les

---

28. CD-Rom conçu par Anne Tristan et coédité par l'INA et La Découverte.

29. Hélène Eck, *in* Jeanneney et Sauvage (dir.), 1982. Et Béatrice Fleury-Vilatte, « *Cinq Colonnes à la une :* de l'événement à l'histoire », *in* Bussière, Méadel, Ulmann-Mauriat (dir.), 1999 : 133-148.

30. Jean-Luc Allouche et Jean Laloum (dir.), *Les Juifs d'Algérie*, Scribe, 1987, 332 p. ; Gervereau, Rioux et Stora (dir.), 1992 ; Gervereau et Stora (dir.), 2004 ; Marc Garanger, *La Guerre d'Algérie vue par un appelé du contingent*, Le Seuil, 1984 ; Einaudi et Kagan, 2001.

localisant et les datant. « On ne photographie que ce qu'on voit et on ne voit que ce qu'on reconnaît », note l'historienne[31] qui constate que, « plus que les entretiens, les récits iconographiques reprennent les stéréotypes diffusés par le discours colonialiste »[32]. Ses travaux portent la marque de leur époque : elle avait travaillé sur les images et les mémoires notamment faute d'avoir accès aux archives militaires[33]. C'était avant 1992. Depuis, l'accès à ces archives a influencé la manière d'écrire l'histoire de la guerre.

L'attraction des archives militaires

Le Service historique de l'armée de terre a, plus qu'aucun autre, bien organisé la communication de ses archives… au sens médiatique tout d'abord. La sortie du premier volume de *La Guerre d'Algérie par les documents* est présentée par le chef du SHAT comme une réponse au besoin d'apaisement des esprits, un apport d'« éléments significatifs, indiscutables et objectifs », un jalon dans les retrouvailles franco-algériennes grâce au dépassement des « torts réciproques »[34]. De telles promesses ont-elles réellement laissé croire que les archives conservées au SHAT permettraient d'atteindre tous ces buts autoproclamés ? Certains médias, en tout cas, ont focalisé leur attention sur elles. Les historiens, quant à eux, ont attendu de voir.

Les archives déposées au château de Vincennes ont commencé à être classées dans la foulée de leur retour d'Algérie

---

31. « Images et mémoires d'appelés de la guerre d'Algérie (1955-1994) », sous la direction d'Annie Rey-Goldzeiguer, université de Reims-Champagne-Ardenne, juin 1995. Troisième partie, « La mémoire photographiée », p. 385.

32. *Ibid.*, p. 410. Claire Mauss-Copeaux a publié un livre sur ces photos (Mauss-Copeaux, 2003).

33. La thèse en cours de Marie Chominot sur les photographies de la guerre d'Algérie devrait renouveler ces premières approches.

34. Général Robert Bassac, chef du SHAT, préface au tome 1 de *La Guerre d'Algérie par les documents*, Vincennes, SHAT, 1990.

puis, pendant les années 1980, sous la direction de Jean Nicot, ancien responsable des archives départementales d'Alger de 1958 à 1960. En 1990, un premier répertoire numérique existait. En vue de l'ouverture au public en 1992, un travail plus précis avait été réalisé afin de décrire les dossiers et d'établir les régimes de communicabilité. Il fallut quatre années pour en venir à bout : quand une salle de lecture particulière fut ouverte pour les archives de la guerre d'Algérie, seul un inventaire dactylographié de la sous-série 1H était disponible, encore incomplet. Une *Introduction à l'étude des archives de l'Algérie* témoignait cependant du souci du SHAT de guider le lecteur dans ce nouvel eldorado annoncé par le général Bassac. Mais quand la première mouture imprimée de l'inventaire fut achevée, en 1994, la salle ferma faute de lecteurs ! La communication du SHAT n'avait, manifestement, pas attiré le public attendu.

Les historiens avaient pourtant commencé à venir y travailler. Il semble qu'une période d'observation ait suivi l'ouverture : comme si les chercheurs avaient attendu de mieux connaître ce que l'on pouvait espérer de ces archives. Parallèlement la conservatrice chargée de réaliser l'inventaire 1H estimait que les archivistes devaient « être encouragés et guidés par les recherches des historiens encore trop peu nombreux à se rendre à Vincennes ». Elle vint présenter le fonds dans le cadre du groupe de recherche dirigé par Charles-Robert Ageron à l'Institut d'histoire du temps présent et publia cette présentation pour motiver les lecteurs (Obert, 1994). Peu à peu, les instruments de recherche se sont encore améliorés jusqu'à une version définitive et complète de l'inventaire livrée fin 2001 [35]. Le souci de rendre plus aisée la compréhension des institutions politiques et militaires de l'Algérie coloniale conduisit même certains conservateurs à les présenter dans un ouvrage (Hardy, Lemoine, Sarmant, 2002). À côté de la sous-série 1H, le SHAT

35. Pour cet historique, voir Thierry Sarmant, *in* Sébastien Laurent (dir.), *Archives « secrètes »..., op. cit.*

regroupe en effet d'autres fonds d'archives importants sur la guerre d'Algérie : le secrétariat général de la Défense nationale, le cabinet du ministre de la Défense et les directions du ministère, l'état-major des armées, etc. ; au total « plus de 2 000 organismes versants, de niveau hiérarchique très différent et de taille très variable » (Sibille, 2001), auxquels il faut ajouter les fonds privés et les archives orales.

L'importance de ces fonds et les conditions de leur consultation ont conduit à un développement de l'histoire militaire de la guerre. Ainsi le premier grand colloque sur la guerre d'Algérie, en 1988, s'intitulait « La guerre d'Algérie et les Français » ; Jean-Pierre Rioux annonçant d'emblée que la guerre « sur le terrain et dans les instances de la décision militaire et civile » n'y était pas abordée faute d'archives. Douze ans après, un nouveau colloque eut lieu : était-il la « version militaire de la problématique civile » du premier ? s'interrogeait Jean-Pierre Rioux[36]. Il lui faisait en tout cas écho : un écho situé de l'autre côté de la Méditerranée, sur le terrain militaire algérien, mais largement circonscrit encore aux aspects français de la guerre – malgré quelques contributions novatrices sur l'ALN ou l'affrontement MNA-FLN à Alger en 1954-1955. La quasi-totalité des communications fondées sur des archives reposait sur des documents conservés au SHAT. Trois ans plus tard, un nouveau colloque, également organisé par le Centre d'études d'histoire de la Défense, continuait à explorer les pistes proposées par les archives militaires (Jauffret [dir.], 2003).

L'ouverture de ces archives a permis de commencer réellement l'écriture de l'histoire militaire de la guerre d'Algérie, de ses aspects les plus techniques (Ageron, 1999) à ses dimensions politiques ou sociales[37]. Une thèse comme celle de Frédéric Médard en est l'illustration même puisqu'elle

---

36. Jean-Pierre Rioux, « Introduction » à Jauffret et Vaïsse (dir.), 2001, p. 15.

37. Ainsi Daniel Lefeuvre, « Les réactions algériennes à la propagande économique et sociale pendant la guerre d'Algérie », *in* Ageron (dir.), *La Guerre d'Algérie et les Algériens*, *op. cit.* p. 231-244.

porte sur la présence militaire française en Algérie[38], mais on pourrait en citer d'autres : depuis 1992, les aspects militaires sont au cœur de sept sujets de thèse déposés.

Ces archives alimentent aussi d'autres thèses, pour quelques chapitres moins immédiatement repérables. Ainsi Ludivine Bantigny consacre trois chapitres de son travail sur les jeunes à l'étude de l'incorporation, de l'instruction et des opérations en Algérie[39] : elle apporte des éclairages tout à fait neufs sur ces trois étapes de la vie des jeunes du contingent, complétant par sa précision les travaux déjà existants sur les appelés, y compris l'ouvrage de Jean-Charles Jauffret qui avait aussi bénéficié des archives du SHAT (Jauffret, 2000). Des objets émergent ainsi, totalement vierges. Ces archives ont donc largement rendu possibles les travaux présentés lors du colloque sur la guerre d'Algérie et les Algériens (Ageron [dir.], 1997). Non sans emphase, Jean-Charles Jauffret estimait qu'elles permettraient d'étudier « les caractéristiques principales de la guerre d'Algérie »[40]. De fait, le souci qui s'était manifesté pendant la guerre au sujet des archives de la 10e région militaire (c'est-à-dire l'Algérie) a permis une bien meilleure collecte des documents à partir de 1959[41]. Ainsi le décalage d'informations existant jusqu'alors en faveur de la IVe République commence à être compensé.

Mais certains historiens ont pu déplorer une forme de militarisation des objets historiques, estimant que « l'accès privilégié à ces archives [orientait…] la définition et le traite-

---

38. « La présence militaire française en Algérie : aspects techniques, logistiques et scientifiques entre archaïsme et modernité 1953-1967 », sous la direction de Jean-Charles Jauffret, université Montpellier III, thèse soutenue en 1999.

39. Ludivine Bantigny, « Le plus bel âge ? Jeunes, institutions et pouvoirs en France des années 1950 au début des années 1960 », thèse de doctorat sous la direction de Jean-François Sirinelli, IEP de Paris, soutenue en 2003.

40. « Avant-propos », *La Guerre d'Algérie par les documents*, tome 1, *op. cit.*, p. 10.

41. Thierry Sarmant, art. cit., p. 104.

ment des sujets ». Il est en effet indéniable que « la consultation privilégiée d'un fonds d'archives [influence…] l'écriture de l'histoire » (Thénault, 2004). En l'occurrence, l'historienne Sylvie Thénault pointe une vision du conflit produite par l'institution militaire qui insiste sur l'opposition entre civils et militaires : elle met en garde contre les effets induits par une trop grande immersion dans ses archives. Des travaux comme les siens ont bien montré, en effet, que civils et militaires avaient pu avoir des intérêts convergents et des alliances objectives pendant le conflit. La plus grande partie de sa thèse a pourtant été écrite grâce aux archives militaires et elle offre la démonstration heureuse qu'une lecture critique est possible[42]. Il n'en demeure pas moins que l'importance des archives militaires dans la recherche actuelle sur la guerre d'Algérie pourrait conduire à minorer les aspects politiques et civils de la guerre, pourtant essentiels, et à atténuer l'importance du colonialisme en Algérie ainsi que le poids des réalités et des mentalités coloniales dans le déroulement de la guerre.

La remarque doit donc être prise au sérieux : l'importance des militaires dans le conflit et l'ampleur des domaines couverts par leurs services engendrent un pouvoir d'attraction important sur les chercheurs. Le SHAT a tendance à devenir le point de passage obligé de tous les travaux sur la guerre d'Algérie, les chemins déjà tracés étant, qui plus est, toujours plus faciles à emprunter que ceux qu'il faut défricher… et que dire quand ils mènent à une mine encore inépuisée d'informations ! À cette attractivité correspondent déjà des champs en déshérence, les lacunes des archives militaires devenant des vides historiographiques. L'exemple le plus criant est la métropole : extrêmement étudiée avant 1992, elle a été quelque peu délaissée depuis. Des travaux continuent à lui être consacrés, une demi-journée d'études a porté récemment sur les « retentissements métropoli-

---

42. Sylvie Thénault, *La Justice dans la guerre d'Algérie*, sous la direction de Jean-Jacques Becker, université Paris-X, 1999. Une version remaniée de cette thèse a été publiée : Thénault, 2001.

tains »[43], dans le cadre d'un colloque organisé en 2000, mais l'ouverture des archives militaires a certainement ralenti les recherches sur cet espace. Le besoin se fait encore largement sentir d'une histoire locale de la guerre d'Algérie en France, à bâtir presque totalement hors des archives militaires.

Il n'est plus qu'à souhaiter que, tel un iceberg, le SHAT rende visibles les archives de la guerre d'Algérie, suscitant des vocations de chercheurs, stimulant des recherches arrêtées faute de documents disponibles. Si cet iceberg ne doit certes pas masquer les autres fonds d'archives existants, de plus en plus accessibles depuis le début du millénaire, il faut bien lui reconnaître plus de vertus que de défauts.

Toutefois, contrairement à ce que certaines facilités médiatiques laissent parfois penser, l'accès aux archives n'est pas la fin du travail historique, mais son commencement. Nécessaires à la construction d'un discours scientifique, les archives n'en sont qu'un des matériaux. C'est de leur analyse, de leur recoupement, de leur critique, plus largement, que peut découler un récit rendant compte de la réalité passée. En tant qu'interprétation, ce récit peut lui-même être critiqué. C'est tout le sens d'un débat historiographique. Sur la guerre d'Algérie, de tels débats se sont bien souvent focalisés sur la question des chiffres.

Des sources et de leurs interprétations : l'exemple des bilans chiffrés

L'idée que les archives recèleraient *la* vérité du passé et qu'il n'y aurait qu'à les ouvrir pour la découvrir contribue à faire de leur accès un sujet médiatique et un enjeu polémique. Si elles contiennent assurément des éléments sur le passé, elles ne sont cependant rien sans la lecture qu'en proposent les historiens et sans l'interprétation qu'ils donnent

43. Lefeuvre et Pathé (dir.), 2000 : 395-514.

ensuite de la réalité, suivant le respect d'une méthode commune, enseignée à l'université. L'ouverture massive des archives publiques de la guerre d'Algérie, à partir de 1992, a satisfait une soif de savoir longtemps frustrée. La nécessité d'établir les faits s'est alors manifestée, après des décennies marquées par la prégnance des discours mémoriels.

La question des bilans chiffrés de la guerre est venue incarner cette recherche d'un savoir positif luttant contre des mythes politiques et mémoriels. Ainsi, dès les années 1960, des chercheurs se sont penchés sur le nombre des victimes algériennes de la guerre. Un chiffre officiel existait : Krim l'avait fixé lors d'une conférence de presse à 1,5 million (Harbi et Meynier, 2001) ; la Constitution de 1963 l'avait repris. Il est encore répété jusqu'à aujourd'hui. Guy Pervillé a montré que cette mémoire victimaire entretenait le flou existant, dès l'origine, entre « morts » et « victimes », dans les déclarations officielles algériennes. *El Moudjahid* avait, en effet, écrit que « le tribut payé par le peuple algérien pour sa libération [pouvait] être évalué de la façon suivante : plus de 1,5 million de victimes de la guerre, soit plus de 500 000 tués et disparus (combattants et civils, hommes, femmes et enfants) et près d'1 million de blessés, amputés, malades (rescapés des camps d'internement et de regroupement) »[44]. Ce chiffre, expliquent Gilbert Meynier et Mohammed Harbi, exprimait « en situation la douleur d'un peuple confronté à une guerre inégale et injuste » ; il était « une exagération idéologique » (Harbi et Meynier, 2001 : 211).

En 1966, le géographe André Prenant (1967) étudia le recensement algérien et le mit en regard des données démographiques disponibles sur la période précédant la guerre. Il arrivait à une conclusion chiffrée : la population algérienne accusait un déficit démographique de l'ordre de 500 000 personnes (résultat cumulé de l'excédent de décès, du déficit des naissances et de l'immigration en France). Mais il ne se

---

44. *El Moudjahid*, 90, 9 mars 1962. Cité dans : Pervillé, 2004.

prononçait pas précisément sur les victimes de la guerre. Xavier Yacono (1982) en proposa une estimation « entre 256 000 et 290 000 », que Charles-Robert Ageron confirma légèrement à la baisse à partir de sources complémentaires algériennes et françaises. Sa recherche passait par le calcul du taux de croissance de la population algérienne et par des hypothèses chiffrées reposant sur des opérations mathématiques qu'il alla jusqu'à poser dans son article – par souci d'une plus grande rigueur scientifique ? Il aboutissait à une estimation comprise entre 200 000 et 250 000 victimes[45]. Ainsi des chercheurs, armés de méthodes et de sources diverses, proposèrent une révision des chiffres légendaires. Ils faisaient œuvre de révisionnisme, au sens le plus noble, celui de la révision toujours possible des interprétations du passé, en fonction de nouvelles sources ou de nouvelles approches.

« Révisionniste », le mot fut aussi employé pour accuser Charles-Robert Ageron d'avoir malmené la vérité officielle algérienne. Dans la bouche de ses détracteurs, le mot désignait alors celui qui aurait manipulé la vérité. L'accusation fut également brandie contre lui quand il s'attaqua à la question du sort des harkis après l'indépendance de l'Algérie. Les désaccords mémoriels sur le nombre de harkis massacrés sont importants : « Les évaluations varient entre 10 000 et 150 000 », notait l'historien en 1992[46]. Ces chiffres sont propagés par des groupes de mémoire, mais ne sont pas étayés par des travaux historiques. Une fois les archives publiques accessibles, Charles-Robert Ageron tenta de trouver des éléments sur les massacres au cours desquels périrent, assassinés sommairement, tant d'individus. Il entreprit de retracer les parcours de ces hommes ayant signé un contrat d'auxiliaire de l'armée française, de rendre compte de leurs motivations et de leurs positions, tant dans la guerre que dans la société algérienne en guerre – ce qui pouvait, *in fine*, éclai-

45. Charles-Robert Ageron, « Les pertes humaines de la guerre d'Algérie », *in* Gervereau, Rioux et Stora (dir.), 1992 : 170-175.
46. *Ibid.*, p. 172.

rer les circonstances des massacres. Il pencha finalement pour une estimation autour de 10 000 morts (Ageron, 1995).

Comme lui, d'autres historiens se sont mis à arpenter les documents à la recherche d'une confirmation, d'une infirmation, d'une précision chiffrée. Jean-Luc Einaudi paraît ainsi s'être lancé dans la recherche exhaustive du nombre des morts de la répression policière de l'automne 1961, ayant culminé autour du 17 octobre. Il publia une liste nominative de tués et disparus de septembre à novembre 1961 (Einaudi, 1991 : 313). Jean-Luc Einaudi avait le souci de multiplier les sources. Son premier travail sur les événements fut réalisé essentiellement à partir d'archives de la Fédération de France du FLN, de débats parlementaires, de l'étude de la presse et du recueil de témoignages. Il essaya de nombreuses pistes et accumula les points de vue sur la répression, ajoutant notamment les archives de l'Institut médico-légal (IML), celles du ministère de la Justice et du ministère de l'Intérieur à ces premières sources. Son deuxième livre sur le sujet complétait le premier, en essayant notamment d'approfondir la question du nombre des victimes et des circonstances de leur mort – la liste publiée dans son premier ouvrage ayant été critiquée pour son caractère approximatif. Il aboutissait à un bilan de 325 victimes de la police à l'automne 1961 – parmi lesquelles 88 dépouilles non identifiées nominativement (Einaudi, 2001).

Contrairement à Jean-Paul Brunet, qui avait aussi tenté de chiffrer la répression policière, sa démarche témoignait d'une méfiance certaine vis-à-vis des sources officielles – en particulier celles de l'Institut médico-légal. Son analyse du fonctionnement de l'institution l'amenait à estimer, comme le résumait Paul Thibaud, que « l'IML ne réunissait pas à ce moment-là, et de loin, toutes les dépouilles de ceux qui étaient morts de violence, notamment quand les victimes étaient conduites dans les hôpitaux, où l'on avait alors le droit [...] de pratiquer des autopsies ». Rendant compte de l'opposition entre Jean-Luc Einaudi et Jean-Paul Brunet, Paul Thibaud soulignait bien que ce n'était pas la source mais bien l'interprétation qui faisait le chercheur : tous deux étaient proches « sur l'analyse des registres » de l'IML, mais ils s'opposaient « sur la confiance qu'on [pouvait] faire à cette source. Brunet la [tenait] pour exhaustive, Einaudi la [jugeait] mensongère »[47].

De fait, ayant eu accès à des archives jusqu'alors fermées, Jean-Paul Brunet avait entrepris le décompte des victimes de la répression, en s'efforçant de les pister une à une dans les dossiers. Il avait abouti à une estimation autour d'une trentaine de morts qu'il commentait ainsi : « On est donc loin des centaines dont on a parfois parlé, mais cette évaluation, rappelons-le, s'accompagne d'un nombre considérable de blessés et d'un nombre indéterminé d'Algériens qui, jetés à la Seine, sont parvenus à se tirer de ce mauvais pas » – expression quelque peu triviale et déconcertante quand on voit qu'elle précède l'affirmation : « L'ensemble atteste la férocité de la répression et le déchaînement de violences dont se sont rendues responsables les forces de l'ordre » (Brunet, 1999 : 331). Considérant que la focalisation sur les moments les plus intenses de la répression ne pouvait permettre de la comprendre, l'auteur s'attachait à en donner les causes, qu'il décrivait comme un « engrenage infernal [débouchant] sur la violente répression des 17 et 18 octobre » (Brunet, 1999 : 82). Dans ce mécanisme, Jean-Paul Brunet tentait de repérer les responsabilités, ce qui l'amenait notamment à conclure : « Si le "coordinateur de la fédération de France" du FLN eût été moins extrémiste, s'il n'avait pas pratiqué ce qui ressemble fort à la politique du pire, si les attentats contre les policiers avaient été sinon inexistants, du moins très sélectifs, l'engrenage infernal eût été grippé. Il n'y aurait sans doute pas eu ces dérives meurtrières ni ces équipées de "parapoliciers", et les forces de l'ordre ne se seraient pas livrées à cette répression des 17-18 octobre d'une violence inouïe » (Brunet, 1999 : 338). L'analyse de la violence était centrée sur la question du bilan et l'étude des

47. Paul Thibaud, « Le 17 octobre 1961 : un moment de notre histoire », *Esprit,* novembre 2001, p. 6-19, citations respectivement p. 17 et p. 16.

causes était ramenée à une distribution des responsabilités entre FLN et forces de l'ordre. Quoique cherchant aussi à établir le décompte des victimes, la démarche de Jean-Paul Brunet se révélait opposée à celle de Jean-Luc Einaudi, qui entendait démontrer la brutalité extrême de la police parisienne. Inversement, Jean-Paul Brunet insistait sur les règlements de comptes entre Algériens, minorant ainsi la responsabilité policière et instruisant parallèlement le procès des méthodes de coercition violente du FLN sur la population algérienne.

Dans un petit article accompagnant l'émotion publique alors vive autour du massacre, Guy Pervillé avait repris la question des victimes de la répression – ce à quoi Claude Liauzu avait répondu que : « Réduire la question du 17 octobre 1961 à la question “combien de victimes ?” [c'était] délaisser quantité de questions fondamentales. L'histoire du 17 octobre croise celle de la guerre d'Algérie, celle des ressorts de la xénophobie dans notre société, celle dite de l'intégration, celle des luttes sociales dont Paris est l'enjeu[48] », ajoutait-il. Cette contestation, sous la plume de l'universitaire engagé aux côtés de Jean-Luc Einaudi dans ses différents combats, indiquait nettement les enjeux d'une écriture de l'histoire trop attachée à l'établissement de bilans chiffrés.

D'autre part, le soutien de Guy Pervillé à Jean-Paul Brunet est éclairé par la similitude de leurs démarches. Ainsi, à propos du terrorisme urbain du FLN, Guy Pervillé évoquait plutôt le « cycle infernal du terrorisme et de la répression »[49]. Il qualifiait la répression menée sous la houlette du général Massu à Alger, à partir de 1957, de « premier succès de la contre-offensive française » (Pervillé, 2003 : 33), insistant donc sur une violence des forces de l'ordre françaises causée par la violence de l'autre (« contre-offensive »). Quant au

48. « 17 octobre 1961 : combien de victimes ? », *L'Histoire*, 237, novembre 1999, p. 16-17. *L'Histoire*, 239, janvier 2000, p. 4.

49. Guy Pervillé, « Le terrorisme urbain, 1954-1958 », *in* Jauffret et Vaïsse (dir.), 2001 : 449.

terrorisme pratiqué par quelques activistes européens en 1956, souvent qualifié de « contre-terrorisme », il insistait sur le fait qu'il s'agissait bien d'une réponse aux « attentats systématiques de la fin juin [1956], application des menaces lancées par Abbane dès février 1956 »[50]. L'attachement de l'auteur à l'interaction des violences au cœur de la guerre l'amena à proposer des interprétations homogènes des stratégies des camps. Ainsi, la violence terroriste en ville était présentée comme un moyen mis au service de « stratégies de provocation pour séparer les deux communautés ["européenne" et "musulmane"] et unifier chacune d'entre elles autour des groupes terroristes »[51]. Or, si les effets de la violence terroriste utilisée par les nationalistes algériens conjugués aux effets de la répression qui l'accompagna ne font pas de doute – un fossé croissant entre Européens et Algériens laissant peu de place aux modérés des deux camps –, peut-on pour autant écrire que ces effets étaient le but poursuivi en amont ? Mohammed Harbi a, quant à lui, proposé une vision bien moins organisée du FLN, estimant que « la guerre n'était pas pensée côté algérien et qu'il fallait l'examiner comme un enchaînement d'initiatives et de ripostes, indépendamment donc d'une théorie globale. L'affirmation contradictoire, par exemple, ajoutait-il, des dirigeants du FLN selon laquelle, d'une part, le terrorisme urbain à Alger est une réplique au terrorisme européen et, d'autre part, qu'il avait pour fonction d'aider les campagnes accablées par la répression, participe de la justification et révèle l'incohérence de la pensée » (Harbi, 1992 : 152).

Dans son étude, Guy Pervillé minorait, en outre, un acteur de taille : l'armée française. Indépendamment des petits groupes européens qui initièrent le terrorisme aveugle à Alger, en 1956, c'est bien la tactique de l'armée qui doit être étudiée en 1957, dans son interaction avec l'action du FLN. Or l'analyse de la situation que les responsables militaires faisaient alors les conduisit à appliquer une politique de ter-

---

50. *Ibid.*, p. 456.
51. *Ibid.*, p. 449.

reur sur la population algérienne suspectée de soutenir massivement le FLN. Ils utilisèrent alors une arme spécifique : la disparition. Dès la guerre, cette pratique était connue. Paul Teitgen, secrétaire général de la préfecture d'Alger, chargé de la police, la dénonça et proposa sa démission au ministre résidant. Celui-ci refusa et Paul Teitgen resta à Alger jusqu'en septembre 1957. Il déclara à plusieurs reprises avoir comptabilisé 3 024 disparus à la date de son départ. Ce chiffre était repris par Yves Courrière dans *Le Temps des léopards*, accompagné d'un tableau annoté par Paul Teitgen.

Soucieux d'exactitude chiffrée, Guy Pervillé contesta ce total dès 1976[52]. Sa critique reposait sur l'analyse des sources d'Yves Courrière : il faisait remarquer une contradiction entre les chiffres publiés et la lettre de démission de Paul Teitgen. Yves Courrière ne s'était livré à aucune analyse des documents qu'il publiait (lettre de démission et tableau) : en l'absence d'informations précises sur le tableau, il était en fait impossible d'en mener à bien la critique et donc de l'utiliser pour ses données. En outre, une confusion existait bien entre le document chiffré publié par Yves Courrière indiquant un total de 3 024 et les propos ultérieurs de Paul Teitgen qui ne désignaient pas le même moment (le premier dresse un bilan début avril 1957, l'autre parle de son départ début septembre). La répétition du chiffre de 3 024, en bas du document publié par Courrière et dans la bouche du haut fonctionnaire, pour désigner deux moments différents de l'année 1957, accentue l'impression d'un flottement sur le nombre exact de disparus. Pourtant ce chiffre a été et est encore souvent repris sans que soit indiquée l'imprécision qui l'entoure. L'analyse scrupuleuse de Guy Pervillé aurait dû aboutir à abandonner ce chiffre.

Cependant, si la critique attentive des documents est le préalable à toute écriture de l'histoire, les usages qui en sont faits diffèrent. La question des bilans définitifs ne peut être une quête en soi. Il est toujours indispensable de s'interroger

---

52. *Annuaire de l'Afrique du Nord*, CNRS Éditions, 1976, p. 1354-1355.

sur l'intérêt de ces travaux pour la compréhension de la guerre d'Algérie. En outre, prenant le relais de mémoires antagonistes bataillant autour de chiffres souvent invraisemblables, les historiens risquent d'être happés par ces conflits, extérieurs au champ scientifique. Ainsi de Jean-Luc Einaudi qui ne voyait que des victimes policières dans les Algériens assassinés à l'automne 1961 – à l'exception, convenait-il, de quelques harkis ou autres –, et qui choisissait d'ignorer les règlements de comptes internes au nationalisme algérien. En revanche, Jean-Paul Brunet attribuait un nombre considérable de victimes à ces règlements de comptes, jusqu'à rendre le contexte global de la répression peu compréhensible, puisque les violences policières semblaient dès lors avoir été cantonnées à quelques jours autour du 17 octobre[53]. Laissant à d'autres l'identification nominative des cadavres, les historiens n'auraient-ils pas intérêt plutôt à approfondir, entre autres, le fonctionnement de la Fédération de France du FLN dans la région parisienne et l'étude des différents services de police chargés de la surveillance des Algériens ? Quant à étudier les chiffres, ils pourraient alors se pencher sur leur place dans les discours de mémoire, sur cette « inflation victimisante » dont Gilbert Meynier et Mohammed Harbi ont pu dire qu'elle était « une offense à l'histoire »[54]. Les travaux récents de Linda Amiri, Emmanuel Blanchard, Jim House et Neil MacMaster choisissent ces modalités d'approche.

L'essentiel est, en effet, ailleurs. Comme l'écrit Pierre Vidal-Naquet à propos du 17 octobre 1961 : « Quitte à choquer certains de mes lecteurs, je dirai que la question du

---

53. Voir Cole, 2003. Retraçant les oppositions entre les deux auteurs, cet article estime avec justesse que « Einaudi et Brunet ont purement et simplement réussi à reproduire dans le champ historique les divisions idéologiques de 1961 – à la fois par leurs estimations du bilan des tués et par leurs manières de distribuer les responsabilités ».

54. Mohammed Harbi et Gilbert Meynier, « La dernière frappe du révisionnisme médiatique. Réflexions sur le livre de Georges-Marc Benamou, *Un mensonge français...* », *Confluences Méditerranée*, janvier 2004.

nombre de victimes, à mon avis plus élevé que ne le dit Jean-Paul Brunet, n'est pas ce qui est le plus important. Il ne s'agit pas non plus de nier que le FLN régnait en maître sur les communautés algériennes et qu'il n'hésitait pas, le cas échéant, à tuer et à jeter des cadavres dans la Seine. Ce qui m'importe est de reconstituer la logique ou la non-logique de l'événement[55]. » L'historien s'était aussi penché sur la question des 3 024 disparus d'Alger. « Ce chiffre, écrivait-il en 1972, est sans aucun doute inférieur à la réalité : les militaires ne déclarèrent pas toutes les arrestations et bien des victimes n'eurent pas le loisir d'être "assignées à résidence". » Il ajoutait cependant que « Paul Teitgen put compter les disparus », ce qui ne devait pas laisser croire qu'il avait pu tous les recenser (Vidal-Naquet, 1972 : 46, n. 20).

Ayant eu accès aux archives privées de Paul Teitgen, Emmanuelle Jourdan a éclairé la manière dont celui-ci utilisait son pouvoir de signer les arrêtés d'assignation à résidence ; elle a permis ainsi de comprendre comment Paul Teitgen avait pu aboutir à un chiffre précis. L'historienne a en particulier montré que, dès qu'une famille alertait le haut fonctionnaire sur l'arrestation d'un de ses membres, il signait un arrêté d'assignation à résidence antidaté à compter de la date d'arrestation. Par cette manière de signaler aux militaires qu'ils étaient responsables des arrestations qu'ils avaient effectuées, il espérait protéger les personnes arrêtées en indiquant à ceux qui les détenaient qu'il était informé de leurs actions. Puisque les arrêtés régulièrement remplis étaient numérotés dans l'ordre chronologique, Paul Teitgen adopta une numérotation bis pour ces arrêtés antidatés[56]. La reconstitution de cette méthode permet de comprendre comment Paul Teitgen put tenir un décompte des individus disparus après avoir été arrêtés. Le chiffre de

55. Préface de Pierre Vidal-Naquet à la réédition de Paulette Péju, *Ratonnades à Paris*, La Découverte, 2000, p. 17.

56. Emmanuelle Jourdan, « Paul Teitgen, un parcours dans le siècle, 1919-1991 », mémoire de maîtrise sous la direction de Robert Vandenbussche, université de Lille-III, juin 1995, 270 p.

3 024 signale bien, par sa précision, un travail méticuleux de comptage même si l'incertitude sur la période qu'il couvre amène à le considérer avec prudence. Toutefois, l'ordre de grandeur de 3 000 disparus est confirmé par d'autres sources. Ainsi, en juillet 1957, l'envoyé spécial du journal *Le Monde* à Alger, Bertrand Poirot-Delpech, écrivait déjà que plus de 2 000 demandes de renseignement à propos de personnes disparues étaient restées sans réponse [57]. Surtout, à propos du bilan de la répression à Alger, le procureur général d'Alger affirma qu'« en évaluant à 3 000 [les disparitions dans son ressort général, il n'était] pas au-dessus de la vérité » [58]. Pour étayer sa critique du chiffre des 3 024, Guy Pervillé a fait remarquer que le ressort général du procureur général était bien plus vaste que la ville d'Alger. Mais, dans le rapport que le procureur général Reliquet adressait à son ministre, il s'agissait bien de dresser un bilan de l'action des parachutistes à Alger. L'objection de Guy Pervillé suggère, par ailleurs, que le nombre de disparus serait une variable linéaire de l'espace alors que l'analyse des méthodes de la répression à Alger montre combien celles-ci furent spécifiques.

Le chiffre de 3 024 peut, en définitive, être considéré comme une estimation moyenne minimale. Certaines personnes, maintenues au secret par les militaires, ont pu réapparaître après que Paul Teitgen eut quitté ses fonctions. Mais leur nombre fut certainement faible : à cette date, les troupes du général Massu avaient pratiquement achevé leur tâche. Au contraire, le haut fonctionnaire n'a sans doute pas été informé de l'ensemble des actions des parachutistes puisque ce ne fut que le 11 avril 1957 qu'un arrêté fit obligation aux militaires de déclarer, sous 24 heures, les gens qu'ils arrêtaient. Or les premiers mois de l'action des parachutistes à

57. Notes de Bertrand Poirot-Delpech sur le procès des libéraux à Alger, du 22 au 25 juillet 1957, BM 138 (Centre d'histoire de Sciences Po).

58. Rapport du procureur général d'Alger au garde des Sceaux, le 18 décembre 1957, 800543/105* (CAC).

Alger ont été les plus violents – le pouvoir politique ayant, jusqu'en avril, abandonné toute velléité de contrôle sur leurs méthodes. Le général Massu le confirma lui-même dans une conversation avec le président de la commission de sauvegarde des droits et libertés individuels à l'été 1958. Il lui fit alors part des difficultés qu'il rencontrait « concernant le statut civil d'environ 3 000 femmes musulmanes dont les maris ont disparu au cours des événements de février 1957 »[59]. L'euphémisme de rigueur désignait bien le début de la répression, entamée à partir du 28 janvier 1957 pour briser la grève générale décrétée par le FLN.

Il serait vain d'attendre d'hypothétiques archives (celles du général Massu, celles des régiments parachutistes) une possibilité d'établir un décompte précis des disparus. Il est fort probable que cette question n'a été consignée nulle part en détail. En revanche, l'étude des méthodes utilisées par les militaires permet d'éclairer l'explosion des disparitions pendant cette période : une répression rationalisée s'est alors mise en place, à l'échelle de la ville, mais aussi à l'intérieur des centres de détention et d'interrogatoire des unités (Branche, 2001). Faire disparaître définitivement des individus (et leurs corps) participait d'une radicalisation des méthodes qui se voulait une réponse aux nationalistes ayant osé diriger leurs actions terroristes contre la vitrine de l'Algérie française. Comme la torture, la disparition restituait une logique collective, culturelle et politique à la violence. Elle était, par excellence, une arme de terreur parfaitement adaptée aux enjeux et aux buts envisagés. Elle contribua largement à faire de ces quelques mois un moment à part dans l'histoire de la guerre. Ainsi l'analyse des documents fournis par Yves Courrière peut-elle finalement compléter la compréhension de l'importance et de la spécificité de cette séquence dans la guerre d'Algérie, à aucun autre moment une telle systématisation et une telle ampleur n'ont

59. Rapport au général de Gaulle sur la mission du président Patin et de Louis Damour en Algérie du 31 août au 6 septembre 1958 (F60 3147*, CHAN).

été atteintes dans la répression. « Si, bien sûr, les Algériens, pendant la “bataille d'Alger”, n'ont pas tous été torturés, sera-ce forcer la réalité que d'alléguer qu'ils furent, en situation, tous torturables ? De toute façon, la torture a été utilisée, et systématiquement. Le reconnaître est le fait des historiens », tranche Gilbert Meynier qui juge, quant à lui, totalement vain de discuter le chiffre des disparus en l'absence de sources supplémentaires[60].

Bien que la discussion sur le nombre total des disparus ne puisse aboutir à un bilan comptable précis, elle permet toutefois de mieux comprendre la répression. Si le chiffre de Paul Teitgen peut être contesté, c'est finalement pour son excessive précision : la remettre en cause éclaire les conditions dans lesquelles les représentants du droit ont dû travailler à Alger – tenus à l'écart par les militaires, certains tentèrent tant bien que mal de faire respecter leur fonction.

La question des bilans chiffrés éclaire finalement l'importance des sources comme l'évidence de leurs limites. Dépassant cette déception positiviste, l'historien doit continuer à mener son propre travail de construction et d'élaboration afin d'évaluer les faits : les violences policières à l'automne 1961, l'action des parachutistes du général Massu engagés dans la lutte contre le terrorisme et le nationalisme en ville, l'emprise du FLN sur la population algérienne, mais aussi la violence anti-européenne à Oran le 5 juillet 1962[61] ou encore l'ampleur des assassinats entre Algériens pendant la guerre (Meynier, 2002). Remettre en question la fiabilité de tel ou tel chiffre participe de l'interrogation perpétuelle des modalités d'écriture de l'histoire qui fait la valeur du travail historique. Cependant la remise en question d'un chiffre n'est pas en soi une indication que l'interprétation qui l'utilisait devient caduque. Dans le cas des disparus d'Alger par exemple, cette contestation de la précision du chiffre ne

60. *NAQD*, n°s 14-15, automne 2001, p. 179.

61. Monneret, 2000 et Fouad Soufi, « Oran, 28 février 1962-5 juillet 1962. Deux événements pour l'histoire, deux événements pour la mémoire », *in* Lefeuvre et Pathé (dir.) : 635-676.

conduit pas à minorer l'ampleur de la répression ou à relativiser son caractère profondément illégal, violent et terrorisant. Tout au contraire. « Du reste, ce qui compte, en l'occurrence, c'est moins le chiffre exact des victimes, que le caractère sauvage de la répression », avait déjà noté Charles-André Julien (2002) à propos d'un autre bilan : celui de la répression de mai 1945.

À travers l'exemple de Paul Teitgen, l'étude des bilans chiffrés a aussi révélé l'importance des témoins pour écrire l'histoire de la guerre. Voyons comment leurs souvenirs ont constitué et constituent encore une source importante pour cette histoire.

CHAPITRE 3

Le compagnonnage de l'histoire avec la mémoire

Les Mémoires, premiers matériaux pour l'historien

Dès la fin de la guerre d'Algérie, les publications de récits autobiographiques se sont multipliées en France. Il s'agissait d'abord, pour les ultimes partisans de l'Algérie française et notamment pour les sympathisants ou membres de l'OAS, de justifier des choix ayant pu conduire à la clandestinité et au meurtre. D'anciens officiers prirent aussi la plume pour évoquer leur carrière et son épisode algérien. Des hommes politiques révélèrent les dessous de certaines décisions ou négociations. L'autojustification est souvent présente dans ces textes, même quand ils se présentent comme une analyse des faits. Il n'est d'ailleurs nul besoin d'utiliser la première personne pour exposer une interprétation personnelle, défendre une thèse, gérer une culpabilité.

À côté des Mémoires, la guerre d'Algérie a suscité la réalisation de quelques ouvrages d'entretiens ou de témoignages, à l'initiative d'éditeurs ou de journalistes. Des personnalités importantes de la guerre ont ainsi été sollicitées (Ratte et Theis, 1974 ; Éveno et Planchais, 1989). D'autres, devenues célèbres depuis cette époque, ont été interrogées sur leur service militaire en Algérie ou sur leur terre perdue[1].

---

1. Monique Ayoun et Jean-Pierre Stora, *Mon Algérie : 62 personnalités témoignent*, Acropole, 1989, 300 p.

Certaines se sont aussi confiées en préférant garder l'anonymat[2]. Des ouvrages ont réuni les récits de témoins moins célèbres, anciens appelés ou pieds-noirs[3]. Des collectifs, enfin, ont procédé au recueil de témoignages : de la promotion Extrême-Orient de Saint-Cyr à la Cimade.

Les émergences de la guerre d'Algérie dans l'actualité médiatique française ont apparemment stimulé les auteurs, et les anniversaires des événements sont accompagnés de publications d'autobiographies. Romancés ou non, ces textes s'appuient sur des écrits de l'époque (lettres, journaux intimes). Quand ils ne sont pas accueillis chez des éditeurs, fussent-ils petits, ces auteurs n'hésitent pas à prendre eux-mêmes en charge la parution d'un texte qui leur tient à cœur. Pierre-Alban Thomas a ainsi mis du temps à trouver un éditeur. Ses souvenirs d'Indochine et d'Algérie sont d'abord publiés pratiquement à compte d'auteur avant que, l'ancien officier ayant été remarqué par Patrick Rotman qui l'a interviewé pour son documentaire *L'Ennemi intime*, Le Seuil ne le publie en 2002[4]. Une parution qui est directement liée à l'émotion suscitée par la redécouverte de la pratique de la torture pendant la guerre, puisque Pierre-Alban Thomas fut membre d'un 2e bureau chargé de la recherche des renseignements et, à ce titre, particulièrement concerné par la question des violences illégales pratiquées dans cette guerre.

D'autres autobiographies viennent compléter les débats organisés alors dans certains médias, qui ouvrent leurs colonnes ou leurs plateaux à tel ou tel acteur de la guerre, l'engageant à rejouer sa partition de l'époque – tout en mettant parfois en scène une forme d'indignation morale pour la

---

2. Andrew Orr, *Ceux d'Algérie. Le silence et la honte*, Payot, 1990, 245 p.

3. Jean-Pierre Vittori, *Nous, les appelés d'Algérie*, Stock, 1977, 322 p. ; Martine Lemalet, *Lettres d'Algérie : 1954-1962. La mémoire des appelés d'une génération*, J.-C. Lattès, 1992, 359 p. ; Danielle Michel-Chich, *Les Pieds-Noirs aujourd'hui*, Calmann-Lévy, 1990, 181 p.

4. Pierre-Alban Thomas, *Les Désarrois d'un officier en Algérie*, Le Seuil, 2002, 260 p.

pratique de la torture, rapidement renvoyée toutefois, par la forme des débats, à la simple expression d'une opinion, aussi valable, somme toute, que la revendication de l'utilité de cette pratique. Ainsi, après avoir témoigné à la télévision, en 2001 et 2002, le général Maurice Schmitt publia ses Mémoires. L'ancien chef d'État-major de l'armée de terre, accusé d'avoir assisté à des séances de torture à Alger pendant l'été 1957 alors qu'il était lieutenant, se défendait en attaquant ses adversaires d'hier[5] : les accusations de tortures portées contre des militaires français ne seraient, selon lui, que ruses de défense utilisées par des individus convaincus d'être des poseurs de bombes par la justice française. Quant à la dernière phase du démantèlement de la zone autonome d'Alger, elle aurait surtout été permise grâce aux aveux d'un de ses responsables mineurs. Plus largement, le général Schmitt désigne l'ensemble des attaques contre lui sous le nom de « troisième bataille d'Alger ».

Ce livre ne rencontra pas l'écho du livre du général Aussaresses alors qu'il s'en distinguait plus par la forme (reconnaître ou ne pas reconnaître la pratique de la torture et des assassinats, mettre l'accent ou non sur la violence aveugle du terrorisme du FLN) que par le fond (légitimer les moyens d'action utilisés en insistant sur leur efficacité). Au cours d'interviews, le général Aussaresses avait livré quelques informations sur ses activités à Alger en 1957 comme responsable d'un commando secret chargé de l'exécuion des basses œuvres. Il avait en particulier déclaré être l'auteur de l'assassinat de Larbi ben M'hidi, dont les conditions n'étaient jusque-là pas précisément connues, et de celui d'Ali Boumendjel. Son livre répondait à une demande éditoriale pressante, soucieuse de profiter de l'engouement étrange dont jouissait ce général incarnant à merveille l'horreur de la guerre sans loi et du cynisme de la raison d'État. Le résultat fut à la mesure des espoirs commerciaux : le livre devint un best-seller et fit l'objet d'un procès qui lui

5. Maurice Schmitt, *Alger – été 1957. Une victoire sur le terrorisme*, L'Harmattan, 2002, 159 p.

conféra un parfum de scandale. N'ignorant pas que son livre était attendu, Paul Aussaresses le fit précéder d'un avant-propos dans lequel il justifiait ses actions passées et sa décision de les décrire : l'accomplissement du devoir militaire s'y métamorphosait en « devoir de [...] raconter », le courage d'accomplir certaines actions pendant la guerre devenant courage de les exposer[6]. Le général Aussaresses s'y présentait comme un soldat ; ses propos ont été lus par beaucoup comme ceux d'un criminel faisant l'apologie de ses crimes.

Les erreurs, la forfanterie ou la prétention, parfois relevées dans le témoignage du général Aussaresses, ne sont pas l'apanage de cet auteur même si elles ont contribué à exaspérer ceux que ces propos révulsaient. Hors de tout jugement moral, l'historien peut regarder la sortie de ces Mémoires comme la parution de nouvelles informations potentielles sur la guerre. De fait, cet ouvrage est venu compléter ce que les archives et d'autres témoignages permettaient d'établir sur les premiers mois de la répression à Alger ; il offre un exemple d'analyse des événements par un de ses principaux acteurs et un modèle de justification qui dévoile clairement les pratiques dites de « contre-terreur » utilisées par l'armée française dans le but de lutter contre l'emprise et la violence du FLN. C'est également un témoignage de premier plan sur la répression qui suivit le 20 août 1955. Il confirme aussi que c'étaient des policiers qui, dans certains cas, initièrent les militaires à leurs méthodes de torture.

La parution des Mémoires du général Aussaresses a été suivie de plusieurs autres récits. Louisette Ighilahriz, dont le témoignage paru dans *Le Monde* avait été à l'origine du débat public, en juin 2000, publia aussi ses Mémoires grâce à l'aide d'une journaliste : un livre très intéressant sur le parcours militant d'une jeune fille dès le début de la guerre, jusqu'à son entrée dans des réseaux de poseurs de bombes, son

---

6. Paul Aussaresses, *Services spéciaux. Algérie, 1955-1957*, Perrin, 2002, p. 9-10.

arrestation puis sa vie en prison où s'est forgée une camaraderie féminine et politique essentielle pour comprendre un des visages de l'Algérie contemporaine, celui de ces femmes actives politiquement et pourtant refoulées de la sphère publique. Bien plus novateur que les nombreux ouvrages autobiographiques d'anciens militaires, ce livre a pourtant moins retenu l'attention des médias. Pour l'histoire de la guerre, il constitue une source sur l'engagement nationaliste des femmes – celles-ci ayant peu écrit et peu témoigné.

La même année sortit aussi le premier tome des Mémoires de Mohammed Harbi. Écrit par un historien de grande probité, il alliait une autobiographie intellectuelle et politique, ancrée dans un terrain économique, social et familial, à un livre d'histoire extrêmement informé sur le FLN. Mohammed Harbi y réunit les nombreux fils qu'il avait commencé à tisser dans ses écrits précédents.

Comme celui de Mohamed Lebjaoui[7] en 1970, celui de Ferhat Abbas[8] dix ans plus tard, celui de Hocine Aït Ahmed – dont les Mémoires sont sous-titrés avec force *L'esprit d'indépendance*[9] –, ou celui de Mohamed Benyahia[10], le livre de Mohammed Harbi est paru en France. L'année suivante, son parent Ali Kafi, membre puis président du Haut Comité d'État, après l'assassinat de Mohamed Boudiaf, publia aussi ses mémoires sur la période de la guerre. Son livre parut en Algérie et en arabe[11]. Tout en affirmant vouloir apporter « une pierre de plus dans l'écriture de notre

7. Mohamed Lebjaoui, *Vérités sur la révolution algérienne*, Gallimard, 1970, 249 p.

8. Ferhat Abbas, *Autopsie d'une guerre*, Garnier, 1980, 346 p. Ce livre, comme le suivant, *L'Indépendance confisquée* (Flammarion, 1984, 227 p.), n'est pas autorisé en Algérie.

9. Hocine Aït-Ahmed, *Mémoires d'un combattant. L'esprit d'indépendance, 1942-1952*, Sylvie Messinger, 1984, 236 p.

10. Mohamed Benyahia, *La Conjuration du pouvoir. Récits d'un maquisard*, Arcantère, 1988, 155 p.

11. Une version française est publiée à Alger : *Du militant politique au dirigeant militaire. Mémoires (1946-1962)*, Alger, Casbah éditions, 2002, 412 p.

révolution », il entendait dévoiler des choses tues et réaffirmer certaines vérités qui dérangeaient. L'auteur se situait dans la lignée d'une célébration des « réalisations grandioses » des générations précédentes tout en affirmant vouloir éclairer les Algériens – plus précisément ce qu'il appelait « notre Umma » – et leur donner des éléments pour réfléchir à la question qu'il leur laissait en héritage : « En définitive, et face à l'Armée de libération nationale entrée avec héroïsme et courage dans l'histoire, ne reste-t-il de la révolution algérienne rien d'autre qu'une course acharnée pour la conquête du pouvoir[12] ? » Ali Kafi ne dérogeait pourtant pas complètement aux usages algériens de l'autobiographie. Ces récits semblent en effet y avoir obéi longtemps à une chronologie et à des logiques politiques : jusqu'à la fin des années 1980 au moins, il s'agissait surtout d'apporter sa pierre à la construction du grand récit national célébrant la victoire du FLN.

La révolte populaire d'octobre 1988 et la libéralisation politique qui s'ensuivit a pu, pendant quelques années, ouvrir la voie à quelques écrits différents. Le livre de Benyoucef Ben Khedda, *Les Origines du 1er novembre 1954*, en revalorisant le nationalisme d'avant 1954 – tout en restant le livre d'un acteur engagé dans des procédures d'autojustification – était ainsi explicitement en rupture avec l'histoire officielle[13]. Saad Dahlab, ancien membre du comité central du PPA-MTLD en 1954 et négociateur à Évian, livra aussi ses Mémoires en 1990[14]. De même Mahmoud Abdoun, ancien responsable financier du FLN à Alger en 1956-1957, avec ses *Témoignages d'un militant du mouvement nationaliste*[15]. Des personnalités de moindre stature politique telles

12. Cité par Kadour M'hamsadji dans *L'Expression*, 16 octobre 2002.

13. Benyoucef Ben Khedda, *Les Origines du 1er novembre 1954*, Alger, Éditions Dahlab, 1989, 361 p.

14. Saad Dahlab, *Mission accomplie pour l'indépendance de l'Algérie*, Alger, Éditions Dahlab, 1990, 347 p.

15. Alger, Éditions Dahlab, 1990, 141 p.

que Hocine Bouzaher ou Mohamed Hilmi[16] ont ensuite pris la plume, comme si un ordre de préséance avait été respecté, laissant les acteurs les plus importants, les plus en vue, s'exprimer d'abord. Apparemment il restait pourtant encore difficile de publier, en Algérie, des Mémoires complètement libres. Ce fut sans doute une des raisons qui poussèrent des hommes comme Ali Zamoum à publier en France. N'écrivait-il pas, en effet, encore en 1998 : « Notre véritable histoire de la lutte de libération est détournée et remplacée par une histoire sans histoire, tout enrobée de généralités et servie dans la langue de bois[17] ? »

Tous les livres de Mémoires sont construits, pour reprendre les mots de Paul Ricœur, selon une « structure dialogale »[18] : ils sont l'expression d'un désir d'échange et de reconnaissance par autrui. En Algérie, où la dimension héroïque du passé est encore forte, Daho Djerbal constate que « le désir de témoigner est habité par celui d'être reconnu comme acteur d'une geste que l'on veut héroïque » ; il s'agit alors d'« une sorte de seconde naissance et une réhabilitation aux yeux des générations actuelles »[19]. L'historien qui utilise ces récits entre ainsi, nécessairement, dans cet échange initié par l'ancien acteur. Contrairement aux archives qui, elles aussi, attestent d'une réalité passée, le travail sur ces témoignages le conduit à une confrontation avec leurs auteurs dans le présent. Daho Djerbal entreprit aussi de comparer deux témoignages concernant la décision d'ouvrir un second front en France à l'été 1958 : selon Ali Haroun, celle-ci avait été prise par le comité fédéral en juillet 1958 et la date de

---

16. Hocine Bouzaher, *Jusqu'au bord du ciel*, Alger, Dar el Oumma, 1993. Mohamed Hilmi, *Le Carrefour du destin*, Alger, Casbah éditions, 1999.

17. Ali Zamoum, *Le Pays des hommes libres. Tamurt Imazighen. Mémoires d'un combattant algérien (1940-1962)*, Claix, La Pensée sauvage, 1998, 319 p., p. 287, cité par Meynier, 2002.

18. Ricœur, *La Mémoire, l'histoire…*, *op. cit.*, p. 205.

19. Daho Djerbal, « La question des voies et moyens de la guerre de libération nationale en territoire français », *in* Ageron (dir.), 1997 : 11.

l'ouverture fixée, alors que, selon Mohammed Harbi, le comité fédéral n'avait rien décidé, la décision lui avait été imposée – amenant d'ailleurs Mohammed Harbi, alors membre du comité fédéral, à démissionner le 25 juillet.

L'historien ne doit pas redouter cette confrontation avec les témoins car renoncer à ces sources serait négliger une abondante documentation alors que l'histoire « doit se faire avec tout ce que l'ingéniosité de l'historien peut lui permettre d'utiliser »[20]. Sur la guerre d'Algérie, la situation des archives écrites (perte, destruction, fermeture) comme les modalités de communication entre acteurs pendant la guerre (développement du téléphone, importance des ordres oraux notamment) invitent à suivre cette recommandation. Un des indices de cette insuffisance des archives écrites est donné par Jean-Charles Jauffret dans *La Guerre d'Algérie par les documents* : le nombre de cartons sur la guerre d'Algérie conservés au SHAT est plus faible que celui sur la guerre d'Indochine ou sur la Seconde Guerre mondiale, lui-même trois fois plus faible que le nombre de cartons sur la guerre de 1914-1918.

Exploiter les témoignages publiés incite, bien sûr, à la prudence ; ils ne sont que la première étape d'un « procès épistémologique » aboutissant à la « preuve documentaire ». Si c'est « le témoin qui d'abord se déclare témoin », il demeure à l'historien de lui accorder ce statut pour l'histoire. Après l'avoir soumis au crible critique à trois niveaux : celui de la « perception d'une scène vécue », celui de la « rétention du souvenir », puis celui de la « restitution des traits de l'événement »[21]. Son utilisation est ainsi corrélative d'une forme de certification de fiabilité. Les *Mémoires* de Messali Hadj constituent un exemple intéressant de ce qui pourrait être un quatrième niveau : celui du travail d'édition. Très attendus, ils furent publiés en 1982, accompagnés de textes de Charles-André Julien, Charles-Robert Ageron et Mohammed Harbi.

---

20. Lucien Febvre, *Combats pour l'histoire*, Armand Colin, 1953, 458 p.
21. Ricœur, *La Mémoire, l'histoire…*, *op. cit.*, p. 201-204.

Ces deux derniers, ainsi que Benjamin Stora, auteur à cette époque d'une thèse récente sur le *zaïm*, avaient présidé aux principales coupures dans le texte original. Charles-Robert Ageron avait fourni un appareil de notes. Cette publication constituait une date importante dans l'écriture de l'histoire du mouvement national par l'éclairage qu'elle offrait sur ses débuts vus par son leader charismatique[22]. Comme le précisait Mohammed Harbi, « l'appréciation de son rôle dans l'émergence d'un État algérien indépendant n'est pas encore devenue une discussion académique. Mais c'est déjà un problème pour l'historien »[23].

Or, grâce à sa connaissance des dix-sept petits cahiers d'écolier sur lesquels la version originale du texte avait été écrite, la politologue Marie-Victoire Louis a pu repérer la manière dont ces *Mémoires* avaient été composés pour l'édition[24]. L'analyse des coupes faisait apparaître un gommage systématique des expressions de sensibilité de Messali Hadj. Les préoccupations esthétiques, les petites joies avaient disparu de la version publiée, de même que l'expression du sentiment paternel, les moments où Messali prenait soin de son fils Ali. Plus généralement le bonheur ou l'amour avaient été gommés de ce portrait très politique. En évacuant la dimension privée, la publication avait aussi éliminé toutes les femmes importantes de la vie de Messali. Elles étaient nombreuses et, pour la plupart, françaises, au premier rang desquelles sa femme Émilie Busquant. Leur rôle dépassait le cadre privé ; c'était ce que ces coupes empêchaient de saisir. On peut déplorer que l'historiographie soit dépendante de telles interprétations en amont, on peut regretter de telles absences, il n'en demeure pas moins que tels quels les *Mémoires* de Messali Hadj sont une source essentielle pour l'histoire du nationalisme algérien.

22. Ahmed Messali Hadj, *Mémoires, 1898-1938*, J.-C. Lattès, 1982, 324 p.

23. Mohammed Harbi, « Messali Hadj et la vérité historique », *in* Ahmed Messali Hadj, *Mémoires*, *op. cit.*, p. 299.

24. Critique parue dans *Sou'Al*, 7, 1987, p. 155-164.

En revanche, il convient de classer au rang des falsifications certains récits donnés comme des témoignages authentiques tel le « document » publié dans *Guerres mondiales et conflits contemporains*, en 2002, sous le titre « La manifestation du FLN à Paris, le 17 octobre 1961 ». Son auteur, le lieutenant-colonel Montaner, était alors commandant de la Force de police auxiliaire (FPA), c'est-à-dire les harkis travaillant avec la police de la région parisienne[25]. Il estimait à sept le nombre de morts de la soirée du 17 octobre 1961 « dont deux [pouvaient] être imputés avec certitude à la police »[26]. Dans sa présentation, Jacques Valette qualifiait ce témoignage de « direct » et « ferme » ; il n'en citait pas moins le livre de Jean-Paul Brunet auquel il paraissait accorder quelque valeur et qui établissait un bilan minimal bien plus élevé. Dans son souci de lutter contre ce qu'il estimait être une polémique – les débats sur le bilan de la répression ainsi que la qualification de crime contre l'humanité – Jacques Valette s'emballait quelque peu : la manifestation (qui était en fait un boycott du couvre-feu) était présentée comme une « offensive meurtrière » – alors que toutes les sources de l'époque attestent du caractère pacifique des manifestants, les consignes du FLN étant très claires à ce sujet, ce que Jacques Valette n'ignore pas même s'il choisit de mettre en avant la contrainte que le FLN exerça aussi sur les Algériens pour qu'ils se rendent à cette démonstration de force.

Quant au témoin, il est présenté par l'historien comme « bien connu des habitants des bidonvilles de Nanterre, qui le respectaient, car il les défendait » : une affirmation que ne renierait pas le lieutenant-colonel Montaner mais qui ne peut être reprise telle quelle sans être recoupée avec d'autres sources. La consultation des témoignages d'Algériens des

25. Linda Amiri, « La répression policière en France vue par les archives », *in* Harbi et Stora (dir.), 2004 : 403-416.

26. Témoignage du lieutenant-colonel Montaner, *Guerres mondiales et conflits contemporains*, 206, juin 2002 (paru en novembre), p. 87-94, p. 93.

bidonvilles, en l'occurrence, aurait dû amener Jacques Valette à plus de nuances[27]. Il reprenait également sans critique l'interprétation que donnait le militaire de l'utilisation des harkis de la FPA par la police : « pour servir d'interprètes ». Les harkis étaient en effet extrêmement utiles aux policiers pour interroger les Algériens, même si ceux-ci, vivant en France, comprenaient un minimum de français. Mais il est tout à fait irréaliste de considérer que la FPA était une réserve d'interprètes. En tant que force de police, elle participa activement à la répression de la manifestation, n'hésitant pas, semble-t-il, à ouvrir le feu, alimentant ainsi la rage des policiers[28].

Le lieutenant-colonel Montaner insistait sur la contrainte que le FLN avait fait peser sur les Algériens pour qu'ils aillent manifester. Les méthodes du FLN permettent assurément de confirmer ces pratiques mais, en l'occurrence, en octobre 1961, la fin de la guerre était proche et les Algériens savaient que leur pays serait bientôt indépendant ; seules les modalités étant alors inconnues. Insister sur la dimension de contrainte laissait, au contraire, entendre que les Algériens auraient souhaité massivement une autre voie que celle du FLN. Rien n'est moins vrai fin 1961. Désigner le lieutenant-colonel Montaner comme un protecteur des Algériens semblait pourtant lui donner raison en maintenant une fiction paternaliste de type « Algérie française » qui n'était alors plus du tout de saison.

Dans son témoignage, le lieutenant-colonel Montaner se montrait très soucieux de la légalité, notant que le FLN avait décidé « d'organiser et de déclencher, *sans autorisation préalable*, une manifestation de masse »[29]. Dans le contexte du couvre-feu visant les « Nord-Africains »

---

27. Monique Hervo, *Chroniques du bidonville. Nanterre en guerre d'Algérie*, Le Seuil, 2001, 261 p.

28. Jim House et Neil MacMaster, « "Une journée portée disparue". The Paris Massacre of 1961 and Memory », *in* Martin S. Alexander et Kenneth Mouré (dir.), *op. cit.*

29. C'est nous qui soulignons.

décrété par le préfet Papon, une telle remarque met l'accent sur une violation du droit par le FLN alors que le couvre-feu lui-même incite à un rapport de forces dans lequel le droit et la légalité participaient bien de la guerre menée par le pouvoir français. Le lieutenant-colonel Montaner analysait d'ailleurs les enjeux de cette soirée en la resituant dans un contexte plus global, le témoignage cédant bien souvent le pas à l'interprétation. L'ensemble de ce texte était motivé par le désir de nier l'importance de la répression. Les Algériens y étaient décrits tantôt comme des abeilles s'accrochant aux policiers comme à un essaim, tantôt célébrés comme les valeureux combattants de Monte Cassino, incapables de se laisser matraquer sans répondre, tantôt comme de paisibles manifestants « satisfaits d'être à l'abri » dans les cars de police. L'essentiel était de suggérer le déséquilibre numérique en faveur des Algériens conduisant à faire des policiers des hommes menacés. C'est un réflexe humain de « ras-le-bol » qui les aurait, finalement, amenés à matraquer – geste que le lieutenant-colonel Montaner comprend et qui lui paraît témoigner d'une réelle modération, d'un « sang-froid remarquable » puisqu'ils auraient pu, ajoute-t-il, utiliser leurs armes à feu. L'ancien commandant de la FPA concluait finalement par le bilan des règlements de comptes meurtriers ayant marqué la guerre entre Algériens en métropole. Il n'apportait en fait aucun élément d'information sur la FPA ou sur son rôle le soir du 17 octobre 1961. Sous le couvert de témoigner, c'était en fait une interprétation de l'histoire qui était proposée.

Le lieutenant-colonel Montaner publiait d'ailleurs pratiquement le même texte, comme une analyse et non plus comme un témoignage, dans une autre revue. Les choses étaient ainsi beaucoup plus claires et aussi plus justes puisque, de témoignage, dans ce texte, il n'y en avait point. Une introduction, une conclusion, quelques photos, un graphique et un encart sur « la guerre du FLN en France » venaient y compléter l'interprétation, en présentant le contexte général comme celui d'une « guerre révolutionnaire, sournoise, meurtrière, déclenchée par la Fédération de

France du FLN, contre la police parisienne et la FPA » et l'action des policiers comme « une opération pour que force reste à la loi ». Le texte avait subi quelques modifications significatives entre les deux revues : les passages sur Monte Cassino et les parties du texte où l'auteur reconnaissait des violences policières, voire les déplorait, avaient disparu. En revanche, on trouvait une dénonciation des « donneurs de leçons qui, 40 ans après la fin de la guerre d'Algérie, installés dans le confort d'un salon, d'une salle de rédaction, ou d'un plateau de télévision, incapables de recréer l'ambiance "surchauffée" de l'époque, en se basant sur les archives truquées du FLN et sur des témoignages mensongers d'anciens terroristes, accusent à tort les forces de l'ordre [...] » et une longue description des méthodes violentes du FLN. De quoi conforter la ligne éditoriale de la revue : *L'Afrique réelle* du négationniste Bernard Lugan[30].

Un tel exemple ne doit pas amener à fuir les témoins et à rejeter leurs écrits[31]. Il rappelle cependant que, comme pour toute source, l'historien doit aborder ces récits avec prudence et honnêteté. Utilisés par l'historien après leur rédaction ou leur publication, ils doivent être éclairés par une critique interne et externe adaptée. C'est une évidence qui vaut pour toutes les périodes. Sur la guerre d'Algérie cependant, l'historien a la chance de pouvoir exploiter d'autres témoignages : ceux qu'il contribue lui-même à faire naître. Participant à la construction de ses propres sources, en maîtrise-t-il pour autant davantage les caractéristiques ? Un processus spécifique de mise en relation du passé est alors engagé. Il importe de le connaître pour tenter de le reconnaître à l'œuvre, chez soi comme chez les autres.

---

30. Texte paru sous le titre : « Le "massacre" des Algériens à Paris le 17 octobre 1961. Vérités et légendes », *L'Afrique réelle*, 33, automne 2001.

31. Sur ce point, voir plus bas.

Vers un renouvellement de l'historiographie ?

Les témoignages recueillis *a posteriori* auprès d'acteurs historiques sont caractérisés, d'une part, par le décalage temporel entre le moment de leur collecte et la période décrite et, d'autre part, par leur dimension provoquée par l'historien. Ces deux spécificités les différencient *a priori* de la plupart des autres sources traditionnelles de l'historien. Elles expliquent largement la méfiance dont ces témoignages ont pu faire l'objet alors même qu'ils sont une des richesses de l'histoire du temps présent.

La guerre d'Algérie s'inscrit dans une temporalité idéale de ce point de vue. Elle a eu lieu dix ou vingt ans avant le développement de l'histoire orale en France : ses acteurs étaient donc encore vivants quand la collecte de témoignages entra dans les mœurs d'historiens, d'archivistes, d'associations ou d'institutions. De nombreux lieux conservent aujourd'hui de tels témoignages, sur des sujets très variés (Callu et Lemoine [dir.], 2004). Ils ont pu être recueillis dans un but patrimonial, commémoratif, institutionnel, prosopographique ou bien de recherche thématique, pour reprendre les distinctions établies par Florence Descamps[32] : leur diversité est extrêmement importante et, avant la parution d'un guide en 2004, les localiser avec précision était encore extrêmement difficile.

Sur la guerre d'Algérie, le souci de recueillir les souvenirs des « derniers témoins » a souvent présidé aux entreprises de témoignages : il en est ainsi des ouvriers spécialisés de Renault à Billancourt interrogés entre 1984 et 1986[33] ou du

---

32. Florence Descamps, *L'Historien, l'archiviste et le magnétophone : de la constitution de la source orale à son exploitation*, Comité pour l'histoire économique et financière de la France, 2001, p. 203.

33. Renaud Sainsaulieu et Ahsène Zehraoui (dir.), *Ouvriers spécialisés à Billancourt : les derniers témoins*, L'Harmattan, 1995, 419 p.

programme lancé à la fin des années 1990 par le Service historique de la marine sur le putsch d'Alger. La durée écoulée depuis l'événement doit, de toute façon, être prise en compte : les campagnes d'entretiens débutent souvent par les personnes les plus âgées. On peut ainsi se féliciter qu'Odile Rudelle ait pu réaliser dès 1977 une enquête auprès d'une quarantaine de personnalités politiques de la guerre d'Algérie : ses entretiens, et leurs retranscriptions, constituent une source importante pour l'histoire des décisions politiques à cette époque[34].

Les témoignages sont aussi souvent recueillis pour servir la mémoire d'un homme ou d'une institution. Une collecte systématique d'entretiens sur la police a été organisée entre les années 1930 et les années 1960 : lancée dans le cadre de l'Institut des hautes études de la sécurité intérieure en 1991, il s'agissait d'organiser le recueil de récits de vie de policiers par d'anciens policiers formés à la méthodologie de l'entretien. Le projet était conçu d'emblée comme une réponse au « vide créé par la curieuse gestion de certaines archives »[35]. Il aboutit à une « source inédite », enregistrée et retranscrite (Berlière, 1995). Les conditions dans lesquelles les témoins acceptent de se livrer – parce qu'il s'agit d'anciens collègues et que la collecte est encadrée par l'institution – influent nécessairement sur leurs propos : elles délient des langues tout autant qu'elles contribuent à taire certaines choses. L'historien doit ici s'en satisfaire.

D'autres institutions dont les pratiques professionnelles sont aussi marquées par le secret et l'oralité ont également organisé de telles collectes. La constitution d'archives orales offre alors un reflet plus proche du fonctionnement réel des armées (terre, air, mer) et du Quai d'Orsay. Ainsi le Service historique de l'armée de l'air a, depuis 1974, une section « archives orales » qui procède à l'enregistrement de récits

34. Inventaire disponible sur le site du centre d'histoire de Sciences-Po : http ://centre-histoire.sciences-po.fr

35. Catherine Gorgeon, « L'IHESI », *Bulletin de l'IHTP*, 58, décembre 1994, p. 87-88.

de vie d'anciens aviateurs. On peut, par exemple, écouter le général Challe, interrogé en 1976, et l'entendre exposer sa conception de la guerre : « La guerre d'Algérie était une guerre révolutionnaire et politique. En France on n'a jamais compris cela [...]. Les gens ne voulaient pas comprendre. […] On se bat pour conquérir, d'un côté comme de l'autre, la population[36]. » D'après Florence Descamps, ces enregistrements sont explicitement conçus comme venant « combler les lacunes de l'écrit, en éclairer les dessous (il y a dans l'armée, écrit-elle, une très forte conscience de *l'écart* qui existe entre ce que les archives restituent et ce qui a pu se faire ou se vivre dans la réalité) »[37]. Le Service historique de la marine a, quant à lui, connu un parcours beaucoup plus chaotique et ses résultats sont plus maigres. Les axes récemment développés devraient cependant apporter leur lot de témoignages concernant la guerre d'Algérie puisqu'ils portent sur le putsch d'Alger et le renseignement. Enfin le Service historique de l'armée de terre conduit, en liaison avec la collecte de fonds privés, des entretiens sur la guerre d'Algérie, le renseignement ou encore les plus hautes institutions de l'armée – ce qui les amène à faire des recoupements pour cette période. Un historien travaille avec un archiviste, préparant les entretiens non seulement par une lecture de la bibliographie mais aussi par la consultation d'éléments du dossier personnel des personnes interrogées. Un travail du même ordre est également mené au ministère de la Justice avec des magistrats en poste en Algérie pendant la guerre.

Toutes ces conditions de collecte des témoignages sont différentes : elles ont des conséquences sur ce que l'on peut espérer de ces nouvelles sources. Il est en effet nécessaire à celui qui voudrait les utiliser d'être informé des modalités de préparation et de réalisation de l'entretien, de les comprendre au sens où Michel de Certeau écrivait : « Comprendre, pour

36. Interview du général Challe, 6 mai 1976 (Service historique de la défense).

37. Florence Descamps, *L'Historien, l'archiviste…*, *op. cit.*, p. 178.

[l'historien], c'est analyser en termes de productions localisables, le matériau que chaque méthode a d'abord instauré d'après ses propres critères de pertinence[38]. »

Pour celui qui mène lui-même les entretiens en vue d'une recherche personnelle, une telle exigence peut paraître inatteignable. Est-ce cette difficulté qui explique la réticence de certains historiens à son égard ? Les défauts suivants sont soulignés : « Handicap de l'*a posteriori*, non-fiabilité de la mémoire, non-représentativité, inquantifiabilité, subjectivité, artificialité de la source provoquée, incommodité d'utilisation, etc.[39]. » Cette source, qui « a le pouvoir de séduire, de convoquer la force de l'imagination, le besoin d'identification »[40], provoque la méfiance d'autant que les témoins sont capables d'instrumentaliser l'historien et de construire une image d'eux-mêmes motivée par des enjeux présents, fort éloignés des réalités passées. Avec le temps, le recours aux témoignages s'est cependant installé dans la pratique historienne, une « acclimatation » lente ayant raison en apparence de nombreux adversaires. Leurs réticences n'ont cependant pas disparu : elles ont pu se muer en un usage minimaliste de cette source réduite au rang d'illustration pittoresque. Ultime ruse d'une raison raisonnante qui renvoie cette source à de la subjectivité indigne de l'histoire ? Florence Descamps considère en tout cas avec justesse que cette utilisation illustrative « nourrit en retour [le] discrédit et [la] réputation de "manque de sérieux" » de la source[41].

L'étude de la guerre d'Algérie est de fait passée largement à côté des renouvellements épistémologiques liés à l'utilisation des témoignages oraux. Ainsi l'Institut d'histoire du temps présent, à la pointe de la réflexion sur cette

---

38. Michel de Certeau, « L'opération historique », *op. cit.*
39. Florence Descamps, *L'Historien, l'archiviste…*, *op. cit.*, p. 2.
40. Hélène Bézille, « De l'usage du témoignage dans la recherche en sciences sociales », *in* Jacqueline Feldman *et al.*, *Dilemmes. L'éthique dans la pratique des sciences humaines*, L'Harmattan, 2000, 300 p., p. 201-222.
41. Florence Descamps, *L'Historien, l'archiviste…*, *op. cit.*, p. 2.

source dès son origine, n'a pas fait de place spécifique à l'histoire de la guerre d'Algérie sur ce point[42]. Le colloque de 1988 sur « Les Français et la guerre d'Algérie » eut à peine recours aux sources orales, alors que son organisateur, Jean-Pierre Rioux, en était pourtant un fervent défenseur. Au-delà, quand la guerre d'Algérie entra dans les centres d'intérêt officiels du laboratoire, avec son insertion dans un groupe de travail, celui-ci fut confié à Charles-Robert Ageron qui, tout en ouvrant son groupe à d'anciens hauts fonctionnaires civils et militaires, considérait avec méfiance l'utilisation des témoignages oraux en histoire. Manifestement, en 1984, lors du colloque organisé sur les prodromes de la décolonisation dans l'empire français, cette défiance était partagée car seuls quelques auteurs avaient eu recours aux entretiens[43]. En 1992, Charles-Robert Ageron expliquait toujours que « l'histoire dite malencontreusement orale *(oral history)* a[vait] beaucoup enregistré de discours individuels, de justifications *a posteriori*, mais pas au point de convaincre les historiens qui continu[ai]ent à juste titre de privilégier l'étude de documents de préférence écrits et datés »[44]. En l'an 2000, un colloque organisé en hommage au professeur Ageron comprenait encore des communications visant à asseoir la légitimité de cette source (Lefeuvre et Pathé [dir.], 2000).

Deux ans plus tard, les *Cahiers d'histoire immédiate* de l'université de Toulouse-Le Mirail prirent soin d'écrire à propos d'un dossier intitulé « Guerre d'Algérie : mémoire et histoire », qu'il ne fallait pas avoir peur de la mémoire[45].

---

42. Danièle Voldman, « Le témoignage dans l'histoire française du temps présent », *Bulletin de l'IHTP*, 75, juin 2000, p. 41-54.

43. Ageron (dir.), 1986. Colloque organisé par l'IHTP les 4 et 5 octobre 1984.

44. Charles-Robert Ageron, « Une histoire de la guerre d'Algérie est-elle possible ? », in *La Guerre d'Algérie dans l'enseignement en France et en Algérie*, La Ligue de l'enseignement/IMA/CNDP, 1992, p. 155.

45. Didier Guyvar'ch, « La mémoire collective… », art. cit.

Effectivement, les spécialistes de la guerre d'Algérie nourrissent, pour certains, une méfiance envers cette source qu'ils partagent avec d'autres historiens, et cette réticence sonne comme une ironie de l'histoire si on se souvient que l'histoire coloniale a été une des premières à recourir aux sources orales et à les passer au crible de la critique[46]. Aujourd'hui on peut simplement s'étonner que, travaillant sur une période si récente, ils ne se soient pas, au contraire, faits davantage les hérauts d'une autre manière d'aborder l'histoire. En revanche, d'autres historiens de la colonisation et de la décolonisation ont un usage plus habituel de l'enquête orale, en particulier ceux qui travaillent sur l'Afrique noire.

Peut-on faire l'hypothèse que la dimension militante de cette source, à l'origine, dans les années 1970 et au début des années 1980, constituait une marque infamante pour des historiens travaillant déjà sur un sujet où l'accusation de parti pris pouvait être forte ? Ce n'est en tout cas pas un hasard si ce sont les travaux sur les femmes qui y ont, le plus systématiquement, eu recours. L'histoire orale s'est en effet développée, en France et ailleurs, comme une histoire alternative, offrant à ceux que l'histoire traditionnelle n'avait pas vus, pas entendus, pas considérés, une revanche : un moyen de se faire entendre. Histoire des humiliés, des exclus, des petits, elle se retrouva naturellement accompagner l'histoire des femmes qui émergeait au même moment. Ainsi dans « Les employées de maison musulmanes en service chez les Européens d'Alger pendant la guerre : 1954-1962 », Caroline Brac de la Perrière affichait résolument sa volonté de rendre la parole à des femmes qui en avaient été privées. « Derrière les héros, au fond de la fresque algérienne, des femmes vident leurs cendriers, font les lits et nettoient les toilettes ; et jamais leur présence n'est mentionnée, jamais

46. Sophie Dulucq et Colette Zytnicki, « Une histoire en marge. L'histoire coloniale en France (années 1880-années 1930) », *Genèses*, 51, juin 2003, p. 114-127.

leur existence soulignée » (Brac de la Perrière, 1987 : 12). Ce sujet aurait été inenvisageable sans le recours aux entretiens mais l'historienne allait au-delà : elle s'inscrivait en redresseuse de torts historiographiques et, au-delà, sociaux et politiques. Elle joignit d'ailleurs à la publication de sa thèse les retranscriptions des entretiens qu'elle avait menés, comme pour aller jusqu'au bout de sa démarche.

Le même souci anima Djamila Amrane (1993 : 14), la même dimension militante caractérisa son travail sur les femmes dans la guerre basé très largement sur des entretiens. « Il m'a paru d'une injustice profonde que l'histoire de ces sept années de guerre s'écrive en faisant abstraction d'une moitié du peuple algérien : les femmes. C'est cette moitié oubliée des historiens et des témoins, acteurs, écrivains, que j'ai essayé de faire revivre », exposait-elle pour présenter sa démarche. « Des oubliées de l'histoire » aurait pu être le sous-titre de ces deux premiers livres ; c'est celui d'un troisième, celui d'Andrée Dore-Audibert sur les Françaises ayant soutenu la lutte pour l'indépendance en Algérie. Cette assistante sociale de formation, ayant commencé sa carrière dans l'empire français[47], avait profité des trois années passées avec son mari à Alger entre 1989 et 1992, alors que celui-ci était ambassadeur de France en Algérie, pour interroger des « Françaises nées en Algérie, issues de familles venues de France ou d'ailleurs, et des juives issues de familles résidant en Algérie depuis des siècles » sur leurs choix pendant la guerre. Son livre était essentiellement constitué par des extraits de ces entretiens. Il s'agissait pour elle de « revaloriser les engagements de celles qui ont été considérées comme "traîtres" par la communauté pied-noire » – « engagement motivé par un idéal de justice et d'égalité conforme à la Déclaration universelle des droits de l'homme » (Dore-Audibert, 1995 : 10).

---

47. Elle est aussi l'auteure d'une thèse de 3e cycle sous la direction du professeur Bartoli : « Le service social d'outre-mer en Afrique noire francophone, dans une perspective de développement », Panthéon-Sorbonne, 1977, 595 p.

Militante résolue de cette part du passé qu'elle estimait occultée, Andrée Dore-Audibert revendiquait une histoire qui « n'appartient pas qu'aux historiens [...] mais aux témoins ». La dimension était ici résolument mémorielle.

Cependant, au-delà des différences d'objet et de méthodes, ces femmes interrogeant des femmes n'avaient pas mis en doute systématiquement la parole de l'autre. Elles avaient accepté de faire confiance, de même que leurs interlocutrices leur accordaient le bénéfice de l'honnêteté. Elles ont affirmé d'abord cette confiance, avant de pratiquer la critique, le doute méthodique, avant d'appliquer les règles de la connaissance historique, cette « école du soupçon » dont parle Paul Ricœur[48].

Les témoignages provoqués par l'historien doivent le conduire à une vigilance critique accrue non seulement vis-à-vis du témoin mais aussi quant à son implication personnelle dans le processus de construction de la source. Ils ne modifient toutefois pas fondamentalement les exigences critiques habituellement requises pour l'analyse[49]. Seulement, la vigilance commence en amont : dans la préparation de l'entretien, dans sa confection. L'historien doit délimiter son corpus, en l'occurrence choisir ses témoins, alors même que le temps a pu éliminer ceux qu'une exigence de représentativité absolue rendrait nécessaires. Il importe, au minimum, d'obtenir un « échantillon approximatif certes, mais représentatif »[50] – à moins que la nature du sujet n'exige des individus précis. Le premier contact avec chaque témoin participe déjà à la construction de la source : témoin présenté par un proche, historien introduit par un supérieur hiérarchique,

---

48. Paul Ricœur, *L'Histoire, la mémoire...*, *op. cit.*, p. 230.

49. Robert Frank, « Questions aux sources du temps présent », *in* Agnès Chauveau et Philippe Tétart (dir.), *Questions à l'histoire du temps présent*, Bruxelles, Complexe, 1992, 136 p., p. 109-124. Voir aussi François Bédarida, *Histoire, critique et responsabilité*, Bruxelles, Complexe, 2003.

50. Freddy Raphaël, « Le travail de la mémoire ou les limites de l'histoire orale », *Annales, ESC*, 1980, 1, p. 128.

témoin convié par un autre témoin, etc., autant de situations qui influent sur les modalités de l'entretien. En amont encore, l'historien se présente et expose ses buts, son projet : à partir de ces mots, le témoin se construit une image de l'entretien avant même qu'il ne commence. De là date ce que Daho Djerbal nomme – en appelant à s'en libérer – « la sorte de contrat moral qui vous lie inconsciemment à l'attente de l'acteur-témoin »[51]. Cette attente se manifeste aussi pendant l'entretien où s'entremêlent explicite et implicite, langage et métalangage, conscience et inconscient.

L'historien aimerait peut-être ne voir dans la collecte de témoignages qu'une collecte de faits (qu'il s'agisse de représentations ou d'actions). Mais c'est parce qu'un entretien est plus que cela qu'il requiert de l'historien de subtils outils pour l'utiliser... à condition d'accepter de se soumettre soi-même à la critique. En effet, l'entretien ne peut être maintenu dans le cadre strict d'une « communication testimoniale » dont l'énoncé serait le seul produit : « l'acte d'énonciation » est là aussi et « des mouvements d'ordre transféro-contre-transférentiels » circulent entre témoin et historien[52]. Si leur importance varie selon les contextes et les personnalités, ils ne sont jamais absents et on peut souscrire à ce qu'écrit Michelle Zancarini-Fournel : « Pour comprendre le rapport qui se noue entre l'historien et son témoin, il faut avoir recours à une réflexion issue de la psychanalyse, sur l'importance du sujet qui se construit dans la parole et le transfert, même si l'historien(ne), par le protocole d'entretien et son interprétation, introduit une différence avec l'acte analytique[53]. » Effectivement l'utilisation d'un vocabulaire psychanalytique et surtout de cette grille d'analyse pour explorer certains des échanges à l'œuvre dans une situation

51. Daho Djerbal, *in* Lefeuvre et Pathé (dir.), 2000 : 530.

52. Régine Waintrater, « Le pacte testimonial », *Revue française de psychanalyse*, « Devoir de mémoire : entre passion et oubli », PUF, janvier-mars 2000, p. 201-210.

53. Michelle Zancarini-Fournel, « Sources orales et histoire du présent », *La Faute à Rousseau*, 33, juin 2003, p. 35.

d'entretien ne doit pas laisser croire à une similitude de l'entretien historique avec la cure analytique. Cependant, que des témoins paraissent parfois faire cette confusion révèle bien la charge émotionnelle possible de cette situation.

L'historien parle toujours d'un lieu : lieu institutionnel d'abord mais aussi lieu social, familial, national, religieux, etc. À lui de les éclaircir, pour autant qu'il s'agisse de son point de vue et de l'implication de ses déterminations dans l'entretien ; à lui de deviner les effets de ce lieu sur chaque témoin. Comme les sociologues, les historiens ont découvert que « l'histoire du lien qui s'établit entre l'enquêteur en histoire orale et son informateur est souvent l'histoire d'une relation humaine, qui marque l'un et l'autre [... les laissant] rarement indemnes »[54]. Djamila Amrane annonce ainsi très clairement que sa démarche a été facilitée auprès des anciennes combattantes du fait qu'elle avait, elle aussi, été dans la clandestinité, au maquis et en prison pour l'indépendance de l'Algérie. Cette relation humaine peut permettre d'aborder de très nombreux sujets, y compris quand ils sont douloureux. Il me paraît en effet « difficile d'envisager une déontologie du métier d'historien qui s'interdise *a priori* des sujets, d'autant que chacun(e) a une conception de l'intimité qui varie et des représentations du douloureux qui sont aussi extrêmement personnelles. Le statut sensible des objets abordés par l'historien varie selon les historiens comme selon les témoins. [...] La pratique doit surtout être respectueuse des individus. C'est là qu'une déontologie peut et doit être affirmée. Mais il s'agit d'une élaboration en commun des limites à ne pas franchir ou à ne franchir qu'avec prudence. Elle s'élabore entre les deux personnes concernées, pas *a priori* » (trad. d'après Branche, 2001b).

Outre ces aspects, les dimensions matérielles doivent être considérées, au premier rang desquelles la langue ; le niveau mais aussi la maîtrise de la langue parlée par les témoins : en l'occurrence le kabyle, l'arabe dialectal ou le français.

---

54. Freddy Raphaël, « Le travail de la mémoire... », art. cit., p. 129.

Plutôt que de recourir au truchement des interprètes, Caroline Brac de la Perrière a mené ses entretiens en français malgré la maîtrise approximative qu'avaient les témoins de la langue de leurs anciens patrons, élément en l'occurrence riche de sens pour le sujet traité. L'historienne retranscrit ainsi ce que lui dit une femme de 63 ans à propos de la grève de fin janvier 1957 : « Oui, oui, ma patronne y veut pas que je vienne, elle me dit, tu vas tué dans la rue, elle m'a dit tu bouges pas bon cœur, tu restes chez toi. Moi je veux repartir travailler, j'ai peur ils payent pas, j'ai peur, tu sais quand il y en a des enfants. Elle me dit : "Non, T., j'ai peur pour vous" ; elle ne veut pas des ennuis pour moi » (Brac de la Perrière, 1987 : 261).

Ce choix d'une retranscription littérale ne fait pas l'unanimité parmi les historiens. Alors que les linguistes ont longuement étudié les conditions dans lesquelles on peut retranscrire un texte oral, les historiens abordent cette question avec une candeur certaine, élaborant, au mieux, une grille de transcription propre à chacun. Pourtant « rapporter le récit, c'est se donner le pouvoir du rapport : de la mise en rapport et de la mesure de celui-ci »[55]. Or le plus souvent, les entretiens sont mentionnés sans que soient explicitées les règles ayant présidé à leur élaboration. On peut ainsi repérer que Djamila Amrane a opté pour une transcription dans un style parlé mais pas littéral, indiquant par des points de suspension entre crochets les silences de l'interviewée, qu'ils correspondent à une recherche de mots ou à un moment où la femme tente de maîtriser une émotion. En outre, comme Caroline Brac de la Perrière, Djamila Amrane a gommé ses questions de la plupart des extraits proposés.

Cette utilisation par extraits ou citations n'est pas propre aux entretiens : les archives écrites aussi sont citées partiellement par les historiens ; la condition de cet usage étant que

---

55. Jean-Pierre Faye, *Langages totalitaires*, Hermann, 1972. Cité par Daho Djerbal, « Troubles dans la mémoire ou les avatars d'un héros revenu parmi les siens », *in* Dayan-Rosenman et Valensi (dir.), 2004.

d'autres puissent consulter l'intégralité de la source afin de discuter les interprétations de l'auteur. Dans le cas d'un entretien, l'enregistrement est la seule preuve possible des paroles d'un témoin, le seul moyen fiable d'assurer un travail critique sur ses paroles. Cet usage devrait être systématique ; il ne l'est pas toujours. De même il serait souhaitable – dans la logique de constitution d'une nouvelle source pour l'histoire – que les historiens déposent des copies de leurs enregistrements dans des centres d'archives et qu'ils puissent y être écoutés.

L'analyse critique d'un entretien amène à porter, sur la relation qui s'est nouée lors de l'échange, un regard soupçonneux, à la recherche des biais pouvant éclairer les paroles prononcées. Il ne s'agit pas de retirer sa confiance au témoin mais de le considérer comme un homme ou une femme de mémoire. Dans ce qui est dit s'entremêlent différents niveaux de vérité. La critique interne de la source doit tenter d'identifier toutes ces strates. Contrairement aux autres sources, l'historien a la chance d'avoir participé à la construction de celle-ci, de la maîtriser donc un peu plus. En outre, il peut retourner voir le témoin, l'interroger à nouveau, lui faire préciser des points obscurs : autant d'enrichissements qu'aucune autre source ne permet.

Si on peut considérer avec Paul Ricœur que la confiance en autrui, cet accord sur notre commune humanité, est nécessaire à l'échange à la base de l'entretien, il paraît difficile d'affirmer que « le témoin fiable est celui qui peut maintenir dans le temps son témoignage »[56], qui peut le réitérer. Un mensonge peut en effet aussi être maintenu dans le temps. Les souvenirs figés dans des modalités d'expression identiques à travers le temps – qu'ils soient le fait d'un individu ou d'un groupe – peuvent paraître suspects : souvenirs-écrans masquant une réalité camouflée, souvenirs-façades pour continuer à fournir à autrui ce qui est supposé lui avoir plu une première fois. « Face à un discours trop "carré" et consensuel, je me

---

56. Paul Ricœur, *L'Histoire, la mémoire...*, *op. cit.*, p. 206.

demande presque aussitôt quel est le régime de l'illusion qui est en œuvre », écrit ainsi Hélène Bézille[57].

Il ne s'agit pas pour autant de passer tous les témoignages au crible d'un doute systématique mais bien de leur imposer un doute méthodique, dût-il aboutir au seul constat de la vraisemblance des faits évoqués. Vincent Lemire et Yann Potin ont ainsi mené un travail d'enquête approfondi pour retrouver l'histoire d'une inscription peinte le long de la Seine, après le 17 octobre 1961, et devenue depuis « icône militante » grâce à un cliché pris dans les heures qui ont suivi : « ICI ON NOIE LES ALGÉRIENS. » Ils ont d'abord retrouvé l'auteur de la photographie. Son témoignage les conduisit à construire plus avant leur objet historique : la photographie devenant elle-même le témoin des chemins de la mémoire de l'événement depuis le 17 octobre jusqu'à sa première parution dans *L'Humanité*, en 1985, puis son utilisation sur différents supports. Mais la photographie apportait aussi un éclairage sur l'inscription en contredisant les témoignages de ses auteurs revendiqués, qui évoquaient de la peinture blanche alors que l'inscription photographiée était peinte en noir. L'ensemble de leurs témoignages était concordant et les détails qu'ils fournissaient vraisemblables. Ils permettaient de resituer cet acte dans un contexte de contestation culturelle et politique minoritaire, le comité du quartier Seine-Buci. Ils éclairaient son impact jusqu'à nos jours en révélant à quel point « la phrase a[vait] été mûrement réfléchie et composée », à quel point l'emplacement avait été pensé, « le graffito se transform[ant] ainsi en légende ou didascalie du paysage muet qui fut le décor théâtral, complice du massacre ». Fallait-il éliminer ces récits sur l'inscription pour cause de trop belle construction intellectuelle et/ou pour non-conformité avec la photographie ? Un document de la préfecture de police de Paris permit de lever le doute : il décrivait une inscription à la peinture

57. Hélène Bézille, « De l'usage du témoignage dans la recherche en sciences sociales », art. cit.

blanche datant du 5 novembre 1961 dont la localisation correspondait à ce qu'affirmaient les témoins. Ainsi, en dépit des apparences, photographie et témoins disaient la vérité. Opposer les deux aurait été un tort : une autre inscription avait vraisemblablement été peinte après que la première eut été effacée. Elle en était la réplique exacte, simplement d'une autre couleur et de l'autre côté du pont des Arts (Lemire et Potin, 2002). Cet exemple incite à affiner au maximum les instruments d'analyse de l'historien et sa capacité à rechercher des sources, non pour confondre les témoins mais pour les comprendre. À cette condition, les entretiens constituent un réel apport à la connaissance et à l'interprétation historiques.

« L'ère du témoin » ?

Ces dernières années, la multiplication des prises de parole d'anciens acteurs anonymes de la guerre d'Algérie, en particulier d'anciens soldats, a été corrélative d'une plus grande prise en compte des témoins dans la recherche. Cette « ère du témoin » s'est caractérisée plutôt, pour l'instant, par des relations d'intérêts réciproques entre témoins et historiens[58]. Pourtant, le recours aux témoins avait longtemps été considéré comme un pis-aller à défaut d'archives, en particulier d'archives publiques. Les étudiants en maîtrise d'histoire contemporaine ont été, en partie, les héritiers de cet usage palliatif des entretiens. De palliatif, l'entretien est devenu gisement de richesses propres. Il ne tint pas seulement lieu d'archives, « à défaut de » ; il devint source à part entière, éclairant des aspects dont les archives n'avaient pas gardé la trace. Jean-Charles Jauffret évoque ainsi l'« affligeante sécheresse » des archives des Sections des infirmiers militaires dont on aurait pu espérer qu'elles contiennent des

58. Sur d'autres périodes voir Annette Wieviorka, *L'Ère du témoin*, Plon, 1998 ; Antoine Prost et Jay Winter, *Penser la Grande Guerre. Un essai d'historiographie*, Le Seuil, « Points Histoire », 2004.

informations importantes sur les combats. Pour l'historien, le recours aux témoignages d'anciens médecins ou infirmiers est le seul moyen de combler cette absence construite dès l'époque[59].

Jean-Luc Einaudi (1991b) a eu la même démarche à propos du grand centre de torture de Constantine, la ferme Améziane : il est allé recueillir des témoignages sur les lieux pour mieux cerner les contours de ce centre dénoncé dès 1961 comme particulièrement brutal. Il a eu le même réflexe pour ses autres livres. À propos du 17 octobre 1961 aussi, il a pu dérouler le fil de la journée en ajoutant aux éléments trouvés dans des articles de presse et des plaintes déposées par des Algériens consultées dans les archives de la Fédération de France du FLN des extraits d'entretiens menés avec des Français ayant observé la manifestation ou avec des Algériens ayant subi la répression policière (Einaudi, 1991a). L'accès aux archives de la préfecture de police le conduisit à retravailler la question en 2001 (Einaudi, 2001a).

Les informations que livrent les entretiens ne sont souvent pas contenues dans d'autres sources, qu'elles soient cachées, détruites ou inconnues : elles sont d'une autre nature. Dès les années 1950, Georgette Elgey le savait en interrogeant les responsables de la IVe République sur leur politique : bien sûr leurs archives dévoileraient des aspects importants de cette histoire, mais leurs témoignages recueillis par l'historienne elle-même apportent bien autre chose, qui rend son ouvrage tout à fait unique. Désormais les historiens le reconnaissent davantage. La mémoire devient même objet d'histoire à part entière : ainsi, deux ans après avoir été déposé en sociologie, le sujet de thèse « La mémoire des appelés du contingent pendant la guerre d'Algérie » est en préparation en histoire. La double inscription temporelle du témoignage est prise en compte : se trouve valorisé ce que certains considèrent comme un handicap, un péché d'origine. La mémoire

---

59. Jean-Charles Jauffret, « Écrire l'histoire militaire de la guerre d'Algérie, mission impossible ? », *in* Lefeuvre et Pathé (dir.), 2000 : 549.

avait déjà constitué le matériau principal de la thèse de Claire Mauss-Copeaux en 1995 et nourri la fin de celle de Sandrine Ségui, portant essentiellement sur la période de la guerre[60]. Toutes deux s'arrêtaient en 1992, date de l'ouverture des archives mais aussi aube de l'ère des témoins.

De plus en plus de gens acceptent en effet de confier leur expérience de la guerre à des historiens. Les journalistes et les éditeurs ont certainement eu une fonction d'éveilleurs ou de guides en ce domaine. Les documentaires télévisés en particulier ont donné la parole, au-delà des responsables de l'époque, à des plus humbles, des plus anonymes. Il a cependant fallu attendre les années 1990 pour que la parole se libère ou (et) intéresse. En 1981, en effet, un documentaire en trois parties, diffusé sur Antenne 2, avait déjà eu cette démarche[61] mais il ne trouva pas son public (Ségui, 1991). La mémoire de cette génération (en l'occurrence les appelés) restait encore enfouie. Le changement fut apporté par un Anglais, Peter Batty, auteur d'un documentaire pour Channel Four, diffusé aussi sur FR3. Contrairement à Yves Courrière qui l'avait précédé dans le genre, le journaliste avait travaillé moins à partir d'images d'archives qu'à partir d'interviews filmées. Deux ans plus tard, le documentaire *Les Années algériennes* reprenait le même procédé mais dans un projet délibérément original, visant à laisser voir le travail de construction des mémoires : le « parti pris méthodologique [était] que la force du témoignage, construit et ordonné, fasse sens »[62]. En 1992, *La Guerre sans nom* de Bertrand Tavernier signait l'acmé de ce recours aux témoins : les quatre heures de ce film consacré aux appelés pendant la

60. « Images et mémoires d'appelés de la guerre d'Algérie (1955-1992) », sous la direction d'Annie Rey-Goldzeiguer, université de Reims, 1995. Sandrine Ségui, « Les communistes français en guerre d'Algérie : histoire, mémoire et représentations (1954-1992) », sous la direction de Robert Ilbert, Aix-Marseille I, thèse soutenue en 1994.

61. « Mémoire enfouie d'une génération » de Denis Chegaray est composé de trois parties d'une heure chacune : « L'amour des cœurs », « L'engrenage de la violence » et « Déchirements et fidélités ».

62. Benjamin Stora *in Historical Reflections*, *op. cit.*, p. 206.

guerre d'Algérie étaient occupées par les entretiens menés avec d'anciens soldats de la région de Grenoble. Approfondissant le thème des violences pratiquées par l'armée française en Algérie, Patrick Rotman reprit la méthode des entretiens filmés dans *L'Ennemi intime*, mais il les intercala cette fois avec des images d'archives et un récit plus ou moins chronologique de la guerre d'Algérie. Comme pour *La Guerre sans nom*, le documentaire était accompagné de la sortie en librairie d'un livre portant le même titre qui permettait de compléter ou de reprendre les apports du film.

S'il est difficile d'apprécier les effets sociaux de ces paroles médiatiques, on peut faire l'hypothèse que l'identification proposée à des personnes « comme tout le monde » facilite le travail de l'historien en quête de témoins. Il est également difficile de mesurer les incidences de ces documentaires et autres prestations médiatiques de témoins « anonymes » sur la manière dont les historiens travaillent et conçoivent leur métier. Mais peut-on raisonnablement envisager qu'ils continuent à interroger les gens sur leur passé comme s'ils étaient les seuls à le faire ? En matière de « dispositif à vocation cathartique, et parfois pédagogique », apte à « susciter une réflexion collective plus ou moins approfondie »[63], les travaux historiques sont complètement éclipsés par la spectacularisation du passé à l'œuvre depuis quelques années sur la guerre d'Algérie.

Après être restés silencieux ou entre soi pendant des décennies, les acteurs de la guerre d'Algérie semblent aujourd'hui s'ouvrir à autrui, à celui qui n'est pas pied-noir, celui qui n'a pas combattu, celui qui n'a pas perdu les siens là-bas : celui qui n'a pas vécu, pas connu, pas souffert. Le départ à la retraite, pour toute une génération, est assurément une occasion de faire le bilan d'une vie active marquée, dans ses premières années, par la guerre d'Algérie. « Comme cet auditeur chahuteur expulsé de la salle de conférences de Freud, ils cognent à la porte », écrit le psy-

---

63. Hélène Bézille, « De l'usage de témoignage… », art. cit.

chologue François Giraud. « Les langues se délient, à l'heure de la retraite ou au seuil de la mort. » Il est important de « permettre, enfin, d'affronter ces secrets à la fois individuels et collectifs […] afin que chacun puisse enfin reconnaître son ennemi d'hier comme un autre, destinataire de la Parole »[64].

De cette forme de réconciliation sociale, l'historien peut être un des médiateurs, parmi d'autres. Son écoute n'est pas forcément libératrice, ses questions non plus. Les acteurs de la guerre auront peut-être toujours, comme l'écrit Jacques Frémeaux, à « vivre avec cette fêlure »[65] ; il n'en demeure pas moins qu'en acceptant de se confier à un historien, ils l'investissent d'une responsabilité. « Des gens veulent témoigner parce qu'enfin ils peuvent parler de certaines choses qui les étouffaient », rapporte ainsi Jean-Marc Berlière. « J'ai vu un policier me dire : "Maintenant j'ai besoin de sortir de moi ce que j'ai vécu le 17 octobre 1961". Sa femme m'a dit : "C'est la seule fois qu'il est rentré chez nous en pleurant, il m'a réveillée en pleine nuit, tellement il était bouleversé"[66]. » Saisi par les désirs des témoins, l'historien peut se retrouver avec une urgence d'enregistrement qui retarde le travail d'analyse. Djamila Amrane (1993) évoque ainsi ce sentiment : il fallait faire vite car certaines anciennes combattantes étaient âgées. Celles qu'elle a contactées d'abord, celles qu'elle connaissait le mieux, lui ont confié la « lourde tâche de transmettre leur témoignage ». L'historienne devient alors dépositaire de paroles ignorées de tous : une sorte de « témoin des témoins »[67]. De

64. François Giraud, « Les âmes cassées de la guerre d'Algérie », art. cit.

65. Jacques Frémeaux, compte rendu critique du livre de Claire Mauss-Copeaux, *Revue française d'histoire d'outre-mer*, *op. cit.*, p. 373.

66. Jean-Marc Berlière, « Table ronde sur la sûreté de l'État », *op. cit.*, p. 191.

67. Renaud Dulong, *Le Témoin oculaire : les conditions sociales de l'attestation personnelle*, Éditions de l'École des hautes études en sciences sociales, 1998, 237 p.

cette fonction, l'historien peut difficilement faire l'économie. Il lui faut pourtant s'en dégager afin de mener l'analyse critique des témoignages et d'offrir ses interprétations à la discussion.

Les spécialistes de la guerre d'Algérie acceptent peu à peu ce rôle aux multiples facettes. L'histoire du nationalisme algérien a ainsi beaucoup bénéficié des témoignages recueillis par des chercheurs des années 1970 à nos jours, en Algérie ou en France. Au-delà de la question des sources, l'historiographie s'en trouve enrichie par l'émergence de nouveaux objets et de nouvelles problématiques. À côté de la mémoire elle-même, la violence et la souffrance commencent à être éclairées. Quelques-uns des aspects les plus ordinaires de la vie ont aussi pu être abordés. Le champ reste encore vaste.

TROISIÈME PARTIE

L'émergence d'une histoire du temps présent

Les rythmes heurtés de la mémoire de la guerre d'Algérie dans les sociétés française et algérienne ont croisé la trajectoire de certains historiens. La question de l'accès aux archives a provoqué, ponctuellement, des abcès de fixation politiques et mémoriels sur une scène publique où l'écriture scientifique de l'histoire ne jouait souvent au mieux qu'un rôle de figurant. De fait, face à la demande sociale, les historiens ont rarement répondu présents, ou alors avec parcimonie. En France, la constitution d'un champ de recherche sur la guerre s'est opérée en marge des entreprises mémorielles mais aussi dans une certaine position d'extériorité – du moins théorique – vis-à-vis des évolutions de la discipline historique.

Si le sujet de la guerre d'Algérie a acquis une légitimité, validée par une méthode, éprouvée dans des confrontations scientifiques collectives, il n'en est pas moins resté marqué, depuis quarante ans, d'un sceau politique qui a déformé doublement la perspective sur ce passé. D'une part, l'histoire politique a été largement privilégiée, tant au point de vue des objets que des problématiques et, d'autre part, la dimension sensible de la guerre dans l'identité nationale des deux pays a conduit à une certaine méfiance des historiens pour la période, de part et d'autre de la Méditerranée. La nécessité d'établir les faits s'est imposée comme premier remède aux prurits mémoriels, au risque peut-être de devenir un refuge pour qui voulait s'abstenir de se prononcer trop avant sur l'interprétation du passé, évitant du même coup de présenter trop explicitement les conditions de construction de son discours. De fait, en France, la guerre est demeurée un objet de polémiques et des historiens ont pu être soupçonnés d'écrire une histoire engagée, où les exigences de méthode auraient cédé le pas à des motivations politiques. Un tel soupçon ne reflète pas la réalité des travaux produits. Mais il a pesé à tel point que, jusqu'aux années 1990, les historiens français avaient fait le choix d'un repli sur leur discipline.

Si certains ont alors accepté d'accéder aux demandes sociales ou politiques diverses, cet engagement n'a pas conduit à une considération renouvelée de la place du travail des historiens sur la guerre. Pourtant, parallèlement, le champ scientifique s'élargissait et s'enrichissait. Face à cette multiplication des travaux et à cet approfondissement des objets, un bilan des approches ayant présidé à l'écriture de cette histoire peut être tenté.

CHAPITRE 1

L'élaboration d'un nouvel objet historique

De l'engagement à la prudence

Engagés dans le camp de l'Algérie française ou partisans d'une modification des relations entre Français et Algériens, allant jusqu'à soutenir, pour certains, l'indépendance algérienne, voire lui prêter main-forte, des historiens ont été acteurs de cette histoire. Très rares, cependant, sont ceux qui ont choisi d'étudier directement la période. Comme l'a fait remarquer Claude Liauzu (2002 : 48), les décolonisations ont « ouvert un front épistémologique où les combats d'historiens ont été particulièrement vifs, l'interprétation du sens de la guerre d'Algérie en étant un enjeu direct [mais...] ces combats n'[ont pas tant été] le fait de contemporanéistes que de spécialistes d'autres périodes – en particulier d'histoire antique – qui s'immisc[ai]ent dans des débats alors très contemporains ». Ne se contentant pas de signer des pétitions ou de publier des tribunes dans les journaux, quelques-uns avaient souhaité alors mettre leur compétence scientifique au service de la cause qu'ils soutenaient. L'étanchéité des périodes historiques avait cédé devant les nécessités du temps.

Ainsi, comme pendant la Seconde Guerre mondiale où il s'était engagé dans la rédaction de *Témoignage chrétien*, André Mandouze avait pris position pour une autre Algérie dès la Libération. À côté de ses productions de latiniste, ce spécialiste d'Augustin animait la revue qu'il avait fondée, *Consciences algériennes,* devenue ensuite *Consciences maghrébines*[1]. Dès 1947, il avait manifesté son scepticisme envers le nouveau statut proposé à l'Algérie. Il s'engagea ensuite activement en tentant de promouvoir une solution négociée entre Pierre Mendès France et Benyoussef Ben Khedda puis, après avoir quitté l'Algérie début 1956, en signant notamment le « Manifeste des 121 ».

Début 1961, souhaitant présenter le vainqueur de demain au public français, il publia une compilation de documents du FLN sous le titre *La Révolution algérienne par les textes.* La vision ainsi proposée était celle d'un FLN jacobin et laïc, un FLN en réalité fort éloigné de la complexité des enjeux qui traversaient alors les rangs nationalistes. Il s'agissait pour André Mandouze de mieux faire connaître ce à quoi il adhérait clairement par les mots, « la révolution algérienne » en guerre contre « le colonialisme français », un mouvement perçu avant tout comme une dynamique de libération « dans le cadre de la liquidation d'un ensemble de type colonialiste »[2]. Commentant son action, des décennies plus tard, il la revendiquait « en tant qu'historien »[3]. L'histoire était invoquée comme légitimant l'action ; le devoir de l'historien était situé dans la cité, dans l'action politique pour le présent et l'avenir. « J'ai vu avec terreur comment l'absence de véritables éléments de réflexion et d'archives allait coûter cher », expliquait-il. Conséquence de cette analyse : « Je me suis fait l'historiographe de l'Algérie en train de se bâtir » (Ageron [dir.], 1986 : 433).

Les contributions de l'historien sur la guerre s'arrêtèrent cependant une fois gagnée la lutte politique qu'il servait. En revanche, André Mandouze retourna en Algérie dès l'indé-

---

1. André Mandouze, *Mémoires d'outre-siècle. D'une Résistance à l'autre*, Viviane Hamy, 1998.

2 Avant-propos, André Mandouze, *La Révolution algérienne par les textes*, Éditions d'aujourd'hui, 1977, p. 19. La première édition a été publiée chez Maspero en 1961.

3. *Cahiers d'histoire immédiate,* 22, p. 172-173.

pendance en tant que directeur de l'enseignement supérieur, poste qu'il quitta rapidement après avoir « pris la mesure et des regrets du passéisme hexagonal de quelques-uns et de l'arrivisme à couleur islamiste de trop d'autres »[4]. Mais il ne partit pas d'Algérie, pour ne pas hâter le triomphe de ses opposants, tenants d'une université politique, et il expliqua, dans sa lettre au président Ben Bella, qu'il s'y refusait « pour l'Algérie »[5]. En 1968 cependant, après avoir soutenu sa thèse complémentaire sur Augustin, il revint en France.

Pendant la guerre, d'autres antiquisants suivirent aussi une voie engagée. Grand historien du christianisme, professeur à la Sorbonne, Henri-Irénée Marrou avait signé en avril 1956 une tribune dans *Le Monde* qui fit grand bruit[6] : « France, ma patrie ». Il y donnait l'alerte quant aux méthodes utilisées en Algérie en se situant comme citoyen mais aussi comme enseignant : « Je m'adresse à tous ceux qui, comme moi professeurs, sont des éducateurs, qui, comme moi, ont des enfants et des petits-enfants : il faut que nous puissions leur parler sans être couverts de l'humiliation d'Oradour et des procès de Nuremberg ; il faut que nous puissions relire devant eux les belles pages de nos classiques sur l'amour de la patrie, sur notre France, "patronne et témoin (et souvent martyre) de la liberté dans le monde". Oui, avant qu'elle soit engagée plus avant dans le cycle infernal du terrorisme et des représailles, il faut que chacun de nous entende au plus profond, au plus sincère de son cœur, le cri de nos pères : "La patrie est en danger !". » Son engagement ne faiblit pas par la suite. Comme son jeune élève Pierre Vidal-Naquet, il milita au sein du comité Audin dont il accepta la vice-présidence avec le géographe Jean Dresch en 1959[7]. Avec lui, il participa à un livre collectif (Dresch, Julien, Marrou,

---

4 André Mandouze, *Mémoires d'outre-siècle*, tome 2 : « 1963-1981, à gauche toute, bon Dieu ! », Le Cerf, 2003, 497 p., p. 52.

5. Lettre au président Ben Bella du 31 décembre 1963, *ibid.*, p. 57.

6. *Le Monde*, 5 avril 1956.

7. Pierre Riché, *Henri-Irénée Marrou. Historien engagé*, Le Cerf, 2003, 417 p.

Sauvy, Stibbe, 1958) qui affichait un souci de mieux faire connaître la situation de l'Algérie, tout en proposant une interprétation qui invitait à faire évoluer l'Algérie dans sa relation avec la France. À leurs côtés, on trouvait le démographe Alfred Sauvy et l'avocat des nationalistes algériens, anticolonialiste de longue date, Pierre Stibbe.

Pilier de l'équipe, Charles-André Julien y était le seul historien contemporanéiste. Celui qui avait découvert l'Algérie en 1908 était connu pour ses engagements favorables à une fin négociée de l'empire colonial. Son livre de 1952, *L'Afrique du Nord en marche*, avait eu un succès certain : sorte d'actualisation de son *Histoire de l'Afrique du Nord* parue en 1931, il rappelait la profondeur de la culture maghrébine et déplorait les occasions manquées ayant ponctué les relations entre Français et populations maghrébines. Pourtant, Charles-André Julien s'engagea moins pendant la guerre d'Algérie qu'il ne s'était activement investi, depuis l'entre-deux-guerres, dans la promotion d'autres relations entre la France et ses territoires maghrébins. En tant qu'historien, il refusa de parler ou d'écrire sur la guerre d'Algérie après 1962. En revanche, il insistait sur l'importance de l'analyse des périodes antérieures, pointant en particulier « les coups portés à la civilisation musulmane, qui constitu[ait] un bloc », coups qui, selon lui, avaient « été sans doute ressentis plus profondément que l'exploitation économique »[8]. Son *Histoire de l'Algérie contemporaine*, parue en 1964, était consacrée aux périodes de la conquête et des débuts de la colonisation jusqu'en 1871. Il laissait le tome suivant à son élève Charles-Robert Ageron mais, selon Annie Rey-Goldzeiguer, « il se réservait l'histoire de la guerre d'Algérie (1954-1962) qu'il avait amplement entamée » et que sa mort interrompit[9].

Pour les plus jeunes, comme Pierre Vidal-Naquet ou André Nouschi, la guerre d'Algérie fut le premier engage-

---

8. Interview dans *Jeune Afrique*, 8 juin 1974, paru dans Charles-André Julien, *Une pensée anticoloniale*, Sindbad, 1979, 267 p.
9. Préface à la réédition de : Julien, 2002 : XIII.

ment. Ils y mirent leurs compétences scientifiques au service des causes politiques qu'ils soutenaient et ont continué à explorer ces questions après la guerre. *L'Affaire Audin*, réalisé pour le compte du comité Audin, constitué pour lutter contre le mensonge d'État autour de la disparition du jeune militant communiste, fut le premier livre de Pierre Vidal-Naquet. « C'est parce que le juge d'instruction n'avait pas fait son métier, expliqua-t-il plus tard, que j'en suis venu à le faire comme historien[10]. » L'antiquisant signait un texte critique se revendiquant de l'héritage du Jaurès des *Preuves ;* une utilisation des méthodes d'analyse des documents pour faire triompher une certaine idée de la justice, ancrée dans la vérité et le respect des droits de l'homme[11]. Il s'inscrivait dans l'esprit d'une définition du travail historique découverte sous la plume de Marrou en 1942 : « Le travail historique n'est pas l'évocation d'un passé mort, mais une expérience vivante dans laquelle l'historien engage la vocation de sa propre destinée[12]. » Signataire de la « Déclaration sur le droit à l'insoumission pendant la guerre d'Algérie », Pierre Vidal-Naquet fut suspendu de ses fonctions d'enseignant pendant un an… le temps de continuer à cheminer en histoire contemporaine, avec *La Raison d'État* parue en 1962. Il publia ensuite, prolongeant ses analyses, *La Torture dans la République* en 1972 et *Les Crimes de l'armée française* en 1975[13]. Ses écrits étaient toujours ceux d'un historien,

---

10. « La vérité de l'indicatif », entretien de Philippe Mangeot et Isabelle Saint-Saëns avec Pierre Vidal-Naquet, *Vacarme*, 17, automne 2001, p. 10.

11. Pierre Vidal-Naquet revendiquait explicitement cette filiation jauressienne. Voir aussi Pierre Vidal-Naquet, 1986, 2003.

12. Henri Davenson (Henri-Irénée Marrou) cité par Pierre Vidal-Naquet, 2003.

13. Pierre Vidal-Naquet s'engagea aussi sur un autre sujet qui lui tenait particulièrement à cœur, les négationnistes : Pierre Vidal-Naquet, *Les Assassins de la mémoire : « Un Eichmann de papier » et autres essais sur le révisionnisme*, La Découverte, 1987, 231 p., ainsi que sur « l'affaire Jean Moulin », *Le Trait empoisonné : réflexions sur l'affaire Jean Moulin,* La Découverte, 1993, 159 p.

insistant pour « ne jamais oublier quel était [son] métier et qu'il impliquait une fraternité, une parenté (en grec, *synegeia*) avec la vérité » (Vidal-Naquet, 2003). Il compléta aussi *L'Affaire Audin* après avoir eu accès aux archives du ministère de la Justice dans les années 1980 (Vidal-Naquet, 1989).

Avec lui, quelques autres, qu'il décrivait comme un groupe « pas trop nombreux, de ceux qui se sont formés à la vie politique et militante dans et par la lutte contre la dernière de nos luttes coloniales »[14], une génération que Paul Thibaud a pu appeler « algérienne »[15]. Ainsi, pour André Nouschi la guerre d'Algérie occupa une place bien plus centrale dans le parcours scientifique puisqu'il était contemporanéiste. Celui qui signait « Algerianus » dans *Vérité-Liberté* publia, en 1962, un petit livre d'histoire visant à proposer au public français des éléments de compréhension sur *La Naissance du nationalisme algérien* (Nouschi, 1962). Très différent de l'anthologie publiée par André Mandouze, il proposait une mise en perspective historique éclairant le présent. La guerre d'Algérie était laissée de côté alors qu'elle avait largement infléchi les grandes tendances repérées par André Nouschi. Un autre livre s'était en fait chargé de le montrer, en pleine guerre, avec la collaboration de deux géographes : *L'Algérie passé et présent. Le cadre et les étapes de l'Algérie actuelle* (Lacoste, Nouschi, Prenant, 1960). L'historien n'abandonnait en fait nullement l'actualité : il mettait simplement sa connaissance du passé au service d'une analyse du présent. Il publia d'ailleurs en 1961 sa thèse – *Enquête sur le niveau de vie des populations rurales constantinoises de la conquête jusqu'en 1919* – qui déplaçait le regard vers l'Algérie la plus méconnue et pourtant si importante dans la guerre en cours, l'Algérie rurale.

Autres acteurs essentiels de la guerre, les Français d'Algérie furent étudiés, quant à eux, par un jeune historien ensei-

14. Pierre Vidal-Naquet, préface à Juliette Minces, *L'Algérie de la révolution (1963-1964)*, L'Harmattan, 1988, p. 5.
15. Paul Thibaud, « Génération algérienne ? », *Esprit*, mai 1990.

gnant alors en Algérie : Pierre Nora. Son livre, paru en 1961, tenait plus de l'essai que du livre d'histoire. Il rejetait la distinction fréquemment effectuée par les libéraux métropolitains entre grands colons et petits pieds-noirs en insistant sur l'unité d'intérêt qui dépassait les clivages économiques et sociaux de ces Français d'Algérie. Il n'hésitait pas à brosser un portrait psychologique collectif et annonçait dès l'ouverture de son ouvrage : « Les Français d'Algérie ne veulent pas être défendus par la métropole, ils veulent en être aimés. Seul compte ici le rapport personnel. La rue, le café, la manifestation, la foule, autant d'occasions d'éprouver l'efficacité de la présence charnelle. Dans ce pays où la loi n'a jamais été respectée, seul est compris le contact humain. Ici plus qu'ailleurs on vote pour un homme ou contre un homme. Rien de plus contagieux que cet enthousiasme effusif et annexionniste » (Nora, 1961 : 43).

Paradoxalement, la fin de la guerre marqua aussi, dans un premier temps, l'arrêt des travaux d'historiens sur la période. Peut-être parce que ces premiers travaux avaient été caractérisés par l'engagement de leurs auteurs, écrire sur la guerre d'Algérie pouvait apparaître encore comme un acte politique. Guy Pervillé estima ainsi qu'avant 1968, « écrire sur un tel sujet impliquait presque nécessairement une prise de position politique »[16]. Charles-Robert Ageron lui-même avait pu flirter avec ce travers dénoncé plus tard par son élève. Ainsi, dans la vingtaine de pages serrées qu'il consacra à la guerre dans un petit livre de synthèse paru en 1964, il évoquait la difficile tâche de l'historien devant « cette longue tragédie algérienne » mais estimait cependant que « tous les observateurs lucides avaient pu mesurer la force croissante de l'idéal national chez les Algériens musulmans » et que, pendant la guerre, « une riche expérience historique [...] faisait clairement prévoir l'avenir et indiquait les grandes lignes d'une politique », à savoir : « Le rôle de la France ne pouvait être que celui d'un arbitrage constant,

16. *Annuaire de l'Afrique du Nord*, CNRS Éditions, 1976, p. 1346.

aidant à la délivrance de ce nationalisme et permettant pour l'avenir la construction d'une nation algérienne authentiquement franco-musulmane. » À le lire, « la responsabilité collective des Européens d'Algérie » était lourde ; ils devaient surtout à eux-mêmes leur déracinement brutal (Ageron, 1964 : 115).

De telles affirmations ne pouvaient que conforter ceux qui estimaient impossible d'écrire posément l'histoire de cette période, alors même que se succédaient des livres de Mémoires, prolongeant les affrontements de la guerre dont toutes les séquelles n'avaient pas encore disparu. De fait, l'ouvrage de Charles-Robert Ageron était une incursion unique des historiens sur le terrain de l'histoire de la guerre : dans les années 1960, les premiers livres à tenter de mettre en récit le conflit ne furent pas œuvres d'historiens mais de journalistes s'essayant à « l'histoire immédiate », selon l'expression inventée par Jean Lacouture en 1961. Cette « nouvelle race de journalistes entreprenante et polymorphe »[17] s'emparait de l'événement que l'histoire savante délaissait alors au profit de la longue durée.

Dès la guerre, ils avaient réalisé des livres à partir des témoignages livrés par des acteurs de premier ou de second plan. Au-delà d'un style affectionnant l'anecdote et d'une mise en récit n'hésitant pas à recourir à certains artifices, les ouvrages de Serge Bromberger (1958) ou de Claude Paillat (1961, 1962) contenaient de nombreuses informations recueillies par leurs auteurs. Ainsi les liens de Claude Paillat avec les partisans de l'Algérie française lui permirent d'établir les complicités dont l'OAS avait pu bénéficier dans les plus hauts niveaux de l'appareil d'État.

Yves Courrière utilisa le même genre de technique à la fin de la décennie, donnant une liste des personnes interrogées par lui dans les premiers tomes puis y renonçant à cause de

---

17. Jean-Pierre Rioux, « Histoire et journalisme. Remarques sur une rencontre », *in* Marc Martin (dir.), *Histoire et médias. Journalisme et journalistes français*, Albin Michel, 1991, p. 192-205, p. 194.

sa longueur dans le dernier[18]. Il y ajouta aussi des textes pouvant se prévaloir du titre de sources en annexe : accords d'Évian, plate-forme de la Soummam, etc. Même si *La Guerre d'Algérie* obtint le grand prix d'histoire de l'Académie française, ces livres n'étaient pas ceux d'un historien. Pour Yves Courrière, « le flou de la démarche [était] assumé et [allait] avec la possibilité de mettre en scène et de commenter personnellement les choix opérés (dans une documentation énorme) par la conviction d'un gâchis monstrueux et d'une collective lâcheté »[19]. Des épisodes romancés, des dialogues imaginaires, des mises en scène pittoresques jalonnaient en effet ces milliers de pages qui formèrent néanmoins le premier grand portrait collectif de la guerre.

Ce furent donc des journalistes qui dressèrent les premiers, puis affinèrent, la chronologie de la guerre. S'installa ainsi un récit plutôt politique et centré sur la France. L'aspect algérien n'était pas méconnu, mais comme, pendant la guerre, rares avaient été les journalistes français introduits auprès du FLN[20], le déséquilibre d'informations était net. Au-delà de la chronologie, ces ouvrages constituèrent les premières tentatives d'écriture de l'histoire. Certains font encore référence, comme les ouvrages de Jean Planchais sur la crise de l'armée française. Ce journaliste chargé des questions militaires au journal *Le Monde* publia, dès 1958, son analyse sur *Le Malaise de l'armée*. Il y pointait le décalage croissant entre l'armée et la nation que la guerre d'Algérie révélait et insistait aussi sur la crise de mutation que traversait alors l'armée française, mise en demeure de s'adapter aux évolutions techniques de l'armement. Deux éléments

18. Marie-Chantal Praicheux, « Journalisme et histoire : Yves Courrière et la guerre d'Algérie », *in* Baudorre, 2003 : 215-232.

19. *Ibid.*, p. 229.

20. Robert et Denise Barrat, *Algérie, 1956 : livre blanc sur la répression*, La Tour-d'Aigues, Éditions de l'Aube, 2001, 355 p.; Patrick Kessel et Giovanni Pirelli, *Le Peuple algérien et la Guerre…*, *op. cit.*

qui malmenaient les valeurs traditionnelles de l'armée française sans réussir, encore, à lui proposer une autre identité professionnelle et une autre place dans la nation.

En sociologue de la réalité militaire, Raoul Girardet reprit les apports de Jean Planchais en diagnostiquant une « crise morale » de l'armée française entamée depuis 1945. Il mit en avant l'existence d'une tension entre générations militaires, insistant aussi sur les effets de la doctrine de la « guerre révolutionnaire » qui amena l'armée à élaborer « une politique algérienne cohérente et complète – politique empirique sans doute, étroitement liée aux impératifs et aux modalités de la lutte qu'elle a[vait] pour mission de mener, mais politique qui lui [était] propre, politique qu'elle a[vait] définie d'elle-même et qui rest[ait] totalement indépendante de la volonté et de la décision du pouvoir » (Girardet [dir.], 1964 : 195). Proche lui-même de ces milieux ayant, à la fin de la guerre, fait prévaloir sur les « impératifs moraux de l'obéissance au gouvernement légal, [...] d'autres impératifs moraux, plus puissants au regard de leur conscience et nés de l'exécution même de la mission qu'ils [avaient] reçue » (Girardet [dir.], 1964 : 198)[21], il fut particulièrement sensible à cette évolution majeure des relations entre armée et nation en France. Ses travaux cheminèrent parallèlement à ceux de journalistes : Paul-Marie de La Gorce, en 1963, et surtout Jean Planchais qui continua à développer ses idées sur les relations entre l'armée et la nation dans son *Histoire politique de l'armée* (Planchais et Nobécourt, 1967) et revint, plus tard, sur le cas de la guerre d'Algérie en publiant notamment des entretiens avec des acteurs importants de l'époque (Éveno et Planchais, 1989).

Les historiens français craignaient-ils qu'écrire sur ce passé soit assimilé à du journalisme et refusé par les censeurs académiques ? De fait, pendant ces premières années

---

21. Raoul Girardet a été le principal animateur de la revue *L'Esprit public* et membre de la branche métropolitaine de l'OAS. Voir Pierre Assouline, *Raoul Girardet, singulièrement libre. Entretiens*, Perrin, 1990, 226 p.

d'après-guerre, la guerre d'Algérie fut très largement laissée, en France, à côté des journalistes, aux spécialistes d'autres disciplines universitaires. Ainsi la juriste Arlette Heymann s'attacha à décortiquer le fonctionnement de l'état d'exception mis en place pendant la guerre. Elle pointa très précisément les mécanismes par lesquels l'ambiguïté du statut des opérations menées contre les nationalistes algériens servit une répression élargie, attentatoire aux libertés publiques. La guerre, écrivait-elle, « comme guerre civile, officiellement qualifiée d'"opérations de maintien de l'ordre", provoquait des atteintes aux droits de toute une partie de la nation, en rébellion, en sorte que les Algériens étaient à la fois combattus comme ennemis étrangers sur le théâtre des opérations et punis comme traîtres ». Elle mit en avant l'extension des sanctions administratives utilisées pour faire la guerre, notamment par le biais de l'internement : ainsi, « un individu [était] arrêté ou détenu administrativement parce qu'il [était] considéré par le pouvoir comme dangereux pour l'ordre social, ce qui [était] la substitution d'un critère subjectif à un critère objectif » (Heymann, 1972 : 144, 150). Enfin, elle exposa dans le détail les mécanismes qui permirent aux militaires de cumuler compétences administratives et compétences judiciaires. Vingt ans plus tard, cette étude basée sur les textes officiels faisait encore autorité[22]. Sur l'état d'exception, la juriste avait exposé les principaux axes d'analyse.

Rares furent les chercheurs qui, comme elle, optèrent dès les années 1960 pour l'étude de la guerre d'Algérie. Si la période était quelquefois le point de départ d'études très contemporaines[23], elle était plus souvent enserrée dans une

22. Grâce à l'accès aux archives publiques, Sylvie Thénault put la compléter par une analyse fine des processus de décision et du fonctionnement de la justice militaire sur le terrain (Thénault, 2001).

23. Bruno Étienne, « Les Européens d'Algérie et l'indépendance algérienne », droit, Aix-en-Provence, 1965 ; ou Pierre Baillet, « Les rapatriés d'Algérie en France (1962-1970) », géographie, Paris-X, 1974.

séquence élargie commençant à la colonisation de l'Algérie. Ces travaux pouvaient être l'œuvre de géographes, comme Raoul Weexsteen dont la thèse porta sur Blida et retraça l'histoire de deux formes urbaines juxtaposées pendant plus d'un siècle (européenne et algérienne). Ils étaient surtout le fait de spécialistes de sciences politiques ou de sociologie qui remontaient le cours du temps à la recherche des origines des phénomènes qu'ils observaient en Algérie. Jean-Claude Vatin et Philippe Lucas, enseignants associés à la faculté de droit d'Alger après la guerre, proposèrent ainsi une lecture décapante des savoirs existants sur l'Algérie coloniale, assurant aussi par là même une plus grande légitimité à leur discipline, la science politique, autrement appelée sociologie politique. L'anthropologie et l'ethnologie étaient discréditées : « Le crâne colonial pèse aujourd'hui encore sur la connaissance de l'Algérie » (Lucas et Vatin, 1975 : 7), annonçaient-ils d'emblée. En revanche, la sociologie politique était apte à prendre en charge une histoire plus juste de l'Algérie : Jean-Claude Vatin consacra d'ailleurs un ouvrage couvrant la période de l'Algérie précoloniale à l'Algérie indépendante (1974).

Pour Charles-Robert Ageron, cette démarche était anachronique[24]. Elle était également trop systémique et faisait penser à l'historien qu'il s'agissait d'appliquer une théorie de l'histoire à la réalité. Pourtant, parallèlement, Jean-Claude Vatin fut le collaborateur fidèle de l'*Annuaire de l'Afrique du Nord* sur la guerre d'Algérie, permettant de faire connaître aux chercheurs français les ouvrages sur le sujet paraissant en langue anglaise. Il avait une réelle sensibilité à la démarche historique, comme il le montra dans un article paru en 1979 visant à critiquer les apports des historiens à l'histoire de l'Algérie coloniale, sans en rejeter pour autant les acquis positifs[25]. De fait, dans la première moitié des années 1970, le dialogue entre sciences sociales était à

---

24. Charles-Robert Ageron *in Annuaire de l'Afrique du Nord*, CNRS Éditions, 1974, p. 927.
25. Vatin, 1979. L'article est dédié à Charles-André Julien.

peine entamé sur la guerre d'Algérie. La prégnance des présupposés idéologiques s'ajoutait aux difficultés à trouver un langage commun sur cette réalité proche.

À la fin des années 1960 et au début des années 1970, l'histoire s'était même effacée devant les disciplines phares de l'Université algérienne : la sociologie et la science politique. L'histoire de la guerre y était appréhendée dans ce cadre, en particulier au CERDES, le Centre d'études de recherches et de documentation en sciences sociales, créé à Alger en 1967. Témoignage de son influence en Algérie, Pierre Bourdieu en dirigea un temps le 3e cycle de sociologie. Il avait découvert ce pays en y faisant son service militaire en 1955, puis comme assistant de philosophie à la faculté des lettres d'Alger. Il y avait observé la guerre et ses effets. La guerre, écrivait-il dans *Esprit* en 1961, modifie la situation « dans laquelle et de laquelle elle est née [...] par cela seul qu'elle existe et persiste. La société autochtone est bouleversée jusqu'en ses fondements du fait de la politique coloniale et du choc des civilisations [...]. L'évolution du système colonial fait que la distance (et la tension corrélative) qui sépare la société dominante et la société dominée ne cesse de croître et cela dans tous les domaines de l'existence, économique, social, et psychologique »[26]. Une enquête réalisée avec Abdelmalek Sayad dans les camps de regroupement à l'été 1960 l'avait amené en effet à ce constat radical. En sortirent des articles et un livre extrêmement sévères pour cette pratique qui aboutissait à désorganiser complètement l'agriculture traditionnelle algérienne et à bouleverser ses valeurs. Ainsi, le travail de la terre lui-même se trouvait dévalorisé au profit de tâches donnant lieu à un salaire, et les hiérarchies sociales, qui lui étaient liées, se recomposaient. Une nouvelle solidarité fondée sur le partage de la misère

---

26. Pierre Bourdieu, « Révolution dans la révolution », *Esprit*, janvier 1961, p. 27. Publié dans *Interventions, 1961-2001. Science sociale et action politique* (textes choisis et présentés par Franck Poupeau et Thierry Discepolo), Marseille, Agone/Comeau et Nadeau, 2002, 487 p., p. 21.

imposée remplaçait la solidarité d'avant, et le paysan, empêché d'accéder à son champ, devenait un exilé sur sa propre terre, « un émigré chez lui » ce qui entraînait « la dévaluation des vertus paysannes, inutiles comme déplacées ». L'introduction du salariat était en particulier pointée comme modifiant les relations sociales, claniques et familiales : « L'autorité des anciens, clé de voûte de l'ordre social d'autrefois, se trouv[ait] ébranlée : le chef de ménage qui s'assur[ait] un salaire régulier [pouvait] pourvoir à ses besoins sans recourir au père, détenteur des biens familiaux ; parfois même, le rapport traditionnel s'invers[ait]. L'individualisme se développ[ait] et on appren[ait] à ne compter que sur soi » (Bourdieu et Sayad, 1964 : 94, 141).

Cette dénonciation des méfaits de la guerre fut une manière pour lui de s'opposer : il lui fallait faire « quelque chose en tant que scientifique ». Ce fut aussi un « Que Sais-je ? » sur la *Sociologie de l'Algérie* (Bourdieu, 1958), pour « informer l'opinion »[27]. Pour Bourdieu, la guerre avait fonctionné comme le révélateur du système colonial, faisant « éclater en pleine lumière le fondement réel de l'ordre colonial, à savoir le rapport de force par lequel la caste dominante tient en tutelle la caste dominée »[28].

Pierre Bourdieu continua à réfléchir sur l'appropriation par les Algériens des formes économiques et sociales introduites par la colonisation et la guerre. Réfutant la notion d'acculturation, il lui préférait celle d'*habitus* plus apte, selon lui, à saisir le mouvement par lequel les modèles importés étaient appropriés. Il s'opposait ainsi à l'anthropologie culturelle qui tendait « à ignorer que la transformation du système des modèles culturels et des valeurs n'[était] pas le résultat d'une simple combinaison logique entre les modèles importés et les modèles originels mais que, à la fois

27. Entretien de Pierre Bourdieu avec Axel Honneth, Hermann Kocyba & Bernd Schwibs, « The Struggle for Symbolic Order », *in Theory, Culture and Society*, 1986, 3, p. 37, cité *in Interventions*, *op. cit.*, p. 18.
28 « Révolution dans la révolution », art. cit.

conséquence et condition des transformations économiques, elle ne s'opèr[ait] que par la médiation de l'expérience et de la pratique d'individus différemment situés par rapport au système économique » (Bourdieu, 1977 : 11). Il prônait en définitive le recours à la sociologie pour étudier la société algérienne, ce qui prenait une dimension politique évidente à une époque où cette discipline se consacrait aux sociétés européennes ou nord-américaines et laissait à l'ethnologie ou à l'anthropologie la connaissance des autres sociétés[29]. La question de la place du chercheur n'était cependant pas évacuée. Il la posa à partir de ses études sur la société kabyle en revendiquant une « ethnosociologie ».

Cette distance prise avec l'ethnologie appartenait à son époque. Les apports de cette discipline n'étaient pourtant pas tous à négliger. Sur la période de la guerre, il n'est qu'à citer Germaine Tillion, dont *L'Algérie en 1957* constituait une analyse à chaud de la situation, éclairée par la fine connaissance qu'avait son auteure du pays et de ses habitants découverts en 1934[30]. Elle s'y montrait peu optimiste sur l'avenir : « La tragédie algérienne, telle que je la vois, comporte beaucoup de victimes, peu de traîtres – et ses possibilités de dénouement m'apparaissent comme un bon point de départ pour d'autres tragédies », écrivait-elle en 1957 (Tillion, 1957 : 14). Ses connaissances, acquises entre 1934 et 1940 dans l'Aurès, lui avaient permis de repérer sans doute possible « l'éclatement cellulaire » et la « clochardisation » caractéristiques de l'Algérie depuis la fin de la Seconde Guerre mondiale et contre lesquelles elle avait tenté d'œuvrer au sein du cabinet de Jacques Soustelle[31].

---

29. Pierre Bourdieu, « Retour sur l'expérience algérienne », publié dans *Interventions*, *op. cit.*, p. 39.

30. Germaine Tillion, *Il était une fois l'ethnographie*, Le Seuil, 2000, 292 p.

31. Germaine Tillion, *La Traversée du mal. Entretiens avec Jean Lacouture*, Arléa, 1997, 125 p. ; et *À la recherche du vrai et du juste : à propos rompus avec le siècle. Textes réunis et présentés par Tzvetan Todorov*, Le Seuil, 2001, 415 p. Sur Germaine Tillion, voir : Jean Lacouture, *Le Témoignage est un combat. Une biographie de*

Après la guerre, un livre comme *Le Harem et les Cousins* avait aussi révélé sa sensibilité aux effets de la guerre sur la société algérienne. Ainsi, repérant une similitude approximative entre la répartition géographique du voile, la claustration des femmes et l'observance coranique en matière d'héritage féminin, Germaine Tillion (1966 : 179) notait : « Sous les apparences de la soumission dévote, elle semble bien être une protection, un barrage ultime, dressé contre les dégâts opérés dans le patrimoine des familles endogames par l'obéissance religieuse ; toutefois elle ne correspond pas au maximum d'aliénation. Le maximum d'aliénation pour les femmes se rencontre dans les populations mutantes – c'est-à-dire détribalisées par une sédentarisation et une urbanisation récentes ». Elle apportait ici un regard complémentaire sur les effets des regroupements, dont Pierre Bourdieu et Abdelmalek Sayad avaient surtout étudié les aspects socio-économiques. Ses considérations sur l'espace méditerranéen et sa « société des cousins » où « un certain idéal de brutalité virile » répondait à « une dramatisation de la vertu féminine » offraient aussi des pistes de réflexion pour l'avenir (Tillion, 1966 : 67). L'étude de l'impact de la guerre sur la manière dont les Algériens et les Algériennes articulaient le masculin et le féminin reste d'ailleurs encore à faire aujourd'hui.

Outre leurs interprétations de la réalité algérienne prenant plus ou moins en compte les effets de la guerre, les sociologues, ethnologues, géographes et autres spécialistes de sciences sociales ayant travaillé, dans les années 1960, sur une guerre encore très contemporaine léguèrent aux historiens des matériaux issus de leur terrain algérien. L'exemple des camps de regroupement permet de saisir combien ces différents regards sur un même objet pouvaient être complémentaires.

Le regroupement fut pratiqué dès le début de la guerre. Il s'agissait de déplacer autoritairement les habitants de certains villages et de les regrouper dans de nouveaux lieux,

---

Germaine Tillion, Le Seuil, 2000, 339 p. ; et Nancy Wood, *Germaine Tillion, une femme-mémoire : d'une Algérie à l'autre*, Autrement, 2003, 251 p.

surveillés par l'armée française. Ces mouvements accompagnaient en partie la création de « zones interdites », dans lesquelles personne ne pouvait circuler sous peine d'être abattu : ainsi le commandement français tentait de séparer les maquisards de la population algérienne. Les regroupements se multiplièrent au cours de la guerre : en 1959, ces camps abritaient 1 million de personnes vivant dans des conditions extrêmement précaires. Auteur d'une enquête dans une quinzaine de ces camps fin 1958, Michel Rocard, alors stagiaire de l'ENA, s'inquiéta des conditions de vie misérables des regroupés, « pratiquement menacés de famine »[32]. Un an et demi plus tard, Pierre Bourdieu et Abdelmalek Sayad pointèrent le bouleversement sans précédent subi par la société algérienne en quelques années, auquel les auteurs ajoutaient les importants mouvements de migration vers les villes pour apprécier l'ampleur du choc subi. En 1960, plus de 2 millions de personnes étaient regroupées, soit un quart de la population algérienne.

En 1962, un géographe dressait un constat sans appel et prédisait des bouleversements durables issus de cette stratégie militaire. Cependant il ne faisait pas des centres de regroupement – et donc de la guerre – la cause unique de la situation : les problèmes rencontrés dans ces camps, estimait-il, « ne sauraient faire oublier que, depuis de longues décades, la majeure partie [de ces populations] ne réussissait à produire, dans les rudes pays où elles vivaient, que juste ce qu'il fallait pour ne pas mourir de faim. Ce n'est donc pas un dénuement tout nouveau que nous pouvons trouver dans les centres de regroupement, car la misère ignorée ne saurait être assimilée à l'aisance, mais à une misère ancienne, certainement fort aggravée en général, cependant compagne de longue date »[33]. Contrairement à Bourdieu et Sayad, il émettait l'idée d'une relation à

32. *Témoignages et Documents,* 12 (mai 1959) et 14 (juillet 1959). Rocard, 2003.

33. M. Lesne, « Une expérience de déplacement de population : les centres de regroupement en Algérie », *Annales de géographie*, vol. 71, 1962, p. 567-603.

interroger entre avant et pendant la guerre. Mais, en ne prenant en compte que la misère, il négligeait d'approfondir la nature complexe des bouleversements accomplis. Pendant la guerre, comme l'avaient écrit les deux sociologues, il s'agissait d'un véritable « déracinement » aboutissant à une nouvelle identité sociale, négative : des hommes « définis par ce qu'ils ne sont plus et par ce qu'ils ne sont pas encore, les paysans dépaysannés, êtres auto-destructifs qui portent en eux-mêmes tous les contraires » (Bourdieu et Sayad, 1964 : 161).

Alors que Pierre Bourdieu et Abdelmalek Sayad avaient lu, à travers des pratiques individuelles et collectives, les effets d'une politique coloniale, dont ils induisaient l'intention, Michel Cornaton s'attacha, quelques années plus tard, à construire chronologiquement l'évolution des regroupements, dans leurs conceptions et leurs modalités d'existence – avant d'en voir aussi des aspects plus sociologiques. L'auteur, qui avait enquêté en Algérie dans les années ayant suivi l'indépendance, après avoir fait son service militaire en Kabylie en 1959, consacra une partie de son livre à reconstituer la mise en place des camps et leur maillage sur le territoire algérien. Ce premier travail historique était réalisé par un sociologue ayant eu accès aux archives du général Parlange, premier artisan de ces camps. Il restait largement descriptif. Si la suprématie des militaires et leur poids énorme sur la configuration économique et sociale de l'Algérie que l'armée imaginait être alors en train de construire – et qu'elle souhaitait française – était bien perçue, Michel Cornaton ne tirait pas de ce constat une interprétation plus globale de la guerre d'Algérie. Il s'attachait en revanche à dégager des types de camps, distinguant ceux qui existaient pendant la conquête des camps de la guerre, et de ceux, enfin, perdurant après l'indépendance. S'opposant à Bourdieu et Sayad, il considérait que le déracinement était bien le « but premier » lors de la colonisation mais n'était qu'un effet secondaire arrimé aux finalités militaires pendant la guerre (Cornaton, 1967, rééd. 1998 : 25). Il réduisait alors le domaine militaire bien plus qu'il ne l'était pendant la guerre et omettait, en particulier, ses aspects politiques.

Trente-cinq ans plus tard, l'ouverture des archives de la 10e région militaire permit de compléter ces premiers travaux. L'historien Charles-Robert Ageron confirma le chiffre de 2 millions de personnes en camps à la fin de la guerre ainsi que le constat catastrophique fait par les observateurs de l'époque. Il reprit l'analyse de Bourdieu et Sayad : « Le déracinement imposé à plus de 2 millions de ruraux, écrivit-il, fut peut-être la conséquence économique et humaine la plus irrémédiable de la guerre d'Algérie. Ainsi s'expliquent, ajoutait-il, ces caractéristiques de l'Algérie postérieurement à 1962 : l'exode rural et la ruralisation des villes[34]. » Sans proposer pour autant une interprétation de cette violence imposée à la société paysanne algérienne, il concluait à l'échec de son utilisation psychologique ou politique telle qu'elle avait été souhaitée par certains stratèges, jugeant que « les autorités françaises commirent [avec cette politique généralisée] une erreur grave ». L'historien se situait à l'intérieur de la logique à laquelle les acteurs se référaient explicitement, appréciant leurs réalisations à l'aune de leurs désirs exprimés. Un autre travail, qui tenterait d'analyser les motivations des protagonistes français de cette histoire, en essayant d'établir quelles furent leurs conceptions de la guerre, permettrait de voir comment celles-ci modelèrent les formes de l'affrontement, contribuant à lui donner un sens politique particulier.

Ainsi le travail historique sur les regroupements n'est pas fini. L'ouverture des archives militaires et civiles a à peine commencé à intéresser les historiens. Mais il est notable que ce travail avait, en réalité, pu être entamé dès la guerre, par des enquêtes de terrain et une étude de la documentation officielle disponible. Ce que les historiens n'avaient pas osé faire, des sociologues et des géographes l'avaient risqué. Le réveil des historiens est peut-être à dater de là.

En effet, à la fin des années 1960, alors que des travaux sur la guerre commençaient à voir le jour sous la plume de cher-

34. Charles-Robert Ageron, « Une dimension de la guerre d'Algérie : les "regroupements" de populations », *in* Jauffret et Vaïsse (dir.), 2001 : 352.

cheurs issus d'autres disciplines, les premiers frémissements d'une recherche historique se firent sentir en France. Des mémoires de maîtrise portèrent sur les partis politiques français et la guerre d'Algérie, sur les catholiques, les syndicalistes, etc. Mais les chercheurs français restaient peu nombreux et isolés tandis que les travaux étrangers étaient rarement traduits. La décennie 1970 fut celle de leur affirmation face aux autres sciences sociales, tout en manifestant une autonomie croissante vis-à-vis des discours mémoriels.

Les historiens s'affirment

Tandis que des historiens se saisissaient lentement de la guerre d'Algérie comme objet d'étude, certains acteurs de la guerre tentèrent de s'en faire aussi les historiens en élargissant leur propos au-delà de leur expérience particulière et en relatant des événements qu'ils n'avaient qu'en partie vécus. Quelques anciens officiers français émergèrent ainsi comme spécialistes autoproclamés de la guerre. Philippe Tripier fut un des premiers ; son livre eut une certaine audience puisqu'il rendait publics des documents que l'auteur avait gardés par-devers lui. Le saint-cyrien passé à l'OAS s'y montrait extrêmement critique vis-à-vis du pouvoir gaulliste, estimant en particulier que la longueur des négociations avec le GPRA (qualifié d'« exécutif rebelle ») était inexplicable : « Pas un instant le GPRA n'a cédé sur un iota de ses objectifs premiers, et tout lui fut finalement concédé » ; « le gouvernement de la France demeurant en pratique le maître du jeu de 1960 à 1962, puisque tout-puissant en Algérie, et seul à concéder, seule sa lenteur à le faire peut donc rendre compte du temps mis à conclure l'accord final ». Son analyse était l'expression de la vision des théoriciens de la « guerre révolutionnaire » qui dirigèrent les opérations en Algérie sous les généraux Salan et Challe. La colonisation et la répression menée par les forces de l'ordre françaises n'étaient pas prises en compte dans le raisonnement. Les Algériens étaient décrits comme une masse passive, infiltrée par une « entreprise de guerre révolutionnaire » : la défaite française était réduite à une série de faiblesses politiques. Ainsi, selon Philippe Tripier, « il fallait que toutes les mesures concrètes prises par la République relativement à l'Algérie s'ordonnent sans exception autour d'un but unique : abattre la rébellion, afin d'apporter au drame algérien une solution qui fût humaine et qui en même temps fût française. À condition de se soumettre à cet impératif, la France était en mesure, à partir de 1958, de convaincre progressivement les Algériens que c'était à elle, et non au FLN, qu'il reviendrait finalement de garantir leur avenir et d'édifier la paix »[35]. Sous le couvert d'un livre général, l'auteur présentait en réalité les pièces d'un procès à charge contre la politique suivie en Algérie par le général de Gaulle, joignant ainsi sa voix aux témoignages d'anciens officiers passés à l'OAS paraissant à la même époque.

Au contraire, d'autres acteurs de la guerre eurent le souci de s'extraire de leur expérience individuelle pour analyser l'événement dans lequel ils avaient été plongés. Ainsi des militants politiques anticolonialistes et opposés à la ligne du PCF, silencieux pendant les années 1960 et revigorés par Mai 1968, firent appel à la méthode historique. À Jussieu, ils travaillèrent de concert avec des historiens qui entendaient participer, par tous les moyens possibles, à une démystification du discours officiel algérien et des silences français. Robert Bonnaud, qui avait témoigné dès 1957 des atrocités qu'il avait observées en Algérie en tant que rappelé[36], avant de participer à un réseau clandestin de lutte contre la guerre menée par l'armée française, y avait un rôle central puisqu'il enseignait l'histoire contemporaine dans cette univer-

35. Philippe Tripier, *Autopsie de la guerre d'Algérie*, France-Empire, 1972. Les citations sont respectivement p. 480-481, p. 81 et p. 294-295.

36. Robert Bonnaud, « La paix des Nemencha », *Esprit*, avril 1957. Ce texte a été republié dans Robert Bonnaud, *Itinéraire*, Éditions de Minuit, 1962, puis dans Bonnaud, 2001 : 19-35. Sur ce texte, voir notamment Vidal-Naquet, 1998 : 53-54.

sité. Il incarnait le passage de la mémoire à l'histoire mais aussi l'étroite imbrication des enjeux politiques passés et présents. Il concluait d'ailleurs une table ronde intitulée « La guerre d'Algérie fait-elle partie de notre histoire ? » par ces mots : « La guerre d'Algérie fait partie de notre histoire de demain[37]. » La guerre d'Algérie ne pouvait donc être l'apanage des seuls universitaires : « Le passé appartient à tous » ; il s'agissait d'« écrire l'histoire vraie de la guerre », de « tirer des leçons, pratiques et théoriques de [l']engagement [des anciens militants anticolonialistes] et ainsi [de] faire de ce passé, un passé vivant et agissant »[38]. Si, chez certains militaires, le récit et l'interprétation des événements permettaient de justifier des positions passées, dans ce milieu universitaire, le travail historique avait aussi une finalité qui lui était extérieure : il était au service d'un engagement présent et futur. De ce courant anticolonialiste, les apports pour la recherche historique sur la guerre furent plutôt faibles, dans un premier temps, mais Jussieu resta un lieu particulièrement sensible à l'histoire de la colonisation et de la décolonisation. Au début des années 2000, cette université continuait à attirer des étudiants intéressés par une approche critique du colonialisme.

Parallèlement, une histoire plus académique s'élaborait peu à peu sur la période 1954-1962. Animé par un anticolonialiste plus modéré, Charles-André Julien, le Groupe d'études et de recherches maghrébines (GERM) s'était mis en place à Paris. Il fut ensuite repris, jusqu'en 1983, par Charles-Robert Ageron. Benjamin Stora (2003 : 207-208) a pu évoquer ces « réunions de travail du samedi matin à la MSH où nous nous retrouvions en petit comité, en général une quinzaine de chercheurs » et où le professeur « invitait les jeunes à exprimer le fruit de leurs réflexions ». Charles-Robert Ageron était également en charge de la commission

37. *L'histoire, pour quoi faire ?*, *Cahiers du forum-histoire*, 2, « La guerre d'Algérie », avril 1976, p. 7.

38. Présentation du groupe « guerre d'Algérie », *Cahiers du forum-histoire*, *op. cit.*

d'histoire de l'Empire français du Comité d'histoire de la Deuxième Guerre mondiale, devenue ensuite Groupe d'histoire de la colonisation et de la décolonisation à l'Institut d'histoire du temps présent où il reçut le soutien actif de son directeur, François Bédarida. Il continua à y défendre une histoire « non engagée », c'est-à-dire ne relevant « en rien de la propagande coloniale ou de l'anticolonialisme », comme il le disait à propos de l'histoire coloniale en 1970. Le devoir des universitaires européens était, selon lui, de « rejeter toute nouvelle "légende noire" comme de renoncer au maintien de la légende dorée. Puissions-nous, nous Français, ajoutait-il, ne pas gâter notre chance par des ressentiments ou des justifications désormais anachroniques ! » (Ageron, 1970 : 365). C'est dans cet esprit qu'il dirigea les premières thèses d'histoire englobant la guerre d'Algérie dans leur approche.

Dans le sud de la France, d'autres pôles émergeaient aussi, d'autres figures tutélaires dont l'influence a pu expliquer le parcours de certains étudiants vers l'étude de la guerre d'Algérie : André Nouschi à partir de la période coloniale, André Martel de l'histoire militaire. Ainsi Gilbert Meynier, élève d'André Nouschi, vint à la guerre d'Algérie après une thèse portant sur l'Algérie du début du siècle[39]. Comme Charles-Robert Ageron, son aîné, qui avait lui aussi été d'abord spécialiste de l'Algérie coloniale, Gilbert Meynier anima un lieu de rencontres scientifiques à partir de 1983 : l'Association de recherche pour un dictionnaire biographique de l'Algérie (ARDBA). Si on estime, avec Robert Frank, que c'est la prise en compte du temps long qui fait la différence fondamentale entre histoire du temps présent et actualité journalistique, ces historiens étaient particulièrement aptes à initier la recherche sur la guerre d'Algérie[40].

---

39. *L'Algérie révélée. La guerre de 1914-1918 et le premier quart du XXe siècle*, Genève, Droz, 1981, 793 p.
40. Robert Frank, « Questions aux sources du temps présent », *in* Agnès Chauveau et Philippe Tétart (dir.), *Questions à l'histoire du temps présent,* Actes de la table ronde du 21 février 1992, 136 p., p. 124.

Peu à peu des thèses d'histoire commencèrent à englober la guerre dans leur champ d'étude, avant que cette séquence n'émerge, seule, d'une gangue coloniale plus large dans la décennie suivante. Des étudiants algériens de l'Université française furent parmi les premiers à choisir exclusivement cette période ; l'influence du traitement de l'histoire en Algérie fut peut-être la cause de ce moindre embarras à opter d'emblée pour cet objet si valorisé de l'autre côté de la Méditerranée. La thèse de 3e cycle vint aussi alléger les exigences, permettant une redéfinition des sujets. Benjamin Stora et Guy Pervillé s'inscrivirent ainsi, sous la direction de Charles-Robert Ageron, le premier sur « Messali Hadj, fondateur du Mouvement national algérien », et le second sur « Les étudiants algériens de l'Université française de 1908 à 1962 » : des sujets dont l'essentiel était certes constitué par la période précédant 1954 mais pour lesquels il aurait été injustifiable d'exclure la période de la guerre. André Nozière choisissait, quant à lui, le cadre restreint de la guerre pour son doctorat de 3e cycle sur « Les Églises chrétiennes d'Algérie », comme Monique Gadant sur l'étude d'*El Moudjahid.* À la même époque, René Gallissot continuait une thèse d'État sur « La question nationale et coloniale ». De fait, le nationalisme algérien concentrait la majorité des interrogations portées sur cette période, auxquelles il faudrait ajouter les travaux sur le FLN menés, en sciences politiques, par Mohammed Harbi, depuis son travail sur « La scission du MTLD », en 1974[41].

Dans les années 1980, les productions historiques sur la guerre d'Algérie se multiplièrent. L'Institut d'histoire du temps présent fut un moteur essentiel de cette recherche. Il initia une enquête sur la manière dont les Français avaient vécu la guerre d'Algérie et deux tables rondes furent organisées, mêlant témoins et historiens, comme ce laboratoire du CNRS avait alors coutume de le faire pour la Seconde

---

41. Mémoire de l'EPHE publié et remanié sous le titre *Aux origines du FLN : le populisme révolutionnaire en Algérie*, Christian Bourgois, 1975, 316 p.

Guerre mondiale. François Bédarida et Étienne Fouilloux organisèrent la première, sur « Les chrétiens et la guerre d'Algérie »[42]. La guerre avait en effet été, écrivaient-ils, l'occasion d'un « drame de conscience » pour les chrétiens. Elle avait « servi de révélateur et de test, opérant des fractures, suscitant des clivages nouveaux, amorçant des inflexions politiques autant que spirituelles ». La période était désignée comme fondatrice. L'hypothèse était jetée d'une matrice algérienne de certains engagements chrétiens. Elle se retrouva, plus largement développée, dans la seconde table ronde, sur « La guerre d'Algérie et les intellectuels français », organisée par Jean-Pierre Rioux et Jean-François Sirinelli[43]. La guerre avait vu naître une nouvelle gauche, distincte de la SFIO et du PCF, qui avait innervé une partie importante des intellectuels mais aussi des étudiants français dans les années 1960 et 1970. Plusieurs communications permettaient de bien saisir ce mouvement et d'autres creusaient la question des héritages intellectuels de la guerre pour des mouvances telles que l'extrême droite ou la droite conservatrice. La guerre d'Algérie était par ailleurs repérée comme un moment d'approfondissement du décalage existant entre les intellectuels français et la société.

Avec ces initiatives collectives, il était, pour la première fois, question uniquement de la guerre d'Algérie. Une période historique spécifique était définie, de 1954 à 1962. Annonçant un colloque sur les Français et la guerre d'Algérie, le bulletin de l'IHTP affirmait : « C'est assez – le temps d'une génération – pour légitimer, sans tomber dans l'activisme commémoratif, un premier repérage historique. Si l'on ajoute que la recherche n'a pas encore investi massivement cette période, que l'événement lui-même n'en finit pas de dérouler ses conséquences et que ce passé brûle encore, on conviendra que la guerre d'Algérie est un sujet d'histoire au présent, d'histoire du temps pré-

---

42. *Les Cahiers de l'IHTP*, 9, octobre 1988.
43. *Les Cahiers de l'IHTP*, 10, novembre 1988. Les Éditions Complexe la republient en 1991.

sent[44]. » La légitimation de l'objet et celle du laboratoire allaient de pair. De fait, une bibliographie commentée de la guerre d'Algérie, parue l'année d'avant, avait commencé à installer l'idée que la guerre était mal connue[45]. Conscient aussi des forts enjeux de mémoire autour de ce sujet, ce colloque organisé par Jean-Pierre Rioux se proposait d'emblée de lui faire une place, non plus en laissant la parole aux témoins mais, évolution notable, en constituant la mémoire de la guerre comme objet d'étude.

Contrairement aux travaux qui dominaient alors sur le nationalisme algérien, le projet appréhendait « la guerre d'Algérie comme drame français, comme guerre d'opinion, comme étape (parenthèse ou mutation ?) dans un devenir français marqué par les "trente glorieuses", comme blessure ou hiatus national, comme trouble de mémoires ». En outre, il se proposait d'examiner un événement, décrit comme « tragique dans sa singularité, ses rebondissements et ses postérités », « à la lumière d'une inquiétude du présent : celle qui porte sur l'identité nationale »[46]. La marque du laboratoire était évidente dans cette dernière assertion.

Ce colloque de 1988 constitua un tournant dans l'affirmation de la guerre comme objet scientifique reconnu. Plus de soixante communications y proposaient un tour d'horizon des connaissances sur les Français et la guerre d'Algérie, dans la limite des archives disponibles et en excluant d'emblée les aspects militaires et décisionnels ainsi que le côté algérien. Les relations de la guerre d'Algérie avec l'opinion publique, la République, l'évolution économique et sociale, le rôle de la France dans le monde étaient explorées. La guerre d'Algérie était moins étudiée dans le détail que comme séquence historique ayant eu des conséquences dans l'histoire de la France et des Français. Le colloque faisait l'hypothèse que ce moment avait été fondateur pour de nom-

---

44. *Bulletin de l'IHTP*, 24, mars 1986, annonce du colloque de 1988, p. 4.
45. *Bulletin de l'IHTP*, 20, mars 1985.
46. *Bulletin de l'IHTP*, 24, mars 1986.

breux Français. La notion de guerre franco-française avait d'ailleurs commencé à être popularisée dans ces années avec un numéro spécial de *Vingtième Siècle. Revue d'histoire*[47] et le livre de Michel Winock (1986), *La Fièvre hexagonale*. Étrangement, l'OAS, qui fut pourtant un des acteurs principaux de la guerre civile française, n'était pas étudiée pour elle-même. Elle était présente dans la communication de Jacques Delarue sur la police. L'ancien commissaire de la PJ avait, en effet, fait paraître en 1981 le récit de son expérience en Algérie, *L'OAS contre de Gaulle* : à travers l'histoire de la lutte policière contre l'organisation terroriste, des éléments sur l'OAS étaient bien donnés mais il manquait encore, à cette date, un livre qui lui soit consacré.

En revanche, un objet aussi important que l'opinion publique y reçut une forme de consécration. À la différence des guerres mondiales, pour lesquelles on pouvait travailler à partir du contrôle postal, les historiens de la guerre d'Algérie pouvaient s'appuyer, eux, sur des sondages d'opinion. C'était ce que prônait Charles-Robert Ageron depuis plus de dix ans, défendant cette source qui permettait, selon lui, « une approche relativement scientifique » de l'aspect politique de la guerre, considéré alors comme essentiel par l'historien (Ageron, 1976). De fait, l'histoire politique dominait encore largement la vision du conflit. Elle était écrite avant tout à partir de sources publiées et de témoignages.

Les aspects économiques et sociaux étaient moins étudiés. Le travail de l'historien est-allemand Hartmut Elsenhans n'était pas bien connu en France et il ne participa pas au colloque de 1988. Lors d'un colloque organisé à Alger en 1984, il avait pu faire connaître ses analyses à certains collègues français. Il avait alors démontré que la France avait été peu intéressée par l'Algérie du point de vue économique, à l'exception des grandes exploitations agricoles et du Sahara – que les gouvernements français pensèrent longtemps pouvoir garder français quel que soit l'avenir du reste de

47. « Les guerres franco-françaises », *Vingtième Siècle. Revue d'histoire*, 5, janvier-mars 1985.

l'Algérie. L'ensemble des Français souhaitaient que l'Algérie ne leur coûte rien : ce fut là, selon lui, un élément important de l'évolution de l'opinion publique. Ainsi, il repérait un tournant au deuxième trimestre 1960, quand « le mouvement social pour des meilleures conditions de vie se joi[gnit] à la revendication de négociations en Algérie » (Elsenhans, 1984 : 302).

Daniel Lefeuvre s'inscrivait aussi dans une approche refusant de séparer l'histoire économique d'une histoire plus globale et utilisant l'économie pour repérer un certain nombre d'enjeux politiques. Attentif aux positions des industriels pendant la guerre, il signala ainsi que, pour certains patrons français, la finalité du plan de Constantine, « particulièrement après le discours sur l'autodétermination prononcé le 16 septembre 1959 par le général de Gaulle, avait un sens différent de celui officiellement et initialement annoncé [...]. Il ne s'agissait pas pour eux de participer au maintien de l'Algérie dans la souveraineté française, mais de se préparer, en bénéficiant de l'aide de l'État, à l'indépendance de l'Algérie »[48].

À côté des historiens, d'autres auteurs contribuèrent, dans les années 1980, à éclairer cette histoire récente. Ainsi les journalistes Patrick Rotman et Hervé Hamon (1979) menèrent un travail d'enquête sur un milieu jusque-là très peu exploré par les historiens : les porteurs de valises. Depuis le livre de Janine Cahen et Micheline Pouteau (1964), jamais traduit en français, seuls quelques témoignages publiés avaient fait connaître ces acteurs de l'histoire du FLN en France. En 1980, Pierre Vidal-Naquet estimait que l'on était « à la bonne distance : il [était] possible de combiner tout à la fois le souvenir et l'analyse fraîche sur des bases nouvelles »[49]. Ce livre apportait un premier éclairage sur ces minuscules milieux et leur influence pendant la guerre.

---

48. Daniel Lefeuvre, « L'échec du plan de Constantine », *in* Rioux (dir.), 1990 : 326-327.

49. Compte rendu du livre de Hamon et Rotman paru dans *Esprit* en 1980 et repris comme préface à l'édition de poche, en 1981.

Autre aspect de la guerre éclairé par un journaliste particulièrement sensible à l'histoire : les derniers mois du conflit et les négociations. Pour ce livre, Jean Lacouture avait travaillé à partir de son expérience de correspondant de presse mais aussi en collaboration avec l'historienne Catherine Grünblatt. Le style, le rythme et les extraits d'interviews disaient bien la nature hybride du travail sans que cela nuise à son intérêt[50].

En outre, la légitimité croissante de l'objet « guerre d'Algérie » en histoire n'aboutit pas à l'éviction des autres disciplines universitaires d'un champ qui aurait pu devenir réservé aux historiens. Le voisinage avec d'autres méthodes continua de nourrir les travaux de certains. Plus rare, mais néanmoins révélateur de la perméabilité des objets et peut-être en partie des méthodes, fut le parcours de Benjamin Stora qui soutint d'abord une thèse de 3e cycle en histoire, puis une thèse d'État sur la sociologie du nationalisme algérien et enfin une thèse d'État sur l'histoire politique de l'immigration algérienne en France. Les archives publiques étaient alors totalement soumises à un système dérogatoire ; le recours aux archives privées et aux entretiens était une méthode de contournement nécessaire et, étant donné les objets, indispensable.

On retrouvait cette proximité des objets dans les travaux de Fanny Colonna, depuis sa thèse de 3e cycle : « Les instituteurs algériens formés à l'école de la Bouzaréah, 1883-1939 », jusqu'à sa thèse d'État en sociologie qui s'affirmait dès le titre comme une « histoire sociale des formes légitimes de transmission culturelle dans l'Algérie contemporaine (1830-1975) » (Colonna, 1987). Cette position entre deux disciplines était-elle aussi le reflet d'une situation entre deux mondes pour une chercheuse née dans une famille anciennement installée en Algérie et ayant choisi de rester y enseigner après l'indépendance ? La sociologue affectionnait en tout cas le regard au plus près du terrain et trouvait dans la pratique de la micro-histoire une manière

50. Le livre (Lacouture, 1985) a d'ailleurs été réédité en 2002.

appropriée d'interroger le passé. Celle qui se considérait comme une actrice de la période puisque, quand elle était étudiante à l'université d'Alger en 1953-1954, elle avait côtoyé activement les centralistes du MTLD et les proches d'André Mandouze, nourrissait ses questionnements sociologiques sur le passé d'une sensibilité aux gens ordinaires et aux complexités des situations[51]. Même si elle s'était interdit de travailler sur la guerre[52], ses études sur l'Algérie coloniale, faisant fi des segmentations disciplinaires, contribuèrent à affiner la connaissance des possibles existant encore, pour certains, en 1954. Spécialiste de l'Aurès, Fanny Colonna avait en effet opté pour un terrain qui la plaçait – même si c'était en amont – au cœur des interrogations sur le déclenchement du conflit.

Cette sensibilité à un passé décliné selon le local et le multiple, sans perdre de vue son intégration dans de plus vastes ensembles, était présente aussi chez Omar Carlier. Sa réflexion sur la nature du lien social en Algérie (Carlier, 1995), étudié de manière « multiscopique et multiscalaire », mettait ainsi l'accent sur les passeurs[53] auxquels Fanny Colonna avait dédié ses *Versets de l'invincibilité* (1995)[54]. Le chercheur avait en outre élargi son établi grâce aux instruments de l'anthropologie et livré une étude extrêmement précise des acteurs et des lieux du nationalisme algérien de l'entre-deux-guerres notamment.

L'ethnologie a aussi pu éclairer la connaissance de la guerre d'Algérie et apporter aux historiens d'autres sources. Décriée un temps pour avoir été associée au pouvoir du colonisateur français, cette discipline a certainement souffert de la concurrence de la sociologie dans les années 1960 et

51. Réponses de Fanny Colonna au questionnaire de l'auteure.
52. Exception faite du livre qu'elle a dirigé : Colonna (dir.), 1994.
53. Communication d'Omar Carlier, « La ville politisée : le nationalisme à Oran (1930-1954) et l'apport de la micro-histoire », journées d'études organisées à Alger sur « Micro-histoire, biographies et monographies », septembre 2003.
54. « Aux passeurs. Hier, aujourd'hui, demain. »

1970. Mais des travaux comme ceux de Camille Lacoste-Dujardin attestaient de l'intérêt de la démarche : à partir d'un terrain particulier découvert pendant la guerre d'Algérie, l'ethnologue a travaillé sur la mémoire de la guerre et mis à jour les modalités différentielles d'expression de cette mémoire. Elle a étudié un contre-maquis installé dans cette zone, dès 1956, par des militaires et des policiers français et alimenté en armes par eux. Cette tentative, qui aurait eu l'avantage d'économiser des vies françaises et d'impliquer les Algériens du côté de la France, se solda par un échec retentissant : les Algériens s'enfuirent avec les armes. L'opération qui fut organisée en représailles était encore dans tous les récits recueillis en 1969 mais l'ampleur de la violence déployée ne faisait pas disparaître une appréciation différenciée des responsabilités : les militaires français qui séjournaient habituellement dans la région étaient distingués des autres régiments, étrangers à la région, accusés des pires violences. Un regard était ainsi proposé sur la manière dont des liens avaient été tissés, malgré la guerre, entre militaires et population locale.

En outre, l'ethnologue, élève de Roger Bastide, sous la direction de qui elle réalisa une thèse sur le conte kabyle, avait écouté les habitants et remarqué que les femmes et les hommes ne racontaient pas la même guerre. Là où ces derniers privilégiaient un récit opposant un chef algérien à un chef français, les femmes déploraient plutôt les malheurs de la guerre et l'impuissance des hommes face aux armes françaises. Sans doute parce qu'elle était femme elle-même, peut-être aussi parce qu'elle avait lu Germaine Tillion dont l'essai *Le Harem et les Cousins* était sorti en 1966 faisant, selon elle, « l'effet d'une bombe »[55], Camille Lacoste-Dujardin recueillit aussi des témoignages sur les viols de guerre éclairant la manière dont cette violence fut prise en charge collectivement par les communautés villageoises :

55. Camille Lacoste-Dujardin, « Le souci de la femme méditerranéenne. Des Aurès au *Harem et les Cousins* », *Esprit*, février 2000.

« L'honneur kabyle, pourtant terriblement exigeant et strict quant aux femmes, ne tint pas rigueur aux femmes violentées dans cette guerre de terreur. On choisit l'oubli. Non seulement les maris n'ont pas divorcé et les jeunes filles ont été rapidement mariées, mais encore l'on s'efforça de faire avorter les victimes, de sorte qu'aucun enfant ne naisse de ces viols » (Lacoste-Dujardin, 1997 : 158). C'était une première piste sur l'histoire de cette violence, une sensibilisation à une étude du féminin et du masculin en temps de guerre.

Jusqu'au début des années 1990, le faible nombre de personnes travaillant sur la guerre d'Algérie et la fermeture des archives publiques (accessibles cependant sur dérogation) auraient pu créer les conditions d'échanges transdisciplinaires autour d'un même objet pour lequel beaucoup était encore à inventer. L'existence de quelques lieux de rencontres, plus ou moins institutionnels, le confirme. Pourtant, à l'exception des parcours individuels de certains, le dialogue entre disciplines semble avoir été relativement pauvre. Ainsi, au colloque organisé en 1988, seule Anne Roche était venue signaler les apports des spécialistes de littérature à l'étude de la mémoire[56]. Cette approche était globalement peu familière aux historiens même si elle pouvait porter sur des aspects aussi importants que les relations entre langue française et colonialisme ou sur des auteurs tels qu'Albert Camus, pour n'en citer qu'un. Plus globalement, Daniel Rivet pouvait déplorer le peu de relations entre historiens du fait colonial et anthropologues (Rivet, 1992).

En définitive, la constitution progressive, en France, d'un objet scientifique sur la guerre d'Algérie s'est faite dans un certain isolement, à la fois pour les historiens pris individuellement et pour les historiens comme collectivité. Interrogés sur leur sentiment d'avoir appartenu à une communauté scientifique au cours de leurs recherches sur la guerre d'Algérie, ils ont pratiquement tous répondu par la négative. « J'avais le sentiment d'être une bête curieuse »,

---

56. Anne Roche, « La perte et la parole : témoignages oraux de pieds-noirs », *in* Rioux (dir.), 1990 : 526-537.

répondit l'un d'eux ; « j'ai toujours été un franc-tireur », écrivait un autre. Cet isolement fut seulement rompu par l'influence exercée par Charles-Robert Ageron sur de nombreux chercheurs, qui évoquent sa rigueur et sa méthode comme modèles, sans que l'on puisse pour autant parler d'une école historique française constituée sur la guerre d'Algérie. Au contraire, répondant à la question de leur appartenance à un courant historiographique, les historiens ont eu tendance à se situer dans un autre ancrage, plus largement méthodologique ou idéologique. Ces ancrages sont hétéroclites ; ce sont les *Annales*, la première école de Francfort, le courant marxiste, « le *Mouvement social* créé par Maitron », « l'école d'histoire des relations internationales définie par Pierre Renouvin et Jean-Baptiste Duroselle » ou encore « Nanterre, Sciences-Po, Rémond ».

Cependant, on pourrait reprendre à leur sujet ce que Daniel Rivet écrivait à propos des historiens du fait colonial : « Un commun dénominateur relie tous nos historiens : le refus du rejet de "l'histoire historicisante" par les deux premières générations de l'école des *Annales*. Tous comprennent d'abord la colonisation comme un événement, avec un commencement et une fin, comme un drame, avec son cortège d'incidents et d'accidents, de ruptures et de retrouvailles, comme un cycle qu'il convient de traiter avec les procédures d'antiquaire minutieuses et exigeantes définies par les fondateurs de *La Revue historique* » (Rivet, 1992 : 134).

Quoi qu'il en soit, l'hétérogénéité apparente des historiens de la période a pu conforter l'impression d'une guerre d'Algérie protéiforme et difficile à saisir, tout en imposant la nécessité d'une approche scientifique de ce passé, dont les retours réguliers à la surface de l'actualité rappelaient le poids dans l'imaginaire collectif et la réalité sociale et politique française. Si des journalistes de talent comme Jean Lacouture ont continué à écrire sur cette période, si quelqu'un comme Jean-Luc Einaudi – éducateur professionnel – a pu entreprendre de rechercher l'histoire de faits peu connus voire occultés, il n'en demeure pas moins qu'à la fin des années 1980, l'histoire s'est imposée comme la discipline des spécialistes de la guerre d'Algérie. Dans la décennie suivante, l'ouverture des archives publiques permit aux historiens de renforcer leurs apports tandis que, en France comme à l'étranger, un cap quantitatif était franchi.

L'histoire en majesté

À la charnière des années 1980 et 1990, des thèses d'État étaient encore soutenues sur la période de la guerre mais un nouveau régime des thèses avait été introduit et aboutissait à définir des objets d'étude beaucoup plus resserrés. Ainsi la guerre d'Algérie commençait à être régulièrement choisie comme cadre : elle quitta la position marginale qu'elle occupait jusqu'alors. Sur l'ensemble des sujets de thèse déposés officiellement en France, la guerre d'Algérie devint une période régulièrement étudiée dans au moins deux thèses par an à partir de 1989. La seconde moitié de la décennie 1990 témoigna ensuite d'un intérêt grandissant des doctorants puisque, selon le fichier central des thèses, trente sujets de thèse sur ce thème furent déposés de 1996 à 2001, dont vingt-trois en histoire.

La presse et la littérature continuaient à être la base de certaines thèses comme dans les années 1980 : un ensemble de travaux s'intéressait à la notion de représentations corrélée à l'étude de la mémoire de certains groupes. Depuis le sujet de Claire Mauss-Copeaux sur les appelés de la région de Saint-Dié, déposé en 1990, la mémoire des appelés est l'objet de deux thèses en cours, l'une en histoire, l'autre en sociologie, auxquelles s'ajoute une thèse de science politique sur « la mémoire de la guerre d'Algérie ». Cette approche témoigne d'une appréhension des doctorants quant à l'accès aux archives mais surtout de la prégnance de ce type de thématique dans l'historiographie des années 1990 et, plus généralement, dans les discours sur la guerre d'Algérie. Pour la plupart de ces sujets en effet, le choix de la mémoire a été fait alors que les archives étaient accessibles. Incontestablement, sur la période de la guerre d'Algérie, la mémoire avait acquis un statut d'objet scientifique légitime, y compris en histoire.

Les aspects culturels et religieux de la guerre, d'une part, les aspects économiques, sociaux et juridiques, d'autre part, constituaient deux groupes égaux de cinq sujets de thèse, auxquels s'ajoutaient les doctorants travaillant sur les mouvements de population (immigration, émigration, rapatriement des Français d'Algérie). Mais l'histoire politique la plus classique continuait d'attirer le plus grand nombre de doctorants et les sujets restaient centrés sur la France métropolitaine : seuls deux sur treize avaient pour champ d'étude l'Algérie et un seul les relations internationales. Cette situation reflétait un déséquilibre géographique existant depuis la guerre, qui privilégie toujours l'aspect français.

Charles-Robert Ageron avait d'ailleurs donné l'alerte sur ce point en organisant, en 1996, une table ronde sur « La Guerre d'Algérie et les Algériens ». Il s'était placé d'emblée sous le signe du souci moral d'équité et avait affiché son désir de proposer aux Algériens un cadre symétrique du colloque de 1988 sur les Français et la guerre d'Algérie. Il s'agissait non seulement de promouvoir l'étude des aspects algériens de la guerre, mais aussi de proposer aux chercheurs algériens un lieu de rencontres et d'échanges intellectuels. Alors que seul un Algérien avait participé au premier colloque, la parité avait été imposée entre Français et Algériens pour celui-là. L'initiative avait une dimension politique évidente : Charles-Robert Ageron rappelait d'emblée sa volonté de « permettre aux historiens algériens de sortir du climat d'une culture de guerre et d'exercer leur effort critique vis-à-vis des affirmations dogmatiques d'une histoire officielle ». La réconciliation des peuples était présentée en arrière-fond des échanges intellectuels entre historiens ; l'élaboration d'une histoire en commun proposée comme un remède aux conflits du passé. « Parce que nous, historiens français, avons l'expérience des longs efforts qui furent nécessaires avant d'aboutir à un traitement impartial des guerres franco-allemandes, déclara Charles-Robert Ageron, nous savons que l'heure n'est pas encore venue où l'on pourrait écrire une histoire de la guerre d'Algérie qui serait acceptée par tous les Algériens et par tous les Français. Mais nous avons travaillé de notre mieux à en rapprocher l'échéance » (Ageron [dir.], 1997 : 2-4). Et pour accélérer l'écriture d'une autre histoire de la guerre en Algérie, il était nécessaire de se pencher sur les aspects algériens de cette histoire commune. Faute de quoi, l'histoire officielle algérienne occupait seule le terrain. Une histoire sociale des Algériens dans la lutte nationale était alors proposée comme voie alternative à travers, notamment, l'étude des combattants algériens, des cadres du mouvement national, civils ou militaires, des élites traditionnelles. Le champ était extrêmement vaste et les archives françaises ne permettaient pas d'y répondre complètement. Cependant, même si des travaux étaient menés de part et d'autre de la Méditerranée, le déséquilibre n'était pas près de se combler[57].

Par ailleurs ces dernières années ont plus particulièrement vu se multiplier les sujets de thèse d'histoire portant sur les aspects militaires de la guerre : sept ont été déposés entre 1996 et 2001. Ils accompagnaient la croissance générale du nombre de sujets, comme s'il avait fallu quelques années après l'ouverture des archives pour que les appréhensions devant l'impossibilité d'accéder aux archives tombent – quelques années aussi pour réaliser des mémoires de maîtrise ou de DEA explorant les nouveaux fonds. La publication du colloque « La guerre d'Algérie et les Algériens » fut une des premières occasions de connaître les nouveaux travaux rendus possibles par la plus grande ouverture des archives. La prédominance des sources du Service historique de l'armée de terre était nette, de même que dans le colloque « La guerre d'Algérie au miroir des décolonisations françaises », trois ans plus tard (Lefeuvre et Pathé [dir.], 2000). Signe des temps aussi, deux colloques eurent exclusivement pour objet l'histoire militaire de la guerre, entendue dans un sens aussi large que l'étaient les activités de l'armée à l'époque, c'est-à-dire aussi bien politiques et

57. Voir chapitre suivant.

sociales que militaires proprement dites (Jauffret et Vaïsse [dir.], 2001 ; Jauffret [dir.], 2003). Il n'en demeurait pas moins qu'en quelques années, l'ouverture des archives militaires avait produit des effets importants sur l'écriture de l'histoire de la guerre côté français mais aussi côté algérien, comme l'attesta notamment le travail de Gilbert Meynier (2002) sur l'histoire intérieure du FLN réalisé très largement grâce aux documents conservés au SHAT.

Les archives militaires n'étaient cependant pas l'alpha et l'oméga de la connaissance : ainsi, un colloque sur « Droit et justice en Algérie, XIXe-XXe siècles » démontra, à l'automne 2002, les apports importants que l'on pouvait espérer des fonds du ministère de la Justice[58]. Ce colloque réunissait historiens et spécialistes du droit qui, jusqu'alors, avaient travaillé de manière plutôt parallèle. À côté de communications sur « l'affaire du collectif des avocats en Algérie » en 1957, « l'institution judiciaire et les réfractaires français », « la deuxième commission de sauvegarde des droits et libertés individuels » ou encore « le tribunal de l'ordre public »[59], des juristes vinrent exposer les conditions dans lesquelles fut conduite « l'action publique pendant la guerre d'Algérie », les difficultés à « être magistrat en Algérie pendant la guerre » et les contours de la répression en métropole à travers le cas des « Algériens devant la cour d'assises du département du Nord »[60].

Tandis que juristes, sociologues et historiens approfondissaient leur dialogue, d'autres disciplines continuaient à apporter leur regard sur la réalité passée, conduisant à des hypothèses stimulantes pour les historiens. Kamel Kateb, chercheur à l'INED, s'attaqua ainsi aux données démogra-

---

58. Association française pour l'histoire de la justice, *La Justice en Algérie, 1830-1962*, La Documentation française, 2005, 366 p.

59. Communications, respectivement, de Sharon Elbaz, Tramor Quémeneur, Raphaëlle Branche et Sylvie Thénault.

60. Communications, respectivement, de Jean-Paul Jean, Jean-Pierre Royer, Sabrina Ducoulombier et Domitille Renard, Annie Déperchin et Arnaud Lecompte.

phiques disponibles sur l'Algérie coloniale avec l'intention de reconstituer une « histoire statistique des populations de l'Algérie » grâce aux techniques de correction du sous-enregistrement utilisées pour les données récentes[61]. Les invitations se multipliaient à lire d'autres textes que les archives ou à lire autrement les documents habituellement utilisés par les historiens. Gabriel Périès proposa ainsi une lecture attentive des textes produits par certains officiers qualifiés par lui de « doctrinaires » et d'« intellectuels organiques » de l'institution militaire. Le chercheur en sociologie politique pointait le rôle majeur de la parole doctrinale dans la compréhension des enjeux internes à l'armée et, au-delà, de ses effets sur la politique. Son travail incitait les historiens à lire les textes des militaires comme des productions discursives dont l'analyse précise révélait certains éléments tels que l'image que l'armée avait d'elle-même ou de son adversaire. Il repérait par exemple que le mot « arabe » était fréquemment associé, dans les textes de ces doctrinaires, avec celui d'« invasion », ce qui permettait de justifier l'occupation française comme étant dans l'ordre des choses : si l'Algérie avait été arabisée, elle pouvait très bien être francisée. Bien plus, les Arabes se retrouvaient placés ainsi en position d'extériorité par rapport à l'Algérie française. Ils n'avaient aucune légitimité à parler au nom d'une nation algérienne – ce que la récurrence des expressions « ligue arabe » ou « monde arabe » soulignait encore (Périès, 1992).

Depuis la fin des années 1990, les spécialistes de littérature qui, depuis longtemps, menaient des travaux sur l'Algérie coloniale ont noué des liens plus étroits avec les historiens. Un colloque intitulé « Regards croisés sur la guerre d'Algérie »[62] a ainsi vu un historien comme Jacques

---

61. Kamel Kateb, « L'espérance de vie à la naissance et la surmortalité féminine en Algérie en 1954 », *Population*, 6, 1998, p. 1 209 ; Kateb, 2001.

62. Colloque organisé par Lila Ibrahim-Lamrous et Catherine Milkovitch-Rioux (Centre de recherches sur les littératures modernes et contemporaines - université Blaise-Pascal Clermont-II), novembre 2003.

Cantier proposer une étude sur « La guerre d'Algérie dans l'œuvre de Jules Roy : du témoignage au roman », tandis que Lila Ibrahim-Lamrous ou Philippe Baudorre, tous deux spécialistes de littérature, s'intéressaient respectivement aux textes d'intellectuels engagés et aux écrivains journalistes[63]. L'analyse en termes de « regards » avait aussi amené les organisatrices du colloque à solliciter une historienne et un sociologue sur des parcours singuliers[64]. Si une série de travaux s'intitulait plus classiquement « représentations littéraires », les communications témoignaient pourtant de deux problématiques communes : la mémoire et la souffrance.

Un an auparavant, un autre colloque avait déjà réuni des spécialistes de plusieurs disciplines autour d'historiens et de gens de lettres sur le thème « La guerre d'Algérie dans la mémoire et l'imaginaire » (Dayan-Rosenman et Valensi [dir.], 2004). Manifestement, le thème de la mémoire fonctionnait comme un agent fédérateur des recherches sur la guerre. Les chercheurs se rencontraient et pouvaient ainsi se familiariser avec la diversité des démarches, tels Catherine Milkovitch-Rioux proposant un panorama des « Territoires littéraires de la guerre d'Algérie » sous-titré « De l'hétérogénéité de la mémoire » ou encore le sociologue de la Kabylie Alain Mahé se risquant à des « Réflexions sur la constitution d'une histoire littéraire algérienne ». En 2003, ce colloque « Regards croisés… » franchissait un pas supplémentaire puisqu'il était animé du souci manifeste de provoquer un déplacement des regards et des objets. Les historiens étaient invités à interroger les textes littéraires tandis que les spécialistes de littérature étaient amenés à étudier plus spé-

63. Lila Ibrahim-Lamrous, « Quand les intellectuels entrent en lice : analyse littéraire des textes agoniques », colloque CRLMC – université Blaise-Pascal Clermont-II, novembre 2003. Philippe Baudorre, « Écrire la guerre au quotidien : les écrivains journalistes et la guerre d'Algérie », colloque CRLMC-université Blaise-Pascal Clermont-II, novembre 2003.

64. Haoua Ameur-Zaïmeche, « La guerre d'Algérie au ras du sol : deux témoins du Nord-Est constantinois » ; et Abdelmadjid Merdaci, « Deux récits constantinois ».

cifiquement les discours tenus sur l'histoire dans les œuvres littéraires, ou encore la pertinence de la notion de témoignage littéraire. Une invitation à la réflexion sur les apports réciproques de la littérature et de l'histoire par l'incitation à se glisser dans les questionnements de l'autre. À n'en pas douter, c'est une des voies par lesquelles le travail historique sur la guerre d'Algérie peut espérer se renouveler et progresser.

Née au cœur de l'événement lui-même, l'historiographie de la guerre d'Algérie a ainsi peu à peu imposé la légitimité de son objet dans la discipline historique. Les voies de contournement furent d'abord fréquentes car rares étaient ceux qui pouvaient l'aborder de front sans un détour par une période antérieure permettant d'asseoir leur carrière universitaire. Mais, peu à peu, les archives privées puis publiques s'ouvrant, les sujets d'étude se resserrèrent sur la séquence de la guerre, tandis que l'histoire devenait la discipline dominante. À une certaine concurrence avec les autres disciplines succéda un dialogue régulier, signe d'un apaisement des tensions et d'une recomposition des relations autour de problématiques communes.

Autour de Charles-Robert Ageron – que ce soit dans des séminaires ou à la Société française d'histoire d'outre-mer –, une dynamique de recherche a permis à certains historiens de se retrouver et, y compris pour les plus jeunes, de se sentir moins isolés. Avec le temps, leur nombre s'est étoffé et les colloques sont devenus plus fréquents. À défaut d'une communauté scientifique constituée, les occasions d'échanges et de rencontres se sont multipliées depuis les années 1990, gage d'une écriture de l'histoire enrichie des apports de chacun et des critiques, que l'on peut souhaiter uniquement constructives, de tous.

Les connaissances sur la guerre d'Algérie se sont affinées et un meilleur découpage politique du conflit a émergé : après des débuts chaotiques des deux côtés, l'affrontement avait pris un tour définitif en août 1955, avant de connaître un second tournant en 1956 avec le vote des pouvoirs spéciaux en France et la conférence de la Soummam en Algérie ;

l'année 1957 était apparue comme un moment de tensions extrêmes, à l'ONU, sur le front militaire en Algérie et dans l'opinion publique française ; la guerre avait alors atteint une forme d'acmé, que le renversement de la IVe République avait confirmé, rétrospectivement. De même, le massacre par le FLN des habitants du douar Ihadjadjen (dechra Ifraten), en avril 1956, précédant celui de mai 1957, connu sous le nom de massacre de Melouza, pouvait être considéré comme annonçant la suprématie que le FLN obtint, à force de persuasion et de violence, sur le mouvement national à partir de 1958. Enfin, la Ve République, moins bien connue, était apparue nettement divisée en deux périodes, avant et après 1960. Les autorités politiques avaient d'abord laissé largement le pouvoir aux mains des militaires en Algérie et leur avaient permis d'aboutir à des résultats certains contre l'ALN, puis elles avaient repris les choses en main dans le courant de l'année 1960 pour tenter de trouver un terme au conflit, notamment par le biais de négociations avec le FLN, reconnu comme seul interlocuteur valable.

Des éléments plus personnels peuvent aussi éclairer les manières différentes dont les historiens ont appréhendé la guerre d'Algérie depuis 1962. Trois critères principaux se dégagent : la relation entretenue avec la guerre ; l'âge ; enfin l'appartenance ou la non-appartenance à une des nations engagées dans le conflit. Tentons de les étudier afin de mesurer leur impact éventuel sur l'écriture de l'histoire.

CHAPITRE 2

Question de distances

Les historiens français et la guerre d'Algérie

Les historiens français n'ont pas coutume d'afficher l'endroit d'où ils parlent. Les implications personnelles dans la démarche scientifique sont le plus souvent occultées en raison d'un « postulat du retranchement de soi »[1] qui fonderait seul l'objectivité, ce « noble rêve »[2] que certains croient atteindre en s'effaçant de l'histoire qu'ils écrivent. Or le choix d'un objet de recherche, quand il engage toute une vie, ne peut être simplement renvoyé au hasard. Si celui-ci peut proposer, l'historien est toujours, en définitive, celui qui dispose. Il me semble qu'il est important qu'il puisse rendre compte de cette décision, sans craindre d'être accusé d'un subjectivisme coupable. La subjectivité fait toujours partie de l'étude et de l'écriture : s'il est nécessaire de la connaître pour la maîtriser, il serait utopique de la nier.

Cependant les spécialistes de la guerre d'Algérie ont quelques raisons de craindre ce dévoilement tant le réflexe

1. Olivier Dumoulin, *Le Rôle social…*, *op. cit.*, p. 319.

2. Sur l'objectivité ce « noble rêve », voir le livre de Peter Novick : *That Noble Dream : the « Objectivity Question » and the American Historical Profession*, Cambridge, Cambridge University Press, 1988, 672 p. ; ainsi que Joyce Appleby, Lynn Hunt, Margaret Jacob, *Telling the Truth about History,* New York-Londres, W.W. Norton & Company, 1994, 336 p.

est répandu de renvoyer alors leurs travaux à une histoire idéologique ou à une histoire militante, c'est-à-dire élaborée en fonction de buts extérieurs à la recherche. Quand ils répondent à la question de leurs liens personnels avec le sujet, les historiens ont le souci d'insister sur leur distance scientifique avec lui. Autant de prudence et de gages ne sont pas exigés pour les spécialistes de sujets tout aussi contemporains mais moins polémiques, comme si, dès lors qu'ils s'attaquent à un sujet objet de controverses publiques et politiques, les historiens étaient susceptibles d'oublier leur méthode.

Pourtant, pour reprendre les mots d'Annette Wieviorka, « l'historien n'a qu'un seul devoir, celui de faire son métier, même si les résultats de ses travaux nourrissent le débat public ou la mémoire collective ou sont instrumentalisés par l'instance politique »[3]. Il n'est pas comptable des utilisations qui sont faites de ses écrits et ne peut être tenu pour responsable de ces usages. En revanche, on peut considérer que le respect des règles de la méthode constitue précisément un rempart efficace contre l'intrusion de considérations militantes dans la démarche de recherche. On peut suivre Monique Gadant (1995 : 17) quand elle estimait : « Ne pas se faire le porte-parole d'une cause. J'admets qu'il s'agit bien d'une condition du discours scientifique. Ce qui ne veut pas dire que ce discours ne dérange personne. »

Que les liens entretenus avec la guerre d'Algérie soient identitaires, politiques ou intellectuels, le regard porté sur ces événements passés n'est bien sûr pas le même : le choix des objets varie, les affinités avec certains personnages ou l'intérêt pour telle ou telle question sont aussi divers que les personnalités des chercheurs. Mais tous les historiens partagent une méthode et des règles qui constituent précisément leur métier. Ils ne l'exercent pas dans une tour d'ivoire, séparées du reste de l'humanité de manière étanche, mais à une certaine distance des enjeux du monde

---

3. Annette Wieviorka, *L'Ère du témoin*, Hachette, « Pluriel », 2002, p. 186. 1re édition : 1998.

que chacun fixe en fonction de ses implications personnelles avec le sujet et avec ses contemporains. De fait, les relations que les historiens français de la guerre entretiennent avec la période sont très diverses et l'influence de cette relation sur leur travail est, elle aussi, fort variable. Étudier cette dimension personnelle, c'est essayer d'éclairer les angles par lesquels a été abordée la guerre d'Algérie mais aussi l'idée que les historiens français ont eue de leur métier. Ici la dimension générationnelle doit être prise en compte en prenant garde de croire que l'influence d'un événement passé soit toujours inversement proportionnelle à la distance temporelle nous séparant de lui.

Pour de nombreux historiens, la guerre d'Algérie a été un de ces événements fondateurs marquant une génération d'intellectuels tels que Jean-François Sirinelli a pu les décrire[4]. Pour autant tous n'ont pas choisi de devenir historiens de cette période, bien au contraire. Ainsi Michelle Perrot, qui s'était engagée très tôt contre la guerre d'Algérie, avait choisi alors de faire de l'histoire ouvrière au service d'un engagement militant plus global : « Prendre la classe ouvrière comme objet de ma recherche me semblait une façon de la rejoindre, voire de la servir, en contribuant à sa connaissance et à sa reconnaissance » (Perrot, 1987 : 286). Elle soutint ensuite la recherche en histoire des femmes dans un but similaire. Démarche militante contre la répression coloniale et démarche intellectuelle n'étaient peut-être pas si éloignées.

L'impact de l'événement a aussi pu se traduire par des problématiques, des optiques inédites suggérées par la guerre. On peut ainsi s'interroger sur le poids de la guerre d'Algérie dans la thèse de Guy Pedroncini sur les mutineries pendant la Grande Guerre, thèse commencée en 1959 et soutenue en 1967. Dix ans plus tard, une autre thèse attestait que la guerre d'Algérie avait effectivement marqué l'historiogra-

---

4. Sirinelli, 1987, et Jean-François Sirinelli, *Génération intellectuelle. Khâgneux et normaliens dans l'entre-deux-guerres*, Fayard, 1988.

phie de la Première Guerre mondiale. Dans son introduction, son auteur, Antoine Prost, se livrait à une présentation personnelle sans ambiguïté : « L'idée de cet ouvrage [sur les anciens combattants et la société française de 1914 à 1939], écrivait-il, naquit en Algérie. Tant il est vrai que l'histoire est un jeu subtil du même et de l'autre, de la continuité et de la différence. » L'historien présentait son expérience dans une unité opérationnelle en Algérie comme une initiation à la réalité de la guerre de 1914-1918, un accès à « l'expérience incommunicable de la guerre ». Ses réflexions d'alors sur le fait qu'en Algérie il manquait « d'abord, au moins pour moi, le sérieux de la patrie menacée dans sa chair [...], le sérieux d'une vraie guerre » l'amenèrent à imaginer l'ampleur du choc de la Grande Guerre sur ceux qui la vécurent. Ainsi la guerre d'Algérie fut, pour l'historien, une période initiatique au cours de laquelle lui fut révélé « un trait profond, essentiel de la compréhension des Français de [l'entre-deux-guerres] », cette évidence qu'ils avaient vécu dans une période « dominée par le souvenir de la guerre passée et l'appréhension de la guerre qui vient »[5].

Envoyé aussi en Algérie, mais plus tôt, Robert Bonnaud y découvrit une réalité si choquante qu'il décida d'en témoigner dès son retour. Son récit sortit dans *Esprit* en avril 1957 sous le titre « La paix des Nemencha ». Il y dénonçait les crimes commis par les militaires français et affirmait notamment : « Il faut savoir ce que l'on veut. Le maintien de notre domination a exigé, exige, exigera des tortures de plus en plus épouvantables, des exactions de plus en plus générales, des tueries de plus en plus indistinctes. Il n'y a pas d'Algérien innocent du désir de dignité humaine, du désir d'émancipation collective, du désir de liberté nationale. Il n'y a pas de suspect arrêté à tort et torturé par erreur. » Ce texte, éclatant de lucidité, affirmait refuser « les faciles réconforts du pilatisme ». Le mois suivant, de nouveau dans *Esprit*, Robert

5. Antoine Prost, *Les Anciens Combattants et la société française, 1914-1939*, Fondation nationale des sciences politiques, 1977, vol. 1, p. 1.

Bonnaud s'attacha à dénoncer « les fausses symétries » souvent évoquées entre les crimes de l'armée française et ceux du FLN. Logiquement, le jeune historien s'engagea ensuite dans le réseau Jeune Résistance pour apporter un soutien actif aux jeunes Français qui refusaient de partir en Algérie. Il fut arrêté, accusé d'aide au FLN et inculpé ; il passa un an en prison[6]. Son soutien au peuple algérien en train de se battre pour son indépendance se traduisit ensuite par un engagement historique particulier, très éloigné d'une étude précise de la guerre. Au contraire, le projet de Robert Bonnaud était universel, sa conception de l'histoire totale. Il consacra plusieurs ouvrages à une véritable philosophie de l'histoire qui était fidèle à son engagement politique premier. Il proclamait ainsi que « mondialiser la science historique, [c'était] élaborer une histoire universelle qui le serait réellement, où l'Occident ne serait pas toujours le centre, mais le serait quand il le faut, pendant toute la période moderne en tout cas, où l'intégration comparatiste des données remplacerait leur juxtaposition mécanique, où la recherche des rythmes communs, des tournants généraux, qualitatifs et quantitatifs, des ascensions mondiales et des chutes, serait considérée comme une urgence, la priorité des priorités » (Bonnaud, 2001 : 203-204). Cet idéal était résolument articulé à une pensée politique, conjuguée au présent, et l'historiographie était une des expressions de cette pensée.

Pour certains historiens, la guerre d'Algérie vint donc suggérer des pistes, infléchir des trajectoires, initier peut-être des désirs d'histoire. Elle agit aussi comme un repoussoir : il n'était pas question de travailler sur elle, parce qu'elle avait été trop proche, parce qu'on se sentait trop lié à des gens, à des lieux, à des souvenirs. Ainsi Annie Rey-Goldzeiguer, dont Pierre Vidal-Naquet a fait remarquer que sa thèse portait l'empreinte de la guerre d'Algérie dans ses titres, en particulier « L'année de l'espoir », « La révolte coloniale », « Les masses algériennes en mouvement »[7],

6. Robert Bonnaud, *Itinéraire*, *op. cit.*
7. Préface de Pierre Vidal-Naquet à Meynier, 1981 : XIV.

avait choisi de travailler sur le XIXe siècle. Cette Française de Tunisie, militante de la cause anticoloniale, ayant passé sa licence d'histoire à Alger entre 1943 et 1945, avait souhaité interroger un des moments clés de la colonisation et travailler en thèse sur le sujet : « Royaume arabe et désagrégation des sociétés traditionnelles en Algérie. » Trente-cinq ans plus tard, elle se rapprocha davantage de la guerre en proposant une analyse des événements de mai 1945 à la lumière des années précédentes. La thèse qu'elle défendait – il existait en Algérie un « monde du contact » grâce auquel d'autres relations entre Français et Algériens auraient été possibles et ce « monde du contact » avait été brisé par la répression qui avait suivi le 8 mai 1945 – était appuyée sur une étude serrée des archives mais s'enracinait aussi dans le parcours personnel de l'auteure qui disait avoir été choquée, en 1945, par « la répression brutale », « la ruine de [s]es illusions », la fin du « monde du contact » (Rey-Goldzeiguer, 2002 : 6). Un tel affichage ne nuisait pas au propos qui s'efforçait de rendre compte des multiples points de vue ayant existé sur l'événement.

De même Charles-Robert Ageron travailla d'abord sur « Les Algériens musulmans et la France, 1871-1919 »[8]. L'historien avait été envoyé en Algérie avec sa promotion d'agrégation en 1947 et avait choisi de rester à Alger jusqu'en 1957. Pendant qu'il travaillait à sa thèse, il militait aussi au sein du Comité d'action des universitaires libéraux puis de la Fédération des libéraux. Dans leur journal, *Espoir-Algérie*, les libéraux s'attaquaient à rectifier les informations erronées données par le pouvoir politique tout en défendant une position d'abord réformiste, avant d'être plus nettement favorables à l'autonomie de l'Algérie dans l'Union française, puis à l'autodétermination du peuple algérien. Dans sa thèse, l'historien s'interrogeait non seulement sur les relations des autorités françaises aux Algériens mais aussi sur ce que l'on appellerait aujourd'hui l'opinion publique face à la

---

8. Thèse sous la direction de Charles-André Julien, soutenue en 1968.

question algérienne. Enfin, soucieux de comprendre les racines des inégalités, notamment foncières, entre Français et Algériens, il étudia les effets sur la société algérienne des différentes politiques menées depuis le Second Empire. Le présent nourrissait le regard sur le passé mais ne constituait pas d'emblée un objet d'étude.

Quoique sociologue, Fanny Colonna était également dans ce cas. Née dans une famille implantée depuis plusieurs générations en Algérie, elle était proche des centralistes du MTLD quand la guerre éclata. Sa thèse porta sur un sujet moins contemporain – « Les instituteurs algériens formés à l'école de la Bouzaréah, de 1883 à 1939 » – mais était guidée par le souci de comprendre les relations entre société dominante et société dominée en étudiant la couche d'intermédiaires privilégiés que furent les instituteurs « indigènes ». Ce ne fut que bien après qu'elle réalisa un doctorat d'État englobant la guerre.

L'expérience de la période a pu être invoquée par certains à l'appui de leurs études historiques. Annie Rey-Goldzeiguer le fit explicitement dans son livre sur les origines de la guerre d'Algérie, mêlant adroitement des éléments personnels à un important travail de recherche. André Nouschi l'indiquait aussi quand il présentait le fait d'avoir connu la guerre, adulte, comme condition d'accès à certaines connaissances. Il a ainsi reproché à Benjamin Stora sa présentation de l'islam en Algérie en notant : « Ceux qui y ont vécu savent que le millénarisme n'a jamais effleuré Ben Badis ou Tal Madani[9]. » L'historien n'hésitait pas à puiser dans les arguments du témoin pour invalider un propos, alors qu'il aurait pu le faire en utilisant ses travaux de recherche, puisque André Nouschi était spécialiste de l'Algérie coloniale et notamment de l'entre-deux-guerres. Ne risquait-il pas ainsi de mettre en danger les fondements de sa propre compétence[10] ?

9. André Nouschi, « Sur la guerre d'Algérie », *Relations internationales*, 114, été 2003, p. 298.

10. Pour André Nouschi, les choses sont pleinement assumées : « Cette histoire fait partie de ma vie » (Nouschi, 1995, p. 9).

Conscient de ce danger, Charles-Robert Ageron résista, quant à lui, longtemps avant de travailler sur la guerre d'Algérie. « Les *a priori* subsistent et les documents écrits rendus publics, s'ils sont plus nombreux, sont encore nettement insuffisants pour l'établissement scientifique de faits essentiels », expliquait-il en 1992[11]. Aussi choisit-il de ne se consacrer à cette étude qu'une fois l'ouverture des archives militaires acquise. Il devint dès lors un pilier de la salle de lecture du SHAT, soucieux de porter le plus d'informations exactes à la connaissance du public. « S'agissant de drames récents, estimait-il en effet, la mémoire risque d'être transmise déformée aux jeunes générations, les historiens ont [donc] le devoir d'être plus prudents encore que leur métier ne l'exige habituellement. Si l'objectivité est philosophiquement impossible, l'impartialité est une vertu que tout historien peut et doit s'imposer » (Ageron, 1993).

Les dangers de l'historien témoin ne guettaient pas seulement ceux qui avaient vécu la guerre comme adultes en Algérie. Pour les enfants d'alors, la période ne fut pas non plus abordée directement. Ceux qui étaient nés en Algérie prirent des biais divers. Ainsi Jacques Frémeaux préféra se consacrer à l'étude des débuts de la colonisation. Sa thèse porta sur les bureaux arabes et ce ne fut que progressivement qu'il en vint à des recherches plus contemporaines, tout en acceptant de diriger des étudiants sur la guerre. Ses travaux les plus récents n'abandonnaient pas le XIXe siècle : ils proposaient de creuser une comparaison souvent effleurée, jamais étudiée[12], entre guerre de conquête et guerre de décolonisation. Pour Jacques Frémeaux, c'était répondre à une promesse qu'il s'était faite enfant : « Comprendre pourquoi, du jour au lendemain, un monde où, non sans mal par-

11. Charles-Robert Ageron, « Une histoire de la guerre d'Algérie est-elle possible ? », *in La Guerre d'Algérie dans l'enseignement en France et en Algérie*, La Ligue de l'enseignement/IMA/CNDP, 1992, p. 155.

12. À l'exception de Mostefa Lacheraf, *L'Algérie : nation et société*, Maspero, 1965, 350 p.

fois, il pensait un jour trouver sa place, avait pu s'écrouler, en même temps que sa confiance naïve dans une France tutélaire et une invincible armée. » La recherche et l'écriture avaient une dimension cathartique que l'auteur exprimait ainsi : « Essayer d'exorciser des obsessions qui, trop longtemps, ont pesé sur [m]a vie. » Il considérait aussi que l'historien était chargé « comme l'écrivait Chateaubriand, “de la vengeance des peuples”, ce qui [était] à la fois beaucoup et peu. Cette “vengeance” consist[ait] en effet à laisser s'exprimer ce que les puissants ne veulent en général pas écouter, ou empêchent de dire, et ainsi de rétablir les humbles dans leur dignité d'hommes »[13]. La « compassion » était aussi une voie d'entrée revendiquée dans l'histoire.

Sans doute guida-t-elle également Jean-Jacques Jordi dans ses travaux sur les causes et les conséquences de la guerre. Celui qui avait été marqué, lors de son arrivée à Marseille à l'âge de 7 ans, en 1962, par le rejet dont il faisait l'objet – y compris à l'école – choisit de s'intéresser notamment aux rapatriés d'Algérie, pieds-noirs ou harkis. Mais sa thèse avait porté sur la période coloniale, puisqu'il avait tenté de comprendre l'enracinement dans l'identité française des Espagnols d'Oranie de 1830 à 1950.

Maurice Vaïsse tourna plus radicalement le dos à l'Algérie où il avait grandi et passé la plus grande partie de la guerre : il choisit les relations internationales. Son sujet de thèse restait pourtant dominé par la question militaire, vue dans sa dimension politique : il portait sur la politique de la France en matière de désarmement entre les deux guerres. Cependant, Maurice Vaïsse revint à la guerre d'Algérie grâce à un éditeur qui lui demanda d'écrire un livre sur le putsch d'avril 1961. Ce fut le premier ouvrage historique sur le sujet, malgré les difficultés rencontrées par son auteur pour le réaliser. Maurice Vaïsse garda de cette première expérience un voisinage régulier avec la question algérienne, par le biais de

13. Frémeaux, 2002 : 10 ; et Jacques Frémeaux, compte rendu critique du livre de Claire Mauss-Copeaux, *Revue française d'histoire d'outre-mer*, *op. cit.*, p. 373.

l'histoire de la politique étrangère et militaire de la France et par le poste de directeur du Centre d'études d'histoire de la défense qu'il occupa plusieurs années. Mais elle ne devint jamais son objet principal de recherche.

Enfin deux derniers enfants d'Algérie à avoir choisi l'histoire contemporaine englobèrent d'emblée la guerre dans leur période d'étude : Caroline Brac de la Perrière et Benjamin Stora. Pour ce dernier, une double compétence en histoire et sociologie facilita peut-être le saut dans une période qu'il avait connue de 4 à 12 ans. En effet, ses travaux sur le nationalisme algérien ne s'arrêtaient pas à la veille de la guerre. Cependant il les justifia davantage par l'action politique que par son origine : membre de l'OCI dans les années 1970, Benjamin Stora expliqua son intérêt pour l'histoire par la relation que le trotskisme entretenait avec le passé tant dans la formation des militants que dans les références utilisées par Pierre Lambert. Plus précisément, « une recherche sur Messali Hadj [lui] permettait de rester dans l'étude du courant auquel [il] appartenai[t], de saisir sa filiation puisque le PCI [ancêtre de l'OCI] avait été pratiquement la seule organisation à soutenir ce mouvement nationaliste algérien pendant la guerre d'indépendance » (Stora, 2003 : 207). Il prolongea ensuite, lui aussi, son regard en aval de sa recherche initiale et étudia les conséquences de la guerre, ses effets dans les constructions identitaires et nationales en France et en Algérie. Comme il l'exposa un jour, « l'historien travaille [...sur] une réalité qui n'est pas vraiment le passé, comme le croit le sens commun, mais [sur] le temps. Ce temps qui nous a fait, nous étreint au présent et nous dépassera toujours, ce temps dont l'historien ne sort jamais » (Stora, 2002 : 155). Celui qui se présente volontiers comme « un homme du Sud » a, en outre, toujours souhaité articuler dans ses travaux l'Algérie et la France, deux destins nationaux qu'il estimait liés.

La démarche de Caroline Brac de la Perrière était différente. Née dans une riche famille coloniale installée en Algérie depuis des générations, elle choisit un sujet de thèse portant uniquement sur la période de la guerre. La dimension personnelle était affichée dans la dédicace de son livre : « À Zohra Reziga, “Madame Z.R.”, décédée à Hadjout le 8 mars 1985 », domestique de la famille prise en photo en 1975 et ornant la couverture du livre (Brac de la Perrière, 1987). Mais cette thèse constitua seulement l'étape historienne d'un parcours plus diversifié, ancré fondamentalement dans le présent d'un engagement en Algérie. Le déplacement de l'amont vers l'aval des centres d'intérêt des historiens de la guerre d'Algérie était pourtant, là encore, confirmé.

Sans être né en Algérie, Guy Pervillé suivit un cheminement similaire : une thèse englobant la période de la guerre, puis une spécialisation progressive sur la guerre d'Algérie et la décolonisation, avant de s'intéresser aux conséquences de la guerre et aux enjeux de mémoire afférents. L'auteur avait été particulièrement sensibilisé à la guerre par sa rencontre avec des camarades lycéens rapatriés en 1962. Plus tard, pendant ses études, il avait été « scandalisé par les contradictions fondamentales de ce conflit » et s'était « juré de faire tout [son] possible pour les tirer au clair »[14]. Dès 1976, il fixait comme objectif aux historiens de « contribuer à exorciser les relations franco-algériennes, ce qui suppos[ait] au préalable l'apaisement des discordes franco-françaises ; [d']expliquer à tous les intéressés pourquoi ils s'[étaient] si durement affrontés et, par là, [de] les libérer de leurs ressentiments »[15].

Quoique privilégiant un angle d'approche français, Jean-Charles Jauffret pourrait partager ce point de vue. En présentant le volume de documents militaires français qu'il publia dans le cadre du Service historique de l'armée de terre, il formait en effet le vœu qu'il puisse « aider à briser le conglomérat des haines »[16]. Lui aussi avait connu la guerre enfant : il avait été réveillé par le bruit des chars pas-

14. Entretien avec Guy Pervillé, *Panoramiques*, 62, 2003, p. 151.
15. *Annuaire de l'Afrique du Nord*, CNRS Éditions, 1976, p. 1363.
16. Jean-Charles Jauffret (dir.) *La Guerre d'Algérie par les documents,* t. 2, « Les Portes de la guerre, 1946-1954 », Service historique de l'armée de terre, Vincennes, 1998, 1 023 p.

sant sous sa fenêtre pour prendre position sur le port de Marseille pendant le putsch. Mais il avait d'abord travaillé sur la Légion étrangère, puis sur l'armée de métier de 1871 à 1914, avant de se consacrer, dans la seconde moitié de sa carrière, aux aspects militaires de la guerre d'Algérie. Comme Guy Pervillé qui estimait que le fait de ne pas avoir eu « à souffrir personnellement ni familialement de la guerre d'Algérie ni de son issue [lui] a[vait] permis de la considérer immédiatement comme une énigme historique »[17], Jean-Charles Jauffret précisait aux lecteurs de *La Guerre d'Algérie par les documents* qu'il n'avait pas « vécu dans sa chair la guerre d'Algérie » et qu'il était « libre de tout parti »[18]. Il proposait de définir l'historien comme un « braconnier du savoir [qui] ne fait partie d'aucun tribunal. Il ne règle aucun compte mais tente de comprendre un phénomène au-delà des passions »[19].

Les précautions de Jean-Charles Jauffret et Guy Pervillé comme les détours pris par les historiens nés en Algérie pour aborder la guerre témoignent des méfiances pesant sur l'écriture de cette histoire. Comme si être un Français né en Algérie devait nécessairement amener à douter des capacités de l'historien à faire son métier. Si certains ont pu considérer qu'il leur était impossible de travailler sur cette période, qu'elle les touchait trop, d'autres ont fait le choix contraire. On pourrait, à rebours des soupçons habituels, faire l'hypothèse que, conscients de l'aspect éventuellement identitaire de leur recherche, ceux-ci ont plus réfléchi que les autres à leur implication personnelle. En quoi, en effet, ne pas être né en Algérie et ne pas avoir été touché dans sa chair par la guerre, suffirait-il à garantir les qualités d'un historien ?

À côté de ces historiens pour qui l'Algérie avait été un lieu de vie, un pays d'origine, ou le cadre d'une enfance, d'autres connurent, à l'occasion de la guerre, leur premier engage-

17. Entretien, *Panoramiques*, *op. cit.*
18. Avant-propos du tome 1 de Jean-Charles Jauffret, *La Guerre d'Algérie par les documents*, *op. cit.*
19. Avant-propos du tome 2, *ibid.*, p. 3.

ment politique. Ils avaient, pour la plupart, l'âge des militaires appelés à se battre en Algérie : cette guerre fut l'événement fondateur de leur génération[20]. L'UNEF constitua assurément un cadre de prise de conscience politique pour beaucoup de ces étudiants en histoire. Ainsi Anne-Marie Duranton-Crabol, engagée en faveur de l'indépendance de l'Algérie à la fin de la guerre, se mit à étudier l'OAS à partir d'une recherche sur l'extrême droite intellectuelle. Sursitaire pour raison d'études, Jean-Pierre Rioux décida de travailler sur la guerre d'Algérie pour « rester fidèle à [lui]-même ». Quant à Gilbert Meynier, engagé très jeune contre la guerre en Algérie, il se consacra d'abord aux premières décennies du siècle avant d'étudier le FLN de l'intérieur. Après la guerre, le jeune homme avait choisi d'aller en Algérie, sur les chantiers culturels, participer à des cours d'alphabétisation l'été 1963 et l'été 1964. Il y était ensuite retourné comme enseignant au lycée français d'Oran puis à la faculté des lettres de Constantine entre 1967 et 1970. Un parcours engagé donc, mais sur les deux rives de la Méditerranée, qui le prépara à accomplir ce qu'il estimait devoir être le rôle de l'historien : un « démythificateur »[21].

Comme Gilbert Meynier, René Gallissot choisit aussi d'aller enseigner dans l'Algérie indépendante. Mais, plus âgé que lui, puisqu'il avait 20 ans en 1954, il avait articulé son action pendant la guerre avec son engagement communiste. Cette orientation marqua ses choix de recherche autour du « marxisme et de la question coloniale » à travers « la question nationale algérienne ». Tous deux appartenaient à ce que Claude Liauzu a appelé « la génération algérienne des études maghrébines »[22], dans laquelle Monique Gadant s'est aussi reconnue. Venue à Alger, en octobre 1962,

20. Les paragraphes qui suivent doivent beaucoup aux réponses des historiens cités au questionnaire de l'auteure.

21. Voir Gilbert Meynier *in* Ageron (dir.), 1997 : 281.

22. Claude Liauzu, « Intellectuels du tiers-monde et intellectuels français, les années algériennes des éditions Maspero » *in* Rioux et Sirinelli (dir.), 1991.

elle voulait « participer à la transformation d'une société » (Gadant, 1995a : 14) « vers laquelle des sympathies politiques [l]'avaient attirée mais où les conditions particulières où [elle] se trouvai[t la] condamnaient au silence [... Elle était] une femme, étrangère de surcroît, ayant épousé un homme engagé dans la vie politique [le communiste Abdelhamid Benzine] alors que la distinction entre vie privée et vie publique n'exist[ait] pas et n'[était] guère pertinente dans la circonstance. Observer et comprendre, écrivit-elle plus tard, a moins été un choix que la conséquence d'une exclusion et la sérénité qu'on pense nécessaire au travail scientifique a été parfois absente » (Gadant, 1995b : 7). De fait, une fois son époux contraint à la clandestinité, Monique Gadant vécut à Alger, constamment surveillée, dans des conditions de plus en plus précaires, jusqu'à ce que son fils de 15 ans soit enlevé et torturé, ce qui l'amena à quitter définitivement l'Algérie en juin 1971.

Elle étudia d'abord la construction du discours nationaliste puis se pencha progressivement sur la place de l'islam dans la revendication identitaire nationaliste algérienne. Elle estimait encore, en 1994, que ce qui manquait « à l'islam d'aujourd'hui, [c'était] une critique historique scientifique qui le replace dans son historicité et freine, par le fait même, cette instrumentalisation permanente dont il [était] victime, tiré à hue et à dia par tous les camps » (Gadant, 1995a : 14). Dans sa thèse sur *El Moudjahid* de 1956 à 1962, elle avait repéré l'installation de « l'essentiel de l'idéologie officielle et conservatrice qui s'[était] imposée depuis » (Gadant, 1988 : 83). Elle s'était dès lors engagée dans la défense des droits des femmes algériennes, une défense ancrée dans une certaine idée de la société et de la politique que le pouvoir algérien avait, à ses yeux, rapidement trahie. Les écrits de Monique Gadant devinrent souvent engagés sur le terrain politique mais sans abandonner une réflexion sur le passé, nourrissant la contestation et les exigences au présent.

De fait, pour cette génération, la guerre constitua rarement un sujet d'étude unique et beaucoup n'y vinrent que tardivement. Ce fut le cas de Claude Liauzu, originaire d'Afrique du Nord puisque son arrière-grand-père avait fait souche en Oranie après, explique l'historien, « avoir tiré le "mauvais numéro" » et avant de s'installer au Maroc. Claude Liauzu avait été sursitaire pendant la guerre d'Algérie et militant à l'UEC et au PCF. Il soutint une thèse sur le mouvement ouvrier tunisien mais la guerre d'Algérie s'imposa à lui pour des raisons qu'il qualifia de « plus civiques que scientifiques » avec un premier travail sur les intellectuels français face à la guerre, en 1984, année d'ancrage du Front national dans le paysage politique français. L'historien, qui avait été choqué, jeune homme, par les ratonnades au Maroc dans les années 1950, articula alors son travail sur la guerre d'Algérie avec une réflexion sur le racisme français et la nécessité de la lutte antiraciste. Dans son activité d'enseignant, il n'hésitait donc pas à faire une place importante à la guerre et à ses enjeux de mémoire.

C'est aussi par la mémoire que la guerre d'Algérie fit un retour dans le travail de Lucette Valensi. Originaire de Tunisie, elle estime que la guerre d'Algérie a « joué un grand rôle dans [sa] formation politique » lors de ses années d'études à la Sorbonne entre 1955 et 1960. Ainsi elle se détacha du PCF après le vote des pouvoirs spéciaux en 1956 et, rentrée en Tunisie en 1960, coopéra avec des nationalistes algériens de l'UGTA. La guerre d'Algérie ne constitua pas directement un sujet de recherche pour elle, mais les réflexions que Lucette Valensi mena sur la mémoire collective d'événements traumatiques ne lui sont sans doute pas étrangères. C'est d'ailleurs dans cette perspective qu'elle retrouva la guerre d'Algérie lors d'un séminaire animé à l'EHESS dans les années 1990, débouchant sur un colloque (Dayan-Rosenman et Valensi [dir.], 2004).

Cette prégnance de la mémoire de la guerre d'Algérie en France, ou plutôt de la pluralité de mémoires divergentes sur elle, a également marqué les historiens. Guy Pervillé estimait, en 1976, que « la quasi-totalité des auteurs ayant écrit sur cette guerre [l'avaient] vécue, de près ou de loin, et [avaient] dû prendre position par rapport à elle. Ils ne [pouvaient] considérer de l'extérieur une situation qui les a[vait] englobés. C'est pourquoi, disait-il, l'historiographie de cette guerre ne pourra se renouveler que par les efforts de chercheurs neufs, concernés sans être impliqués, motivés mais non marqués. La relève des générations, avant même l'ouverture des archives, permettra l'étude scientifique du conflit, que chacun espère voir un jour, tout en la jugeant encore prématurée »[23]. Benjamin Stora semblait partager un avis similaire et considérer que de « nouvelles générations de chercheurs » permettaient l'émergence de nouvelles thématiques de recherche. Il affirmait aussi que « plus la guerre d'Algérie s'éloign[ait], plus elle nous appara[issait] dans sa totalité complexe » (Stora, 1996 : 6). Cependant tous deux savaient qu'au-delà des générations ayant vécu la guerre, des héritages pouvaient échoir aux plus jeunes et que les liens entre histoire personnelle et sujet de recherche étaient bien plus qu'un simple produit de l'origine. Si l'étude s'ancre toujours dans un questionnement propre à chacun, l'assignation identitaire ne peut être faite de l'extérieur, *a priori*. Des individus nés bien après la guerre d'Algérie ont parfois encore des comptes à régler. La mise à distance scientifique n'est pas nécessairement une variable du temps même si celui-ci, pacifiant les mémoires, peut apporter plus de sérénité aux regards sur le passé.

De fait, le soupçon pèse encore souvent sur les historiens travaillant sur la guerre d'Algérie. Quel est leur lien avec l'événement ? Sont-ils trop jeunes pour l'avoir vécu comme acteurs ? Qu'importe ! Où sont-ils nés ? Que faisaient leurs parents ? Y compris les plus jeunes doivent affronter ces questions sur les motivations identitaires de leur démarche scientifique. Sont-ils d'ascendance algérienne ? L'explication paraît toute trouvée ! Et pourtant, que d'itinéraires différents irréductibles à une quête identitaire. Pour certains, le choix de travailler sur la guerre d'Algérie est rattaché à une sensibilité politique affichée. Ainsi Alain Mahé, qui

---

23. Guy Pervillé, *Annuaire de l'Afrique du Nord*, CNRS Éditions, 1976, p. 1358.

se définit lui-même comme « anthropologue citoyen »[24], affirme avoir été guidé vers son objet d'étude par son immersion dans le milieu immigré kabyle mais surtout par « la conjoncture politique » qui, à partir de 1980, l'a amené à interroger le mythe kabyle et la place de la Kabylie dans l'histoire algérienne. Sylvie Thénault évoque la découverte de la répression d'octobre 1961 dans les rangs des associations antiracistes formées avec des enfants issus de l'immigration maghrébine de la banlieue parisienne : intriguée par le silence qui lui paraissait entourer cette répression sanglante, elle réalisa son mémoire de maîtrise sur cet événement[25]. Ce fut aussi cet événement qui poussa Laure Pitti à travailler sur les Algériens qui vivaient en France pendant la guerre, et plus spécialement sur les ouvriers de Renault. Enfin, mais la liste pourrait être allongée, Marie-Pierre Ulloa (2001 : 8) évoque, dans les remerciements de son livre sur Francis Jeanson, ses « bonheurs d'enfance en Algérie ».

À côté des histoires personnelles, à côté de l'actualité politique, et notamment de la guerre civile en Algérie dans les années 1990, des livres ont aussi constitué des déclencheurs de recherche, signes d'un passage de générations. Ce fut sans aucun doute le cas des ouvrages de Mohammed Harbi : Benjamin Stora (2003 : 211) a ainsi pu qualifier *Aux origines du FLN* de « choc » pour lui. Quinze ans plus tard, c'est son propre livre, *La Gangrène et l'Oubli*, qui a pu à son tour éveiller des vocations d'étudiants en histoire comme le fit sans doute aussi *La Torture dans la République* de Pierre Vidal-Naquet. Robert Bonnaud, acteur, historien, passeur

---

24. « Anthropologue, sociologue ou historien, pour moi c'est la même chose. Anthropologue citoyen, c'est ce qui m'irait le mieux. » Entretien d'Alain Mahé avec Daniel Cefaï, « Itinéraire d'une recherche. L'engagement civique d'un anthropologue en Kabylie », *Cultures et conflits*, 47, 2003, p. 192.

25. Voir Sylvie Thénault, « La manifestation des Algériens à Paris le 17 octobre 1961 et sa répression », *op. cit.*, et sa contribution dans Vincent Duclert, Christophe Prochasson, Perrine Simon-Nahum (dir.), *Il s'est passé quelque chose le 21 avril 2002*, Denoël, 2003, 268 p.

aussi en tant qu'enseignant, écrivait à propos du début des années 1970 : « Ceux qui n'ont pas vécu la période précédente s'aperçoivent avec effroi qu'alors qu'ils étaient en train de jouer au cerceau il y avait des problèmes moraux énormes comme celui, entre autres, du mensonge politique » ; et il concluait que pour cette génération qu'il qualifiait d'« essentiellement moraliste », « la guerre d'Algérie du coup [était] un sujet d'étonnement et d'indignation »[26]. Au-delà de liens particuliers avec l'Algérie ou l'histoire de la guerre, au-delà aussi d'une indignation morale, c'est peut-être surtout l'étonnement qui continue à nourrir les interrogations des jeunes chercheurs sur cette période, si proche et si différente.

Travailler sur la guerre en Algérie

La question des liens entre le chercheur et son objet prend une autre dimension en Algérie tant le parcours individuel des historiens ne peut suffire à rendre compte d'un travail accompli dans un pays où s'est écrite, depuis l'indépendance, une histoire officielle. Il s'agissait, en effet, « pour le système institutionnel de l'Algérie indépendante de pérenniser son propre mythe de fondation »[27]. Encore aujourd'hui, les recherches des historiens algériens restent marquées par les difficultés d'accès aux sources et, plus généralement, par la précarité des conditions du travail intellectuel dans ce pays. C'est pourquoi il ne s'agit pas dans ce chapitre de distinguer des individus en fonction de leur nationalité mais de rendre compte des conditions dans lesquelles des historiens ont travaillé en Algérie.

Après la guerre, un récit historique dominait : celui de Mostefa Lacheraf dont le livre, reprenant une série

26. *Esprit*, octobre 1972, p. 395.
27. Hassan Remaoun, « Pratiques historiographiques et mythes de fondation : le cas de la guerre de libération à travers les institutions algériennes d'éducation et de recherche », *in* Ageron (dir.), 1997 : 306.

d'articles publiés pendant la guerre, accompagnée d'une grande introduction, sortit en 1965. *L'Algérie : nation et société* continuait le combat, tandis que son auteur devenait ambassadeur. Les apports des Français à la connaissance de l'histoire de l'Algérie étaient rejetés. L'accent était mis sur l'importance des ruraux dans la résistance à la conquête et à la présence française, sur le rôle essentiel de la paysannerie dans l'indépendance de l'Algérie. En 1965, Mostefa Lacheraf se montrait inquiet que les paysans soient spoliés de leur « révolution » et attentif à ce que la religion ne soit pas trop privilégiée dans le récit de la guerre d'indépendance. Comme le note Omar Carlier (1997), Lacheraf n'aura pas d'héritier et son livre demeure une pièce unique, sans prédécesseur ni continuateur.

À cette époque, en effet, un observateur français pouvait déjà estimer que la construction mythique du passé algérien à l'œuvre en Algérie amenait les Algériens à affirmer que « l'islam, la langue arabe et le sens de la patrie [avaient] été les principaux facteurs de la résistance à l'occupation »[28]. Bruno Étienne dressait lui aussi un constat alarmant : en Algérie, « l'histoire récente est donc légendaire et populaire (d'où en particulier une hostilité agressive envers tout ce qui s'écrit sur l'Algérie en France). Pour passer à l'histoire historique il faudra surmonter pas mal de gêne et accepter l'histoire donc la comprendre sans stylisation des faits. Mais, se demandait-il, quelle quantité de vérité sur soi-même une société est-elle capable d'accepter ? » (Étienne, 1971 : 101).

Dans les années qui suivirent l'indépendance, le discours dominant sur le passé réduisait la présence française en Algérie à une ellipse dans une histoire pluriséculaire dont la « révolution » aurait prouvé toute la valeur. En 1965, Mohamed Sahli appelait explicitement à décoloniser l'histoire en privilégiant d'autres sources (orales, populaires) et d'autres objets, l'histoire de l'opposition à la colonisation notamment. Le livre d'Abou-Kassem Saadallah, écrit alors

---

28. Henri Sanson, *Annuaire de l'Afrique du Nord*, CNRS Éditions, 1967, p. 15.

que son auteur était aux États-Unis et paru en arabe, sembla lui offrir une réponse immédiate puisqu'il s'attachait non « pas [à] l'histoire de la domination française en Algérie mais [à] celle de la réaction algérienne à cette domination », dans les trente premières années du siècle[29]. L'auteur y valorisait l'histoire des idées. Ce néo-*islahiste* insistait en particulier sur les différentes structures intellectuelles ayant précédé la création de l'association des oulémas.

Malgré ces réactions répandues, qui visaient à redonner aux Algériens un passé dont ils avaient été largement privés, les liens entre chercheurs français et algériens demeuraient privilégiés. Certains étudiants en histoire furent formés, dans les années qui suivirent l'indépendance, par des enseignants français engagés dans une politique de coopération mais aussi dans un soutien politique à l'Algérie indépendante[30]. Parmi eux, René Gallissot en marqua plus d'un. Pour Daho Djerbal, c'est lui qui sensibilisa sa génération à « la démarche marxiste en histoire » et qui les instruisit « sur la naissance et le développement du mouvement nationalitaire en Europe centrale et occidentale ». Ouanassa Siari Tengour, dont il fut le directeur de thèse, le décrit ainsi : « L'esprit toujours aux aguets, il refuse les définitions toutes faites, invitant à la critique des concepts et des termes utilisés avant de procéder à l'analyse d'une question d'histoire, d'où une rigueur en plus de l'ouverture de perspectives enrichissantes[31]. » René Gallissot dirigea d'ailleurs de nombreuses thèses même si la guerre ne fut jamais un de ses objets privilégiés ; il préférait réfléchir sur le nationalisme, ce en quoi il fut suivi par plusieurs élèves.

Sur ce sujet, les ouvrages de Mohammed Harbi firent grand bruit et contribuèrent à faire évoluer l'écriture de l'his-

29. Préface de 1965 de la première édition de : Saadallah, 1983.
30. Sur ces engagements dans les toutes premières années voir Juliette Minces, *L'Algérie de la révolution (1963-1964)*, L'Harmattan, 1988, et le tome 2 des mémoires de Mohammed Harbi à paraître.
31. Réponses de Daho Djerbal et Ouanassa Siari Tengour au questionnaire de l'auteure.

toire en Algérie. En exil en France depuis son évasion des prisons algériennes en 1970, il pointait la nature totalitaire du FLN dès la guerre. Il fut, pour certains, un éveilleur à la critique même si ses ouvrages, comme d'autres, n'atteignaient officiellement pas l'Algérie où l'édition était monopole d'État. À partir des années 1970 en effet, l'État eut « pour credo en la matière, la nécessité de "l'Écriture et Réécriture de l'histoire". La Réécriture viserait à rectifier tout ce qui aurait été "falsifié" par les historiens coloniaux, ceci en continuité avec la production des historiens nationalistes, tandis que l'Écriture [devait] cibler l'Événement fondateur par excellence de l'État national, autrement dit la guerre de libération nationale » (Remaoun, 2003 : 7). Plus encore que dans les années 1960, les travaux intellectuels dépendaient de l'État ; aucune résistance collective n'émergea. Selon Monique Gadant (1995b : 48), elle fut seulement « individuelle et solitaire ».

Parallèlement, Pierre Bourdieu avait réuni autour de lui certains chercheurs. Son influence était importante en Algérie et la sociologie valorisée alors que l'ethnologie avait été exclue de l'université après la réforme de 1971. Quoiqu'en marge de l'université, Pierre Bourdieu attirait, en tant qu'enseignant d'abord mais aussi comme chercheur et théoricien à l'Association algérienne de recherches en démographie, économie et sociologie (AARDES), les francophones victimes de l'arabisation accélérée de l'enseignement. Récusant une vision simpliste qui rejetait les sciences coloniales parce qu'elles avaient été des instruments de la domination et interdisait dès lors aux Occidentaux d'avoir un quelconque discours sur les sociétés anciennement dominées, Pierre Bourdieu avait déplacé la réflexion vers l'analyse des conditions sociales de production des savoirs et enjoint à ceux qui l'écoutaient de chasser les paresseux anathèmes idéologiques au profit d'un travail épistémologique pouvant conduire à une rupture dans les manières de penser les sociétés.

De fait, les Français dominaient encore largement les discours sur le passé. Selon Omar Carlier (1997), quand ce sentiment d'aliénation atteignit son sommet, en 1971, le président Boumediene créa les fonds des Archives nationales et le Centre national des études historiques. Celui-ci était dirigé par Mostefa Lacheraf ; ses buts étaient de « diriger les études et recherches historiques », de « rassembler les sources » et de participer à « l'élaboration des méthodes d'enseignement et de rédaction des manuels d'histoire ». Ceux qui crurent qu'une manière plus indépendante de faire de l'histoire allait être promue déchantèrent rapidement. Hassan Remaoun (2003) rappelle ainsi que le CNEH fut d'abord rattaché à la présidence du Conseil puis au ministère de l'Intérieur. En 1992, Mohamed Touili, qui en avait été le directeur, estimait qu'il n'avait pas eu d'autre mission que « celle d'écrire et de réécrire une histoire instrumentalisée par le pouvoir politique »[32].

L'histoire contemporaine était bien sous contrôle. Parmi les rares spécialistes de cette période émergea la personnalité de Mahfoud Kaddache. Venu au nationalisme par le scoutisme comme de nombreux étudiants, il soutint un doctorat d'État en histoire, en 1978, sur les origines du nationalisme algérien : « Question nationale et politique algérienne 1919-1951[33] ». Il mettait l'accent sur l'opposition existant entre les Algériens et les Européens dans l'Algérie coloniale et s'appuyait sur des données économiques et sociales autant que politiques. Il revalorisait, à côté de la figure de l'émir Albdelkader, la personnalité et le rôle de Messali Hadj, jusque-là totalement gommé de l'histoire officielle algérienne. Enseignant à la faculté d'Alger, il fut le directeur de la *Revue d'histoire et de civilisation du Maghreb* et un des rares à diriger des étudiants en thèse d'histoire[34]. Cependant, comme l'a montré Hassan Remaoun (2003), aucune des

32. Interview *in L'Opinion*, 12 août 1992, cité par Ahmed Rouadjia, *Grandeur et décadence de l'État algérien*, Karthala, 1994, 406 p., p. 58.

33. Mahfoud Kaddache avait publié son premier livre sur le mouvement national en 1970 : *La Vie politique à Alger*, Alger, SNED.

34. Hassan Remaoun, « Pratiques historiographiques… », art. cit.

thèses soutenues à l'université d'Alger entre 1968 et 1990 ne portait sur la guerre.

En effet, comme Mahfoud Kaddache l'avait fait lui-même, la plupart des inscriptions universitaires se faisaient encore souvent en France : à Grenoble, à Nice, à Montpellier, à Reims, à Paris – ce qui ne dispensait pas les doctorants de travailler sur des archives restées en Algérie. Y compris des auteurs dont le désir était explicitement de contrebalancer ce qu'ils considéraient comme des contrevérités françaises s'inscrivirent en thèse en France. Mohamed Teguia (1988 : 7) pouvait ainsi préciser dans la version publiée de sa thèse : « Certes, l'ex-colonisé doit faire effort constamment sur lui-même pour éviter de s'enfermer dans la diatribe et la critique anti-colonialiste, ce qui limiterait son champ d'investigation et amputerait singulièrement sa recherche, mais la critique anti-colonialiste reste une démarche saine et nécessaire. » Ancien combattant de la wilaya IV, Mohamed Teguia était cependant en rupture avec les manières officielles d'écrire l'histoire en Algérie. Son étude, basée sur des documents inédits et des témoignages oraux, respectait la ligne officielle critique vis-à-vis du messalisme mais apportait des révélations sur deux questions dont l'actualité était grande dans l'Algérie de Boumediene : la liquidation des intellectuels et des communistes en wilaya IV. L'unanimisme officiel était mis à mal ; la question des rapports entre la politique et le militaire était posée.

Si des fissures dans l'écriture officielle de l'histoire apparurent au moment des discussions sur la Charte nationale et sur la constitutionnalisation du régime issu du coup d'État de 1965, l'État ordonna, au début des années 1980, la dissolution de l'Office national de la recherche scientifique et tenta de fermer les départements d'histoire des universités pour leur substituer un Institut national unique, à Alger[35]. Les mythes collectifs de la nation algérienne furent renforcés.

---

35. Manceron et Remaoun, 1993 ; et Hassan Remaoun, « Pratiques historiographiques... », art. cit.

Fanny Colonna (1987 : 67) évoque à ce propos « l'hésitation, le malaise, "la conscience malheureuse" de la plupart des chercheurs étrangers en Algérie, comme une certaine bonne conscience tranquille des chercheurs nationaux ». Les autorités algériennes insistaient sur le nécessaire retour en Algérie des archives de la période coloniale. Un colloque international fut organisé en novembre 1984 sur le « retentissement de la Révolution algérienne » où, dès le discours de bienvenue du ministre de la Culture et du Tourisme, tout espoir d'ouverture d'une nouvelle ère historiographique fut enterré. Selon lui, en effet, « l'historien constatera que la Révolution algérienne fut globale puisqu'elle fut politique, militaire, sociale et culturelle, précisément parce que la colonisation fut totale et opéra en déstructurant tout aussi bien l'économie que la société et sa culture. [Il ajoutait :] On notera aussi que la Révolution algérienne a provoqué une rupture dans les méthodes et pratiques politiques, révisant ainsi jusqu'aux notions de démocratie et d'exercice du pouvoir ». Quant au directeur du Centre national d'études historiques, Mohamed Touili, il souhaita notamment que le colloque rende hommage « à la clairvoyance et à la foi de notre martyr » Larbi ben M'Hidi[36].

Parallèlement, la réforme universitaire de 1984 aboutit à la fermeture des instituts d'histoire des villes moyennes : seuls trois centres demeuraient, à Alger, Oran et Constantine. Les chercheurs avaient de plus en plus de mal à respirer et il leur était devenu difficile de se procurer des travaux réalisés hors d'Algérie. Il fallut attendre après octobre 1988 pour que l'étau autoritaire se desserre quelque peu et que des ouvrages jusqu'alors introuvables soient publiés, tels ceux de Mohammed Harbi. S'agissait-il alors pour les chercheurs algériens de tracer la voie d'une écriture spécifique de l'histoire qui ne soit ni celle des Français, ni celle du pouvoir FLN ? Une manière autonome d'être des chercheurs du dedans ? Si Kateb Yacine avait pu s'écrier, en 1987, à

36. *Le Retentissement de la révolution algérienne*, Alger, ENAL et Bruxelles, GAM, 1985, p. 10, p. 15.

Montpellier, « il y en a marre de votre Algérie ; ce n'est pas la nôtre »[37], il n'est pas évident que les historiens algériens auraient repris cette remarque tant les liens de recherche entre les deux pays étaient importants. Tout se passait en effet comme si, alors que les Français écrivaient une histoire largement nationale de la guerre, c'était le pouvoir algérien qui avait confisqué l'histoire nationale algérienne. Il restait aux chercheurs algériens à inventer une autre manière d'écrire cette histoire, avec un point de vue algérien sur les événements mais sans relayer le discours officiel.

Dans le petit espace d'autonomie que les chercheurs acquirent alors, ils purent enrichir l'historiographie d'apports spécifiques. Ainsi, après que l'histoire officielle a eu occulté la dimension tribale de la société algérienne et l'importance des spécificités régionales de peur d'alimenter des tentations centrifuges, des historiens ont recommencé à se pencher sur les collectivités composant la nation algérienne[38]. Après que l'histoire a été bannie au profit de la mémoire et que le peuple anonyme en armes a été célébré au détriment des figures marquantes du nationalisme algérien[39], des biographies ont pu être réalisées, plus ou moins contrôlées par le pouvoir algérien. Ce fut aussi en 1988 – quatre ans après la promulgation du code de la famille – que Djamila Amrane, ancienne combattante devenue enseignante, soutint une thèse brisant le silence assourdissant qui entourait la question de la participation des femmes à la lutte pour l'indépendance. Réalisé notamment à partir de l'analyse du fichier des anciens moudjahidines, ce travail universitaire, soutenu à Reims, s'imposa immédiatement comme un apport majeur à la connaissance de la guerre[40].

---

37. Kateb Yacine en janvier 1987, cité par Henry, 1992 : 372.
38. Mohammed Harbi, « Le complot Lamouri », *in* Ageron (dir.), 1997 : 151-179.
39. Fouad Soufi, « La fabrication d'une mémoire : les médias algériens (1963-1995) et la guerre d'Algérie », *in* Ageron (dir.), 1997 : 289-303.
40. Amrane, 1991a, puis *Des femmes dans la guerre d'Algérie*, Karthala, 1996.

Dans l'esprit du *Dictionnaire biographique du mouvement ouvrier français*, « le Maitron », René Gallissot avait mis en branle la réalisation d'un tel dictionnaire biographique pour le Maghreb mêlant aux sans-grade les cadres du mouvement national et les hommes de pouvoir (Gallissot [dir.], 1998). De multiples chercheurs de ces pays y participaient. Depuis les années 1970, hors de tout cadre académique, Daho Djerbal s'était aussi attaché à réaliser de nombreux entretiens avec des officiers de l'ALN et des cadres du FLN, loin de l'esprit officiel de recueil de la mémoire des héros. Il avait en particulier réalisé des dizaines d'heures d'entretien avec Lakhdar ben Tobbal pour aboutir à un manuscrit sur la vie de cet homme essentiel, colonel de l'ALN et membre du triumvirat à la tête de la direction extérieure du FLN au Caire puis à Tunis. Ce texte est toutefois toujours inédit.

Daho Djerbal a aussi recueilli les témoignages de nationalistes ayant vécu la guerre en France afin de proposer une vision nouvelle sur cet aspect du conflit, en particulier sur la question de l'ouverture du second front en France[41]. Selon lui, cette décision est bien antérieure à la date habituellement considérée (été 1958) et peut être imputée à Ramdane, en 1956, une première offensive ayant même été lancée en 1956-1957. L'historien a tenté d'identifier les tensions et oppositions agitant alors le sommet de la Fédération de France du FLN ainsi que la structure au quotidien. Mais ses travaux sont menés en marge de l'institution universitaire algérienne, de manière autonome et solitaire[42].

Daho Djerbal dirige également une revue intellectuelle de grande qualité où l'historiographie a régulièrement sa place. Son titre est un programme : *NAQD*, c'est-à-dire « critique ». Fondée en 1991 par le sociologue Saïd Chikhi, *NAQD* mêle

---

41. Ce travail devrait paraître sous le titre suivant : *L'O.S. de la Fédération de France du FLN ou l'ouverture du 2e front en France (1957-1962)*.

42. Quelques années plus tard, de jeunes historiens comme Jim House ou Linda Amiri ont continué à creuser l'histoire de la Fédération de France du FLN.

articles en arabe et articles en français. Elle témoigne de l'exigence intellectuelle que s'attachent à diffuser certains chercheurs algériens. À propos du contexte de fondation de *NAQD*, Daho Djerbal expliqua : « Nous étions témoins de la montée de l'islamisme, d'un certain mouvement de démocratisation qui avait déjà été, dans un passé récent, incarné par le Printemps berbère, la Ligue des droits de l'homme… Les membres fondateurs n'avaient aucune obédience partisane. Il n'y avait aucun registre pour interpréter ces phénomènes. En tant qu'intellectuels engagés et militants de la démocratie, on avait besoin de réinterpréter complètement les grilles de lecture de l'Algérie en dehors du dogme étatique et des idéologies dominantes. Donc, une première nécessité de repenser ces phénomènes qui n'étaient pas lisibles par l'élite de l'époque et de se positionner. Et une seconde nécessité, c'cst d'être à la rencontre de la génération qui nous a précédés dans la pensée critique […][43]. » La revue s'est ainsi lancée, pour reprendre les mots d'un de ces aînés, dans une révision des « grands thèmes historiques qui ont alimenté les débats et les controverses entre acteurs du mouvement dc libération nationale sur la définition de l'identité nationale ». Il s'agissait de promouvoir une histoire dégagée des mythes afin que les Algériens se libèrent d'une « vision close qui aliment[ait], dans la famille, dans l'éducation et dans la religion, les composantes passéistes et mythiques de [leur] conscience historique »[44].

À la même époque, pour lutter contre un isolement que l'arabisation de l'Université avait accentué – les historiens de la période coloniale étant majoritairement francophones et travaillant notamment sur des archives en français –, Nadir Maarouf avait créé un centre de recherche à Oran. Cet élève de Jacques Berque avait réuni sous l'appellation d'« anthropologie sociale et culturelle » des historiens, des sociologues, des géographes ou encore des juristes venant de toute l'Algérie qui, pour beaucoup, travaillaient déjà ensemble

---

43. Paru dans *El Watan*, le 5 novembre 2003.
44. Mohammed Harbi, *NAQD*, n°s 14-15, p. 5.

depuis 1985[45]. Ils décidèrent d'inscrire un projet de recherche portant sur « Les mythes de fondation dans l'historiographie de l'Algérie »[46]. L'initiative témoignait d'une génération d'historiens, enfants ou jeunes adolescents à l'époque de la guerre, qui avaient lu et apprécié l'histoire critique proposée par Mohammed Harbi mais sans franchir toujours jusque-là le pas de l'étude académique de cette période.

Ce centre devint un lieu de respiration et d'échanges intellectuels. Grâce à un bulletin et une revue, *Insanyat*, publiant des articles en français et en arabe, il faisait connaître ses travaux. Mais il ne pouvait suffire à produire une nouvelle génération d'étudiants, aptes à devenir les chercheurs de demain. Les jeunes Algériens qui tentèrent, tant bien que mal, de mener des recherches en Algérie furent extrêmement rares. Ils firent bien souvent le choix de venir travailler en France, s'inscrivant sous la direction d'un professeur français et étudiant des sources conservées en France… à condition de maîtriser la langue française, ce que l'arabisation du système éducatif algérien compromettait en partie.

Dans les années 1990, cependant, malgré les espaces de liberté obtenus par certains – mais devant toujours être chèrement défendus –, l'État ne renonça pas à contrôler l'écriture de l'histoire. Si Benjamin Stora pouvait faire remarquer la fréquence des gestes politiques symboliques qui réorganisèrent « la mémoire collective, après quarante ans de confusion idéologique et de falsifications conscientes ou non » (Stora, 2002 : 77), son constat général demeurait pessimiste. Virulent, le politologue algérien Ahmed Rouadjia lui faisait écho : « L'écriture de l'histoire et de la mémoire demeur[ait], en Algérie, une affaire politique. Hormis quelques rares chercheurs qui ont pu conduire des recherches indépendantes, plus ou moins critiques, la

45. Le Centre de recherche en anthropologie sociale et culturelle (CRASC) est créé en mai 1992. Il est en partie issu de l'Unité de recherche en anthropologie sociale et culturelle (URASC).

46. Réponse de Ouanassa Siari Tengour au questionnaire de l'auteure.

recherche dans ce domaine rest[ait], hélas, largement tributaire de l'idéologie nationaliste entendue au sens le plus étriqué[47]. » En outre, « l'interférence d'une administration tatillonne et incompétente dans le travail des universitaires et des historiens a achevé de les marginaliser »[48]. En 1995, la mise en place, sous l'égide du ministère des Moudjahidines, du Centre national des études et recherches sur le mouvement national et la Révolution du 1er novembre 1954 confirmait cette dimension. Au début des années 1990, Daho Djerbal avait décrit ainsi le parcours obligé d'un historien en Algérie : « Quand nous essayons d'aller aux archives pour faire notre travail d'historien, il se trouve qu'une grande partie de ces archives est mise sous scellés, une autre est entre les mains des acteurs qui les considèrent comme leur patrimoine personnel. Donc, en fait, pour pouvoir arriver à ces documents, à ces “sacrés documents”, il faut entrer dans un réseau de cooptation, de recommandations. Puis, une fois que l'on est arrivé à la source, on nous exhibe le document écrit comme on le ferait d'une relique et on est obligé de suivre un véritable rituel pour pouvoir jeter un œil sur ces documents, faute de pouvoir les exploiter. En Algérie, concluait-il, nous sommes très loin des conditions de la recherche en histoire de nos collègues français[49]. »

Des travaux ignorés jusque-là continuaient néanmoins à paraître en Algérie, comme la thèse de Kamel Bouguessa sur les origines du nationalisme nord-africain, soutenue en 1979 et publiée en 2000 par Casbah éditions. Cependant l'accès aux travaux récents et aux livres parus à l'étranger restait un problème pour les universitaires algériens, à moins qu'ils ne puissent se rendre régulièrement en Europe. Des colloques leur permettaient alors de faire connaître leurs approches, basées souvent sur des sources orales ou des

47. Ahmed Rouadjia, « Hideuse et bien-aimée France », cité par Pervillé, 2004.
48. Ahmed Rouadjia, *Grandeur et décadence*, *op. cit.*, p. 57.
49. Intervention de Daho Djerbal *in* Le Dain, Oussedik, Manceron, Gabaut (coord.), 1993, t. 2, p. 426.

textes inconnus des non-arabophones. Ainsi Mahfoud Kaddache utilisa les témoignages recueillis lors de tables rondes ayant réuni d'anciens routiers SMA (scouts musulmans algériens) et d'anciens moudjahidines pour revenir sur le déroulement de trois tournants de la guerre : « Les offensives du 20 août 1955 », « La grève générale de janvier 1957 » et « Les manifestations de décembre 1960 »[50]. Signe d'une évolution personnelle importante, Mahfoud Kaddache publia en 2000 une histoire de la guerre qu'il présentait, certes, comme une suite aux quatre volumes qu'il avait consacrés à l'histoire de l'Algérie de l'Antiquité à 1954, mais qui était au moins autant une réponse aux récits concurrents existants sur la période. Dans l'introduction, il posait ainsi le contexte expliquant sa démarche : « Des étrangers ont écrit de nombreux ouvrages sur cette guerre, des Algériens ont publié des témoignages sur des faits qu'ils ont vécu. » Le professeur se voulait national et pédagogique : le plan du livre « retrace les chapitres que nous avons estimé essentiel d'être retenus par le grand public et surtout par notre jeunesse » (Kaddache, 2003 : 10).

L'approche de Daho Djerbal était fort différente. Plutôt que de multiplier des témoignages afin de construire un événement, l'historien préférait disséquer quelques rares récits et en explorer les logiques internes afin de montrer précisément les modalités de construction mémorielle, y compris par l'utilisation de travaux psychanalytiques. Il s'était, par exemple, attaché au récit que Slimane Madadi avait enregistré spontanément pour raconter son engagement dans la lutte pour l'indépendance. Slimane Madadi était l'auteur de l'assassinat du sénateur Benhabylès, qui aurait pu constituer, pour de Gaulle, un autre interlocuteur que le FLN. Daho Djerbal montra que « même pour un militant aguerri et parfaitement convaincu des objectifs de la lutte de libération, il n'[était] pas toujours évident de se faire le bras armé de la cause nationale et d'exécuter,

50. *In* Ageron (dir.), 1997 : 51-70.

presque de sang-froid, une personne aussi affublée du titre de "traître" fût-elle. Il y a[vait] donc une nécessité impérative de s'inscrire dans une logique transcendante permettant de surmonter l'acte et ses effets sur la conscience ». Ces difficultés à accomplir l'assassinat et les ruses trouvées par la conscience de Slimane Madadi étaient repérées par l'historien. Elles lui permettaient d'éclairer la suite du récit qui voyait le militant nationaliste, de retour chez lui, confronté à un défaut de reconnaissance à double niveau : il n'était pas reconnu tant il avait changé, d'une part, il n'était pas reconnu comme l'auteur de cet assassinat qui avait accéléré le cours des négociations entre pouvoir français et FLN, d'autre part. « Au village de Bou Makhlouf, on a le souvenir du petit Slimane mais on ne connaît pas Slimane Madadi, l'homme de 30 ans, le membre de "la Spéciale" qui a exécuté le sénateur Benhabylès pour libérer l'Algérie de l'occupant. » À partir de cette analyse des mécanismes subjectifs de représentation des événements et de construction du récit mémoriel, l'historien proposait le récit du témoin comme source pour une histoire sociale et culturelle des représentations, capable de pénétrer au cœur des sociétés du passé, derrière la carapace des discours autorisés[51].

C'était aussi une histoire sensible aux constructions imaginaires des acteurs que continuait à faire Omar Carlier, installé désormais en France, et s'intéressant, lors de la table ronde organisée à l'IHTP en 1996, au 1er novembre 1954 à Oran, dans un espace périphérique pour la lutte alors commençante. L'historien proposait « d'articuler le local et le global et de mettre en vis-à-vis la logique d'un événement irréductible à ses causes et la vigueur de l'interaction entre changement social et dynamique de l'imaginaire ». À partir de ces enquêtes de terrain, il témoignait de l'incongruité d'un questionnement sur la nature du soulèvement : « "jihâd" ? Il n'en est pas question pour eux ». Et l'historien commentait : « La lutte oppose clairement dans leur esprit

51. Daho Djerbal, « Troubles dans la mémoire ou les avatars d'un héros revenu parmi les siens », art. cit.

l'idée nationale au principe colonial, la guerre qu'ils déclarent ne relève ni de la classe, ni de la "race", ni de la religion. Elle se joue entre Européens et Algériens, entre paysans et colons, pas entre musulmans et chrétiens. Personne ne pense mourir en 1954 pour la foi. Avec la foi, certes, mais pour la patrie. » Au-delà des témoignages des acteurs principaux, l'historien appelait à la constitution d'une « véritable histoire sociale et anthropologique de la guerre » qui permette d'approcher au plus près des lieux et des temps[52]. Un article de Fouad Soufi, basé essentiellement sur des entretiens et des articles de presse, s'inscrivait aussi dans cette optique. Il y repérait la manière dont la mémoire et l'histoire des événements ayant secoué Oran dans les derniers mois d'une guerre plutôt paisible dans la grande ville de l'Ouest avaient occulté un attentat commis par l'OAS le 28 février et ayant tué entre vingt et trente personnes. La déferlante de violences des mois qui suivirent pouvait peut-être expliquer cet oubli général. En le portant à la lumière, l'historien suggérait un autre enchaînement des violences qui l'amenait à être attentif aux fantasmes circulant à Oran sur les Européens et l'OAS, d'une part, sur les Algériens musulmans d'autre part[53].

Des éditeurs comme Casbah éditions s'efforçaient de faire connaître au public algérien les historiens étrangers éclairant leur histoire nationale : celle-ci publia ainsi dès 2003 la somme de Gilbert Meynier sur le FLN, dont la première édition fut épuisée très rapidement. Si cette plus grande diversité des écrits historiques sur la guerre était venue répondre à la soif de connaissances de certains Algériens sur leur passé national, il serait tout à fait erroné d'imaginer qu'elle ne reflétait pas, elle aussi, l'état du pouvoir en Algérie. L'unanimisme FLN ayant cédé la place à

---

52. « Le 1er novembre 1954 à Oran : action symbolique, histoire périphérique et marqueur historiographique », *in* Ageron (dir.), 1997 : 7-10.

53. Fouad Soufi, « Oran, 28 février 1962-5 juillet 1962. Deux événements pour l'histoire, deux événements pour la mémoire », art. cit.

une guerre larvée entre clans politiques et militaires, des écrits pouvaient paraître sur certaines divisions ayant marqué la guerre d'indépendance. Il n'en demeurait pas moins qu'ils étaient soumis à un contrôle politique et toujours susceptibles de servir des intérêts bien extérieurs à ceux de la recherche historique.

En outre, ces mêmes années 1990 ont aussi vu de nombreux universitaires algériens quitter leur pays tant ils craignaient pour leur vie, après que des intellectuels, écrivains, journalistes, dramaturges eurent perdu la leur pour avoir incarné l'image et l'espoir d'une autre Algérie. Installés à l'étranger, ils n'en continuèrent pas moins à travailler sur l'histoire de leur pays – poussés peut-être aussi par les questionnements que l'actualité leur renvoyait. Certains vinrent travailler dans les universités françaises ; d'autres furent simplement rattachés à des centres de recherche. Peut-être qu'ainsi, dans la proximité nouvelle de ces lieux et alors que les archives françaises étaient plus largement ouvertes, ont commencé à émerger de nouvelles conditions pour que s'écrivent des « récits compatibles » sur la guerre. En effet, pour reprendre les mots de Lucette Valensi, il ne s'agit pas de construire « un récit unitaire » mais « des récits compatibles » capables de « s'affronter – autrement dit, [de] se parler face à face »[54]. Dans ce dialogue, quelle peut être la place d'historiens étrangers aux deux pays impliqués dans la guerre ?

Regards étrangers

Qu'il s'agisse d'une distance objective avec la guerre ou d'une distance qu'on leur suppose, les chercheurs étrangers ont nourri l'historiographie de la guerre d'intérêts et de regards particuliers. Cependant, rarement traduits en fran-

54. Lucette Valensi, « Notes sur deux histoires discordantes. Le cas des Arméniens pendant la Première Guerre mondiale », *in* François Hartog et Jacques Revel (dir.), *Les Usages politiques du passé*, Éd. de l'École des hautes études en sciences sociales, 2001, 206 p., p. 157.

çais, leurs travaux ne sont pas toujours faciles à repérer. Dès la guerre, trois thèmes ont intéressé les observateurs étrangers – pour la plupart des journalistes[55] – qui leur ont consacré des écrits, le plus souvent favorables à l'indépendance algérienne, ou, au moins, à une évolution vers plus de souplesse de la politique française : l'armée française et la conduite des opérations, les relations internationales et, enfin, l'opinion publique et les intellectuels français. Tous les trois relevaient d'une interrogation commune sur la nature de la guerre : une guerre se jouant au moins autant sur le terrain militaire que sur le terrain de la diplomatie et de l'opinion publique ; une guerre à forte teneur idéologique, dont les enjeux impliquaient les grands ensembles du monde de l'après-Seconde Guerre mondiale.

Les théories des doctrinaires militaires français et la question du terrorisme pratiqué par le FLN intéressèrent rapidement des Anglo-Saxons. L'Américain Peter Paret consacra dès 1964 un livre à cette nouvelle stratégie militaire que les Français avaient conçue après la guerre d'Indochine et qu'ils commençaient à importer sur d'autres continents[56]. Alors que les États-Unis mettaient les premiers doigts dans l'engrenage vietnamien, John Steward Ambler privilégiait, dans une étude réalisée à partir de textes publiés, une analyse des dangers que la politisation de l'armée faisait courir aux régimes civils[57]. Il insistait sur l'importance d'un contrôle civil ferme sur les activités militaires, un contrôle dont le moindre soldat devait être persuadé. Pendant les décennies suivantes, ce qu'on a pu appeler « la crise de l'armée française [continua à] passionn[er] les chercheurs améri-

55. Barbour,1962 ; Clark, 1960. Voir Michael Brett, « Les écrits anglais sur la guerre de libération algérienne », *in Le Retentissement de la Révolution algérienne*, *op. cit.*, p. 235-247.

56. Paret, 1964. Sur le sujet de l'exportation des méthodes françaises en Amérique latine voir Marie-Monique Robin, *Escadrons de la mort, l'école française*, La Découverte, 2004, 452 p.

57. Ambler, 1966. L'auteur a réalisé son étude en France en 1961-1962.

cains »[58]. Les échos avec la guerre du Vietnam avaient en effet pu motiver ces Américains, soucieux de comprendre les effets d'une « sale guerre » sur le moral d'une armée et d'une société.

Un militaire professionnel anglais, Edgar O'Ballance, écrivit un des premiers livres sur la tactique de l'ALN. Son point de vue est exposé ici : « Loin d'être un simple mouvement national émergeant de la masse du peuple pour mettre à bas le joug colonial français, [la guerre d'Algérie] commença avec un petit groupe d'hommes assoiffés de pouvoir, rusés, ambitieux et impitoyables qui avaient peu à voir avec le paysan moyen d'Algérie, à demi affamé. Résolus à se rendre maîtres du pays, ils choisirent la méthode violente de la révolte ouverte [...]. Comme tout mouvement insurrectionnel populaire a besoin d'être animé et uni par un idéal [...], dans le cas algérien, cet idéal – ou cette raison d'agir – fut le nationalisme, mais cela a dû être révélé, entretenu puis imposé au peuple, qui en ignorait jusqu'à l'existence[59]. » De manière très critique à l'égard du FLN, il pointait aussi la complexité des relations existant entre action politique et terrain militaire : ainsi, le fait que l'ALN ait, selon lui, perdu la guerre sur le terrain militaire en 1957 n'avait pas empêché le FLN de remporter le pouvoir en Algérie. Son analyse de la situation algérienne pouvait être lue comme un exemple didactique : il s'agissait aussi de comprendre comment venir à bout d'un tel adversaire.

La question de la « guerre révolutionnaire » fut reprise par Alf Andrew Heggoy en 1972. Ce spécialiste de l'Algérie coloniale, né en Algérie en 1938, ajoutait à son analyse une sensibilité à la dimension morale tant il est vrai que la manière dont les violences (terrorisme, tortures) avaient été jugées eut des effets sur leur perpétuation pendant la guerre. Appuyé sur l'étude de très nombreux mémoires réalisés par

---

58. Geneviève Massard-Guilbaud, *Bullettin de l'IHTP*, 20, mars 1985.

59. O'Ballance, 1967 : 202. Traduit par R. B.

des administrateurs et des officiers avant et pendant la guerre, son livre était centré sur la IVe République (au motif que la défaite militaire de l'ALN était acquise à cette date). Il tentait d'approcher la réalité de la guerre du côté des nationalistes algériens, ce qui constituait une première mais restait difficile à réaliser à partir de ses sources. Citons ainsi : « Une des principales fonctions des cellules de l'OPA était la propagande. La guérilla avait été active sur ce terrain depuis le tout début de la révolution. L'ALN a pu, très occasionnellement, prendre en charge ses relations publiques, comme lors du premier jour de la rébellion. Toutefois les cellules de l'OPA ont rapidement assumé la plus grande partie de cette responsabilité. Parmi de nombreux thèmes, le plus régulier et le plus important constituait une réponse amère au racisme paternaliste trop souvent caractéristique de l'administration coloniale » (Heggoy, 1972 : 103)[60].

Se détachant d'une analyse comme celle de Heggoy centrée sur l'interaction des violences des deux camps, comme le signalent les expressions « insurrection » et « contre-insurrection » qui constituent une prise de position quant à l'origine de la violence, Martha Crenshaw Hutchinson (1978) focalisa son attention sur le terrorisme du FLN. Elle l'aborda pour ce qu'il était dans la guerre, une arme, en laissant à la porte de son étude toute considération morale. Elle repéra deux fins essentielles à cette violence, en fonction du public visé, et distingua un « terrorisme d'isolation », visant à séparer les Algériens de la France, et un « terrorisme de démoralisation » dont le but était d'effrayer et de décourager les Européens. Elle mettait ainsi l'accent sur les relations entre Français et Algériens en Algérie en repérant qu'un fossé important existait dès le début de la guerre, devenu peut-être impossible à combler depuis août 1955. Enfin elle faisait apparaître à quel point le terrorisme avait pu être utilisé par le FLN pour imposer ou consolider son pouvoir sur la population algérienne. Son livre rejoignait une lignée

60. Traduit par R. B.

d'écrits politiques s'étant intéressés, depuis la fin de la guerre, au FLN et à la question de son caractère révolutionnaire, notamment à partir des analyses développées par Frantz Fanon dont *Les Damnés de la terre* sont traduits en anglais en 1965, et *L'An V de la révolution algérienne* publié en édition de poche en 1970 sous le titre *A Dying Colonialism*. Par ailleurs, il est tout à fait notable que ce soit un politologue américain (Quandt, 1969) qui ait réalisé la première étude sur l'histoire du nationalisme algérien pendant la guerre, mettant en évidence ses divisions internes et croisant le concept de génération avec la date d'entrée en politique pour expliquer les différences de trajectoires individuelles qu'il reconstituait, notamment à partir d'entretiens.

Le premier livre de langue anglaise à tenter une histoire globale de la guerre sortit en 1977. *A Savage War of Peace* de l'Anglais Alistair Horne présentait un récit chronologique centré sur le camp français à la fois politiquement et militairement, un récit largement vu d'en haut que la composition en très brefs épisodes et un style vif n'hésitant pas à emprunter aux techniques journalistiques rendaient agréable à lire. Un exemple ? À propos de la semaine des barricades, il écrivait : « Le lundi matin, le 25 janvier [1960], Ortiz se comportait comme un Mussolini en format de poche. Il eut une brève et vive altercation avec Lagaillarde, qui avait l'habitude de désigner le poste de commandement du restaurateur sous le nom de "café". Après quoi, chacun s'était retiré sur son propre perchoir. On entendit Ortiz triomphant proclamer : "Demain, à Paris, c'est moi qui commanderai !" Certes, du point de vue des autorités d'Alger, il semblait bien qu'Ortiz tenait toutes les cartes. Michel Debré, le Premier ministre de De Gaulle, arriva très agité et en toute hâte à Alger. Il y trouva Delouvrier marchant avec des béquilles et Challe, souffrant de rhumatismes, conduisant les opérations d'un lit de camp, comme le maréchal de Saxe à Fontenoy, tous deux profondément pessimistes » (Horne, 1980 : 379). À cette date précise, janvier 1960, Alistair Horne était à Paris, travaillant sur la Première Guerre mondiale. Il passa à l'étude du conflit algérien après un certain temps, et se montra soucieux de présenter l'ensemble des parties concernées, ce que la disproportion des informations disponibles ne lui permit pas. Quoi qu'il en soit, en 1977, la sortie de son livre a semblé annoncer, en Angleterre comme en France où il fut traduit trois ans plus tard, une nouvelle ère pour l'historiographie de la guerre d'Algérie : on quittait le champ politique pour entrer dans celui de l'histoire scientifique[61].

Par la suite, d'autres auteurs anglais ont plus précisément continué à étudier les manières dont les militaires français s'étaient impliqués dans les nouvelles formes de combat découvertes, en partie, en Algérie. En 1996, un colloque avait proposé un survol des différentes expériences de la guerre au sein de l'armée française (Alexander, Evans et Keiger, 2002). Ses organisateurs ont prolongé leurs travaux dans les années suivantes (Alexander et Keiger, 2002). Parallèlement Anthony Clayton, spécialiste de l'armée coloniale, adoptait une perspective plus large dans le temps et dans l'espace : les Anglais ont, en effet, pu retrouver, dans l'exemple franco-algérien, une occasion de réfléchir à une histoire des armées coloniales à laquelle leur pays avait largement participé, expérimentant aussi des formes d'engagement militaire peu conventionnelles (Clayton, 1994a).

Au-delà des aspects militaires de la guerre, le cas français a pu fonctionner comme un idéal-type des contradictions qu'une démocratie avait à affronter pour faire vivre ses principes. Plusieurs chercheurs se sont ainsi intéressés à l'opinion publique dans la guerre et notamment au poids des intellectuels français[62]. Dès 1972, une thèse de sciences poli-

61. Michael Brett, « Anglo-Saxon attitudes : the Algerian War of Independence in Retrospect », *Journal of African History*, 35, 1994, p. 217-235. L'auteur note que cette impression d'un accostage aux rives de l'histoire scientifique était alors illusoire.

62. Smith, 1978, développe le concept de « consensus colonial » pour expliquer ce qu'il considère être un acharnement à garder l'Algérie française. Son livre ignore cependant les travaux sur l'opinion publique, réalisés en particulier par Charles-Robert Ageron, et néglige les évolutions importantes survenant en huit années de guerre, notamment après 1958.

tiques, soutenue à Genève, s'appuyait sur une analyse de l'opinion à partir de l'étude des sondages de l'IFOP (Dunand, 1977). Il s'agissait pour son auteur d'éclairer le processus de décision gaulliste et, plus précisément, les choix politiques successifs proposés par le président de la Vᵉ République. L'étude de l'opinion s'ajoutait à un travail mené sur des sources publiées telles que le *Journal officiel* ou *L'Année politique*. Même après l'ouverture des archives, d'autres travaux continuent à utiliser cette tactique de contournement en se limitant à des sources publiées.

À partir de la fin des années 1970, une autre histoire politique s'écrivit aussi : elle s'intéressait aux divisions de l'opinion française pendant la guerre. Dans *La Guerre sans nom*, John Talbott (1981) livrait un récit documenté de cette trame politique de la guerre à partir de textes publiés et d'interviews. Les années 1990 virent cet intérêt pour l'opinion publique et ses composantes politiques se renforcer. Danièle Joly s'attacha à un des segments principaux de l'opinion publique française de l'époque : les communistes. À partir de sources publiées mais aussi de sources privées et d'entretiens, elle analysa les débats que la guerre d'Algérie suscita au sein du PCF. Le parti ayant fait le choix de subordonner sa politique algérienne à son intégration dans le jeu politique français, certains de ses membres, sans constituer pour autant une opposition organisée, s'installèrent dans une position de divergence questionnante[63]. Les campagnes d'opinion et leurs vecteurs ont été éclairés par Lee C. Whitfield à travers notamment le cas de l'UNEF et celui de la campagne pour Djamila Boupacha[64]. Sur l'UNEF, les faits étaient globalement connus[65], mais l'historienne s'attacha à une étude

63. Joly, 1991. L'auteure était chercheuse à l'université de Warwick.

64. Elle est l'auteure d'un PHD soutenu à Brandeis University en 1997 sous le titre « The French Public confronts the Algerian War 1954-1962 ». Sur Djamila Boupacha, voir « The French Military under Female Fire : the Public Opinion Campaign and Justice in the Case of Djamila Boupacha, 1960-1962 », *Contemporary French Civilization*, 1996, 20 (1), p. 76-90.

65. Voir en particulier Monchablon, 1983.

locale (Montpellier) pour poser les questions globales des relations entre syndicat étudiant et pouvoir politique (Whitfield, 1991). Enfin, les réactions des protestants pendant la guerre sont mieux connues depuis l'étude du Canadien Geoffrey Adams (1998), menée essentiellement à partir de documents publiés, mais aussi de fonds d'archives privées grâce auxquels ont émergé quelques personnalités hors du commun.

Sous le titre *La Mémoire de la Résistance : l'opposition française à la guerre*, Martin Evans a, quant à lui, adopté une démarche d'historiographie privilégiant les entretiens avec les acteurs de cette histoire pour explorer sa problématique de départ sur l'impact de la Résistance comme modèle d'action. Le livre leur donnait longuement la parole. « La force de l'histoire orale, expliquait l'auteur, [était] qu'elle encourage[ait] les récits de première main, les impressions, les sentiments. Les témoignages oraux dévoil[ai]ent l'insaisissable atmosphère des événements, rév[élaient] les points de vue et les préjugés, permett[ai]ent aux témoins de décrire comment un événement historique ou une période [avait] été vécu de l'intérieur[66]. » Par ces témoignages, le livre éclairait les motivations des très rares Français ayant fait le choix d'aider les Algériens en lutte contre la puissance coloniale française. Il le faisait essentiellement à travers leurs discours, ce qui conduisait son auteur à proposer, en même temps, une réflexion sur la construction de la mémoire de cette expérience. Ce choix intéressant était assurément adapté à l'objet de l'étude ; il n'en restait pas moins périlleux et constituait une sorte de cas limite.

Tout autre avait été le projet de James D. Le Sueur : il avait étudié les grandes figures intellectuelles engagées dans la guerre dans le cadre d'une interrogation sur l'identité française et l'universalisme, notamment chez les intellectuels de gauche (Le Sueur, 2001a). Si l'importance de la guerre d'Algérie pour les intellectuels français était connue depuis

66. Evans, 1997 : 204. Traduit par R. B.

les premiers travaux datant des années 1980, la lecture de l'Américain proposait d'autres pistes. Il pointait de nouveau la rupture consommée autour de l'année 1957, estimant qu'« en fin de compte, les images de la violence ravagèrent les espoirs libéraux d'une réconciliation et conduisirent à une radicalisation des identités politiques pendant la guerre franco-algérienne »[67]. Guidé par la situation d'après-guerre en France comme en Algérie, il critiquait fortement la plupart des personnes dont il étudiait les écrits et les engagements et insistait sur la voie libérale incarnée, selon lui, par Jean Daniel, Mouloud Feraoun ou encore Jacques Berque. La démarche était typique : à l'intérieur du champ de l'histoire des intellectuels, l'historien privilégiait à la fois une étude précise de quelques acteurs comme le comité d'action des intellectuels contre la poursuite de la guerre en Afrique du Nord, et un angle d'attaque sur l'identité et l'altérité inspiré des théories postmodernes. Les intellectuels français se trouvaient ainsi revisités en fonction de cette identité nationale complexe en partie forgée par la colonisation et comme révélée – à de très rares exceptions près – par l'explosion de la revendication nationaliste pendant la guerre seulement. La démonstration de James D. Le Sueur allait même au-delà puisque, pour lui, l'engagement des intellectuels et l'image qu'ils se faisaient de l'intellectuel engagé obstruèrent bien souvent leur vision de la réalité algérienne et du nationalisme.

Des approches qui pourraient surprendre en France sont parfois le reflet de pratiques universitaires différentes. Ainsi la plupart des historiens anglo-saxons de la guerre d'Algérie enseignent non pas dans des départements d'histoire mais dans des départements de civilisation française. Leurs relations à l'histoire française passent alors par la connaissance du français et par de fréquents séjours en France. D'autres chercheurs, plus rares, peuvent être inscrits dans des départements de civilisation musulmane ou moyen-orientale et travailler sur des documents en arabe. Leurs méthodes

67. Le Sueur, 2001a : 165. Traduit par R. B.

comme leurs sources peuvent porter la marque de cette inscription académique. Ainsi un des apports les plus complets sur les représentations de la guerre d'Algérie est venu d'un chercheur anglais enseignant dans un département d'études européennes, Philip Dine (1994). Sous le titre *Images de la guerre d'Algérie*, il proposa en 1994 un panorama des œuvres de fiction françaises évoquant la guerre qui complétait, par son aspect beaucoup plus exhaustif, les premières contributions à ce sujet dans le cadre des colloques de l'IHTP[68] ou encore le livre de Benjamin Stora, *La Gangrène et l'Oubli*, qui n'avait pu qu'en brosser les contours. Sur la période de la guerre, son interrogation rejoignait en partie celle sur les intellectuels engagés : quelle avait pu être l'influence de certaines œuvres sur le cours de la guerre ? Au-delà, l'auteur s'intéressait à la construction des imaginaires de la guerre et de la colonisation qui se dégageaient de ces romans et – dans une moindre mesure chez lui – de ces films. Il repéra ainsi une disjonction notable entre imaginaire et réalité : l'importance du thème des relations sexuelles entre colonisateurs et colonisés dans la littérature contrastant, par exemple, avec l'extrême rareté des liaisons mixtes dans les faits. Ainsi Philip Dine suggérait des pistes pour de futures recherches, sur les romans écrits par d'anciens soldats par exemple. Il proposait en outre de considérer les romans sur la guerre comme formant un genre : une telle hypothèse demanderait certainement à être discutée ; elle a en tout cas le mérite d'engager une réflexion sur les imaginaires qui n'omette pas les supports des représentations. Un approfondissement de ce travail notamment à propos du cinéma et de la télévision serait d'un grand intérêt[69].

L'histoire des représentations amena aussi certains universitaires à s'intéresser à une histoire de la mémoire de la

---

68. Ainsi, Pascal Ory, « L'Algérie fait écran », *in* Jean-Pierre Rioux (dir.), *La Guerre d'Algérie et les Français, op. cit.*, p. 572-581.

69. Stora, 1997a ; Philip Dine : « (Still) à la recherche de l'Algérie perdue : French Fiction and Film, 1992-2001 », *Historical Reflections*, 2002, 28 (2), p. 255-275.

guerre, qu'elle soit officielle, liée à des groupes de pression[70] ou qu'elle s'exprime par des embrasements subits de l'opinion publique comme en 2000-2001 (Cohen, 2001, 2002). Les apports de chercheurs étrangers sur ce point sont toutefois, jusqu'à présent, moins importants.

Tel n'est pas le cas dans le domaine de l'histoire des relations internationales, relativement délaissé par les historiens français et algériens. Si un livre paru récemment en français est consacré à *La RFA et la guerre d'Algérie*, il est en réalité l'œuvre d'un professeur de civilisation allemande et d'un historien allemand (Cahn et Müller, 2003). Ces deux spécialistes de l'Allemagne puis de la RFA ont pu travailler sur des archives allemandes. Ils consacrèrent plusieurs travaux aux relations entre la France et sa voisine (Müller, 1989), à la fois hôte de nombreux responsables du FLN et principale pourvoyeuse de la Légion étrangère (Cahn, 1997). La guerre d'Algérie y apparaissait comme un des éléments des relations entre la France et la RFA, un élément éclairé à la fois par le contexte de la concurrence entre les deux Allemagne (la RDA soutenant la cause algérienne) et par celui des relations de la RFA au monde arabe et aux États-Unis. Une connaissance du jeu politique ouest-allemand permettait aux auteurs d'affiner une vision des relations internationales étudiées non pas seulement comme l'histoire des relations entre des États mais, plus subtilement, dans le cadre d'une répartition des rôles entre opposition et gouvernement en RFA[71].

Des chercheurs étrangers se sont concentrés sur les relations de leur pays avec la France pendant la guerre d'Algérie. Ainsi les positions du gouvernement britannique sont mieux connues grâce aux travaux de Martin Thomas (2002)

---

70. David Schalk, « Of Memories and Monuments : Paris and Algeria, Frejus and Indochina », *Historical Reflections*, 2002, 28 (2), p. 241-254.

71. Cahn, 1999. Un colloque international organisé en février 2004 par l'Institut Georg Eckert sur « La guerre d'Algérie : mémoire, débat public et enseignement » consacra une journée à un état des lieux historiographiques sur « La guerre d'Algérie et l'Allemagne ».

et Christopher Goldsmith (2002) qui ont éclairé les ambiguïtés de la première puissance coloniale pendant la guerre d'Algérie. On retrouve là aussi l'importance des enjeux nationaux et la prise en compte d'un contexte international élargi au bloc occidental (ou à l'OTAN [Thomas, 2001a]) pour comprendre une politique ayant d'abord soutenu la France en Afrique du Nord sans forcément soutenir sa politique concrète en Algérie puis, à partir de l'échec de l'expédition de Suez et du lancement du Marché commun, se rapprochant beaucoup plus des positions nord-américaines (Thomas, 2001b).

La position de la Suisse, sur laquelle Charles-Henri Favrod avait apporté son témoignage, notamment au colloque de 1988, commence aussi à être étudiée à partir des documents diplomatiques suisses. Marc Perrenoud ajoute ainsi à l'analyse des accords d'Évian la prise en compte des intérêts de la Suisse dans la guerre : l'Algérie a en effet longtemps constitué, jusqu'aux années 1950, le pays d'émigration de prédilection des Suisses en Afrique – l'exemple le plus connu étant celui des ancêtres du sénateur Borgeaud. Si l'attitude des ressortissants suisses ne se distingua pas de celle des autres Français pendant la guerre, le pays fut surtout confronté à la présence sur son sol de dirigeants nationalistes algériens et d'individus favorables à l'indépendance algérienne, qu'ils soient Français ou même Suisses. Tout en entretenant de bonnes relations avec la France, la Confédération eut le souci de ne pas être identifiée à sa voisine. Lors des négociations, elle joua d'abord sa propre carte, espérant, par son attitude conciliante envers les Algériens en Suisse, protéger au mieux ses ressortissants installés en Algérie. Mais elle eut surtout un rôle fondamental pour la mise en place de contacts entre les deux parties. Les archives fédérales éclairent les motivations proprement helvétiques de cette action, démontrant une fois de plus que neutralité n'est pas synonyme d'attentisme, mais qu'elle est au contraire le résultat d'une construction subtile et évolutive (Perrenoud, 2002).

Enfin, depuis la fin des années 1990, la position nord-américaine a été attentivement étudiée par une chercheuse tunisienne ayant croisé archives américaines, françaises, britanniques, maghrébines et onusiennes pour mener un travail ambitieux sur les relations des États-Unis au Maghreb de 1945 à 1962. Samya el Mechat (1997) a mis ainsi en relief l'attitude profondément modérée des États-Unis vis-à-vis des trois pays maghrébins, refusant de s'engager pleinement, cherchant à ménager leur allié français et tentant d'obtenir une situation d'équilibre dans leurs relations avec les camps opposés. Ce qui fonctionna au Maroc et en Tunisie échoua cependant en Algérie : l'étude sur les trois pays permettait de mieux en percevoir les raisons et la chronologie. En Algérie, les États-Unis souhaitaient que la France adopte une politique libérale et ils tentèrent de s'immiscer dans les affaires intérieures françaises au nom de la défense du bloc occidental. Leur position se durcit lentement au fil de la guerre et Samya el Mechat évoquait même une éventuelle intervention de la CIA dans la livraison d'armes au FLN. Le retour au pouvoir du général de Gaulle fut cependant bien vu et Washington lui enjoignit régulièrement d'avancer dans la voie de la négociation.

Irwin Wall est aussi un spécialiste de la période antérieure à la guerre puisqu'il a établi les contours de l'influence américaine sur la politique française entre 1945 et 1954 avant de s'attaquer à la guerre d'Algérie. Il a mis en relief la mutuelle dépendance des deux pays mais, à partir d'archives françaises et américaines, il a démontré la manière dont les Américains ont facilité l'audience internationale du FLN tout en limitant leur soutien à la IVe République jusqu'à peser sur sa chute, notamment après le bombardement de Sakhiet-Sidi-Youssef (Wall, 2001). Là où Samya el Mechat relativisait l'influence des États-Unis (et de l'ONU) sur le déroulement de la guerre vers l'indépendance, Irwin Wall insistait au contraire sur leur poids, au moins jusqu'en 1958. Il contestait aussi une interprétation qui minimiserait la responsabilité des hommes politiques, manipulés par des militaires tout-puissants, et estimait, au contraire, que les militaires avaient toujours agi sur ordre de leurs supérieurs politiques. L'historien se livrait ensuite à une critique virulente de ce qu'il présentait comme la position historiographique française, à savoir l'idée que le général de Gaulle aurait préparé les fondements d'une certaine autonomie internationale française en se dégageant du fardeau algérien. Irwin Wall préférait insister sur les ambiguïtés bien connues de la position gaulliste et conclure à la lourde responsabilité de De Gaulle accusé d'avoir laissé pourrir la situation afin de bâtir une politique étrangère autour d'un axe « eurafricain » capable de rivaliser avec les deux puissances anglo-saxonnes. Les archives étudiées ne lui permettaient cependant pas d'établir très fermement la solidité de ses analyses autoproclamées subversives. Cependant Irwin Wall avait le mérite de reprendre le dossier de l'attitude du général de Gaulle pendant la guerre sur lequel beaucoup de choses seraient encore à affiner.

Quoique traitant aussi des relations franco-américaines, Matthew Connelly choisit d'appréhender la question non plus du point de vue français, mais en s'intéressant à la place de la guerre d'Algérie dans la politique étrangère américaine et, plus largement, dans la guerre froide (Connelly, 2002). Ce jeune historien mit l'accent sur l'importance de l'action diplomatique menée par le FLN, estimant que c'était sur ce terrain-là que la guerre avait d'abord été gagnée, les nationalistes algériens parvenant à fragiliser l'alliance atlantique en touchant l'opinion publique internationale et en particulier nord-américaine. Connelly pointa surtout l'émergence d'un axe Nord-Sud que l'analyse en termes d'affrontements Est-Ouest avait peut-être eu tendance à minorer. Il revisitait, dès lors, la place du conflit franco-algérien dans l'émergence d'un tiers-monde avec lequel les États-Unis souhaitaient entretenir de bonnes relations. Une telle perspective conduisait à considérer pour elles-mêmes les actions des nationalistes en s'interrogeant sur leurs logiques, leurs mobiles, leurs moyens et leur efficacité. Connelly annonçait ainsi la problématique proposée : « Comment les Algériens ont-ils lié leur lutte pour l'indépendance aux rivalités des superpuissances et comment les stratégies qu'ils ont adoptées ont-elles influencé les politiques internationales et contribué à leur victoire finale[72] ? » Pour l'étude de cet axe, il était essentiel de ne pas négliger des concepts tels que la race, la religion, la culture ou la civilisation.

En outre, pendant la guerre d'Algérie, la mission civilisatrice dont la France avait pu se prévaloir dans ses colonies s'était retournée contre elle : tout succès militaire contre l'ALN était renvoyé au caractère inégal de l'affrontement, contribuant ainsi à mettre en doute les valeurs de la civilisation française. Connelly rejoignait ici une série d'auteurs qui avaient déjà posé les bases d'une critique de la notion de mission civilisatrice (Conklin, Dubois, Maran, Rejali). Qu'ils soient articulés avec une réflexion dans le temps long de la colonisation ou dans le temps plus bref de la guerre, leurs travaux confrontaient les discours et les pratiques, faisant apparaître les contradictions propres au colonialisme français.

Ainsi, en dehors d'un tropisme pour certains thèmes particuliers, les auteurs anglo-saxons ont apporté à l'historiographie de la guerre d'Algérie une profondeur de champ inhabituelle. Outre les spécialistes d'histoire coloniale qui replacèrent la guerre dans une histoire plus longue, sans hésiter parfois à emprunter aux méthodes d'autres sciences humaines comme l'anthropologie, un champ de recherche original s'est développé sur l'identité française.

L'étude de l'immigration algérienne en France a pu constituer une porte d'entrée dans cette problématique, y compris pendant la période coloniale. Une meilleure connaissance de la politique de contrôle des Algériens en France dans l'entre-deux-guerres a offert des éléments de réflexion stimulants sur l'image que les autorités françaises avaient des Algériens et des Français. Familier de l'émigration algérienne vers la France avant la guerre, Neil MacMaster a ainsi été à l'origine d'un travail sur le poids de l'immigration dans la guerre d'Algérie permettant de réfléchir, à partir de

---

72. Connelly, 2001 : 222. Traduit par R. B.

l'amont, sur la construction des discours mémoriels sur l'événement tant en France qu'en Algérie. Sur la guerre, il a collaboré avec un jeune chercheur, Jim House. Par leur travail, ils ont aussi déplacé le regard habituel sur la répression d'octobre 1961 vers l'aval, en novembre, et amené à considérer la politique répressive française plus largement. Ils ont en outre mis en évidence une structuration du FLN en France jusqu'alors inconnue ou négligée. Enfin Jim House a affiné la connaissance existante sur les rythmes de la mémoire de la guerre à partir de l'étude du milieu de l'immigration algérienne[73]. Dans cette lignée, les observateurs des constructions identitaires et mémorielles françaises peuvent être incités à mieux prendre en compte la place des Algériens dans l'identité française et à considérer, avec eux, les traces de l'histoire coloniale et de la guerre d'indépendance.

Plus généralement, le développement « d'études postcoloniales » dans le monde anglo-saxon a conduit certains chercheurs à interroger la période de la guerre d'Algérie depuis l'aval. Parmi d'autres, on peut citer James D. Le Sueur ou Todd Shepard : le premier en se demandant quels ont été, « au-delà de la décolonisation », « l'héritage du conflit algérien et la transformation de l'identité française » (Le Sueur, 2002), le second en interrogeant la manière dont la nation et la République ont dû être redéfinies à la fin de l'empire (Shepard, 2002).

Ces travaux en langue étrangère ont rarement été traduits en français. Alistair Horne l'avait été trois ans après sa publication en Angleterre, mais parce qu'il avait semblé être le premier à proposer une histoire globale de la guerre (Horne, 1980). Pour les auteurs étrangers, en fait, il leur faut se faire connaître du public français par des articles dans les revues francophones ou par des articles en anglais dans des revues accessibles aux chercheurs français intéressés par la guerre d'Algérie. En effet, si l'abondance et la diversité des recherches anglo-saxonnes peuvent effrayer et

73. House et MacMaster, 2004.

inquiéter quant à l'exhaustivité de leur recensement à partir de la France, les historiens français ont la plupart du temps accès à la langue anglaise. Ce n'est pas le cas pour l'allemand, de moins en moins enseigné en France et peu connu des chercheurs français travaillant sur la guerre d'Algérie. Or c'est dans cette langue que fut publiée la première tentative d'histoire globale de la guerre, en 1974. Sous le titre *Frankreichs Algerienkrieg. Entkolonosierung einer kapitalistischen Métropole. Zum zusammenbruch der Kolonialreiche*, Hartmut Elsenhans situait la guerre d'Algérie dans le contexte de l'empire colonial français finissant. L'introduction de son livre témoignait, par ailleurs, de l'engagement politique d'un intellectuel de RDA : l'Algérie y était présentée comme « un cas exemplaire d'émancipation et un stade important dans le processus de refoulement de la pénétration des zones périphériques par les puissances de l'Europe de l'Ouest. Si l'on veut donner une place dans l'histoire à la révolution algérienne, ajoutait-il, il est donc nécessaire de la situer dans le contexte d'affrontement mondial entre, d'une part, les pays industrialisés d'Europe de l'Ouest et d'Amérique du Nord au centre, et d'autre part les régions sous-développées de la périphérie »[74]. Dans son livre, cependant, la métropole était privilégiée : c'était elle qui occupait le cœur du dispositif impérial dont l'Algérie constituait le plus beau fleuron. Travaillant avant l'ouverture des archives publiques, l'auteur avait contourné la difficulté par le recours aux documents publiés. En 1974, un tel panorama de la vie politique française n'était pas si fréquent. Hartmut Elsenhans proposait, en outre, une lecture de l'engagement militaire fort différente des autres livres consacrés à la question. La stratégie militaire n'était pas étudiée dans son déploiement et sa logique interne, mais mise immédiatement en relation avec une volonté politique et corrélée dès lors à d'autres aspects de la répression (justice, police, administration).

---

74. Elsenhans, 1999 : 65, préface de Gilbert Meynier.

L'apport essentiel de l'auteur était cependant ailleurs : dans une démarche inspirée du marxisme, il privilégiait l'aspect économique du conflit, interrogeant les motivations de la métropole vis-à-vis de l'Algérie française, étudiant les réformes économiques utilisées comme arme politique pendant la guerre, questionnant enfin les divergences d'intérêts (entre classes sociales, entre secteurs d'activité, entre métropole et Algérie) et leurs effets sur l'évolution du conflit. Le poids de l'économie était, selon Hartmut Elsenhans, sans commune mesure avec les autres facteurs. Il pouvait ainsi écrire à propos des « intérêts économiques des Français d'Algérie » : « De quelle manière la suppression de la souveraineté française mettrait en danger tels intérêts vitaux de différents groupes de la population européenne : tel est le point de départ de notre réflexion. Outre une série de problèmes de nature secondaire, comme la sauvegarde de leurs droits culturels, la conservation de leur mode d'existence en matière de droits civils et la garantie de l'importante nationalité française dans le cas d'une émigration hors d'Algérie, ce sont avant tout des problèmes économiques qui jouèrent un rôle » (Elsenhans, 1999 : 226). On peut contester une telle prééminence décrétée *a priori*, il n'en demeure pas moins que cet ouvrage mettait au jour une dimension de la guerre, largement ignorée et masquée par le politique et le militaire dans les études sur la période. Trente ans plus tard, la thèse de Daniel Lefeuvre (1997) permettait de saisir comment les intérêts des entreprises ont toujours primé, pour elles, sur les questions nationales. Elles se sont adaptées aux évolutions politiques en s'appuyant sur un État colonial désireux de soutenir telle ou telle branche, en lui demandant soutien et protection, mais aussi en négociant, éventuellement, avec les nationalistes les conditions de leur maintien dans une Algérie indépendante.

L'ouvrage d'Elsenhans proposait, en outre, de prendre au sérieux le cadre impérial et de considérer les liens entre la France et l'Algérie en ces termes. Paru en France en 1999, il constituait alors un écho étrangement tardif aux manières de reconsidérer les relations Nord-Sud plus de vingt ans après les travaux d'Edward Saïd, qui avait appelé à privilégier une histoire culturelle du colonialisme et une étude des discours des colonisateurs dans un cadre transnational[75].

75. Edward Saïd, *L'Orientalisme. L'Orient créé par l'Occident*, Le Seuil, 1980. Pour une présentation critique en français et une réflexion sur la nécessité des *colonial studies*, voir Emmanuelle Sibeud, « *Post-colonial* et *colonial studies* : enjeux et débats », *Revue d'histoire moderne et contemporaine*, 51-4 bis, 2004, p. 87-95. Voir aussi Ann Laura Stoler et Frederick Cooper (dir.), *The Tensions of Empire : Colonial Cultures in a Bourgeois World*, Berkeley, University of California Press, 1997, 470 p.

CHAPITRE 3

Malaise dans les catégories

Que faire des mots de l'époque coloniale ?

Les sources à la disposition de ceux qui souhaitent travailler sur la guerre d'Algérie sont majoritairement issues du côté français. Or, dans l'entreprise de domination que fut la colonisation, les mots étaient choisis et utilisés pour servir le pouvoir. Les huit années d'affrontements armés entre nationalistes algériens et forces de l'ordre françaises de 1954 à 1962 ne furent appelées qu'« événements » pendant bien longtemps en France car choisir un autre mot aurait été valider une autre interprétation de la réalité que celle que le pouvoir de l'époque avait défendue. Tout au plus avait-il parlé d'« opérations de maintien de l'ordre ». Officiellement, il fallut attendre la loi du 18 octobre 1999 pour que les « opérations effectuées en Afrique du Nord » deviennent « guerre d'Algérie et combats en Tunisie et au Maroc ». La guerre qui apparaissait soudain n'était pas celle dont les historiens parlaient depuis quatre décennies : elle était une construction conjoncturelle, le résultat d'un rapport de forces. La vérité historique n'y entrait que pour une part mineure, toujours soumise aux fluctuations d'intérêts d'une autre nature.

Les historiens ont aussi dû apprendre à se détacher des mots de l'époque, à les analyser comme une des composantes essentielles du monde qu'ils étudiaient et non un instrument neutre de description. Cette élaboration d'un vocabulaire détaché des enjeux et des usages du passé était une des conditions nécessaires pour la mise en place d'un champ d'étude autonome, en particulier étant donné les liens ayant existé entre sciences sociales et colonisation, mais plus largement pour permettre l'émancipation d'une pensée critique sur le passé. Chaque historien est conduit « à parler au moins deux langues à la fois, sur ses deux portées temporelles, à en être conscient et à le faire savoir... ». Cette conscience est un gage de liberté essentiel pour ceux qui lisent ses travaux. L'histoire s'émancipe ainsi des représentations passées et peut devenir « co-fabricatrice, avec la langue "légitime", d'identification et de cohésion nationales »[1]. Si les catégories que produit une époque historique peuvent être utilisées par les historiens quand ils rendent compte de la réalité passée, en revanche, s'en servir à des fins d'analyse peut devenir extrêmement problématique[2].

Le mot « guerre » est à la fois le plus emblématique et le plus caricatural peut-être des décalages entre réalité et langage, du moins si l'on s'en tient au vocabulaire officiel de l'époque. Les historiens ont d'emblée opté pour ce mot comme la plupart des observateurs contemporains. Quand, dès 1962, Robert Mantran choisit, dans *L'Annuaire de l'Afrique du Nord*, de parler de « conflit franco-algérien », il prenait acte de l'indépendance de l'Algérie dans les mots, immédiatement. « Franco-algérien » ne fut cependant pas retenu par l'historiographie française qui lui préféra le nom du territoire pour lequel les forces françaises s'étaient

---

1. Maurice Tournier, « Des mots en histoire », *in* Yves Beauvois et Cécile Blondel (dir.), *Qu'est-ce qu'on ne sait pas en histoire ?*, Lille, Presses du Septentrion, 1998, p. 131-144.

2. La revue *Genèses* a consacré plusieurs articles à ces questions plus familières aux anthropologues et aux ethnologues qu'aux historiens (on pense notamment à Bernard Vernier, *La Genèse sociale des sentiments : aînés et cadets dans l'île grecque de Karpathos*, Éd. EHESS, 1991, 312 p.). Ainsi Bronwen Douglas, « L'histoire face à l'anthropologie : le passé colonial indigène revisité », *Genèses*, 23, 1996. Voir aussi deux dossiers dans le n° 43 de juin 2001 intitulé « Rencontre(s) coloniale(s) » et dans le n° 53 de décembre 2003 intitulé « Sujets d'empire ».

battues : l'Algérie. Ce fut donc « guerre d'Algérie ». En construisant l'expression sur le modèle de la guerre d'Indochine, le caractère guerrier était affirmé. Mais en maintenant une expression purement géographique, aucune position n'était prise sur la nature politique des événements en question. En effet le conflit n'eut pas seulement lieu entre Français et Algériens ; les divisions, les rivalités, les violences, internes aux deux principaux camps en présence, auraient dû amener à préciser : guerre franco-française, algéro-algérienne et franco-algérienne. De fait les historiens insistent de plus en plus sur la pluralité de la guerre et son polymorphisme. Il n'en demeure pas moins que cette « guerre d'Algérie » ne peut pas être celle des historiens algériens[3]. Comme l'écrivait Jean-Robert Henry, il y a « une histoire de l'Algérie "en soi", pour les Algériens, et une histoire de l'Algérie "pour nous", Français, une histoire qui fait partie de notre histoire. Ces deux histoires s'écrivent et se vivent de façon distincte, mais en tenant compte pour une part du regard de l'autre société » (Henry, 1992 : 374) – c'est du moins ce que nous pouvons espérer.

La guerre eut précisément pour enjeu la séparation de deux pays, la France et l'Algérie, auparavant liés par l'entreprise coloniale. Elle fut pensée dans des catégories révélant la perception que les acteurs avaient des événements. Ainsi les mots « rébellion » ou « révolution » n'appartenaient pas au même camp. En revanche, tous auraient pu s'accorder sur le mot « insurrection » mais tous ne lui auraient pas donné la même valeur. L'ambiguïté de certains qualificatifs a pu contribuer à oblitérer l'importance d'une réflexion sur les termes employés. Tel fut le cas de l'expression « bataille d'Alger », utilisée aussi bien par les parachutistes chargés des opérations de police dans le grand Alger en 1957 que par les membres du FLN pourchassés par ces militaires. Dans un cas, elle visait à ennoblir une action que ces parachutistes fiers d'appartenir à des unités d'élite considéraient comme

3. Voir plus bas.

dégradante. Citons, par exemple, le général Bigeard à propos des premiers mois de l'année 1957 : « Trois longs mois à obtenir une gloriole facile sans risques sérieux, car nos pertes seront insignifiantes. En fait : il ne s'agit pas d'une bataille, mais tout simplement et hélas, d'un travail policier[4]. » Pour le FLN, l'expression produisait le même effet valorisant, que ce soit à propos des actes terroristes commis à Alger à cette époque ou de la résistance aux hommes du général Massu.

Peut-être parce que les deux camps principaux communiaient dans l'usage de ce terme, peut-être parce que la « guerre » avait imposé avec elle le vocabulaire de la « bataille », les historiens ont été peu nombreux à prendre leur distance avec cette expression. J'ai pris l'habitude de la mettre entre guillemets pour rappeler qu'il ne s'agissait que d'une commodité de langage servant à désigner un épisode repéré de la guerre et, plus largement, une dénomination dont il était intéressant de noter les effets sur les acteurs de la guerre. Poussant plus loin l'analyse des logiques à l'œuvre dans cet épisode, Gilbert Meynier récusa l'emploi de ce terme et proposa « grande répression d'Alger » (Meynier, 2002).

Prendre ses distances avec les catégories de l'époque passe le plus souvent par l'usage d'une mise à distance graphique : des guillemets qui, tout en alourdissant la lecture, évitent aux lecteurs une immersion trouble dans des visions du monde passées. Gilbert Meynier a pu ainsi me reprocher d'utiliser sans guillemets l'expression fabriquée par les militaires français pour désigner l'organisation de leur adversaire : l'OPA (organisation politico-administrative) du FLN. N'était-ce pas faire preuve d'une empathie excessive envers la vision militaire du conflit ? L'historien optait quant à lui pour l'utilisation du mot arabe *nizâm*. Si cet usage pouvait se justifier dans le cadre d'une histoire intérieure du FLN qui prenait soin de rendre compte du sens des mots employés

---

4. Marcel Bigeard, *Pour une parcelle de gloire*, Plon, 1975, 480 p., p. 276.

par les acteurs avant de les utiliser, il paraissait difficile de transposer ce choix à d'autres objets : les mots d'un camp ne valant pas, par principe, plus que ceux de l'autre ; leur valeur de vérité étant toujours indexée sur les conditions de leur élaboration et de leur utilisation[5].

Depuis les années 1960, les historiens ont lentement accédé à cette sensibilité linguistique. Ainsi, alors que les termes « rebelles » ou même « *fellaghas* » étaient employés sans guillemets dans la plupart des ouvrages jusqu'aux années 1990, ces mises à distance commencèrent à apparaître avec l'ouverture des archives. Était-ce un hasard ? Le premier volume de documents publié par le Service historique de l'armée de terre avait pu se voir reprocher quelques complaisances avec un vocabulaire orienté (« réformiste », « modéré », « panarabisme », « rebelle » [6]) et Mohammed Harbi s'était même indigné que les mots « rebelles » ou « hors-la-loi » soient repris sans critique dans le cadre d'un colloque. Jean-Charles Jauffret tint à prendre acte de cette remarque de manière solennelle : « Sur proposition, unanimement acceptée, de Mohammed Harbi, que je salue, a été décidé de ne plus employer les termes de "rebelles" et de "hors-la-loi" et d'autres qualificatifs méprisants pour désigner les combattants de l'ALN, qu'en précisant qu'il s'agit de citations de l'époque de la guerre froide[7]. » C'était en 2002.

Si certains de ces qualificatifs se trouvent encore dans des livres d'histoire récents, une prise de conscience semble bien avoir eu lieu, en particulier au sein des jeunes générations d'historiens. Le surgissement, au début des années 1990, d'une interrogation sur la stigmatisation dont furent victimes les harkis a peut-être accéléré cette évolution. Le

5. Sur cette question voir Simona Cerutti, *La Ville et les Métiers. Naissance d'un langage corporatif (Turin,* XVIIe-XVIIIe *siècles)*, Éd. de l'EHESS, 1990, 260 p., et Carlo Ginzburg, « L'historien et l'avocat du diable », art. cit.

6. Voir notamment la présentation qu'en a faite Gilbert Meynier dans *NAQD*, 15.

7. Jean-Charles Jauffret, introduction à Jauffret (dir.), 2003 : 36.

mot « harki » a eu une histoire à contre-courant du mot « rebelle ». Pendant la guerre, il désignait de manière précise certains supplétifs de l'armée française. Il en est ensuite venu à servir de métonymie pour l'ensemble des supplétifs : il n'était alors toujours qu'une catégorie militaire à laquelle étaient rattachés des droits et des devoirs. Les tensions que provoquèrent, au sein de la société algérienne, ces engagements d'Algériens aux côtés des forces françaises aboutirent à une politisation du mot, que ce soit du côté des nationalistes algériens, puis de l'Algérie indépendante (harkis = traîtres), ou du côté de l'armée française (harkis = Algériens fidèles à la France) et, de manière opposée, du côté des opposants français à la guerre (harkis = collaborateurs). « Harki » était devenu une identité et, en même temps, un stigmate. Comment dès lors les historiens pouvaient-ils l'utiliser sans être suspectés d'emboîter le pas à telle ou telle connotation produite après les événements et constituant comme un filtre posé entre le passé et le présent ? En fait, on l'a vu, les historiens choisirent surtout de ne pas étudier la question. Mais, dans un des premiers articles sur le sujet, Charles-Robert Ageron (2000) s'attacha précisément à rétablir les contours des réalités désignées par les mots « supplétifs » ou « harkis ».

Au-delà des harkis, les termes employés pour désigner les populations présentes sur le sol algérien ont conduit les historiens à des choix très divers. Le vocabulaire de l'époque était lui-même varié : « indigènes », « Français musulmans », « Français musulmans d'Algérie (FMA) », « Français de souche nord-africaine (FSNA) », d'un côté ; « Français d'Algérie », « Européens d'Algérie », « Français de souche européenne (FSE) », de l'autre, et aussi, plus restrictif quoique employé parfois pour désigner l'ensemble de la population française, « colons » ou même « Algériens ». Ces catégories ont été construites par la puissance coloniale et ont servi la colonisation. Les historiens n'y ont pourtant pas toujours pris garde.

Ainsi, selon Daho Djerbal, Mahfoud Kaddache avait repris « sans y prêter une attention particulière la [terminologie coloniale] lorsqu'il [avait] rend[u] compte des débats parlementaires du début du XXe siècle. Il indiqu[ait] souvent en note, et parfois même dans le texte, la qualité de parlementaires "algériens" aux députés Morinaud, Abbo et Gaston Thompson. Disons que c'[était] l'usage qui a[vait] consacré le terme et par là même attribué aux occupants la qualité d'être des Algériens. Mais c'[était] aussi l'usage qui a[vait] fait que les habitants de l'Algérie, ses premiers et légitimes occupants, n'aient eu d'autre droit que de se nommer "Indigènes", "Musulmans", "Arabes", "Kabyles", "Mozabites", "Israélites" ; tout sauf Algériens. » Pour l'étudiant en histoire que Daho Djerbal était alors, ces textes qui n'introduisaient pas de distance critique avec le vocabulaire colonial exerçaient une violence symbolique perpétuant la violence de la conquête : « Chaque page de livre tournée, chaque feuillet de rapport officiel, chaque manuscrit, chaque boîte d'archives m'éclaboussait de ce terrible drame enduré par les Algériens pendant plus d'un siècle et demi[8]. »

De fait l'histoire du mot « Algérien » témoigne d'une lente construction historiographique. Dès 1957, Germaine Tillion avait pointé l'importance des catégories utilisées pendant la guerre : « Les Musulmans, écrivait-elle, sont souvent appelés "indigènes", mais ce mot m'agace, car personne, en France, ne m'appelle "indigène", bien que je sois, dans mon pays, aussi "indigène" qu'on puisse l'être, et attachée à tout ce qu'il y a de plus suranné, voire absurde, dans les vieilleries de notre héritage. [...] Il n'en est pas moins vrai que ce terme, en Algérie, prétend être injurieux. » Décidant de refuser les divisions coloniales, elle annonce alors : « Lorsque je parle des habitants de l'Algérie, je les appelle des Algériens, et je me sens incapable d'en maudire ou d'en injurier une catégorie quelconque, car je comprends les uns et les autres et je considère qu'ils ont, les uns et les autres, pour des motifs différents, des droits sur nous. Au surplus "colons" et

8. Daho Djerbal, « Une violence coutumière », postface aux textes sur la torture pendant la guerre d'Algérie réunis par Denise et Robert Barrat, Alger, éditions Barzakh, 2001.

"indigènes" se ressemblent comme des frères : ils ont les mêmes qualités – sens de l'honneur, courage physique, fidélité à leur parole et à leurs amis, générosité, ténacité – mais aussi les mêmes défauts – goût de la violence, passion effrénée de la compétition, vanité, méfiance, susceptibilité, jalousie » (Tillion, 1957 : 15-17). Ainsi, le choix des mots était explicitement affiché comme le résultat d'une analyse de la situation tout autant qu'orienté par une volonté politique.

Premier historien à avoir assumé un tel déplacement dès le titre de sa thèse en 1968 (« Les Algériens musulmans et la France [1871-1919] »), Charles-Robert Ageron affirmait aussi son ancrage « en matière coloniale [dans] la tradition libérale métropolitaine » : il choisissait de désigner les indigènes d'Algérie après 1871 par l'expression « Algériens musulmans ». Un tel choix faisait écho à la politique française qui, par le décret Crémieux, avait assimilé l'ensemble des Juifs d'Algérie aux citoyens français, en les distinguant des habitants de religion musulmane. Mais Charles-Robert Ageron se défendit vigoureusement d'avoir voulu insister ainsi sur l'opposition irréductible qui aurait existé entre l'islam et l'assimilation à la République, de même qu'il refusa d'être taxé de « nostalgique de l'assimilation ». Il entendait proposer une histoire rejetant « toute nouvelle "légende noire" [et renonçant] au maintien de la légende dorée » (Ageron, 1970 : 355-365). L'expression « Algériens musulmans » constituait un retournement d'une des expressions officielles françaises (« Français musulmans ») et une mise à distance critique des catégories coloniales tout en pointant l'équivalence que le droit établissait alors entre islam et statut différent dans la citoyenneté.

Si les historiens n'ont pas tous élaboré une catégorie originale pour désigner les populations d'Algérie, leurs écrits témoignent parfois de leur malaise ou rendent compte de leur décision. La crainte de l'anachronisme porteur de faux-sens a ainsi pu être invoquée pour justifier l'usage de « musulmanes » par Caroline Brac de la Perrière. De même Danièle Joly a souhaité éviter le mot « Algériens » et a choisi d'employer « Arabo-berbères » pour désigner les « habitants originels d'Algérie (déjà là avant la colonisation française) », estimant que cela apparaissait « être la dénomination la plus précise »[9]. Quant à Alf Andrew Heggoy, il a fait le choix de donner à voir les dénominations de l'époque tout en s'en distançant : « Si des termes comme musulman ou indigène demeur[ai]ent dans le texte, écrivait-il en introduction de son ouvrage, c'[était] pour donner une idée de la nature de la documentation et faire sentir l'atmosphère coloniale. Dans la majeure partie, cependant, ces mots ont été évités et Algérien [était] utilisé pour désigner tous ceux qui n'[étaient] pas colons européens et personnel militaire français[10] ».

Plus lentement, les historiens français ont aussi abouti à cette dénomination : depuis les années 1990, une inflexion nette s'est dessinée en faveur du mot « Algériens ». Si Jean-Paul Brunet accompagna ce choix d'un refus explicite de reprendre les catégories de l'époque, en l'occurrence celle de « Français musulmans d'Algérie » ayant cours en métropole (Brunet, 1999 : 25, n. 1), de nombreux historiens adoptèrent « Algériens » sans plus de justification. La guerre devenait ainsi plus nettement un affrontement entre deux principes nationaux. Certains sujets de recherche pouvaient s'en accommoder sans difficulté, mais d'autres nécessitèrent une élaboration différente, ainsi des travaux sur les « Juifs d'Algérie » ou sur les « Français rapatriés » en métropole.

La question de la dénomination des Français présents en Algérie (selon leur origine géographique ou leur religion) avait donné lieu à un affrontement entre Charles-Robert Ageron et Xavier Yacono pour la période d'avant la Première Guerre mondiale. Le premier avait opté pour une extension maximale du sens du mot « colons », la définition du *Littré* : « Ceux qui habitent les colonies par opposition aux gens de la métropole. » Ce choix était motivé par son interprétation de la situation dominante en Algérie à cette période : pour lui, fonctionnaires comme nouveaux arrivants

9. Danièle Joly, *op. cit.*, p. XIII.
10. Heggoy, 1972 : XIV. Traduit par R. B.

français se ralliaient à « l'esprit colon » ; « le conformisme et la contagion collective, la pression du milieu ambiant et les soucis de carrière suffis[ai]ent à l'expliquer » (Ageron, 1970 : 360). Dès lors le choix du mot « colon » pour désigner l'ensemble des Européens d'Algérie était bien l'expression d'une interprétation historique. L'opposition de Xavier Yacono, pointant le sens que l'on donnait alors au mot en Algérie « dans la langue courante et aussi juridiquement, un sens précis bien connu des historiens car il a été défini par l'article 1er du décret du 23 août 1898 (portant institution des délégations financières algériennes) qui limite l'appellation aux seuls terriens », reposait aussi sur une interprétation : pour lui, il existait à cette époque en Algérie des hommes de France qui étaient des libéraux et qui avaient « apporté à l'Algérie quelque chose dont la France n'a[vait] certes pas à rougir », des hommes distincts des « colons ». À Charles-Robert Ageron qui l'avait renvoyé à son identité de « Français d'Algérie », Xavier Yacono répondait méthode de travail. Pour s'assurer qu'il y avait bien des Français d'Algérie libéraux à cette époque, il affirmait qu'il suffisait d'aller interroger d'anciens instituteurs : « Cela ressemble évidemment à l'enquête géographique ou sociologique devant laquelle, estimait-il, reculent ceux qui se veulent des "historiens purs" et préfèrent rechercher dans les archives la confirmation de leurs idées » (Yacono, 1970 : 109-111). Le ton de la polémique était bien là, les enjeux politiques aussi, et les historiens avaient bien du mal à laisser de côté leurs préjugés. Quoi qu'il en soit cette opposition révélait que le choix des mots de l'époque ou, au contraire, de concepts élaborés *a posteriori* était significatif de l'interprétation du passé proposée.

Cependant, si la vigilance est nécessaire vis-à-vis des catégories produites par la colonisation, elle doit aussi s'exercer envers leurs instruments de connaissance qui doivent tout autant être historicisés. Le « mythe fondateur du positivisme historique » dont parle Pierre Vidal-Naquet peut en effet exister sous la plume de ceux qui travaillent sur la guerre d'Algérie. Ce mythe est exposé ainsi : « Soit un ensemble documentaire aussi complet qu'on puisse l'imaginer, et deux historiens également honnêtes, sérieux et travailleurs. Il n'y a aucune raison pour qu'ils n'écrivent pas exactement le même livre. » « Bien entendu, commentait-il dans la préface de *L'Algérie révélée*, nous savons parfaitement qu'il n'en est rien [...]. Le fait d'admettre la vérité, de la connaître, ne constitue qu'une base commune à partir de laquelle les variations les plus extraordinaires sont concevables[11]. »

La manière dont la lutte pour l'indépendance algérienne a été analysée et désignée depuis quarante ans illustre précisément ces variations évoquées par Pierre Vidal-Naquet.

Guerre de libération, révolution, *jihâd*

Les mots servent à faire la guerre : les Algériens comme les Français les ont utilisés à cet escient. Ce que les autorités françaises refusaient de nommer, les nationalistes algériens l'appelaient « guerre de libération nationale » ou même « révolution », parfois aussi *« jihâd »*. Quels ont été les effets de ce vocabulaire de combat sur l'historiographie de la période ? En Algérie, le récit officiel et héroïque, qui a longtemps prévalu, a sciemment reconduit les expressions de l'époque puis présidé à des inflexions significatives. À côté de ce discours officiel, les historiens ont aussi tenté de bâtir une intelligence de la lutte nationale algérienne qui a pu réemployer ces catégories.

Le mot le plus évident est celui de « révolution ». Il était mot officiel, valorisant ce que Mohammed Harbi a appelé « le mythe de la table rase » élaboré par le FLN et dont Pierre Bourdieu exposa, dès 1962, les effets pernicieux : « L'illusion la plus pernicieuse est sans doute ce que l'on peut appeler le mythe de la révolution révolutionnante, selon lequel la guerre aurait, comme par magie, transformé la société algérienne de fond en comble ; plus, aurait résolu tous les

11. Pierre Vidal-Naquet, préface de Meynier, 1981 : XI.

problèmes, y compris ceux qu'elle a suscités par son existence[12]. » Mais, là n'est pas son moindre paradoxe, ce mot donnait aussi raison aux militaires français tenants d'une analyse du soulèvement algérien sur le modèle de la « guerre révolutionnaire » indochinoise et chinoise. On peut par exemple trouver le mot « révolution » régulièrement utilisé sous la plume de Philippe Tripier pour désigner la lutte des nationalistes algériens, l'auteur partageant la conception des doctrinaires de l'armée française qui avaient imposé leur vision entre 1957 et 1960. Ainsi, « la caractéristique la plus marquante de la révolution algérienne [était] l'usage privilégié qu'elle a[vait] fait de la terreur »[13]. Cette analyse d'une « guerre révolutionnaire », c'est-à-dire imprégnée d'idéologie marxiste et ayant lieu dans le peuple avec des méthodes de coercition violente, a pu aussi être partagée par un certain nombre d'analystes anglo-saxons. Alf Andrew Heggoy estima ainsi que l'insurrection algérienne s'était transformée en révolution dans les premières années de la guerre : « Le mode d'organisation [était] bien celui d'un parti révolutionnaire moderne dont le modèle fut emprunté à la démocratie marxiste[14]. » Il faut cependant noter que les sources d'Heggoy étaient essentiellement les mémoires rédigés par des officiers français pendant la guerre, souvent partisans d'une vision révolutionnaire de leur adversaire.

Plus largement, les auteurs anglo-saxons, davantage spécialistes de sciences politiques que d'histoire, ont souvent été influencés par les écrits de Frantz Fanon. Ce psychiatre martiniquais, chantre de la guerre menée par le FLN, avait décrit une société paysanne se soulevant contre le colonisateur français. Il avait insisté sur « la violence révolutionnaire » retournée contre l'oppresseur colonial à l'origine de la pre-

12. Bourdieu, 1962, republié dans Pierre Bourdieu, *Interventions. Science sociale et action politique*, Marseille, Agone, 2002, p. 29.
13. Philippe Tripier, *Autopsie de la guerre d'Algérie*, France-Empire, 1972, p. 85.
14. Note de lecture par Jean-Claude Vatin, *Annuaire de l'Afrique du Nord*, CNRS Éditions, 1972, p. 913.

mière violence : « La violence qui a présidé à l'arrangement du monde colonial, qui a rythmé inlassablement la destruction des formes sociales indigènes, démoli sans restrictions les systèmes de références de l'économie, les modes d'apparence, d'habillement, sera revendiquée et assumée par le colonisé au moment où, décidant d'être l'histoire en actes, la masse colonisée s'engouffrera dans les villes interdites[15]. » Cette violence révolutionnaire décrite comme libératrice devait donner naissance à un homme nouveau et à une nouvelle société[16]. Selon Daniel Rivet, cette analyse trouva des échos chez certains « historiens anticoloniaux [qui] se placèrent du côté des indigènes, sans marquer cependant assez nettement la différence entre les victimes de l'exploitation coloniale et les vaincus de la conquête qui, comme le révélera l'histoire postcoloniale, n'étaient que des privilégiés écartés provisoirement du pouvoir. Leur mérite, ajoutait-il toutefois, ce fut de donner une signification à la violence de l'indigène "ensauvagé" par le colonisateur, à sa passivité, à son étrangeté ; bref, d'explorer l'inconnaissable des colonisés qui échappait au colonisateur » (Rivet, 1992 : 132). On peut cependant noter que cette focalisation sur la violence libératrice a contribué à l'occultation de deux phénomènes : la violence interne au mouvement national d'une part, les actions non violentes de ce même mouvement d'autre part. Il a fallu attendre plusieurs décennies avant de pouvoir commencer à étudier précisément la violence que le FLN déploya non seulement à l'encontre du MNA mais aussi à l'intérieur de son propre camp (dont les purges constituèrent l'acmé[17])

---

15. Frantz Fanon, *Les Damnés de la terre*, Maspero, 1961, rééd. 1985, p. 29.

16. En ce sens, elle paraît bien plus proche de la révolution au sens de *thawra* que du modèle français de 1789 : la première se référant à des attitudes alors que la seconde met l'accent sur l'action politique. Voir P. J. Vatikiotis, *Revolution in the Middle East and Other Case Studies*, Londres, George Allen and Unwin Ltd, 1972.

17. Sur les purges qui provoquèrent la mort de plusieurs milliers de combattants algériens entre 1958 et 1961, voir Meynier, 2002 : 430-445.

ou contre la population algérienne. Ce champ d'étude reste encore largement à explorer. De même l'accent mis sur la violence dans le processus d'accession à l'indépendance a relégué au second plan l'étude des autres formes d'action : grèves, manifestations ou encore boycott. Peut-être que la focalisation sur le 17 octobre 1961, après que le pouvoir algérien eut recouru à la violence contre ses citoyens en octobre 1988, témoigne d'interrogations nouvelles sur les modalités d'action utilisées par le FLN pendant la guerre.

Au-delà de la violence, Frantz Fanon s'était fait le prophète d'une révolution en cours. « Alors que dans beaucoup de pays coloniaux c'est l'indépendance acquise par un parti qui informe progressivement la conscience nationale diffuse du peuple, en Algérie c'est la conscience nationale, les misères et les terreurs collectives qui rendent inéluctable la prise en main de son destin par le peuple », annonçait-il ainsi en 1959, ajoutant : « La puissance de la Révolution algérienne réside d'ores et déjà dans la mutation radicale qui s'est produite chez l'Algérien. » Le psychiatre s'appuyait sur des considérations psychologiques pour dépeindre la mutation à l'œuvre pendant la guerre : « Le père colonisé au moment de la lutte de Libération donne à ses enfants l'impression d'être indécis, d'éviter l'option, voire d'adopter des conduites de fuite et d'irresponsabilité. » L'ordre des familles était bouleversé, femmes et enfants acquéraient une liberté nouvelle et Frantz Fanon voulait voir une recomposition de la famille (« le père s'efface devant le nouveau monde et se met à la remorque de son fils ») accompagnant l'émergence de nouvelles valeurs (« la personne prend naissance, s'autonomise et devient créatrice de valeurs »[18]). Ces textes participaient d'une entreprise politique : ils avaient une valeur performative. Mais ils marquèrent aussi les analystes d'autant que Fanon constitua une référence importante de la nouvelle Algérie.

---

18. Frantz Fanon, *Sociologie d'une révolution*, Maspero, 1959, 175 p., p. 10, p. 14, p. 84, p. 89. Ce livre est également connu sous le titre *L'An V de la révolution algérienne*.

Dans les premières années de l'indépendance, « l'idée d'un tiers-monde régénérateur de la révolution était assez communément partagée, avec des degrés divers, bien entendu », témoigne Pierre Vidal-Naquet. « La révolution algérienne, fait-il remarquer, nous tenions tous dur comme fer à cette expression »[19]. Pour les intellectuels tiers-mondistes, l'Algérie fonctionnait comme un modèle et comme une source d'espoirs[20]. Un hebdomadaire francophone basé à Alger, *Révolution africaine*, en constitua alors un des vecteurs. Il fut animé par Gérard Chaliand qui le décrivit ainsi : « Cette publication était... à la fois le point focal de l'ensemble des mouvements de libération nationale d'Afrique et de la gauche marxisante algérienne[21]. » Mohammed Harbi succéda à Gérard Chaliand en 1963.

À partir du coup d'État de 1965, la conception de la « révolution » évolua en Algérie tandis que le pays s'imposait comme le phare d'une nouvelle force émergeante à l'échelle internationale : le tiers-monde. Si le mot était de plus en plus souvent employé, de préférence même à « guerre de libération nationale », son sens avait évolué. Dans la décennie suivante, la primauté donnée par Fanon à la paysannerie dans la lutte de libération nationale fut remise en cause par le pouvoir. La théorie du déracinement, issue d'une analyse liée au contexte extrême de la guerre, devint, pour reprendre les termes de Fanny Colonna, « la théorie du "réel rural" et la base théorique d'une politique décisoire et décisive » (Colonna, 1987 : 72) : le pouvoir politique algérien possédait « le schéma théorique de parfaite bonne foi nécessaire à une réforme agraire – une "révolution du monde rural" – elle aussi parfaitement bien intentionnée » (Colonna 1995 : 28).

---

19. Pierre Vidal-Naquet, préface à Juliette Minces, *L'Algérie de la révolution (1963-1964)*, *op. cit.*, p. 5.

20. Pour un constat très sévère de la situation dès fin 1962 (notamment sur la place attribuée aux paysans), voir Lyotard, 1989 : 236, 258.

21. Gérard Chaliand, *Les Faubourgs de l'histoire : tiers-mondismes et tiers-mondes*, Calmann-Lévy, 1984, 270 p., p. 63.

Les sciences sociales connurent aussi cette distanciation vis-à-vis des analyses de Fanon. Ainsi John Dunn, spécialiste de sciences politiques, contesta l'idée d'une paysannerie « classe révolutionnaire » dans un livre paru en 1972. Il privilégiait l'idée d'une élite politique algérienne ayant visé à prendre la place des colons – ce que l'analyse de l'Algérie contemporaine confirmait. Mais il n'abandonnait pas pour autant la notion de révolution ni même celle de violence révolutionnaire. Le combat anticolonial était décrit comme « révolutionnaire » parce que tendu par la volonté de rompre avec un système d'exploitation et de réaliser une libération nationale. Un premier enjeu apparaissait nettement : remettre en question le mot « révolution », c'était s'attaquer à l'idée d'une nation algérienne, consciente d'elle-même et prête à lutter pour son indépendance. Une fois la paysannerie renvoyée à un rôle d'agent passif mû par une élite plus révolutionnaire, l'idée d'un processus révolutionnaire impliquant des acteurs définis par autre chose que leur conscience nationale devenait possible. De fait, ce n'est sans doute pas un hasard si la décennie 1980 a vu paraître deux ouvrages mettant en avant le rôle des militants communistes du parti communiste algérien dans la lutte pour l'indépendance (Teguia, 1988 et Alleg [dir.], 1981).

Allant plus loin, certains travaux tentèrent de lire la réalité de l'Algérie coloniale en empruntant plus ou moins habilement des catégories d'analyse marxistes telles que le mode de production et la lutte des classes. Au contraire, René Gallissot mit très nettement en évidence le fait que la guerre avait été un « procès de formation de l'État algérien », un moyen de promotion de groupes déclassés par la colonisation. En ce sens, elle était bien une guerre d'indépendance visant à créer un État national et pas une révolution tendant à abolir la lutte des classes. Celle-ci était toujours là, estimait l'historien : elle resurgit sitôt l'indépendance. Pour René Gallissot (1987b), le marxisme était un outil heuristique à condition de le dépouiller de son orthodoxie et de son européano-centrisme : une histoire sociale de l'Algérie indépendante devenait même possible, mettant à jour les classes sociales, sous le voile conformiste et étouffant des « frères ». L'État FLN niait en effet fermement cette dimension classiste en privilégiant une « vision consensuelle du social », pour reprendre les mots de Monique Gadant (1995b : 14).

Un déplacement du regard a eu lieu dans les années 1970, permettant à un récit historique valorisant l'hétérogénéité du mouvement national algérien d'émerger. Privilégier le mot « révolution », c'était de fait, aussi, ouvrir la voie à une analyse du processus ayant conduit à l'indépendance en des termes beaucoup plus marxistes et permettre de revisiter l'histoire du nationalisme algérien. Après tout, la paternité révolutionnaire n'était-elle pas née dans le courant émigré et prolétaire de l'entre-deux-guerres, dans l'Étoile nord-africaine et le Parti du Peuple algérien de Messali Hadj ? Les travaux de Mohammed Harbi se mirent à explorer l'histoire du mouvement national, ressuscitant des débats, des pluralités, des possibles. Pour Claude Liauzu (2002 : 29), il s'agissait d'une « critique décapante de la mythologie nationaliste, de la théorie fanonienne de la révolution paysanne, reprise dans le discours de légitimité du FLN ». Derrière la façade FLN, c'était toute une mosaïque d'influences qui était révélée, un enchâssement de guerres intestines et de luttes pour le pouvoir, mais aussi des débats internes sur l'avenir de l'Algérie et la définition de son identité politique en tant que nation.

En 2002, l'*Histoire intérieure du FLN* écrite par Gilbert Meynier mit en avant l'importance de l'échelle régionale et locale pour appréhender l'histoire de ce *front* et, plus largement, de la guerre. Ce faisant, il s'inscrivait dans la lignée des travaux de Mohammed Harbi qui avait insisté sur la nécessité de déconstruire la représentation dominante de la société algérienne comme homogène. Gilbert Meynier se situait aussi dans la suite des analyses de l'historien algérien quand il éclairait les évolutions de l'Algérie indépendante par l'analyse des rivalités ayant agité les responsables du FLN pendant la guerre. La suprématie des militaires sur les politiques y était confirmée comme un héritage de la guerre mais cela permettait aussi de comprendre quelles autres voies la lutte pour l'indépendance aurait pu emprunter. La figure d'Abbane Ramdane était ainsi valorisée.

L'autoritarisme avait échu en partage aux vainqueurs de la guerre, côté algérien : de là une sacralisation de la lutte armée qui ne fut pas sans effet sur l'historiographie de la guerre. Gilbert Meynier adoptait une distance critique vis-à-vis du marxisme en n'en rejetant que les interprétations les plus simplistes. Il pouvait ainsi écrire : « Défendre contre les envahisseurs la *res publica* algérienne, c'est aussi un moyen de se placer dans la future classe dirigeante de laquelle on aspire plus ou moins consciemment à faire partie [...]. Indépendantisme et aspiration de classe ne sont donc pas des vecteurs de sens opposé, mais des vecteurs de même sens. Si tout "nationalisme" est "transclassiste", le "transclassisme" ne doit rien à un commun dénominateur social sur le long terme. Il est perçu comme tel tant que le colonialisme surdéterminant dirige le jeu et brouille les cartes. Il n'annule pas, il contient dans des limites décentes et reporte à l'avenir la manifestation ouverte d'éventuelles tensions sociales. » Pour lui, les choses étaient entendues : c'était « par un abus de langage que la guerre de 1954-1962 [était] généralement dénommée "révolution" dans la littérature algérienne, qu'elle soit militante ou historienne – et elle [était] souvent les deux en même temps. [...] La seule occurrence que l'historien puisse admettre à "révolution" dans le cadre algérien, c'est "anticoloniale". La guerre de 1954-1962 fut prioritairement une guerre de libération de la tutelle étrangère » (Meynier, 2002 : 136, 167).

Comme lui, les historiens font le choix d'expressions nourrissant ou éclairant leur point de vue, qu'il soit critique (« révolution anticoloniale » ou « révolution algérienne » chez Harbi et Meynier) ou seulement descriptif comme « guerre d'Algérie » des historiens français, ou encore « guerre d'indépendance algérienne ». La neutralité de « guerre d'Algérie » est cependant toute relative : pour les Algériens, l'expression fait figure de gallocentrisme quasiment néocolonial. Si son maintien en France s'explique par l'abondance des travaux centrés sur le camp français, elle peut se révéler délicate dès lors que des historiens algériens sont invités à échanger avec des Français. La table ronde dirigée par Charles-Robert Ageron en 1996 en fut la démonstration éclatante : intitulée « La guerre d'Algérie et les Algériens », elle était en réalité subdivisée selon une terminologie soucieuse d'éviter « guerre d'Algérie ». Ainsi étaient évoquées la « guerre de libération nationale algérienne » ou la « guerre d'indépendance ». Au-delà des objets étudiés lors de la table ronde, effectivement centrés sur les Algériens dans la guerre, c'est bien la présence d'historiens algériens qui paraît avoir été à l'origine de cette inflexion du vocabulaire utilisé.

En revanche, rares sont encore les auteurs à s'interroger sur la notion de *jihâd*. De fait, dans les années 1970, l'écriture officielle de l'histoire en Algérie avait imposé au passé un « double recouvrement par une idéologie qui se réclam[ait] de l'État arabo-musulman, et par une légitimation en guerre d'Algérie d'une histoire toute militaire » (Gallissot, 1985 : 199) et cette place accordée à l'islam dans le discours politique algérien après la guerre avait contribué à accréditer une vision de la religion réduite à un instrument au service du pouvoir. L'image d'un FLN qui aurait été pendant la guerre essentiellement laïc et jacobin venait conforter cette perception biaisée de la réalité. Pour Jean-Claude Vatin (1981), cette distorsion du passé réduisant la présence de la religion à l'instrumentalisation d'un islam populaire, décrit comme puritain et violent par les élites politiques, a d'autant plus pu s'imposer que les négociateurs d'Évian en particulier étaient issus des classes moyennes supérieures, prenant leurs distances avec cet islam populaire. L'analyse des accords d'Évian et la question du sort réservé, dans la réalité, aux minorités – notamment religieuses – aurait cependant pu révéler qu'au-delà des textes, la nouvelle Algérie s'envisageait effectivement comme une nation homogène dont l'islam constituait un des fondements essentiels. L'absence de travaux universitaires sur les Juifs d'Algérie jusqu'à une période très récente a peut-être contribué à cet aveuglement.

De manière rétrospective, les nationalistes au pouvoir en Algérie après l'indépendance ont bien développé un discours valorisant la place des oulémas *('ulamâ-)* dans le nationalisme de l'entre-deux-guerres. La figure d'Abdelhamid Ben Badis fut élevée au rang de père de la nation, une nation dont la langue arabe était le fondement, indissociable de l'islam. Avec leur devise « l'islam est ma religion, l'Algérie est ma patrie, l'arabe est ma langue », les oulémas avaient fixé « le catéchisme identitaire algérien ». Une telle revendication d'origine signalait l'« obsession de l'unité » repérée par Gilbert Meynier au sein du FLN : une obsession qui vouait « l'idéologie algérienne [...] à s'identifier aux habits musulmans qu'elle avait endossés » (Meynier, 2002 : 677). Pour l'historien, placer l'islam au fondement de la nation signalait précisément qu'il existait un déficit du national entre la communauté de base et la communauté des croyants, l'*umma*. Ce déficit était, selon lui, un déficit de modernité politique. Fanny Colonna (1995 : 364) considère au contraire que les oulémas ont été les « initiateurs d'une idée de nationalité *(qawmiyya)*, [...] née dans le creuset d'une pensée religieuse et d'une langue liturgique ». Pour elle, l'État algérien n'est fondé « que sur du religieux » et c'est précisément l'*islah* (islam réformateur) qui a surimposé à l'échelon local, segmentaire, un lexique et une conscience nationale.

Quelle que soit la valeur des analyses qui ont montré l'utilisation politique faite de l'islam en Algérie, une vision purement instrumentale de la religion a pu rencontrer une certaine tendance de l'histoire politique à penser l'autonomie de la sphère politique vis-à-vis du reste de la société. Quelques chercheurs ont cependant entrepris de reconsidérer les liens unissant islam et mouvement national en Algérie pour mieux apprécier la profondeur et la spécificité du sentiment national existant dans le pays y compris à l'époque de la domination coloniale.

Mohammed Harbi a ainsi mis l'accent sur ce qui apparaît quasiment comme une instrumentalisation du politique par les oulémas[22]. Il a montré que l'analyse de Ben Badis était basée sur l'idée d'une islamisation imparfaite de la société algérienne. La lutte contre la puissance coloniale pouvait entrer dans ce schéma mais aussi son instrumentalisation pour contrer des structures concurrentes au sein de l'islam (les confréries en particulier). Cette configuration éclairait bien l'existence de ce que Mohammed Harbi qualifiait de « premier nationalisme entré en scène » et permettait de relire ses relations avec le FLN, notamment entre 1954 et 1956.

Jacques Berque avait déjà pointé l'important changement d'attitude des Algériens dans l'entre-deux-guerres : un changement qui, insistait-il, avait eu lieu non seulement vis-à-vis des Français mais vis-à-vis d'eux-mêmes[23]. Quelques décennies plus tard, l'importance de la thématique du *jihâd* commença à être saisie. Elle avait constitué un réservoir lexical pendant la guerre dont les mots les plus fameux furent *mujâhid*, « combattant de la foi », utilisé pour désigner ceux qui avaient pris les armes contre la puissance coloniale, et *chahîd* pour qualifier ceux qui moururent dans ce combat, en « martyrs »[24]. Mais, au-delà, elle indiquait la place de la religion dans la guerre : une religion nationale qui ne pouvait s'accommoder d'une pluralité religieuse, voire d'une diversité dans l'interprétation de l'islam, et « une sacralisation de la violence » en partie héritée des premiers temps de la conquête coloniale (Rivet, 2002 : 114).

Cependant, si l'entre-deux-guerres est déjà bien étudié, la période qui suivit jusqu'au ralliement des réformistes au FLN reste encore largement à éclairer. Au-delà d'une histoire politique des alliances et des idées, une histoire sociale des milieux de contacts et d'influences – notamment le mou-

---

22. Mohammed Harbi, « Les fondements culturels de la nation algérienne », *in* Gilles Manceron (dir.), *Algérie. Comprendre la crise,* Bruxelles, Complexe, 1996, p. 65-73.

23. Jacques Berque, *Le Maghreb entre les deux guerres*, Le Seuil, 1962, 446 p.

24. Voir le texte d'Omar Carlier, « Le Moudjahid, mort ou vif ? », *in* Dayan-Rosenman et Valensi (dir.), 2004.

vement scout et les équipes sportives – menée jusque dans la guerre livrerait certainement d'intéressants enseignements. Celle-ci ne saurait faire l'économie du passage par l'échelle locale. C'est d'ailleurs dans ce sens que travaillent de plus en plus de chercheurs.

Un éparpillement prometteur

Le foisonnement de travaux sur la guerre se traduit aujourd'hui par un éclatement des intérêts des chercheurs et par une certaine distance avec les catégories descriptives et heuristiques des périodes précédentes. Au-delà du rejet de certaines démarches ayant nourri le travail historique jusque-là, cet éparpillement peut en partie être interprété comme une refondation des outils de l'analyse historique.

La recherche contemporaine sur la guerre d'Algérie s'est épanouie dans trois directions : un épanouissement chronologique enserrant la période de la guerre dans une séquence plus vaste vers l'amont et/ou vers l'aval ; un élargissement spatial rendant compte d'un monde colonial unissant les deux rives de la Méditerranée et parfois même, au-delà, les pays voisins de la France et de l'Algérie ; enfin, un approfondissement des objets, resserrés sur des groupes sociaux, des territoires limités voire des individus. La présentation de ces directions nous permettra d'apprécier ce qu'elles peuvent apporter au renouvellement de l'historiographie de la guerre.

Par un mouvement opposé à celui que l'on a observé lors de la construction historiographique de l'objet « guerre d'Algérie », la période 1954-1962 s'est retrouvée prise dans une perspective coloniale large, construite cette fois à partir de regards rétrospectifs. La notion anglo-saxonne de « postcolonialisme » a d'abord suggéré une extension des sujets d'étude à l'après-guerre en faisant l'hypothèse que ce conflit avait marqué durablement les sociétés. Dépassant les interrogations sur la mémoire de certains groupes sociaux, une reconsidération de la France des années 1960 à nos jours accorde ainsi aux événements de la guerre non plus le statut de traces mais celui de matrices.

Plus largement, l'ensemble de la séquence coloniale a pu se retrouver interrogée en partant de réflexions sur le poids de la guerre dans la période ultérieure. La démarche d'Alain Mahé est tout à fait exemplaire de cette attitude. Le sociologue a exposé à quel point sa réflexion sur la Kabylie était née d'interrogations sur les spécificités de cette région découvertes à la fin des années 1970. Il n'a pas hésité à écrire ainsi que le « rigorisme moral » imprégnant, selon lui, la vie politique kabyle contemporaine constituait une piste pour la guerre d'Algérie (Mahé, 1996). Mais son étude a privilégié la longue durée et proposé une « anthropologie historique » (Mahé, 2001). Curieux, en particulier, de la vitalité des assemblées villageoises kabyles, il s'est penché sur l'histoire de ces formes d'organisation sociale et politique, ce qui l'a conduit à revaloriser cette institution qu'il a pu qualifier de « non-étatique » ou de « pré-étatique », dans une hésitation lexicale significative d'une tension entre démarche anthropologique et démarche historique.

Une interrogation contemporaine fut aussi à l'origine du livre de l'historien Neil MacMaster. Le racisme des Français, avait remarqué cet Anglais, est plus particulièrement un racisme anti-Algériens. Or il est habituel de rattacher cette caractéristique à la guerre d'Algérie, dont le déroulement particulièrement violent et le dénouement dramatique pour une partie de ses acteurs au moins constituent alors des arguments à l'appui de cette affirmation. Des travaux sur l'immigration comme ceux de Benjamin Stora avaient déjà attiré l'attention sur la nécessité d'embrasser large pour appréhender l'histoire des mouvements migratoires des Algériens vers la France, mais Neil MacMaster (1997) a plus précisément montré que les Algériens sont devenus les cibles privilégiées du racisme français, et en particulier ouvrier, dès l'entre-deux-guerres, atteignant notamment des sommets en 1923-1924, ce qui le conduisit à relativiser les liens trop automatiquement construits entre la montée de la xénophobie et la crise économique. Au contraire, selon lui, ce fut la visibilité croissante de ces populations immigrées, concentrées dans certains endroits, qui alimenta en premier lieu ce racisme sur un terrain de préjugés et de stéréotypes antérieurs, entretenus par les différents spécialistes de la main-d'œuvre coloniale qui s'exprimaient alors. Plus largement, après le mouvement qui a vu la période de la guerre d'Algérie devenir l'objet d'études à part entière, la nécessité s'est fait de plus en plus sentir de réinsérer la guerre dans la période coloniale, même si de nombreux travaux se firent l'écho de cette exigence sans avoir toujours les moyens de la remplir.

En revanche, l'étude stricte de la guerre a pu servir une vision de la période comme détachée de l'histoire coloniale. Individualiser la guerre a en effet pu nourrir l'illusion qu'elle avait fonctionné selon des logiques propres et, pourquoi pas, extérieures à celles de la colonisation. Si la guerre était mauvaise, si elle avait été mal menée (et, en définitive, perdue), aucune conséquence ne devait alors être tirée quant à la période antérieure. Cette définition chronologique stricte a aussi pu arranger les tenants d'une histoire résistantialiste en Algérie. La guerre plaçait les Français et les Algériens dans un système d'oppositions et de confrontations qui valorisait la lutte armée et alimentait un discours téléologique sur la période antérieure. En Algérie, le discours officiel avait mis en avant des figures historiques ayant valeur de précurseurs des héros de la guerre de libération, permettant à la fois d'ancrer la nation algérienne dans un passé ancien et de présenter la lutte pour l'indépendance comme l'achèvement d'une dynamique interne, la réalisation du sens de l'histoire. Le thème de la continuité des résistances armées à la puissance coloniale en particulier a été régulièrement utilisé[25] : il n'est pas dénué de pertinence à condition de réfléchir aussi bien sur la filiation éventuelle entre certains

25. Sur la prudence avec laquelle on doit utiliser notamment le concept de résistance, Yvon Thébert, « Romanisation et déromanisation en Afrique : histoire décolonisée ou histoire inversée ? », *Annales ESC*, 33, 1978, p. 64-82.

conflits que sur l'existence d'influences extérieures exercées sur ceux-ci ou encore sur les modalités d'action et les configurations relationnelles possibles, dont le conflit ne fut qu'une des formes. « Repérer la singularité des événements, hors de toute finalité monotone [...], saisir leur retour, non point pour tracer la courbe lente d'une évolution, mais pour retrouver les différentes scènes où ils ont joué des rôles différents » : l'invitation de Michel Foucault indique bien les déplacements nécessaires afin, en particulier, de « conjurer la chimère de l'origine »[26].

Cette chimère a séduit de nombreux historiens, tentés de lire dans le passé les signes avant-coureurs de la réalité à venir. L'expression de « répétition générale » utilisée à propos des événements de mai 1945 en est peut-être un des exemples les plus récurrents à tel point que cette manière d'appréhender ce moment a provoqué une extension de la période de la guerre vers l'amont. De « répétition générale », mai 1945 est ainsi devenu, peu à peu, la date du début de la guerre. En 1962 déjà, dans un livre-dossier, *Les Origines de la guerre d'Algérie*, fruit d'observations sur le terrain et d'une collecte de documents, Robert Aron et ses collaborateurs avaient noté l'importance de ses manifestations et de leur répression. Une partie sur les quatre que comptait l'ouvrage leur était consacrée et mai 1945 était la charnière autour de laquelle s'articulait, pour eux, un avant et un après. Présents à Alger en décembre 1960, les auteurs avaient pu remarquer que les manifestants brandissaient des pancartes sur lesquelles on pouvait lire : « Sétif 1945... » (Aron, Lavagne, Feller, Garnier-Rizet, 1962 : 142). De fait, un consensus s'est peu à peu installé chez les historiens à propos de cette date.

Mohammed Harbi avait été un des premiers à construire cette origine en déconstruisant celle qui la recouvrait alors, 1954. Dans un ouvrage au titre se révélant en définitive qua-

26. Michel Foucault, « Nietzsche, la généalogie, l'histoire », *in Dits et écrits*, Gallimard, 2001, t. 2, 1971, p. 140.

siment provocateur, *1954 : la guerre commence en Algérie,* Mohammed Harbi parlait certes d'un an I de la révolution anticoloniale, reprenant ainsi le décompte de Frantz Fanon[27], mais c'était pour mieux insister sur les structures pouvant expliquer cette « explosion ». Son livre était conçu comme une spirale, recommencée toujours au même endroit, sans que ses boucles se superposent jamais totalement : le premier chapitre traitait de l'« événement » et le dernier y revenait mais sous le titre « Le 1er novembre comme représentation », où l'historien s'attachait à démonter les différents mythes fondateurs du FLN ancrés dans ce 1er novembre, élevé au rang d'origine absolue. Finalement, l'événement était renvoyé à l'écume politique des jours algériens et, après avoir insisté sur l'importance du PPA-MTLD comme matrice du mouvement national, Mohammed Harbi redéfinissait un nouveau point de départ autour de « l'alerte de mai 1945 » (Harbi, 1984 : 16).

Le Service historique de l'armée de terre avait entériné, à sa manière, ce déplacement. Les premiers volumes de *La Guerre d'Algérie par les documents* furent intitulés « L'avertissement, 1943-1946 », puis « Les portes de la guerre, 1946-1954 ». Le mois de mai 1945 était désigné comme le tournant[28]. L'avant-propos du premier volume était explicite : « Sétif, mardi 8 mai 1945, jour de marché [...]. La guerre d'Algérie commence[29]. » Pour Jean-Charles Jauffret, l'insurrection de 1954 était un résultat direct du soulèvement raté du printemps 1945 (Jauffret, 1993), « l'acte II de la guerre d'Algérie »[30]. Le deuxième volume de la publication du SHAT, qui était annoncé sous le titre « Des occasions manquées », s'intitula d'ailleurs finalement « Les

27. Frantz Fanon, *L'An V de la révolution algérienne, op. cit.*

28. La période choisie pour le tome 1 va du Manifeste du Peuple algérien, le 10 février 1943, au vote de la loi d'amnistie suivant l'insurrection de mai 1945, le 9 mars 1946.

29. Jean-Charles Jauffret, « Avant-propos », *La Guerre d'Algérie par les documents*, t. 1, *op. cit.*, p. 9.

30. Jean-Charles Jauffret, *La Guerre d'Algérie par les documents*, t. 2, *op. cit.*, p. 668.

Portes de la guerre, 1946-1954 »[31]. Ce changement de titre prenait acte du durcissement des antagonismes politiques à partir de la non-application du statut de 1947 et rendait mieux compte de l'inscription de la guerre d'Algérie dans une chronologie qu'il fallait élargir là où les « occasions manquées » évoquaient trop « une dernière chance » qui retardait au maximum le déclenchement de la guerre et la constituait du même coup inévitablement comme un drame à l'issue fatale pour l'Algérie coloniale.

Comprendre la guerre dans une séquence plus ample permettait de mieux rendre compte des différentes composantes en présence et de leur appréhension variée et évolutive de la situation. Ainsi du « monde du contact » entre les Européens d'Algérie et les « indigènes » algériens, décrit par Annie Rey-Goldzeiguer : c'était là que s'observait le mieux, selon elle, l'échec de tout avenir de paix en Algérie car, là où se côtoyaient des individus appartenant aux deux groupes que la société coloniale opposait, une Algérie nouvelle, plus mixte, aurait pu émerger (Rey-Goldzeiguer, 2002).

Désormais un consensus paraît établi sur la nécessité de démarrer l'étude de la guerre en mai 1945 et plusieurs thèses et travaux s'inscrivent dans cette nouvelle séquence. Cependant les effets de ce nouveau cadrage chronologique ne sont pas encore mesurés : sauf à construire des discours téléologiques tendus vers l'éclatement des oppositions armées, une nouvelle prise en compte des mutations économiques et sociales de l'Algérie de l'après-Seconde Guerre mondiale s'avère nécessaire, de même qu'une reconsidération des aspects civils et politiques du conflit. Ce terme lui-même pourra-t-il alors être conservé sans subir une certaine démilitarisation ?

Revisitant cette question, certains historiens ont considéré au contraire que le caractère militaire de la conquête de l'Algérie avait marqué l'ensemble de la période, « les événements du 8 mai renouvel[ant] le traumatisme de la conquête

---

31. Le sous-titre du volume semble témoigner d'une évolution entre 1946 et 1954 : « Des occasions manquées à l'insurrection ».

et annon[çant] novembre 1954 » chez Mohammed Harbi (1984 : 16), par exemple. Gilles Manceron a aussi choisi d'inscrire la guerre d'Algérie dans cette filiation violente : la guerre de conquête était décrite comme une « première guerre sans nom », et « l'extraordinaire violence » de la répression de 1945 et de la guerre de 1954-1962 était vue comme « la poursuite ou la résurgence de la tradition séculaire de la violence pratiquée dès 1830 dans ce pays par les armées françaises et les colons armés » (Manceron, 2003 : 96, 173).

Cependant, chez Mohammed Harbi, ce rappel de la conquête fonctionnait en réalité comme un détour par les origines de la mise en présence des Algériens et des Français lui permettant de parler de « la renaissance de l'Algérie » ayant abouti à l'indépendance. Il unifiait ainsi par les mots des expressions du sentiment national puisant à des sources aussi diverses que l'assimilationnisme, le communisme, le réformisme musulman, le populisme, l'arabo-islamisme, et il revenait ensuite aux sources politiques du 1er novembre 1954 pour éclairer finalement le triomphe de la stratégie du FLN. L'historien algérien pouvait alors pointer une autre date fondatrice : le 20 août 1955 qui « consacr[ait], dans les faits, un déplacement de l'axe social du nationalisme et une rupture avec l'esprit du 1er novembre ». À cette date anniversaire de la déposition du sultan marocain Mohammed V par les Français (20 août 1953), des milliers de paysans algériens s'étaient lancés à l'assaut de cibles françaises, civiles et militaires. En deux jours, il y eut 123 morts dont 71 Européens. Outre des représailles menées par des milices civiles, la répression qui s'ensuivit fut terrible : 12 000 morts selon Mohammed Harbi (1984 : 146), plusieurs milliers au moins selon Gilbert Meynier (2002 : 12). Pour Charles-Robert Ageron, « le commandement français tomba dans le piège qui lui était tendu en recourant à une répression massive »[32]. La décision du colonel Zighout Youssef, respon-

32. Charles-Robert Ageron, « L'insurrection du 20 août 1955 dans le Nord-Constantinois. De la résistance armée à la guerre du peuple », *in* Ageron (dir.), 1997 : 45.

sable du Nord-Constantinois, de viser également les Algériens politiquement modérés provoqua bien ce fossé, ou cet élargissement du fossé, entre Français et Algériens, dont parlèrent de nombreux contemporains. À partir de l'automne 1955, les élus algériens démissionnèrent des différentes assemblées : à la fin de l'année, il n'en restait pratiquement plus. Le FLN s'imposa comme l'unique interlocuteur pour les autorités françaises. Toute possibilité d'une négociation avec le MTLD en particulier disparut.

Ainsi le 20 août 1955 a pu apparaître comme le deuxième point de départ de la guerre d'Algérie, cette rupture entre Français et Algériens ayant conduit à une modification des stratégies et des tactiques des deux côtés. S'interrogeant sur le déclenchement de la lutte armée, Annie Rey-Goldzeiguer avait d'ailleurs noté que, le 1er novembre 1954, la continuité l'emportait largement sur la rupture et que celle-ci n'existait ni dans les méthodes nationalistes, ni dans les tactiques ou l'idéologie mobilisée (Rey-Goldzeiguer, 1981). Côté français en revanche, la césure d'août 1955 fut moins évidente. Les principaux instruments de la guerre étaient en effet déjà en place début 1955 : les sections administratives spécialisées comme le principe de responsabilité collective ou l'autorisation de tirer sur les fuyards, qui permettait de camoufler très officiellement les exécutions sommaires (Branche, 2001a). Certes l'état d'urgence fut généralisé à l'ensemble de l'Algérie en septembre 1955 et certains soldats maintenus sous les drapeaux ou rappelés mais ces deux principes (restriction des libertés sur une partie du territoire et recours aux soldats du contingent) dataient du printemps 1955.

Autant d'hésitations et de reconsidérations des dates qui témoignent d'une chronologie qui s'affine, à l'intérieur d'un cadre politique dont le caractère artificiel – bâti sur le schéma classique d'une guerre commençant par une déclaration de guerre et s'achevant par un traité de paix – est désormais admis, ce qui n'empêche pas qu'il soit conservé pour des raisons pratiques. Autant de déplacements des marqueurs chronologiques qui signalent aussi le caractère polymorphe de la guerre sur lequel tous les historiens s'accordent. On peut au minimum distinguer trois guerres : guerre entre les nationalistes algériens et le pouvoir français, guerre entre nationalistes algériens luttant pour l'hégémonie politique, guerre entre Français quand l'OAS décida de multiplier les actions terroristes contre le pouvoir gaulliste puis la présence française en Algérie. Adoptant une plus grande échelle, on pourrait décrire encore d'autres guerres : celle des activistes européens qui, dès l'année 1956, accomplirent des attentats au cœur d'Alger, par exemple ; celle des maquis communistes constitués pour soutenir la lutte d'indépendance des Algériens mais difficilement acceptés par le FLN et finalement liquidés ; celle des maquis messalistes utilisés en partie par l'armée française pour lutter contre l'ALN ; celle qui opposa, enfin, les harkis et les Algériens engagés pour l'indépendance de l'Algérie – avant mars 1962 et surtout après, pendant l'été 1962.

Polymorphisme et affinement chronologique ont également accompagné une sensibilité grandissante aux espaces impliqués dans la guerre, que ce soient les différences entre la métropole et l'Algérie ou les spécificités des villes et des régions. Les travaux sur la guerre d'Algérie en France ont été surtout centrés sur Paris : à côté d'un approfondissement de l'étude de la capitale, notamment grâce à l'ouverture extrêmement récente des archives de la préfecture de police, il est encore nécessaire de mettre à jour les modalités de la guerre en province. Des ouvrages se sont faits l'écho d'enquêtes précises (Doneux, Le Paige, 1992 ; Deroche, 2002), des mémoires de maîtrise ont éclairé de nombreux points et contribué au repérage de fonds d'archives mais le champ d'investigation est encore largement à explorer[33].

La prise en compte de logiques unissant les deux rives de la Méditerranée apparaît également comme une piste féconde permettant d'éclairer la nature du lien colonial. Les

33. En 2003, le réseau des correspondants départementaux de l'Institut d'histoire du temps présent a engagé un travail d'enquête de quatre années sur « La guerre d'Algérie en France à l'échelle locale » sous la direction de Raphaëlle Branche et Sylvie Thénault.

notions de « monde colonial » et de « situation coloniale » pourraient être ici davantage utilisées pour définir les relations de pouvoir construites par la colonisation et dont les effets sociaux, politiques, économiques, culturels ne peuvent être réduits, *a priori*, aux espaces conquis. Les deux mouvements se combinent ainsi nécessairement : une meilleure connaissance des réalités en métropole comme en Algérie permettant de repérer d'éventuelles similitudes ou différences, nécessaires à l'élaboration d'une définition historique de la situation coloniale.

De même une démarche qui engloberait l'étude de l'Algérie en liaison avec le Maroc et la Tunisie permettrait d'affiner, d'une autre manière, l'analyse de la situation coloniale en général et l'intelligence de la guerre d'Algérie en particulier. Si la perception d'une entité comme « l'Afrique du Nord » avait pu faciliter cette approche englobante au temps de l'empire colonial, cette voie a été rarement suivie depuis, à l'exception du travail de Daniel Rivet (2002). Une telle entreprise nécessite en effet une ampleur de vue et une étendue de connaissances peu communes.

En revanche, les entreprises comparatistes ou, plus largement, englobantes gagnent assurément à pouvoir s'appuyer sur des travaux précis. Depuis les années 1970, l'historiographie politique de la guerre a livré de nombreuses études sur les formations françaises. Au-delà des groupes, des individualités ont aussi émergé. Articulant une approche biographique notamment dans le cadre du *Dictionnaire biographique du mouvement ouvrier français* (« le Maitron ») et une étude menée au niveau collectif, Gilles Morin a ainsi mêlé les échelles. Sa thèse sur l'opposition socialiste à la guerre d'Algérie est emblématique de la démarche : le groupe des minoritaires était appréhendé dans une dynamique qui était à la fois interne à la SFIO et construite sur une vision politique particulière de la guerre. « L'histoire de la minorité, écrivait l'historien, ne [pouvait] être cantonnée à son apparence, un combat d'intellectuels parisiens et une lutte d'appareil, car ce courant a fédéré la plupart des intellectuels socialistes mais aussi de petites gens, de nombreux groupes épars de province et il a eu une influence importante sur les mouvements de jeunesses socialistes[34]. » Le courant évolua vers la scission à la suite de la chute de la IVe République, la guerre d'Algérie n'étant pas le seul élément ayant abouti à la rupture. Ce courant « est né tout d'abord d'un réflexe moral et dreyfusard face à ce qui est apparu comme des hésitations puis une dérive de la politique du parti socialiste officiel ; il a été porté ensuite par un réflexe républicain d'opposition au 13 mai et aux institutions de la Ve République, ses promoteurs voulant maintenir une organisation socialiste indépendante du régime »[35].

À côté des groupes politiques, quelques monographies récentes ou en cours permettent une approche plus fine des substrats régionaux en France comme en Algérie. Des thèses sont ainsi réalisées sur la Grande Kabylie ou le Nord-Pas-de-Calais. En revanche, la plupart des autres régions ne sont souvent couvertes que par des travaux de maîtrise. En outre, même si les villes constituent souvent le point d'ancrage des sujets, en Algérie comme en France, elles restent encore mal connues. En dépit d'études sur certains aspects de l'histoire de la guerre à Alger, aucune thèse ne s'est encore penchée sur son histoire pendant la guerre. Des trois grandes villes d'Algérie, Oran a été la plus étudiée puisqu'elle a été au centre de trois thèses depuis les années 1970[36]. Constantine reste encore aujourd'hui la parente pauvre : une dissymétrie qui reflète étrangement le

---

34. Gilles Morin, « L'opposition socialiste à la guerre d'Algérie au parti socialiste autonome (1954-1960). Un courant socialiste de la SFIO au PSU », thèse soutenue en 1991 sous la direction d'Antoine Prost, Paris-I. Exemplaire dactylographié, p. 494.

35. *Ibid.*, p. 680.

36. Régine Goutalier, « L'OAS en Oranie », sous la direction de Jean-Louis Miège, Aix-en-Provence, 1975. Miloud Karim Rouina, « Essai d'étude comparative de la guerre d'indépendance de l'Algérie de 1954-1962 à travers deux villes : Oran et Sidi bel Abbès », sous la direction d'André Martel, Montpellier III, 1980. Jean Monneret, « La phase finale de la guerre d'Algérie : le problème des enlèvements », sous la direction de François-Georges Dreyfus, Paris-IV, 1996.

poids des Européens dans ces trois villes et qui indique, au-delà, le déséquilibre global de connaissances sur les Algériens pendant la guerre.

À partir des archives conservées en Algérie et à Aix-en-Provence en particulier, des monographies locales peuvent être envisagées qui engloberaient la guerre dans la longue durée coloniale et permettraient de retracer des logiques d'action échappant encore largement aux historiens qui se situent uniquement à l'échelle du territoire algérien ou français. Fanny Colonna en a déjà fait la démonstration à propos de l'Aurès tout en insistant sur le fait que le cadre local ne devait pas être une fin en soi et que la monographie n'engendrait pas automatiquement une plus-value de sens.

De fait, certains travaux récents ont pu faire leur miel des apports de la *microstoria* et proposer de reconsidérer les échelles d'analyse. L'histoire sociale peut trouver dans cette approche un nouveau souffle ; la thèse de Laure Pitti est apparue comme un travail pionnier de ce point de vue : reconsidérant l'histoire des ouvriers algériens de l'usine Renault de Boulogne-Billancourt avant, pendant et après la guerre, elle s'est attachée à déconstruire les catégories avec lesquelles l'entreprise, mais aussi une partie de ses acteurs – notamment les syndicats ouvriers –, appréhendaient les Algériens. Son travail offrait une occasion de revisiter l'histoire du mouvement ouvrier en France puisqu'elle repéra, par exemple, qu'avant le vote par le parti communiste des pouvoirs spéciaux en mars 1956, la CGT avait adopté, à Renault, une position de soutien aux « légitimes aspirations nationales » du peuple algérien : « Ces positions distinctes [entre parti et syndicat étaient] le signe que la guerre d'Algérie, d'emblée, met[tait] à nu une divergence au sein du mouvement ouvrier communiste quant à l'acception du national : “intérêt national français” pour le PCF, “aspirations nationales du peuple algérien” pour la CGT. Sur cette base, la référence à l'internationalisme prolétarien, structurante pour les deux organisations, diff[érait] radicalement : le PCF se di[sai]t en effet “l'interprète de l'internationalisme des travailleurs, inséparable de l'intérêt national”, là où la

CGT pla[çait] encore (comme dans les premières années 1950) ledit internationalisme sous le signe de l'anti-impérialisme et de la lutte pour les libertés, incluant la lutte contre l'oppression coloniale et donc la revendication d'indépendance nationale algérienne » (Pitti, 2004a : 138-139).

Grâce à une attention fine « aux énoncés tenus » (Pitti, 2001 : 467) par les ouvriers, elle reconsidérait d'un même mouvement l'historiographie et les relations des ouvriers français et algériens dans cette grande entreprise. La guerre apparaissait dès lors dans ses aspects politiques et syndicaux, bien sûr, mais aussi dans ses dimensions sociales. La problématique nationale croisait l'histoire ouvrière sans la recouvrir : au contraire, la construction d'une identité ouvrière participait d'une dynamique propre dont les interactions avec la lutte pour l'indépendance étaient à interroger, sans rabattre l'une sur l'autre. Le découpage d'une séquence historique englobant la guerre en amont et en aval accompagnait ici le choix de l'historienne.

L'approche sociale semble en effet interdire la réinscription *a priori* dans le cadre de la chronologie politique. Les chantiers actuellement en cours témoignent d'une articulation avec l'aval. Plus qu'une attractivité du thème de la mémoire, il s'agit d'objets dont la définition est construite à partir des conséquences de la guerre : les exilés français en Espagne (Dulphy, 2002), les rapatriés (Jordi, 2001), demain les harkis ? Quant aux groupes sociaux préexistants à la guerre, les paysans algériens[37], les commerçants, les intellectuels même, leur étude n'est encore que très partiellement entamée et le plus souvent encore conditionnée par une réflexion en histoire politique. Le travail de Christelle Taraud sur la prostitution dans l'ensemble du Maghreb de 1830 à 1962 est, à cet égard, atypique. Le poids des séquences politiques et des découpages nationaux y est minoré au regard de la dimension coloniale. Pour l'historienne, en effet, « il s'agit plutôt de montrer en quoi cette

37. Fanny Colonna (1987 : 79) propose des pistes sur l'étude des paysans algériens.

relation particulière [la relation de prostitution coloniale], dont les modalités n'ont guère évolué de 1831 à 1962, a été perçue, notamment au sein des sociétés nord-africaines, comme un des symboles les plus violents de la domination coloniale ». Elle précise ainsi : « Considérés comme des constructions de l'Occident, les maisons de tolérance et les quartiers réservés "indigènes" sont vécus, par les Algériens, comme des lieux d'oppression et d'humiliation où, à travers les filles soumises, c'est l'ensemble de la communauté nationale qui est dégradée. La suppression des maisons de tolérance en métropole [par la loi du 13 avril 1946] jugée totalement inapplicable en Afrique du Nord [...] donne en outre une connotation raciale au problème. C'est bien au nom d'un "état de civilisation inférieur" que l'Algérie conserve ses maisons » (Taraud, 2003 : 340, 360-361).

Les travaux d'Omar Carlier proposent encore une autre voie : attentif aux sources dans leur moindre détail, dans leur grammaire mais aussi dans leur diversité, l'historien a restitué les acteurs sociaux dans leur humanité, leur complexité, leurs intérêts et leur sensibilité, sans que les schémas d'explication collectifs effacent les parcours individuels. Sensible à la dimension maghrébine de l'histoire de l'Algérie, il a contribué à en écrire l'histoire culturelle, une histoire pour laquelle les césures politiques sont rarement les plus pertinentes. Ainsi, travaillant sur l'image du moudjahid mobilisé par le FLN/ALN pendant la guerre et après, il a brossé un panorama du « répertoire djihadiste du XIXe au XXe siècle », décrivant les « innombrables reformulations et refondations » de cet imaginaire au sein desquelles le souvenir turc est apparu particulièrement marquant. Il a référé les gestes et les mots des hommes de l'OS puis ceux du FLN à cet arrière-plan mental sur lequel ils furent déployés. Il a éclairé, enfin, les modalités de construction de l'État algérien d'une manière originale : en le resituant dans une obligation envers les morts[38]. La césure de l'indépendance était

38. Omar Carlier, « Le moudjahid, mort ou vif ? », *op. cit.*

ainsi replacée dans cette relation aux morts sans constituer ni une date de départ ni une date de fin.

Comme les monographies et les études de groupes sociaux, l'intérêt récent pour l'approche biographique a conduit à une émancipation de la chronologie politique. Ce passage par le particulier est sans doute le signe d'une méfiance envers les grilles d'analyse traditionnelles. Cependant cet éparpillement des objets et cette élaboration conséquente de catégories spécifiques sonne aussi comme un passage nécessaire afin de construire de nouvelles approches de la guerre qui ne tendraient pas d'abord à produire du sens global mais feraient jouer au maximum les interstices du passé et révéleraient ainsi davantage les complexités et les possibles de l'histoire.

Conclusion

Depuis 1962, l'objet historique « guerre d'Algérie » s'est affiné : les bornes chronologiques, les axes problématiques, les approches méthodologiques sont devenues plus complexes à mesure que l'événement s'éloignait. Son historiographie a progressivement accompagné les mutations de la discipline historique. Sans jamais occuper le cœur des débats, elle porte la marque de la plupart des évolutions majeures des dernières décennies : retour du politique et de l'événement, choix de l'approche prosopographique ou biographique, voisinage avec la sociologie ou, plus récemment, l'anthropologie, tentation de la *microstoria* enfin.

Il a fallu d'abord assumer et afficher un cadre d'étude restreint aux huit années de guerre *stricto sensu*, tandis que progressait parallèlement la légitimation d'un travail historique sur ce sujet, que ce soit aux yeux des historiens eux-mêmes ou à ceux de l'ensemble de la société. Au début des années 1990, la visibilité croissante acquise par le thème de la mémoire et de sa place dans notre monde contemporain – sur la question de la guerre d'Algérie mais aussi de manière beaucoup plus générale – a coïncidé avec l'ouverture des archives publiques de la guerre, une fois le délai ordinaire de trente années écoulé. Cette rencontre déclencha une soif de connaissances qui put, alors, trouver matière à s'étancher. Les travaux se multiplièrent, accompagnés d'un accent mis sur les dimensions militaires du conflit. Cette caractéristique était un effet de la politique d'ouverture du

Service historique de l'armée de terre à partir de juillet 1992. Mais il est également notable qu'elle s'inscrivait dans un contexte politique et social particulier qui voyait les associations d'anciens combattants concentrer leur action pour que soit reconnu, par les autorités publiques, le fait qu'une guerre avait bien eu lieu en Algérie. Est-ce une conséquence de cette reconnaissance acquise fin 1999 ? Toujours est-il que le compas chronologique et problématique paraît aujourd'hui rouvert : la guerre d'Algérie est enserrée dans une gangue plus large, en amont comme en aval, selon des questionnements qui se renouvellent et se focalisent moins sur les spécificités exclusives de la guerre.

Si cette historiographie est désormais vieille de près d'un demi-siècle, les influences extérieures qu'elle subit ne se sont pas nécessairement allégées. La question des liens entre écriture de l'histoire et pouvoir politique, caricaturale dans l'Algérie des années 1970-1980, est aussi une constante en France : il peut s'agir de connivences, réelles ou redoutées, de l'État avec tel ou tel historien mais aussi d'impulsions données par l'autorité politique à la recherche historique – notamment par une action volontaire en matière d'archives. Propres à l'histoire du temps présent, qui dépend d'un accès aux sources publiques en grande partie dérogatoire, ces liens semblent s'être renforcés, dans le cas de la guerre d'Algérie, depuis les années 1980 et la fin du règlement politique de la plupart des séquelles de la période. Le pouvoir réagit en effet aux pressions sociales et aux rythmes des groupes porteurs de mémoire. Avec la victoire de la gauche en 1981, la montée du Front national à partir de 1983, ou encore le développement d'associations antiracistes portées par des enfants d'immigrés d'origine maghrébine, les recherches sur le sens à donner à certains événements contemporains se sont multipliées et fréquemment tournées vers cette guerre, par ailleurs de plus en plus étudiée par les historiens.

De fait, les liens avec les évolutions de la demande sociale sont aussi une autre constante de cette historiographie. Sur ce point, aucune progression linéaire n'existe : le temps de la mémoire n'est pas homogène et ses rythmes sont heurtés. Ainsi l'arrivée à l'âge de la retraite de la plus grande partie des acteurs de cette guerre, en Algérie comme en France, a provoqué, depuis 2000, une recrudescence de l'intérêt porté à la période. De plus, la disparition progressive des groupes porteurs de l'expérience de cette guerre ne signifie pas l'extinction de leurs mémoires : celles-ci peuvent être transmises mais aussi réinventées voire fantasmées par les générations ultérieures. Les demandes s'expriment désormais dans deux directions : d'une part, les personnes recherchent une explication quant à une histoire personnelle, voire une réparation ou une indemnisation, et, d'autre part, elles interrogent les dimensions collectives de leur vécu, ou de celui de leurs proches, pour mieux en apprécier la spécificité et en prendre toute la mesure. L'État et les historiens peuvent alors se trouver interpellés – chacun occupant une place spécifique dans ce dispositif social où le passé résonne encore si fortement.

Après la reconnaissance officielle de l'état de guerre en Algérie, les autorités françaises ne se sont pas engagées plus avant. Elles n'interrogent pas la continuité avec la puissance coloniale française dans laquelle elles sont, au moins en apparence, inscrites depuis 1959 et l'installation de la Ve République. Ce silence sur les rapports entre le régime actuel et celui qui a mené les dernières années de la guerre en Algérie souligne le malaise qui existe, plus largement, sur les liens ayant uni la République et l'entreprise coloniale. Or une réelle prise en compte par l'État des politiques menées dans l'empire et des réalités sociales qui en furent issues permettrait de mieux saisir les modalités des relations actuelles entre territoires ex-colonisés et ex-métropole, d'une part, et entre personnes issues de ces territoires, d'autre part. Assumer la part coloniale de l'histoire nationale est encore un chantier politique à construire. Il apparaît comme un préalable à un changement de regard sur la guerre d'Algérie. Sans cette prise en compte élargie, on continuera à voir cette séquence historique comme le début d'une histoire sociale et politique française marquée par la perte, la douleur, la défaite alors qu'elle n'est qu'un moment dans les relations entre la France et l'Algérie, un moment marqué par la fin d'une relation politique inégale et la délégitimation de l'idéologie coloniale. Le politique doit, encore aujourd'hui, œuvrer pour que la France républicaine devienne pleinement une société sans empire.

Plutôt que se cantonner à la fonction de médiateurs entre des mémoires antagonistes qu'on leur prête parfois, les historiens ont un autre rôle à jouer. En scrutant la dimension coloniale de la guerre, ils peuvent accompagner ceux qui tâtonnent, à travers les souvenirs et les récits mémoriels, à la recherche d'explications. Au-delà de la guerre, celles-ci pourraient bien ressortir tout autant du cadre, plus large, de la domination coloniale. L'apaisement de la « boîte à chagrin »[1] passe aussi par ce travail.

1. Expression du général de Gaulle à propos de la guerre d'Algérie citée par Hervé Alphand *in L'Étonnement d'être. Journal (1939-1973)*, Fayard, 1977, p. 365.

Table des sigles

AARDES	Association algérienne de recherches en démographie, économie et sociologie
AFN	Afrique du Nord
ALN	Armée de libération nationale
ARDBA	Association de recherche pour un dictionnaire biographique de l'Algérie
ASAF	Association de soutien à l'armée française
BDIC	Bibliothèque de documentation internationale contemporaine
CAC	Centre des archives contemporaines
CADA	Commission d'accès aux documents administratifs
CAOM	Centre des archives d'outre-mer
CARAN	Centre d'accueil et de recherche des Archives nationales
CDHA	Centre de documentation historique sur l'Algérie
CEHD	Centre d'études d'histoire de la Défense
CERDES	Centre d'études, de recherches et de documentation en sciences sociales
CHAN	Centre historique des Archives nationales
CNEH	Centre national des études historiques
CRASC	Centre de recherche en anthropologie sociale et culturelle
CRIF	Conseil représentatif des institutions juives de France
ECPAD	Établissement de communication et de production audiovisuelle de la Défense

ENA	Étoile nord-africaine
FIDH	Fédération internationale des droits de l'homme
FIS	Front islamique du salut
FLN	Front de libération nationale
FMA	Français musulmans d'Algérie
FNACA	Fédération nationale des anciens combattants en Algérie, Maroc et Tunisie
FPA	Force de police auxiliaire
FSE	Français de souche européenne
FSNA	Français de souche nord-africaine
GAJE	Guerre d'Algérie jeunesse enseignement
GERM	Groupe d'études et de recherches maghrébines
GIA	Groupe islamique armé
GPRA	Gouvernement provisoire de la République algérienne
GRECE	Groupement de recherche et d'études pour la civilisation européenne
IHTP	Institut d'histoire du temps présent
IMEC	Institut mémoires de l'édition contemporaine
IML	Institut médico-légal
INA	Institut national de l'audiovisuel
INED	Institut national d'études démographiques
MNA	Mouvement national algérien
MRAP	Mouvement contre le racisme et pour l'amitié entre les peuples
MSH	Maison des sciences de l'homme
MTLD	Mouvement pour le triomphe des libertés démocratiques
OAS	Organisation armée secrète
OCI	Organisation communiste internationale
ONAC	Office national des anciens combattants
OPA	Organisation politico-administrative
OS	Organisation spéciale
PPA	Parti du peuple algérien
SDECE	Service de documentation extérieure et du contre-espionnage

SFIO	Section française de l'internationale ouvrière
SHAA	Service historique de l'armée de l'air
SHAT	Service historique de l'armée de terre
SMA	Scouts musulmans algériens
TPIY	Tribunal pénal international pour l'ex-Yougoslavie
TPIR	Tribunal pénal international pour le Rwanda
UEC	Union des étudiants communistes
UGTA	Union générale des travailleurs algériens
UNEF	Union nationale des étudiants de France
UNC	Union nationale des combattants

Chronologie de l'écriture de l'histoire de la guerre (France et Algérie)

Pour les références complètes des ouvrages cités, voir la bibliographie.

1962

(18 mars) Accords d'Évian.

(3 juillet) Indépendance de l'Algérie.

(15 septembre) L'Assemblée constituante proclame la République algérienne, démocratique et populaire.

Aron, Lavagne, Feller, Garnier-Rizet, *Les Origines de la guerre d'Algérie*.

Paillat, *Dossier secret de l'Algérie, 1954-1958*.

Nouschi, *La Naissance du nationalisme algérien, 1914-1954*.

Vidal-Naquet, *La Raison d'État*.

Kessel et Pirelli, *Le Peuple algérien et la guerre*.

Lancement de l'*Annuaire de l'Afrique du Nord*.

1963

(30 mars) La FNACA choisit de commémorer la date du cessez-le-feu en Algérie (19 mars 1962).

De La Gorce, *La République et son armée*.

1964

(10 avril) Début du contingentement de l'immigration algérienne en France.

(23 décembre) Nouvelle amnistie complétant les décrets de mars 1962.

OAS parle.

Cahen et Pouteau, *Una resistenza incompiuta. La guerra d'Algeria e gli anticolonialisti francesi, 1954-1962.*

Bourdieu et Sayad, *Le Déracinement. La crise de l'agriculture traditionnelle en Algérie.*

1965

(19 juin) Coup d'État de Boumediene en Algérie.

Bruno Étienne soutient sa thèse de droit sur « Les Européens d'Algérie et l'indépendance algérienne ».

Lacheraf, *L'Algérie : nation et société.*

Sahli, *Décoloniser l'histoire. Introduction à l'histoire du Maghreb.*

1966

(17 juin) Nouvelle amnistie concernant, en particulier, l'insoumission et la désertion.

Création d'un centre d'archives à Aix-en-Provence destiné à recevoir notamment les archives rapatriées d'Algérie.

1967

Création à Alger du CERDES. Pierre Bourdieu y dirige un temps le 3e cycle de sociologie.

Cornaton, *Les Camps de regroupement de la guerre d'Algérie.*

Planchais et Nobécourt, *Une histoire politique de l'armée.*

1968

La loi de finances 1968 prévoit la possibilité d'obtenir un « titre de reconnaissance de la nation pour les anciens combattants d'Algérie ».

(31 juillet) Nouvelle amnistie concernant en particulier les membres de l'OAS emprisonnés ou exilés.

Premier tome de *La Guerre d'Algérie* d'Yves Courrière. Trois autres volumes suivent.

Charles-Robert Ageron soutient sa thèse d'État sur « Les Algériens musulmans et la France (1871-1919) ».

1969

(28 avril) Le général de Gaulle cesse d'exercer ses fonctions de président de la République.

1970

(9 novembre) Mort du général de Gaulle.

Sortie en France du film de Gillo Pontecorvo *La Bataille d'Alger*, Lion d'or à Venise en 1966.

1971

Débat sur les méthodes employées à Alger en 1957 à partir de la parution de *La Vraie Bataille d'Alger* du général Massu.

Début de la série « Guerre d'Algérie » d'*Historia Magazine*.

Avoir vingt ans dans les Aurès de René Vautier.

Réforme universitaire en Algérie : l'arabisation en marche. Création du CNEH dirigé par Mostefa Lacheraf.

Fanny Colonna soutient à Alger sa thèse de 3e cycle en sociologie : « Les instituteurs algériens formés à l'école de la Bouzaréah, 1883-1939 ».

1972

Tripier, *Autopsie de la guerre d'Algérie*.

Heymann, *Les Libertés publiques et la guerre d'Algérie*.

Vidal-Naquet, *La Torture dans la République : essai d'histoire et de politique contemporaines, 1954-1962*.

1973

(19 septembre) Le gouvernement algérien suspend l'émigration vers la France.

RAS d'Yves Boisset.

1974

(19 mai) Valéry Giscard d'Estaing est élu président de la République française.

(Septembre) Grève de la faim de harkis et de leurs enfants.

(9 décembre) Une loi accorde la carte du combattant à « ceux qui [avaient] pris part aux opérations effectuées en Afrique du Nord entre le 1er janvier 1952 et le 2 juillet 1962 ».

1975

(10 avril) Valéry Giscard d'Estaing est le premier président français à se rendre en visite officielle en Algérie, depuis son indépendance.

Révoltes dans les camps de harkis du sud de la France.

Harbi, *Aux origines du FLN : le populisme révolutionnaire en Algérie*.

Vidal-Naquet, *Les Crimes de l'armée française*.

Slimane Chikh soutient sa thèse d'État de sciences politiques à l'université de Grenoble-II : « La révolution algérienne projet et action (1954-62) ».

Les premiers sujets de thèse d'histoire portant sur la guerre commencent à être déposés.

1976

(27 juin) Référendum sur la Charte nationale en Algérie.

Autour de Robert Bonnaud, constitution du groupe Guerre d'Algérie à l'université de Paris-VII.

Si Azzedine, *On nous appelait fellaghas*.

Ageron, « L'opinion française devant la guerre d'Algérie », *in Revue française d'histoire d'outre-mer*.

1977

(1er octobre) Monument « à la mémoire des soldats, des marins, des aviateurs et des civils d'outre-mer morts pour la France » inauguré à la sortie d'Avignon.

(16 octobre) Inhumation des cendres du soldat inconnu de la guerre d'Algérie à Notre-Dame de Lorette (Pas-de-Calais) en présence du président Giscard d'Estaing.

1978

(2 janvier) Première loi d'indemnisation en faveur des rapatriés d'Algérie.

(17 juillet) Loi sur l'accès aux documents administratifs.

(20 novembre) Mort de Houari Boumediene.

Lancement du magazine mensuel *L'Histoire* au Seuil. La guerre d'Algérie y est régulièrement abordée y compris en couverture.

Création de l'Institut d'histoire du temps présent (IHTP), laboratoire du CNRS, qui succède au Comité d'histoire de la Deuxième Guerre mondiale. Charles-Robert Ageron y dirige la Commission d'histoire de l'Empire français. Il a également repris la direction du Groupe d'études et de recherches maghrébines (GERM) fondé par Charles-André Julien.

Mahfoud Kaddache soutient son doctorat d'État en histoire sur les origines du nationalisme algérien : « Question nationale et politique algérienne, 1919-1951 ».

Benjamin Stora soutient sa thèse de 3e cycle en histoire : « Messali Hadj (1898-1974), pionnier du nationalisme algérien ».

1979

(7 février) Chadli Bendjedid devient président de la République algérienne.

(3 décembre) Loi sur les archives. De nombreux décrets fixent dans le détail le nouveau cadre légal de dépôt, de conservation et d'accès aux documents publics en France.

Le Coup de sirocco d'Alexandre Arcady.

Hamon et Rotman, *Les Porteurs de valises : la résistance française à la guerre d'Algérie*.

Gilbert Meynier soutient sa thèse d'État, publiée en 1981 sous le titre : *L'Algérie révélée. La guerre de 1914-1918 et le premier quart du XXe siècle*.

1980

Mention de la répression du 17 octobre 1961 dans les médias nationaux en France.

Traduction en français du livre d'Alistair Horne paru en anglais en 1977 : *Histoire de la guerre d'Algérie*.

Harbi, *Le FLN, mirage et réalité, des origines à la prise du pouvoir (1945-1962)*. Ce livre est interdit en Algérie.

Kaddache, *Histoire du nationalisme algérien*.

Guy Pervillé soutient sa thèse de 3e cycle en histoire : « Les étudiants algériens de l'université française, 1908-1962 ».

1981

(10 mai) François Mitterrand élu président de la République française.

Alleg (dir.), *La Guerre d'Algérie*.

Harbi, *Les Archives de la révolution algérienne*.

1982

(3 décembre) Amnistie concernant en particulier les généraux putschistes.

Droz et Lever, *Histoire de la guerre d'Algérie, 1954-1962 :* premier livre de synthèse paru en format de poche.

L'éditeur Complexe lance plusieurs projets sur la guerre d'Algérie dans sa collection « La mémoire du siècle ».

1983

(Septembre) Le Front national remporte les élections municipales partielles à Dreux.

(Novembre) Visite officielle du président de la République algérienne en France.

(3 décembre) La marche des Beurs arrive à Paris.

La guerre d'Algérie fait partie du nouveau programme en classe de terminale.

Succès du roman policier *Meurtres pour mémoire* de Didier Daeninckx, évoquant le 17 octobre 1961.

Gilbert Meynier anime l'Association de recherche pour un dictionnaire biographique de l'Algérie (ARDBA).

1984

(29 mai) Adoption du code de la famille en Algérie.

Colloque international organisé en Algérie, qui a pour sujet : « Le retentissement de la révolution algérienne ». Parallèlement les conditions de la recherche scientifique se dégradent. Fermeture de nombreux instituts d'histoire dans les universités.

Benjamin Stora soutient sa thèse de sociologie : « Sociologie du nationalisme algérien. L'analyse sociologique par l'approche biographique ».

1985

Caroline Brac de la Perrière soutient sa thèse de 3e cycle en histoire : « Les employées de maison musulmanes en service chez les Européens d'Alger pendant la guerre : 1954-1962 ».

1986

Haroun, *La 7e Wilaya : la guerre du FLN en France, 1954-1962.*

1987

(Mai) Début du procès de Klaus Barbie, défendu notamment par Me Vergès, ancien avocat du FLN.

(Juin) Rassemblement des Français rapatriés d'Algérie à Nice.

Gallissot, *Maghreb-Algérie, classe et nation.*

Table ronde sur « Les chrétiens et la guerre d'Algérie » organisée par l'IHTP.

1988

Octobre noir en Algérie.

L'IHTP organise une table ronde sur « La guerre d'Algérie et les intellectuels français » ; et un colloque sur « La guerre d'Algérie et les Français ».

Djamila Amrane soutient sa thèse d'État : « Les femmes algériennes et la guerre de libération nationale en Algérie, 1954-1962 ».

1989

(Septembre) Gouvernement réformateur de Mouloud Hamrouche en Algérie.

(Octobre) Début de l'« affaire du foulard » dans un collège de Creil.

Inauguration du mémorial national d'Afrique du Nord (1952-1962) à Montredon-Labessonnié.

Après avoir consulté les archives du ministère de la Justice, Pierre Vidal-Naquet propose une nouvelle édition de *L'Affaire Audin. 1957-1978*, Minuit (1re édition : 1958).

1990

(Septembre) Diffusion sur FR3 du documentaire de Peter Batty, *La Guerre d'Algérie*.

En France, fondation de l'association Au nom de la mémoire, à propos de la répression d'octobre 1961.

Le SHAT publie le premier tome de *La Guerre d'Algérie par les documents*, portant sur les années 1943-1946.

1991

(Juin) Démission de Mouloud Hamrouche.

(26 décembre) Victoire du FIS au premier tour des élections législatives en Algérie. En janvier 1992, le président Chadli démissionne, l'Assemblée nationale est dissoute et le processus électoral est interrompu.

En France, nombreux événements associatifs et médiatiques autour de la célébration du trentième anniversaire du 17 octobre 1961.

Einaudi, *La Bataille de Paris*.

Stora, *La Gangrène et l'Oubli : la mémoire de la guerre d'Algérie*.

Les Années algériennes de Philippe Alfonsi, Bernard Favre, Patrick Penot et Benjamin Stora.

Benjamin Stora soutient sa thèse d'État en histoire. Elle est intitulée : « Histoire politique de l'immigration algérienne en France 1922-1962 ».

Lancement de la revue *NAQD* en Algérie.

1992

(12 janvier) Un décret reconnaît aux anciens combattants d'Algérie le statut de victimes de névroses traumatiques si un lien de causalité directe et déterminante entre l'imputabilité de névrose et un fait de service est établi.

(14 janvier) Un Haut Comité d'État présidé par Mohamed Boudiaf prend le pouvoir en Algérie. L'état d'urgence est décrété pour un an le 9 février.

(29 juin) Assassinat du président algérien Mohamed Boudiaf.

(Juillet) Expiration du délai trentenaire pour les archives publiques en France.

La Guerre sans nom de Bertrand Tavernier

La Ligue de l'enseignement organise, à l'Institut du monde arabe, à Paris, le colloque « Mémoire et enseignement de la guerre d'Algérie ».

Exposition « La France en guerre d'Algérie ».

Instauration de la thèse « nouveau régime » en France.

1993

Hamoumou, *Et ils sont devenus harkis.*

1994

(11 juin) Une loi affirme « la reconnaissance prioritaire de la dette morale de la nation à l'égard de ces hommes et de ces femmes qui ont directement souffert de leur engagement au service de notre pays ».

Succès de la publication posthume du *Premier Homme* d'Albert Camus.

Ageron, « Le drame des harkis », *Vingtième Siècle. Revue d'histoire*, n° 42.

Omar Carlier soutient sa thèse d'État de sciences politiques : « Socialisation politique et nationalisation du lien social (de l'ENA au PPA) ».

Daniel Lefeuvre soutient sa thèse : « L'Industrialisation de l'Algérie, des années 1930 à 1962 ».

1995

(13 janvier) Les partis de l'opposition algérienne, réunis à Rome auprès de la Communauté de San Egidio, proposent une plate-forme pour négocier en Algérie et modifier le cadre politique.

(Juillet) Le nouveau président de la République française, Jacques Chirac, reconnaît la responsabilité de l'État français dans la rafle du Vel' d'Hiv' en juillet 1942.

(Juillet-octobre) Attentats meurtriers en France attribués au GIA algérien.

(16 novembre) Le général Liamine Zeroual élu président de la République algérienne.

En Algérie, mise en place, sous l'égide du ministère des Moudjahidines, du Centre national des études et recherches sur le mouvement national et la révolution du 1er novembre 1954.

1996

(11 novembre) Le président Chirac inaugure un monument dédié aux « victimes et combattants morts en Afrique du Nord, 1952-1962 ».

Les Archives en France : rapport de Guy Braibant au Premier ministre. Il propose une modification du cadre légal.

Table ronde « La guerre d'Algérie et les Algériens » organisée à l'IHTP.

1997

(Octobre) Début du procès de Maurice Papon pour ses activités durant la Seconde Guerre mondiale.

Publication dans le journal *Libération* de photographies d'archives soumises à dérogation à propos du 17 octobre 1961.

1998

(4 mai) Publication par *Le Figaro* du rapport de Dieudonné Mandelkern sur les archives du ministère de l'Intérieur portant sur la répression d'octobre 1961.

Publication par le SHAT du second tome de *La Guerre d'Algérie par les documents.*

À partir de cette date, nombreuses rééditions de livres engagés de la période de la guerre.

1999

(Février) Procès en diffamation intenté par Maurice Papon contre Jean-Luc Einaudi.

(16 avril) Abdelaziz Bouteflika devient président de la République algérienne.

(4 mai) Circulaire du Premier ministre sur l'accès aux archives publiques recommandant de « faciliter les recherches historiques sur la manifestation organisée par le FLN le 17 octobre 1961 et plus généralement sur les faits commis à l'encontre des Français musulmans d'Algérie durant l'année 1961 ».

(Mai) Jean Géromini rend son rapport au garde des Sceaux, ministre de la Justice : « Recensement des archives judiciaires relatives à la manifestation organisée par le FLN le 17 octobre 1961 et, plus généralement, aux faits commis à Paris à l'encontre des Français musulmans d'Algérie durant l'année 1961 ».

(8 juillet) Loi sur la « concorde civile » en Algérie.

(Septembre) Rapport de Philippe Bélaval à la ministre de la Culture et de la Communication : « Pour une stratégie d'avenir des Archives nationales ».

(Octobre) Sidi Mohammed Barkat, Olivier Le Cour Grandmaison et Olivier Revault d'Allonnes lancent un appel publié dans *Libération* : « 17 octobre 1961 : pour que cesse l'oubli ». Ils fondent, dans les mois qui suivent, une association intitulée « 17 octobre 1961 : contre l'oubli ».

(18 octobre) En France, loi d'initiative parlementaire remplaçant officiellement l'expression « opérations de maintien de l'ordre en Afrique du Nord » par « guerre d'Algérie ».

Brunet, *Police contre FLN. Le drame d'octobre 1961.*

Mauss-Copeaux, *Les Appelés en Algérie. La parole confisquée.*

Traduction en français du livre de Hartmut Elsenhans paru en allemand en 1974 : *La Guerre d'Algérie 1954-1962. La transition d'une France à une autre. Le passage de la IVe à la Ve République.*

Sylvie Thénault soutient sa thèse : « La justice dans la guerre d'Algérie ».

2000

(Avril) En France, loi sur les droits des citoyens dans leurs relations avec les administrations.

(Juin) Visite du président Bouteflika en France et discours à l'Assemblée nationale. Début d'une campagne médiatique et d'une émotion publique importante en France sur la question de la torture pendant la guerre. *L'Humanité* publie le 31 octobre un appel lancé par douze personnalités aux plus hauts responsables de l'État afin qu'ils condamnent la torture pratiquée au nom de la France pendant la guerre.

Jauffret, *Soldats en Algérie 1954-1962 : expériences contrastées des hommes du contingent.*

Colloque « Les aspects militaires de la guerre », organisé par le CEHD et le Centre d'histoire militaire de Montpellier.

Colloque « La guerre d'Algérie au miroir des décolonisations françaises » organisé en l'honneur de Charles-Robert Ageron.

Raphaëlle Branche soutient sa thèse : « L'armée et la torture pendant la guerre d'Algérie. Les soldats, leurs chefs et les violences illégales ».

2001

(Janvier) Création de l'association Une cité pour les archives nationales.

(Avril) Le Premier ministre Lionel Jospin impose un délai maximal de deux mois pour répondre aux demandes de dérogation. Il édicte une circulaire visant à faciliter « l'accès aux archives publiques en relation avec la guerre d'Algérie » (13 avril).

(Mai) Général Aussaresses, *Services spéciaux, Algérie 1955-1957*. Diverses plaintes sont déposées contre lui à la suite de cette publication.

(2 juin) Inauguration du site du Conservatoire de la mémoire des conflits de la guerre d'Algérie et des combats en Tunisie et au Maroc, à Montredon-Labessonnié.

(25 septembre) Journée d'hommage aux harkis.

(30 octobre) Dépêche AFP annonçant la fin de l'inventaire des archives militaires concernant la guerre d'Algérie.

(Novembre) Lionel Jospin annonce la création d'un nouveau centre des archives en banlieue parisienne.

Einaudi, *Octobre 1961 : un massacre à Paris.*

2002

(Janvier) Lancement du bimestriel *Guerre d'Algérie magazine*. Il s'arrête en 2003.

(Mars) L'Ennemi intime de Patrick Rotman.

(21 avril) Jean-Marie Le Pen obtient 24 % des suffrages exprimés au premier tour de l'élection présidentielle. Il est présent au second tour face à Jacques Chirac.

(5 décembre) Inauguration du mémorial pour les militaires morts en Afrique du Nord entre 1952 et 1962, quai Branly à Paris.

Frémeaux, *La France et l'Algérie en guerre : 1830-1870, 1954-1962*.

Pervillé, *Pour une histoire de la guerre d'Algérie, 1954-1962*.

Meynier, *Histoire intérieure du FLN : 1954-1962*.

Rey-Goldzeiguer, *Aux origines de la guerre d'Algérie, 1940-1945*.

Rivet, *Le Maghreb à l'épreuve de la colonisation.*

Colloque « Des hommes et des femmes en guerre d'Algérie », organisé par le CEHD et le Centre d'histoire militaire de Montpellier.

2003

Année de l'Algérie en France.

(28 septembre) Décret instituant le 5 décembre, jour de commémoration de la guerre en AFN (1952-1962).

Ferro (dir.), *Le Livre noir du colonialisme. XVIe-XXIe siècle, de l'extermination à la repentance* (Laffont).

Le réseau des correspondants départementaux de l'Institut d'histoire du temps présent engage un travail d'enquête de quatre années sur « La guerre d'Algérie en France à l'échelle locale ».

2004

(Janvier) Plus de 160 directeurs de laboratoire de recherche français lancent un appel au gouvernement « Sauvons la recherche ».

(8 avril) Abdelaziz Bouteflika réélu président de la République algérienne.

Exposition « Photographier la guerre d'Algérie » à Paris.

Harbi et Meynier, *Le FLN. Documents et histoire, 1954-1962.*

Harbi et Stora (dir.), *La Guerre d'Algérie, 1954-2004, la fin de l'amnésie.*

2005

(23 février) Loi sur « les souffrances éprouvées et les sacrifices endurés par les rapatriés, les anciens membres des formations supplétives et assimilés, les disparus et victimes civiles et militaires des événements liés au processus d'indépendance ».

Lors d'un voyage à Sétif, l'ambassadeur de France en Algérie évoque le « massacre » de Sétif en le qualifiant de « tragédie inexcusable ».

Thénault, *Histoire de la guerre d'indépendance algérienne.*

(Juillet) Le Parlement algérien condamne la loi française du 23 février qui parle de « rôle positif de la colonisation ». En réponse aux critiques suscitées par cette loi, le ministre français des Affaires étrangères prône la création d'une commission d'historiens français et algériens.

Orientation bibliographique

Un dictionnaire bibliographique eut beau démontrer le contraire en 1996 et affirmer que les livres sur la guerre d'Algérie abondaient, l'impression d'une absence de livres sur cette période a longtemps alimenté l'idée répandue d'un oubli français [1]. En réalité le statut de ces nombreux ouvrages témoignait surtout des multiples regards portés sur la guerre : les autobiographies plus ou moins romancées voisinaient avec des œuvres de fiction, des drames, de la poésie. Les livres d'histoire, eux, restaient une minorité. Cette orientation bibliographique les recense exclusivement, sans mentionner les livres de mémoire ou les recueils de documents à moins qu'ils ne fassent l'objet d'un commentaire historique. Ont aussi été exclus les travaux universitaires non publiés.

En outre, et malgré un certain renouvellement de l'historiographie paraissant toujours au milieu d'un flux important de textes de nature autobiographique ou polémique, une bibliographie scientifique sur la guerre d'Algérie ne peut se contenter des seuls livres : les articles constituent également des bornes essentielles de cette écriture. À défaut de les recenser tous, on a tenté de présenter certains d'entre eux en les mêlant aux ouvrages. Toutefois, dans le cas d'ouvrages collectifs ou de numéros spéciaux concernant dans leur intégralité la guerre d'Algérie, les articles ne sont pas cités individuellement : seule la référence globale est indiquée. Ces références sont classées par ordre alphabétique d'auteurs. Sauf mention contraire, le lieu d'édition est Paris [2].

---

1. Benjamin Stora, *Dictionnaire des livres de la guerre d'Algérie*, L'Harmattan, 1996, 347 p.

2. Gilbert Meynier a publié deux bibliographies raisonnées sur la

ABITBOL Michel (dir.), *Judaïsme d'Afrique du Nord aux XIXe-XXe siècles. Histoire, société et culture*, Institut Ben Zvi, 1980, 166 p.

—, « La Ve République et l'accueil des Juifs d'Afrique du Nord », *in* Jean-Jacques Becker et Annette Wieviorka (dir.), *Les Juifs de France de la Révolution française à nos jours*, Liana Lévi, 1998, p. 287-327.

ADAMS Geoffrey, *The Call of Conscience : French Protestant Responses to the Algerian War, 1954-62*, Waterloo, Ont., Wilfrid Laurier University Press, 1998, 270 p.

AGERON Charles-Robert, *Histoire de l'Algérie contemporaine*, PUF, « Que sais-je ? », 1964, 126 p.

—, « Les Algériens musulmans et la France (1871-1919) », *La Revue historique*, avril-juin 1970, p. 355-365.

—, « L'opinion française devant la guerre d'Algérie », *Revue française d'histoire d'outre-mer*, 63 (2), 1976, p. 256-285.

—, *Histoire de l'Algérie contemporaine*, t. 2, PUF, 1979, 635 p.

—, *L'Algérie algérienne de Napoléon III à de Gaulle*, Sindbad, 1980, 254 p.

—, « Les troubles du Nord-Constantinois en mai 1945. Une tentative insurrectionnelle ? », *Vingtième Siècle. Revue d'histoire*, 4, octobre-décembre 1984, p. 23-38.

—, (dir.), *Les Chemins de la décolonisation de l'empire colonial français 1936-1956*, CNRS Éditions, 1986, 564 p.

—, « Les accords d'Évian », *Vingtième Siècle. Revue d'histoire*, 35, juillet-septembre 1992, p. 3-15.

— (présentation de), *L'Algérie des Français*, Le Seuil /*L'Histoire*, 1993, 371 p.

—, « Le drame des harkis », *Vingtième Siècle. Revue d'histoire*, 42, avril-juin 1994, p. 3-6.

—, « Les supplétifs algériens dans l'armée française pendant la guerre d'Algérie », *Vingtième Siècle. Revue d'histoire*, 48, octobre-décembre 1995, p. 3-20.

— (dir.), *La Guerre d'Algérie et les Algériens*, Paris, Armand Colin/IHTP, 1997, 340 p.

guerre d'Algérie dans lesquelles on pourra trouver des ouvrages de mémoire, ainsi que des références en arabe. Voir Gilbert Meynier, *Histoire intérieure du FLN : 1954-1962*, Fayard, 2002, 812 p., p. 747-774 ; et *NAQD*, 14-15, 2001, p. 97-162 (également publié dans la préface que l'auteur donna à la traduction française du livre de Hartmut Elsenhans).

—, « Un versant de la guerre d'Algérie : la bataille des frontières (1956-1962) », *Revue d'histoire moderne et contemporaine*, 46/2, 1999, p. 348-359.

—, « Le "drame des harkis". Mémoire ou histoire ? », *Vingtième Siècle. Revue d'histoire*, 68, octobre-décembre 2000, p. 3-15.

AGERON Charles-Robert, COQUERY-VIDROVITCH Catherine, MEYNIER Gilbert et THOBIE Jacques, *Histoire de la France coloniale*, t. 2 : « 1914-1990 », Armand Colin, 1990, 654 p.

ALEXANDER Martin S., EVANS Martin et KEIGER J.F.V., *The Algerian War and the French Army, 1954-1962. Experiences, Images, Testimonies*, New York, Palgrave Macmillan, 2002, 269 p.

ALEXANDER Martin S. et KEIGER J.F.V., « France and the Algerian War : Strategy, Operations and Diplomacy », *Journal of Strategic Studies*, 25 (2), 2002, p. 1-32.

ALLEG Henri (dir.), *La Guerre d'Algérie*, Temps actuels, 1981, t. 1 : « De l'Algérie des origines à l'insurrection », 609 p. ; t. 2 : « Des promesses de paix à la guerre ouverte », 607 p. ; t. 3 : « Des complots du 13 mai à l'indépendance », 613 p.

ALLOUCHE-BENAYOUN Joëlle et BENSIMON Doris, *Les Juifs d'Algérie. Mémoires et identités plurielles*, Éditions Stavit, 1998, 433 p.

AMBLER John Steward, *The French Army in Politics, 1945-1962*, Columbus, Ohio State University Press, 1966, 427 p.

AMIRI Linda, *La Bataille de France. La guerre d'Algérie en métropole*, Laffont, 2004, 237 p.

AMRANE Djamila, *Les Femmes algériennes dans la guerre*, Plon, 1991a, 218 p.

—, « Les femmes et la guerre d'Algérie : répartition géographique des militantes (Algérie 1954-1962) », *Awal*, 8, 1991b, p. 1-19.

—, *La Guerre d'Algérie (1954-1962). Femmes au combat*, Rouiba, Éditions Rahma, 1993, 298 p.

ARON Robert, LAVAGNE François, FELLER Janine, GARNIER-RIZET Yvette, *Les Origines de la guerre d'Algérie*, Fayard, 1962, 332 p.

BADER Raëd, GUIGNARD Didier et KUDO Akihito, « Des lieux pour la recherche en Algérie », *Bulletin de l'IHTP*, 83, juin 2004, p. 158-168.

BAGNATO Bruna, « Une solidarité ambiguë : l'OTAN, la France et la guerre d'Algérie (1954-1958) », *Revue d'histoire diplomatique*, 115 (4), 2001, p. 329-350.

BANAT-BERGER Françoise et NOULET Christèle, « Les sources de la guerre d'Algérie aux Archives nationales », *Revue française d'histoire d'outre-mer*, 328-329, 2000, p. 327-351.

Bantigny Ludivine, « Jeunes et soldats. Le contingent français en guerre d'Algérie », *Vingtième Siècle. Revue d'histoire*, 83, juillet-septembre 2004, p. 97-108.

Barbour Nevill, *A Survey of North West Africa (the Maghrib)*, Londres, Oxford University Press, 1959, 406 p.

Barros François (de), « Les municipalités face aux Algériens : méconnaissances et usages des catégories coloniales en métropole avant et après la Seconde Guerre mondiale », *Genèses*, 53, décembre 2003, p. 69-92.

Baudorre Philippe (édition préparée par), *La Plume dans la plaie. Les écrivains journalistes et la guerre d'Algérie*, Pessac, Presses Universitaires de Bordeaux, 2003, 302 p.

Baussant Michèle, *Pieds-Noirs. Mémoires d'exils*, Stock, 2002, 463 p.

Bédarida François et Fouilloux Étienne (dir.), « La guerre d'Algérie et les Chrétiens », *Cahiers de l'IHTP*, 9, octobre 1988, 188 p.

Bedjaoui Mohamed, *La Révolution algérienne et le droit*, Bruxelles, Association des juristes démocrates, 1961, 264 p.

Benayoun Catherine, « Photopsie d'un massacre », *Hommes et Migrations*, mai-juin 1999, p. 65-68.

Benoît Bertrand, *Le Syndrome algérien. L'imaginaire de la politique algérienne de la France*, L'Harmattan, 1995, 189 p.

Berchadsky Alexis, *« La Question », d'Henri Alleg. Un « livre-événement » dans la France en guerre d'Algérie*, Larousse, 1994, 185 p.

Bergot Erwan, *La Guerre des appelés en Algérie, 1956-1962*, Presses de la cité, 1980, 268 p.

Berlière Jean-Marc, « Une source inédite pour la guerre d'Algérie : les récits de vie des policiers » *in* Serge Wolikow (dir.), « Traces de la guerre d'Algérie », *Cahiers de l'IHC*, 2, 1995.

Bernardot Marc, « Entre répression policière et prise en charge sanitaire et sociale : le cas du centre d'assignation à résidence du Larzac (1957-1963) », *Bulletin de l'IHTP*, 83, juin 2004, p. 83-93.

Berque Jacques, *Le Maghreb entre les deux guerres*, Le Seuil, 1962, 446 p.

Biondi Jean-Pierre et Morin Gilles, *Les Anticolonialistes*, Robert Laffont, 1992, 388 p.

Boniface Xavier, *L'Aumônerie militaire française 1914-1962*, Le Cerf, 2001, 450 p.

Bonnaud Robert, *La Cause du Sud : l'Algérie d'hier et d'aujourd'hui, la Palestine, les nations : écrits politiques, 1956-2000*, L'Harmattan, 2001, 206 p.

Bookmiller Robert J., « The Algerian War of Words : Broadcasting and Revolution, 1954-1962 », *The Maghrib Review* (Grande-Bretagne), XIV (3-4), 1989, p. 196-213.

Borne Dominique, Nembrini Jean-Louis et Rioux Jean-Pierre (dir.), *Apprendre et enseigner la guerre d'Algérie et le Maghreb contemporain*, actes de l'université d'été, 29-31 août 2001, CRDP de l'académie de Versailles, 2002, 191 p.

Bouguessa Kamel, *Aux sources du nationalisme algérien*, Alger, Casbah Éditions, 2000, 383 p.

Bourdieu Pierre, *Sociologie de l'Algérie*, PUF, 1958, 128 p.

—, « De la guerre révolutionnaire à la révolution », *in* François Perroux (dir.), *L'Algérie de demain*, PUF, 1962, 262 p.

—, *Esquisse d'une théorie de la pratique*, précédé de *Trois Études d'ethnologie kabyle*, Genève, Droz, 1972, 270 p.

—, *Algérie 60. Structures économiques et structures temporelles*, Minuit, 1977, 123 p.

Bourdieu Pierre et Sayad Abdelmalek, *Le Déracinement. La crise de l'agriculture traditionnelle en Algérie*, Minuit, 1964, 224 p.

Bourdrel Philippe, *La Dernière Chance de l'Algérie française*, Albin Michel, 1996, 350 p.

Bouvier Jean, Girault René, Thobie Jacques, *L'Impérialisme à la française, 1914-1960*, La Découverte, 1986, 301 p.

Boyer Pierre, « Les archives rapatriées », *Itinéraires. Chroniques et documents*, 264, juin 1982, p. 49-67.

Brac de la Perrière Caroline, *Derrière les héros... les employées de maison musulmanes en service chez les Européens à Alger pendant la guerre d'Algérie (1954-1962)*, L'Harmattan, 1987, 320 p.

Branche Raphaëlle, « La commission de sauvegarde des droits et libertés individuels pendant la guerre d'Algérie. Chronique d'un échec annoncé ? », *Vingtième Siècle. Revue d'histoire*, 61, janvier-mars 1999, p. 14-29.

—, « Entre droit humanitaire et intérêts politiques : les missions algériennes du CICR », *La Revue historique*, 609, 1999-2, p. 101-125.

—, *La Torture et l'armée pendant la guerre d'Algérie, 1954-1962*, Gallimard, 2001a, 464 p.

—, « Género y tortura : Cuando una mujer pregunta a los hombres sobre la violencia », *Historia, antropología y fuentes orales*, 26, 2001b, p. 37-46.

—, « Désirs de vérités, volontés d'oublis : la torture pendant la guerre d'Algérie », *Cahiers français*, 303, septembre 2001c, p. 70-76.

—, « Des viols pendant la guerre d'Algérie », *Vingtième Siècle. Revue d'histoire*, 75, juillet-septembre 2002, p. 123-132.

—, « Être soldat en Algérie face à un ennemi de l'autre sexe », actes d'une journée d'études organisée en septembre 2001, *Annales de Bretagne et des pays de l'Ouest,* t. 109, 2002/2, p. 143-150.

—, « Faire l'histoire de la violence d'État », *in* Sébastien Laurent (dir.), *Archives « secrètes », secrets d'archives. Historiens et archivistes face aux archives sensibles*, CNRS Éditions, 2003, 288 p.

BRANCHE Raphaëlle et THÉNAULT Sylvie, « Le secret de la torture pendant la guerre d'Algérie », *Matériaux pour l'histoire de notre temps*, 58, avril-juin 2000, p. 57-63.

—, *La guerre d'Algérie*, La Documentation française, « La Documentation photographique », 2001, 64 p.

—, « L'impossible procès de la torture pendant la guerre d'Algérie », actes de la journée d'études sur *Justice, politique et République, de l'affaire Dreyfus à la guerre d'Algérie*, Bruxelles, Complexe/IHTP, 2002, p. 243-260.

BRANCIARD Michel, *Un syndicat dans la guerre d'Algérie. La CFTC qui deviendra la CFDT*, Syros, 1984, 324 p.

BROMBERGER Serge, *Les Rebelles algériens*, Plon, 1958, 275 p.

BROMBERGER Merry et Serge, *Les Treize Complots du 13 mai*, Fayard, 1959, 445 p.

BROMBERGER Merry et Serge, ELGEY Georgette, CHAUVEL Jean-François, *Barricades et Colonels*, Fayard, 1960, 444 p.

BRUNET Jean-Paul, *Police contre FLN. Le drame d'octobre 1961*, Flammarion, 1999, 346 p.

—, *Charonne. Lumières sur une tragédie,* Flammarion, 2003, 336 p.

BUSSIÈRE Michèle (de), MÉADEL Cécile, ULMANN-MAURIAT Caroline (dir.), *Radios et télévision au temps des « événements d'Algérie », 1954-1962,* L'Harmattan, 1999, 298 p.

CAHEN Janine et POUTEAU Micheline, *Una resistenza incompiuta. La guerra d'Algeria e gli anticolonialisti francesi, 1954-1962*, Milan, Il Saggiatore, 1964, 2 volumes.

CAHN Jean-Paul, « La RFA et la question de la présence d'Allemands dans la Légion étrangère française dans le contexte de la guerre d'Algérie (1954-1962) », *Guerres mondiales et conflits contemporains*, 47 (186), 1997, p. 95-120.

—, « Le SPD allemand face à la guerre d'Algérie (1958-1962) », *Revue d'Allemagne et des pays de langue allemande*, 31 (3-4), 1999, p. 589-602.

CAHN Jean-Paul et MÜLLER Klaus-Jürgen, *La RFA et la guerre d'Algérie, 1954-1962 : perception, implication et retombées diplomatiques*, Éditions du Félin, 2003, 509 p.

CALLU Agnès et GILLET Patricia, « Écrire les traumatismes de la guerre d'Algérie aux Archives nationales », *Histoire et Archives*, 11, janvier-juin 2002, p. 47-63.

CALLU Agnès et LEMOINE Hervé (dir.), *Guide des sources du patrimoine sonore et audiovisuel français*, Belin, 2004, 7 tomes.

CANTIER Jacques et JENNINGS Éric (dir.), *L'Empire colonial sous Vichy*, Odile Jacob, 2004, 398 p.

CAPDEVILA Luc et VOLDMAN Danièle, *Nos morts : les sociétés occidentales face aux tués de la guerre, XIXe-XXe siècles*, Payot, 2002, 282 p.

CARLIER Omar, *Entre nation et* jihâd *: histoire sociale des radicalismes algériens*, Presses de la Fondation nationale des sciences politiques, 1995, 443 p.

—, « Scholars and Politicians : an Examination of the Algerian View of Algerian Nationalism », *in* Michel Le Gall et Kenneth J. Perkins (dir.), *The Maghrib in Question. Essays on History and Historiography*, Austin, Univ. of Texas Press, 1997, 258 p., p. 136-170.

CARRIÈRE Pierre, « L'insertion dans le milieu rural languedocien des agriculteurs rapatriés d'Afrique du nord », *Études rurales*, 52, 1973, p. 57-79.

CELIK Zeynep, *Urban Forms and Colonial Confrontations. Algiers under French Rule*, Berkeley-Los Angeles-Londres, University of California Press, 1997, 236 p.

CHAPEU Sybille, *Délier les liens du joug. Trois prêtres et un pasteur dans la guerre d'Algérie*, Toulouse, GRHI, 1996, 303 p.

—, *Des chrétiens dans la guerre d'Algérie. L'action de la Mission de France*, Éditions de l'Atelier, 2004, 272 p.

CHAPPELL Mike et WINDROW Martin, « A Glance : the Algerian War, 1954-62 », *Men at Arms*, 312, 1998.

CHAULET-ACHOUR Christiane, *Abécédaires en devenir : idéologie coloniale et langue française en Algérie*, Alger, Entreprise nationale de presse, 1985, 607 p.

—, *Albert Camus, Alger : « L'Étranger » et autres récits*, Biarritz, Atlantica, 1998, 217 p.

CHAUVIN Stéphanie, « Des appelés pas comme les autres ? Les conscrits "Français de souche nord-africaine" pendant la guerre d'Algérie », *Vingtième Siècle. Revue d'histoire*, 48, octobre-décembre 1995, p. 21-30.

CHIKH Slimane, *L'Algérie en armes ou le temps des certitudes*, Paris-Alger, Economica/OPU, 1981, 511 p.

CLARK Michael K., *Algeria in Turmoil. The Rebellion : its Causes, its Effects, its Future*, New York, Grosset & Dunlap, 1960, 466 p.

CLAYTON Anthony, *The Wars of French Decolonization*, Londres et New York, Longman, 1994a, 234 p.

—, *Histoire de l'armée française en Afrique 1830-1962*, Albin Michel, 1994b, 539 p. (en anglais : 1988).

COHEN William B., « The Sudden Memory of Torture : the Algerian War in French Discourse, 2000-2001 », *French Politics, Culture and Society*, vol. 19, 3, automne 2001, p. 82-94.

—, « The Algerian War, the French State and Official Memory », *Historical Reflections*, 28 (2), 2002, p. 219-239.

COINTET Michèle, *De Gaulle et l'Algérie française 1958-1962*, Perrin, 1996, 315 p.

COLE Joshua, « Remembering the Battle of Paris. 17 october 1961 in French and Algerian Memory », *French Politics, Culture and Society*, vol. 21, 3, automne 2003, p. 21-50

COLONNA Fanny, *Savants paysans : éléments d'histoire sociale sur l'Algérie rurale*, Alger, Office des publications universitaires, 1987, 356 p.

—, (dir.), *Aurès/Algérie 1954, les fruits verts de la révolution*, Autrement, 1994, 174 p.

—, *Les Versets de l'invincibilité. Permanence et changements religieux dans l'Algérie contemporaine*, Presses de Sciences-Po, 1995, 400 p.

COLLOT Claude et HENRY Jean-Robert, *Le Mouvement national algérien, textes, 1912-1954*, Paris-Alger, L'Harmattan/OPU, 1978, 383 p.

CONNELLY Matthew, *A Diplomatic Revolution : Algeria's Fight for Independence and the Origins of the Post-Cold War Era*, Oxford and New York, Oxford University Press, 2002, 400 p.

—, « Rethinking the Cold War and Decolonisation : the Grand Strategy of the Algerian War for Independence », *International Journal of Middle East Studies*, 33 (2), 2001, p. 221-245.

COQUERY Michel, « L'extension récente des quartiers musulmans d'Oran », *Bulletin de l'Association des géographes français*, 307-308, mai-juin 1962.

CORNATON Michel, *Les Camps de regroupement de la guerre d'Algérie*, Éditions ouvrières, 1967 (rééd. L'Harmattan, 1998, 304 p.).
COSTA-LASCOUX Jacqueline, « La nationalité des enfants d'immigrés algériens », *Annuaire de l'Afrique du Nord*, CNRS Éditions, 1981, p. 299-320.
COSTA-LASCOUX Jacqueline et TEMIME Émile, *Les Algériens. Genèse et devenir d'une migration*, Publisud/CNRS, 1985, 371 p.
COTE Marc, *L'Algérie ou l'espace retourné*, Flammarion, 1988, 366 p.
COULON Alain, *Connaissance de la guerre d'Algérie. Trente ans après : enquête auprès des jeunes Français de 17 à 30 ans*, Saint-Denis, Association internationale de recherche ethnométhodologique, 1993, 87 p.
COURRIÈRE Yves, *Les Fils de la Toussaint*, Fayard, 1968, 450 p.
—, *Le Temps des léopards*, Fayard, 1969, 616 p.
—, *L'Heure des colonels*, Fayard, 1970, 630 p.
—, *Les Feux du désespoir : la fin d'un empire*, Fayard, 1971, 675 p.
—, *La Guerre d'Algérie en images*, Fayard, 1972, 288 p.
CRENSHAW HUTCHINSON Martha, *Revolutionary Terrorism : the FLN in Algeria, 1954-1962*, Stanford (California), Hoover Institution Press, 1978, 178 p.
DAOUD Zakya et STORA Benjamin, *Ferhat Abbas, une utopie algérienne*, Denoël, 1995, 429 p.
DAYAN-ROSENMAN Anny et VALENSI Lucette (dir.), *La Guerre d'Algérie dans la mémoire et l'imaginaire*, Saint-Denis, Bouchène, 2004, 304 p.
DELARUE Jacques, *L'OAS contre de Gaulle*, Fayard, 1981, 312 p.
DELARUE Jacques et RUDELLE Odile, *L'Attentat du Petit-Clamart : vers la révision de la Constitution*, La Documentation française, « Les médias et l'événement », 1990, 96 p.
DEROCHE Gilles, *Les Ardennais et la guerre d'Algérie*, Charleville-Mézières, Éditions Terres ardennaises, 2002, 191 p.
DÉROULÈDE Arnaud, *OAS. Étude d'une organisation clandestine*, Hélette, Jean Curutchet, 1997, 350 p.
DESCOMBIN Henry, *Guerre d'Algérie 1959-1960. Le cinquième bureau ou le théorème du poisson*, L'Harmattan, 1994, 160 p.
DINE Philip, *Images of the Algerian War : French Fiction and Film, 1954-1992*, Oxford, Clarendon Press, 1994, 267 p.
DONEUX Jean L., LE PAIGE Hugues, *Le Front du Nord. Des Belges dans la guerre d'Algérie (1954-1962)*, Liège, Pol-His. RTBF, 1992, 262 p.

DORE-AUDIBERT Andrée, *Des Françaises d'Algérie dans la guerre de libération. Des oubliées de l'histoire*, Karthala, 1995, 297 p.

DRESCH Jean, JULIEN Charles-André, MARROU Henri-Irénée, SAUVY Alfred, STIBBE Pierre, *La Question algérienne*, Minuit, 1958, 127 p.

DROZ Bernard, « Le cas très singulier de la guerre d'Algérie », *Vingtième Siècle. Revue d'histoire*, 5, janvier-mars 1985, p. 81-90.

DROZ Bernard et LEVER Evelyne, *Histoire de la guerre d'Algérie : 1954-1962*, Le Seuil, 1982, 375 p.

DUCLERT Vincent, « Un rapport d'inspecteur des finances en guerre d'Algérie. Michel Rocard, des camps de regroupement au devoir d'information », *Outre-mers. Revue d'histoire*, tome 90, 338-339, 2003, p. 163-197.

DUHAMEL Éric, *François Mitterrand : l'unité d'un homme*, Flammarion, 1998, 260 p.

DULPHY Anne, « Les exilés français en Espagne depuis la Seconde Guerre mondiale : des vaincus de la Libération aux combattants de l'Algérie française 1944-1970 », *Matériaux pour l'histoire de notre temps*, 67, juillet-septembre 2002, p. 96-101.

DUNAND Fabien, *L'Indépendance de l'Algérie, décision politique sous la Ve République (1958-1962)*, Berne, Lang, 1977, 265 p.

DUNN John, *Modern Revolution : an Introduction to the Analysis of a Political Phenomenon*, Cambridge, Cambridge University Press, 1972, 346 p.

DURANTON-CRABOL Anne-Marie, *Visages de la nouvelle droite : le GRECE et son histoire*, Presses de la FNSP, 1988, 268 p.

—, *Le Temps de l'OAS*, Bruxelles, Complexe, 1995, 319 p.

ECK Hélène, « *Cinq Colonnes* et l'Algérie, 1959-1962 », *in* Jeanneney Jean-Noël et Sauvage Monique (dir.), *Télévision, nouvelle mémoire. Les magazines de grand reportage, 1959-1968*, INA-Le Seuil, 1982.

EINAUDI Jean-Luc, *L'Affaire Fernand Iveton : enquête*, L'Harmattan, 1986, 250 p.

—, *La Bataille de Paris : 17 octobre 1961*, Le Seuil, 1991a, 329 p.

—, *La Ferme Améziane : enquête sur un centre de torture pendant la guerre d'Algérie*, L'Harmattan, 1991b, 117 p.

—, *Un rêve algérien : histoire de Lisette Vincent, une femme d'Algérie : récit*, Éditions d'Agorno, 1994, 279 p.

—, *Un Algérien, Maurice Laban : récit*, Cherche Midi, 1999, 190 p.

—, *Octobre 1961 : un massacre à Paris*, Fayard, 2001, 384 p.

—, *Franc-tireur. Georges Mattéi, de la guerre d'Algérie à la guérilla*, Éditions du Sextant et Éditions Danger public, 2004, 256 p.

EINAUDI Jean-Luc et KAGAN Élie, *17 octobre 1961*, Arles, Actes Sud/Solin, 2001, 76 p.

EL MECHAT Samya, « La question algérienne en 1954 à travers les archives du département d'État », *Revue d'histoire maghrébine* (Tunisie), 18 (61-62), 1991, p. 39-47.

—, *Les États-Unis et l'Algérie. De la méconnaissance à la reconnaissance, 1954-1962*, L'Harmattan, 1997, 247 p.

ELGEY Georgette, *Histoire de la IVe République*, Fayard, 1993 (1re édition : 1965).

—, *La République des tourmentes, 1954-1959*, t. 2 : *Malentendu et passion*, avec la collaboration de Marie-Caroline Boussard, Fayard, 1997, 691 p.

ELLYAS Akrams et STORA Benjamin, *Les 100 Portes du Maghreb. L'Algérie, le Maroc, la Tunisie, trois voies singulières pour allier islam et modernité*, Éditions de l'Atelier, 1999, 304 p.

ELSENHANS Hartmut, « Échec d'une stratégie néocoloniale : économie politique, spécificités, constances et étapes de la réaction française à l'égard de la révolution algérienne », *in* Touili Mohamed (dir.), *Le Retentissement de la révolution algérienne*, Alger, ENAL/Bruxelles, GAM, 1985, 500 p., p. 292-312.

—, *La Guerre d'Algérie 1954-1962. La transition d'une France à une autre. Le passage de la IVe à la Ve République*, Publisud, 1999, 1 071 p.

ENJELVIN Géraldine, « Les Harkis en France : carte d'identité française, identité harkie à la carte ? », *Modern and Contemporary France*, 2, 2003, p. 161-173.

ERRERA Roger, *Les Libertés à l'abandon*, Le Seuil, 1968, 255 p.

ÉTIENNE Bruno, *Les Européens d'Algérie et l'Indépendance algérienne*, Éditions du CNRS, 1968, 415 p.

—, « Le vocabulaire politique de légitimité en Algérie », *Annuaire de l'Afrique du Nord*, CNRS Éditions, 1971, p. 69-101.

EVANS Martin, *Memory of Resistance : the French Opposition to the Algerian War*, Oxford/New York, Berg, 1997, 250 p.

ÉVENO Patrick et PLANCHAIS Jean, *La Guerre d'Algérie*, La Découverte, 1989, 425 p.

FABRE Thierry, « France Algérie : questions de mémoire », *Annuaire de l'Afrique du Nord*, CNRS Éditions, 1990, p. 353-360.

FACON Patrick, « L'armée de l'air face à l'insurrection algérienne (1954-1962) : entre la guerre totale et la conquête des cœurs », *Revue historique des armées*, 3, 1995, p. 74-82.

FERRO Marc, *13 mai 1958*, La Documentation française, « Les médias et l'événement », 1985, 64 p.

—, *Suez : naissance d'un tiers-monde*, Bruxelles, Complexe, 1982, 213 p.

FIELD Joseph A. et HUDNUT Thomas C., *L'Algérie, de Gaulle et l'armée (1954-1962)*, Arthaud, 1975, 207 p.

FISCHER Didier, *L'Histoire des étudiants en France de 1945 à nos jours*, Flammarion, 2000, 611 p.

FRÉMEAUX Jacques, *La France et l'islam depuis 1789*, PUF, 1991, 296 p.

—, « Vision perspective sur la guerre d'Algérie », *Histoire et défense*, Montpellier, 1992, 25, p. 49-70.

—, « La guerre d'Algérie », *in* André Corvisier (dir.), *Histoire militaire de la France*, t. 4 : « De 1940 à nos jours », PUF, 1994, 701 p., p. 321-356.

—, *La France et l'Algérie en guerre : 1830-1870, 1954-1962*, Commission française d'histoire militaire, Institut de stratégie comparée, Economica, 2002, 365 p.

FRÉMONT Armand, *Algérie-el Djazaïr. Les carnets de route d'un géographe*, La Découverte, 1982, 256 p.

GACON Stéphane, *L'Amnistie. De la Commune à la guerre d'Algérie*, Le Seuil, 2002, 424 p.

GADANT Monique, *Islam et nationalisme en Algérie, d'après* El Moudjahid, *organe central du FLN de 1956 à 1962*, L'Harmattan, 1988, 221 p.

—, *Le Nationalisme algérien et les femmes*, L'Harmattan, 1995a, 302 p.

—, *Parcours d'une intellectuelle en Algérie, nationalisme et anticolonialisme dans les sciences sociales*, L'Harmattan, 1995b, 171 p.

—, « Violences en Algérie, guerre en Algérie ? », *Journal des anthropologues*, 59, hiver 1995, p. 91-104.

GAÏTI Brigitte, « La levée d'un indicible. "L'indépendance" de l'Algérie (1956-1962) », *Politix*, 10-11, 1990, p. 110-123.

GALLAGHER Charles, *The United States and North Africa*, New York, Harvard University Press, 1963, 276 p.

GALLISSOT René, « Qu'est-ce que la révolution algérienne ? Les révolutions du tiers-monde sont-elles des révolutions contre *Le Capital* de Marx ? », *in* Touili Mohamed (dir.), *Le Retentisse-*

ment de la révolution algérienne, Alger/Bruxelles : ENAL/Gam, 1985, 500 p., p. 196-204.
—, *Maghreb-Algérie, classe et nation*, Arcantère, 1987a, 217 p.
—, « La guerre d'Algérie : la fin des secrets et le secret d'une guerre doublement nationale », *Mouvement social*, 138, 1987b, p. 69-107.
—, *Les Accords d'Évian en conjoncture et en longue durée*, Alger, Casbah Éditions, 1997, 265 p.
— (dir.), *Dictionnaire biographique du mouvement ouvrier (Maghreb)*, Éditions de l'Atelier, 1998.
GANIAGE Jean, *Histoire contemporaine du Maghreb de 1830 à nos jours*, Fayard, 1994, 822 p.
GASTAUT Yvan, *L'Immigration et l'Opinion en France sous la Ve République*, Le Seuil, 2000, 624 p.
GAUCHOTTE Valentine, *Les Catholiques en Lorraine et la guerre d'Algérie*, L'Harmattan, 1999, 112 p.
GENTY Jean-René, *L'Immigration algérienne dans le Nord-Pas-de-Calais, 1909-1962*, L'Harmattan, 1999, 309 p.
GÉRARD Jean-Louis, *Dictionnaire historique et biographique de la guerre d'Algérie*, Hélette, Jean Curutchet, 2000, 206 p.
GERVEREAU Laurent, RIOUX Jean-Pierre et STORA Benjamin (dir.), *La France en guerre d'Algérie, novembre 1954-juillet 1962*, Nanterre, Musée d'histoire contemporaine/BDIC, 1992, 320 p.
GERVEREAU Laurent et STORA Benjamin (dir.), *Photographier la guerre d'Algérie*, Éditions Marval, 2004, 176 p.
GILLETTE Alain et SAYAD Abdelmalek, *L'Immigration algérienne en France*, Entente, 1984, 286 p.
GIOVANA Mario, « Partis et opinion publique en Italie face à la guerre d'Algérie (1954-62) », *Matériaux pour l'histoire de notre temps*, 26, 1992, p. 63-65.
GIRARDET Raoul, « Problèmes militaires contemporains. État des travaux », *Revue française de science politique,* juin 1960, p. 395-418.
— (dir.), *La Crise militaire française 1945-1962. Aspects sociologiques et idéologiques,* Cahiers de la FNSP/Armand Colin, 1964, 235 p.
—, *L'Idée coloniale en France, 1871-1962*, La Table Ronde, 1972, 413 p.
—, *La Société militaire de 1815 à nos jours,* Perrin, 1998, 341 p. (1re édition : 1953).
GOLDSMITH Christopher, « The British Embassy in Paris and the Algerian War : an Uncomfortable Partner ? », *Journal of Strategic Studies*, 25 (2), 2002, p. 159-171.

GORCE Paul-Marie de La, *La République et son armée*, Fayard, 1963, 708 p.

GORDON David C., *The Passing of French Algeria (1930-1962)*, Londres/New York/Toronto, Oxford University Press, 1966, 265 p.

GUÉRIN Jeanyves, *Camus et la politique*, L'Harmattan, 1986, 296 p.

GUÉRY Christian, « Du bon usage de la justice pénale pendant la guerre d'Algérie », *in* « Juger en Algérie, 1944-1962 », *Le Genre humain*, 32, septembre 1997, 194 p., p. 87-104.

GUIDICE Fausto, *Arabicides : une chronique française, 1970-1991*, La Découverte, 1992, 358 p.

GUILHAUME Jean-François, *Les Mythes fondateurs de l'Algérie française*, L'Harmattan, 1992, 333 p.

GUILLON Michelle, « Les rapatriés d'Algérie dans la région parisienne », *Annales de Géographie*, 460, 1974, p. 644-675.

GUISNEL Jean, *Les Généraux. Enquête sur le pouvoir militaire en France*, La Découverte, 1990, 309 p.

HAMON Hervé et ROTMAN Patrick, *Les Porteurs de valises : la résistance française à la guerre d'Algérie*, Albin Michel, 1979, 434 p.

HAMOUMOU Mohand, *Et ils sont devenus harkis*, Fayard, 1993, 360 p.

HARBI Mohammed, *Aux origines du FLN : le populisme révolutionnaire en Algérie*, Christian Bourgois, 1975, 316 p.

—, *Le FLN, mirage et réalité, des origines à la prise du pouvoir (1945-1962)*, Jeune Afrique, 1980, 446 p.

—, *Les Archives de la révolution algérienne*, Jeune Afrique, 1981, 583 p.

—, *1954. La Guerre commence en Algérie*, Bruxelles, Complexe, 1984, 224 p.

—, *L'Algérie et son destin, croyants ou citoyens*, Arcantère, 1992, 248 p.

HARBI Mohammed et MEYNIER Gilbert, « La violence des guerres coloniales en question », *NAQD*, 14-15, 2001, p. 211-216.

—, *Le FLN. Documents et histoire, 1954-1962*, Fayard, 2004, 898 p.

HARBI Mohammed et STORA Benjamin (dir.), *La Guerre d'Algérie, 1954-2004, la fin de l'amnésie*, Laffont, 2004, 728 p.

HARDY Michel, LEMOINE Hervé, SARMANT Thierry, *Pouvoir politique et autorité militaire en Algérie française, 1945-1962 : hommes, textes, institutions*, Paris/Vincennes, L'Harmattan/SHAT, 2002, 407 p.

HARGREAVES Alec G. et HEFFERNAN Michael J., *French and Algerian Identities from Colonial Times to the Present. A Century of Interaction*, Londres, London University Press, 1993, 253 p.

HASBI Aziz, *Les Mouvements de libération nationale et le droit international*, Rabat, Stouku, 1981, 540 p.

HEGGOY Alf Andrew, *Insurgency and Counter-Insurgency in Algeria*, Bloomington/Londres, Indiana University Press, 1972, 327 p.

— (dir.), *Through Foreign Eyes. Western Attitudes toward North Africa*, Washington, Washington University Press, 1982, 194 p.

HÉLIE Jérôme, *Les Accords d'Évian. Histoire de la paix ratée en Algérie*, Olivier Orban, 1992, 246 p.

HENRY Jean-Robert (dir.), *Le Maghreb dans l'imaginaire français. La colonie, le désert, l'exil*, Aix-en Provence, Edisud 1986, 223 p.

—, « L'univers mental des rapports franco-algériens », *in* Basfao Kacem et Henry Jean-Robert (dir.), *Le Maghreb, l'Europe et la France*, Institut de recherches et d'études sur le monde arabe et musulman/ CNRS Éditions, 1992, 413 p., p. 369-377.

—, « L'identité imaginée par le droit. De l'Algérie coloniale à la construction européenne », *in Cartes d'identité. Comment dit-on « nous » en politique ?*, Presses de la FNSP, 1994.

HEURGON Marc, *Histoire du PSU*, La Découverte, 1994, 444 p.

HEYMANN Arlette, *Les Libertés publiques et la guerre d'Algérie*, Librairie générale de droit et de jurisprudence, 1972, 315 p.

HORNE Alistair, *Histoire de la guerre d'Algérie*, Albin Michel, 1980, 608 p. (en anglais : 1977).

HOUSE Jim, « Contrôle, encadrement, surveillance et répression des migrations coloniales : une décolonisation difficile (1956-1970) », *Bulletin de l'IHTP*, 83, juin 2004, p. 144-157.

HOUSE Jim et MACMASTER Neil, « La Fédération de France du FLN et l'organisation de la manifestation du 17 octobre 1961 », *Vingtième Siècle. Revue d'histoire*, 83, juillet-septembre 2004, p. 145-160.

—, *Paris 1961 : Algerians, State Terror and Postcolonial Memories*, Oxford, Oxford University Press, à paraître en 2006.

HUREAU Joëlle, *La Mémoire des pieds-noirs, de 1830 à nos jours*, Olivier Orban, 1987, 278 p.

JAUFFRET Jean-Charles, « Du 8 mai 1945 au 1er novembre 1954 : une nouvelle lecture des débuts de la guerre d'Algérie », *Histoire et défense*, Montpellier, 25, 1992, p. 23-48.

—, « The Origins of the Algerian War : the Reaction of France and its Army to the two Emergencies of 8 May 1945 and 1 November 1954 », *Journal of Imperial and Commonwealth history*, 21 (3), 1993, p. 17-29.

—, *Soldats en Algérie 1954-1962 : expériences contrastées des hommes du contingent*, Autrement, 2000, 365 p.

— (dir.), *Des Hommes et des femmes en guerre d'Algérie*, Autrement, 2003, 573 p.

—, « L'Algérie et les Français d'Algérie, vus par les hommes du contingent (1954-1962) », *Guerres mondiales et conflits contemporains*, 208, janvier 2003.

JAUFFRET Jean-Charles et VAÏSSE Maurice (dir.), *Militaires et guérilla dans la guerre d'Algérie*, Bruxelles, Complexe, 2001, 580 p.

JELEN Brigitte, « 17 octobre 1961-17 octobre 2001. Une commémoration ambiguë », *French Politics, Culture and Society*, volume 20, 1, printemps 2002, p. 30-43.

JOLY Danièle, *The French Communist Party and the Algerian War*, Londres, MacMillan, 1991, 199 p.

JORDI Jean-Jacques, *De l'exode à l'exil*, L'Harmattan, 1993, 250 p.

—, *1962 : l'arrivée des pieds-noirs*, Autrement, 1995.

—, « Archéologie et structure du réseau de sociabilité rapatrié et pied-noir », *Provence historique*, vol. 47, 1997, p. 177-188.

—, « Les rapatriés, une histoire en chantier », *Le Mouvement social*, 197, octobre-décembre 2001, p. 3-7.

JORDI Jean-Jacques et TEMIME Émile (dir.), *Marseille et le choc des décolonisations. Les rapatriements 1954-1964*, Aix-en-Provence, Edisud, 1996, 222 p.

JORDI Jean-Jacques et PERVILLÉ Guy (dir.), *Alger 1940-1962 : une ville en guerres*, Autrement, 1999, 261 p.

JULIEN Charles-André, *L'Afrique du Nord en marche. Algérie, Tunisie, Maroc, 1880-1952*, Omnibus, 2002, 292 p. (1re édition, 1952).

KADDACHE Mahfoud, *Histoire du nationalisme algérien*, Alger, Enal, 1993 (1re édition : 1980, 2 volumes, 1 113 p).

—, *Et l'Algérie se libéra, 1954-1962*, Paris/Alger, Paris-Méditerranée/EDIF 2000, 2003, 236 p.

KATEB Kamel, *Européens, « indigènes » et juifs en Algérie (1830-1962). Représentations et réalités des populations*, INED, 2001, 386 p.

KAUFFER Rémi, *O.A.S. : histoire d'une organisation secrète*, Fayard, 1986, 421 p.

—, *O.A.S. Histoire de la guerre franco-française*, Le Seuil, 2002, 452 p.

KESSEL Patrick, *Algérie. Essai de bibliographie*, Le Mans, CEMOPI, 1994, 50 p.

KETTLE Michael, *De Gaulle and Algeria, 1940-1960. From Mers el Kebir to the Algiers Barricades*, Londres, Quartet Books, 1993, 666 p.

KOERNER Francis, « Les sources de l'histoire contemporaine de l'Algérie conservées à Oran (1830-1955) », *Revue d'histoire et de civilisation du Maghreb*, juillet 1970, p. 95-103.

KROP Pascal et FALIGOT Roger, *La Piscine. Les services secrets français, 1944-1984*, Le Seuil, 1985, 426 p.

LACHERAF Mostefa, *L'Algérie : nation et société*, Maspero, 1965, 350 p.

—, « Les intellectuels, la politique et le pouvoir ; généralités et cas spécifiques dans les pays du tiers-monde et en Algérie », *in Algérie et tiers monde, agressions, résistances et solidarités intercontinentales*, Alger, Bouchène, 1989, 229 p., p. 207-226.

LACOSTE Yves, NOUSCHI André, PRENANT André, *L'Algérie, passé et présent, le cadre et les étapes de la constitution de l'Algérie actuelle*, Préface de Jean Dresch, Éditions sociales, 1960, 463 p.

LACOSTE-DUJARDIN Camille, *Opération « Oiseau bleu » : des Kabyles, des ethnologues et la guerre en Algérie*, La Découverte, 1997, 307 p.

LACOUTURE Jean, *Algérie, la guerre est finie : 1962*, avec la collaboration de Catherine Grünblatt, Bruxelles, Complexe, 1985, 207 p.

—, *De Gaulle*, t. 3 : *Le souverain. 1959-1970*, Le Seuil, 1986, 870 p.

LECA Jean et VATIN Jean-Claude, *L'Algérie politique. Histoire et société*, Armand Colin puis Presses de la FNSP, 1974, 501 p.

—, *L'Algérie politique. Institutions et régime*, Presses de la FNSP, 1976, 501 p.

LE DAIN Jean-Michel et OUSSEDIK Ouardia, MANCERON Gilles et GABAUT François (coord.), *Mémoire et enseignement de la guerre d'Algérie*, Institut du monde arabe/Ligue de l'enseignement, 1993, 2 tomes.

LEFEUVRE Daniel, *Chère Algérie. Comptes et mécomptes de la tutelle coloniale, 1930-1962*, SFHOM, 1997, 397 p.

LEFEUVRE Daniel et PATHÉ Anne-Marie (dir.), *La Guerre d'Algérie au miroir des décolonisations françaises*, actes du colloque en l'honneur de Charles-Robert Ageron, SFHOM, 2000, 683 p.

LEMAITRE Martine, « La guerre d'Algérie : sources et documents à la BDIC », *Matériaux pour l'histoire de notre temps*, 26, 1992, p. 66-70.

LEMIRE Vincent et POTIN Yann, « "ICI ON NOIE LES ALGÉRIENS." Fabriques documentaires, avatars politiques et mémoires partagées d'une icône militante (1961-2001) », *Genèses*, 49, décembre 2002, p. 140-162.

LE ROUX Muriel (dir.), *Mémoires d'Algérie. Une génération de postiers raconte...*, Textuel, 1998, 128 p.

LE SUEUR James D., « Decolonising "French Universalism" : Reconsidering the Impact of the Algerian War on French Intellectuals », *in* Clancy-Smith Julia (dir.), *North Africa, Islam and the Mediterranean World : from the Almoravids to the Algerian War*, Londres-Portland, Frank Cass, 2001a, 202 p., p. 167-186.

—, *Uncivil War : Intellectuals and Identity Politics During the Decolonization of Algeria*, Philadelphia (Pa.), University of Pennsylvania Press, 2001b, 342 p.

—, « Beyond Decolonization ? The Legacy of the Algerian Conflict and the Transformation of Identity in Contemporary France », *Historical Reflections*, 28 (2), 2002, p. 277-291.

LE TOURNEAU Roger, *L'Évolution politique de l'Afrique du Nord musulmane (1920-1961)*, A. Colin, 1962, 503 p.

LÉVINE Michel, *Les Ratonnades d'octobre*, Ramsay, 1985, 311 p.

LIAUZU Claude, « Décolonisations, guerres de mémoires et histoire », *Annuaire de l'Afrique du Nord*, CNRS Éditions, 1998, p. 25-45.

—, *La Société française face au racisme. De la Révolution à nos jours*, Bruxelles, Complexe, 1999, 190 p.

—, « Interrogations sur l'histoire française de la colonisation », *Genèses*, 46, mars 2002, p. 44-59.

LORCIN Patricia M.E., *Imperial Identities : Stereotyping, Prejudice and Race in Colonial Algeria*, Londres/ New York, I.N. Tauris Publishers, 1995, 323 p.

LUCAS Philippe et VATIN Jean-Claude, *L'Algérie des anthropologues*, Maspero, 1975, 292 p.

LUCIANI Marie-Pierre, *Immigrés en Corse, minorité de la minorité*, CIEMI/L'Harmattan, 1995, 266 p.

LYOTARD Jean-François, *La Guerre des Algériens*, Galilée, 1989, 285 p.

MACEY David, *Frantz Fanon : a Biography*, New York, Picador USA, 2001, 640 p.

McDougall James, « S'écrire un destin : l'Association des "ulama" dans la révolution algérienne », *Bulletin de l'IHTP*, 83, juin 2004, p. 38-53.

MacMaster Neil, *Colonial Migrants and Racism : Algerians in France, 1900-1962*, London and New York, MacMillan Press, 1997, 307 p.

—, « The Torture Controversy (1998-2002) : Towards a "New History" of the Algerian War », *Modern & Contemporary France*, volume 10, 4, 2002, p. 449-459.

Mahé Alain, « Entre le religieux, le juridique et le politique : l'éthique », *Anthropologies et sociétés*, Laval, Canada, 20 (2), 1996, p. 85-110.

—, *Histoire de la Grande Kabylie, XIXe et XXe siècles. Anthropologie historique du lien social dans les communautés villageoises*, Saint-Denis, Bouchène, 2001, 650 p.

Mameri Khalfa, *Les Nations unies face à la question algérienne, 1954-1962*, Alger, SNED, 1970, 222 p.

Manceron Gilles et Remaoun Hassan, *D'une rive à l'autre. La guerre d'Algérie de la mémoire à l'histoire*, Syros, 1993, 293 p.

Manceron Gilles, *Marianne et les colonies. Une introduction à l'histoire coloniale de la France*, La Découverte, 2003, 317 p.

Mandouze André, *La Révolution algérienne par les textes*, Maspero, 1961, 287 p.

Mannoni Pierre, *Les Français d'Algérie. Vie, mœurs, mentalités*, L'Harmattan, 1993, 288 p.

Mantran Robert, « Les données de l'histoire moderne et contemporaine de l'Algérie et de la Tunisie », *Annuaire de l'Afrique du Nord*, CNRS Éditions, 1962, p. 243-248.

Maquin Étienne, *Les Socialistes et la guerre d'Algérie*, L'Harmattan, 1990, 233 p.

Marseille Jacques, *Empire colonial et capitalisme français. Histoire d'un divorce*, Albin Michel, 1984, 462 p.

Martin Marc, « Radio Algérie : un acteur méconnu de mai 1958 », *Vingtième Siècle. Revue d'histoire*, 19, juillet-septembre 1988, p. 97-99.

Masclet Olivier, « Une municipalité communiste face à l'immigration algérienne et marocaine : Gennevilliers, 1950-1972 », *Genèses*, 45, décembre 2001, p. 150-163.

Masset Dominique, *Une histoire intérieure française ? La Belgique et la guerre d'Algérie*, Louvain, Ciaco, 1988, 186 p.

Mathias Grégor, *Les Sections administratives spécialisées en Algérie*, L'Harmattan, 1998, 256 p.

MAUSS-COPEAUX Claire, *Les Appelés en Algérie : la parole confisquée*, Hachette Littératures, 1999, 333 p.
—, *À travers le viseur. Algérie 1955-1962*, Lyon, Aedelsa, 2003, 120 p.
MAYNADIES Michel, *Bibliographie algérienne : répertoire des sources documentaires relatives à l'Algérie*, Alger, OPU, 1989, 227 p.
MÉRAD Ali, *Le Réformisme musulman en Algérie de 1925 à 1940. Essai d'histoire sociale et religieuse*, Alger, el Hikma, 1999 (1re édition : 1967).
MEYNIER Gilbert, *L'Algérie révélée. La guerre de 1914-1918 et le premier quart du XXe siècle,* Genève, Droz, 1981, 793 p.
—, « Les Algériens vus par le pouvoir égyptien pendant la guerre d'Algérie », *NAQD*, 4, 1993, p. 10-27.
—, *Histoire intérieure du FLN : 1954-1962*, Fayard, 2002, 812 p.
MONCHABLON Alain, *Histoire de l'UNEF de 1956 à 1968*, PUF, 1983, 205 p.
MONNERET Jean, *La Phase finale de l'Algérie française*, L'Harmattan, 2000, 400 p.
MORELLE Chantal, « Les pouvoirs publics français et le rapatriement des harkis en 1961-1962 », *Vingtième Siècle. Revue d'histoire*, 83, juillet-septembre 2004, p. 109-120.
MORIZOT Jean, *L'Aurès ou le mythe de la montagne rebelle*, L'Harmattan, 1992, 271 p.
MOUMEN Abderahmen, *Les Français musulmans en Vaucluse. Installation et difficultés d'intégration d'une communauté de rapatriés d'Algérie, 1962-1991*, L'Harmattan, 2003, 208 p.
MÜLLER Klaus-Jürgen, « La guerre d'Algérie vue par la presse ouest-allemande », *Relations internationales*, 58, 1989, p. 177-185.
MÜLLER Laurent, *Le Silence des harkis*, L'Harmattan, 1999, 238 p.
NORA Pierre, *Les Français d'Algérie*, Julliard, 1961, 252 p.
NOUSCHI André, *La Naissance du nationalisme algérien, 1914-1954*, Minuit, 1962, 162 p.
—, *L'Algérie amère 1914-1994*, Éditions de la maison des sciences de l'homme, 1995, 349 p.
NOZIÈRE André, *Les Chrétiens dans la guerre*, Cana, 2001, 328 p. (1re édition : 1979)
O'BALLANCE Edgar, *The Algerian Insurrection, 1954-62*, Londres, Faber and Faber, 1967, 231 p.
OBERT Caroline, « La guerre d'Algérie au travers des archives du SHAT », *Bulletin de l'IHTP*, 56, 1994, p. 31-39.

OLIVESI Dominique, « L'utilisation des rapatriés dans les Alpes-Maritimes », *Bulletin de l'Institut d'histoire du temps présent*, 79, 2002, p. 120-131.

OUERDANE Amar, *La Question berbère dans le mouvement national algérien, 1926-1980*, Québec, Septentrion, 1990, 254 p.

PAILLAT Claude, *Dossier secret de l'Algérie, 1958-1962*, Presses de la Cité, Le livre contemporain, 1961, 539 p.

—, *Dossier secret de l'Algérie, 1954-1958*, Presses de la Cité, Le livre contemporain, 1962, 546 p.

PARET Peter, *French Revolutionary Warfare from Indochina to Algeria*, New York, Praeger, 1964, 163 p.

PAS Nicolas, « La guerre d'Algérie vue des Pays-Bas (1954-1962) », *Vingtième Siècle. Revue d'histoire*, 86, avril-juin 2005, p. 43-58.

PATHÉ Anne-Marie, « Répertoire des archives de l'IHTP », *Bulletin de l'IHTP*, 77, 2001, p. 84-98.

PATTIEU Sylvain, *Les Camarades des frères. Trotskistes et libertaires dans la guerre d'Algérie*, Syllepse, 2002, 292 p.

—, « Le "camarade" Pablo, la IVe Internationale, et la guerre d'Algérie », *Revue Historique*, 305 (3), 2001, p. 695-729.

PÉJU Paulette, *Les Harkis à Paris*, Maspero, 1961 (réédité à La Découverte en 2000).

PÉRIÈS Gabriel, « L'Arabe, le musulman, l'ennemi dans le discours militaire de la "guerre révolutionnaire" pendant la guerre d'Algérie », *Mots, les langages du politique*, 30, mars 1992, p. 53-71.

—, « Conditions d'emploi des termes *interrogatoire* et *torture* dans le discours militaire pendant la guerre d'Algérie », *Mots*, 51, juin 1997, p. 41-57.

—, « Stratégie de la fausse citation dans le discours de la doctrine de la guerre révolutionnaire », *in* Henninger Laurent (dir.), *Histoire militaire et sciences humaines*, Bruxelles, Complexe, 1999, 205 p., p. 61-84.

PERRENOUD Marc, « La Suisse et les accords d'Évian : la politique de la Confédération à la fin de la guerre d'Algérie (1959-1962) », *Politorbis. Revue trimestrielle de politique étrangère*, 31, 2002/2, p. 8-38.

PERROT Michelle, « L'air du temps », *in Essais d'ego-histoire*, Gallimard, 1987, p. 241-292.

PERVILLÉ Guy, « La guerre subversive en Algérie : la théorie et les faits », *Relations internationales*, 3, juillet 1975, p. 171-194.

—, « Guerre étrangère et guerre civile en Algérie, 1954-1962 », *Relations internationales*, 14, été 1978, p. 171-196.

—, *Les Étudiants algériens de l'Université française (1908-1962)*, CNRS Éditions, 1984, 346 p.

—, *1962 : la paix en Algérie*, La Documentation française, « Les médias et l'événement », 1992a, 96 p.

—, « L'Algérie dans la mémoire des droites », *in* Sirinelli Jean-François (dir.), *Histoire des droites en France*, Gallimard, 1992b, t. 2 : *Cultures*, p. 621-656.

—, « La génération de la Résistance face à la guerre d'Algérie » *in* Marcot François (dir.), *La Résistance et les Français. Lutte armée et maquis*, Besançon, Annales littéraires de l'université de Besançon, 1996, p. 445-457.

—, « L'influence française sur la formation du mouvement national algérien », *in* Féray Pierre-Richard et Geffroy Michel (dir.), *Empire colonial français et mouvements nationaux*, Fréjus, Publications du CHETOM, octobre 1997, p. 55-68.

—, « La politique algérienne de la France (1830-1962) », *in* « Juger en Algérie, 1944-1962 », *Le Genre humain*, 32, septembre 1997, 194 p., p. 27-38.

—, « "Résurrection" ou "entreprise d'usurpation" ? Le retour de la légalité républicaine en Algérie », actes du colloque « L'Avènement de la Ve République », Armand Colin, 1999, p. 95-104.

—, *Pour une histoire de la guerre d'Algérie 1954-1962*, Picard, 2002, 356 p.

—, *Atlas de la guerre d'Algérie. De la conquête à l'indépendance*, Autrement, 2003, 64 p.

—, « La revendication algérienne de repentance unilatérale de la France », *Némésis, revue d'analyse juridique et politique*, Presses universitaires de Perpignan, 2004, 5, p. 103-140.

PHILLIPS Peggy Ann, *1958-1974, Republican France : Divided Loyalties*, Greenwood, Westport, Connecticut, 1993, 168 p.

PICKLES Dorothy, *Algeria and France. From Colonialism to Cooperation,* Londres, Methuen and Co, 1963, 215 p.

PILLEBOUE Martine, « Les agriculteurs rapatriés d'Afrique du nord. L'exemple de l'Indre », *Études rurales*, 47, 1972, p. 73-97.

PITTI Laure, « Grèves ouvrières *versus* luttes de l'immigration : une controverse entre historiens », *Ethnologie française*, XXXI, 2001/3, p. 465-476.

—, « Les "Nord-Africains" à Renault : un cas de gestion coloniale de la main-d'œuvre en métropole », *Bulletin de l'IHTP*, 83, juin 2004a, p. 128-143.

—, « Renault, la forteresse ouvrière à l'épreuve », *Vingtième Siècle. Revue d'histoire*, 83, juillet-septembre 2004b, p. 131-144.

PLANCHAIS Jean, *Le Malaise de l'armée*, Plon, 1958, 114 p.

—, « Ceux que voulaient les militaires pendant la guerre d'Algérie », *in* Goutalier Régine (dir.), *Mémoires de la colonisation, relations colonisateurs-colonisés*, IHPOM/L'Harmattan, 1994, 231 p., p. 85-90.

—, « Du technique au politique : la rubrique "Défense" du journal *Le Monde* (1945-1965) », *in* Forcade Olivier, Duhamel Éric, Vial Philippe (dir.), *Militaires en République, 1870-1962. Les officiers, le pouvoir et la vie publique en France*, Publications de la Sorbonne, 1999, 734 p., p. 529-546.

PLANCHAIS Jean et NOBÉCOURT Jacques, *Une histoire politique de l'armée*, t. 2 : « De de Gaulle à de Gaulle 1940-1967 », Le Seuil, 1967, 383 p.

PLANCHE Jean-Louis, « Violences et nationalismes en Algérie, 1942-1945 », *Les Temps modernes*, 590, octobre-novembre 1996.

POLAC Catherine, « Quand les "immigrés" prennent la parole », *in* Perrineau Pascal, *L'Engagement politique : déclin ou mutation ?*, Presses de la Fondation nationale des sciences politiques, 1994, 444 p., p. 359-396.

PRENANT André, « Premières données sur le recensement de la population de l'Algérie (1966) », *Bulletin de l'association des géographes français*, 357-358, novembre-décembre 1967.

QUANDT William, *Revolution and Political Leadership : Algeria, 1954-1968*, Cambridge, Mass., Londres, The MIT Press, 1969, 313 p.

QUÉMENEUR Tramor, « Les manifestations de "rappelés" contre la guerre d'Algérie (1955-1956) ou Contestation et obéissance », *Outre-mers. Revue d'Histoire*, 88 (2), 2001, p. 407-417.

—, « La messe en l'église Saint-Séverin et le *Dossier Jean Müller*. Des chrétiens et la désobéissance au début de la guerre d'Algérie (1955-1957) », *Bulletin de l'IHTP*, 83, juin 2004, p. 94-107.

RABUT Élisabeth, « Un patrimoine en devenir : les archives d'outre-mer et la recherche », *Mondes et cultures*, 55 (1-4), 1995, p. 328-335.

RAHAL Malika, « La place des réformistes dans le mouvement national algérien », *Vingtième Siècle. Revue d'histoire*, 83, juillet-septembre 2004, p. 161-172.

RATTE Philippe et Theis Laurent, *La Guerre d'Algérie ou le temps des méprises*, Tours, Mame, 1974, 303 p.

REMAOUN Hassan, « L'intervention institutionnelle et son impact sur la pratique historiographique en Algérie : la politique "d'Écriture et de Réécriture de l'histoire", tendances et contre-tendances », *Insanyat*, 19-20, janvier-juin 2003, p. 7-40.

RÉMOND René, *1958 : le retour de De Gaulle*, Bruxelles, Complexe, 1983, 213 p.

REY-GOLDZEIGUER Annie, « Réflexions sur le déclenchement de la lutte armée en Algérie le 1er novembre 1954 : continuité ou rupture ? », *Cahiers de Tunisie*, 29 (3-4), 1981, p. 367-383.

—, *Aux origines de la guerre d'Algérie, 1940-1945 : de Mers-el-Kébir aux massacres du Nord-Constantinois*, La Découverte, 2002, 402 p.

RIOUX Jean-Pierre (dir.), *La Guerre d'Algérie et les Français*, Fayard, 1990, 700 p.

RIOUX Jean-Pierre et SIRINELLI Jean-François (dir.), *La Guerre d'Algérie et les intellectuels français,* Bruxelles, Complexe, 1991, 405 p.

RIVET Daniel, « Le fait colonial et nous. Histoire d'un éloignement », *Vingtième Siècle. Revue d'histoire*, 33, janvier-mars 1992, p. 127-138.

—, *Le Maghreb à l'épreuve de la colonisation*, Hachette, 2002, 460 p.

ROCARD Michel, *Rapport sur les camps de regroupement et autres textes sur la guerre d'Algérie,* Mille et une nuits, 2003, 322 p. (édition critique établie sous la direction de Vincent Duclert et Pierre Encrevé avec la collaboration de Claire Andrieu, Gilles Morin et Sylvie Thénault).

ROTMAN Patrick, *L'Ennemi intime*, Le Seuil, 2002, 266 p.

ROUSSO Henry, *Le syndrome de Vichy 1944-198…*, Lc Seuil, 1987, 378 p.

—, « La Seconde Guerre mondiale dans la mémoire des droites », *in* Sirinelli Jean-François (dir.), *Histoire des droites en France*, Gallimard, 1992, t. 2 : *Cultures*, p. 549-620.

—, « Les raisins verts de la guerre d'Algérie », *in* Michaud Yves (dir.), *La Guerre d'Algérie (1954-1962)*, Odile Jacob, « Université de tous les savoirs », 2004, p.127-151.

ROUX Michel, *Les Harkis. Les oubliés de l'histoire, 1954-1991*, La Découverte, 1991, 420 p. (livre retiré de la vente par décision judiciaire).

ROYER Yves, « L'Algérie de nos manuels », *in* Le Cour Grandmaison Olivier (dir.), *Le 17 octobre 1961, un crime d'État à Paris*, La Dispute, 2001, p. 113-128.

RUDELLE Odile, *Mai 1958. De Gaulle et la République*, Plon, 1988, 317 p.

SALINAS Michèle, *L'Algérie au Parlement, 1958-1962*, Toulouse, Privat, 1987, 256 p.

SAADALLAH Aboul-Kassem, *La Montée du nationalisme en Algérie*, Alger, ENL, 1983, 371 p. (traduction française. La version originale en arabe est parue en 1965).

SABOT Jean-Yves, *Le Syndicalisme étudiant et la guerre d'Algérie*, L'Harmattan, 1995, 276 p.

SAHLI Mohamed, *Décoloniser l'histoire. Introduction à l'histoire du Maghreb*, Maspero, 1965, 151 p.

SARMANT Thierry, « Les archives de la guerre d'Algérie : le secret entre violence et mémoire », *in* Laurent Sébastien (dir.), *Archives « secrètes », secrets d'archives. Historiens et archivistes face aux archives sensibles*, CNRS Éditions, 2003, p. 103-110.

SAVARÈSE Éric, *L'Ordre colonial et sa légitimation en France métropolitaine : oublier l'autre*, L'Harmattan, 1998, 300 p.

—, *L'Invention des pieds-noirs*, Séguier, 2002, 283 p.

—, « L'ennemi sans corps. Le fellagha dans l'affiche politique pendant la guerre d'Algérie », *in* Boetsch Gilles, Samandi Zeineb, Villain-Gandossi Christiane (dir.), *Individus, familles et sociétés autour du bassin méditerranéen : entre construction d'un savoir socio-anthropologique et stéréotypes*, Tunis, CERES, 2003.

SÉGUI Sandrine, « La guerre d'Algérie en images », *Annuaire de l'Afrique du Nord*, CNRS Éditions, 1991, p. 1217-1230.

SELLAM Sadek, « Les relations malaisées d'un penseur non conformiste avec le pouvoir algérien naissant », *Guerres mondiales et conflits contemporains*, 208, octobre-novembre 2002.

SHEPARD Todd David, *Decolonizing France : Reimagining the Nation and Redefining the Republic at the End of Empire*, Rutgers University, New Brunswick, 2002, 418 p.

SIBILLE Claire, « Le traitement des archives contemporaines au SHAT », *Gazette des Archives*, 192, 2001, p. 159-170.

SIGG Bernard W., *Le Silence et la Honte*, Messidor, 1989, 160 p.

SIMONIN Anne, « La littérature saisie par l'histoire : nouveau roman et guerre d'Algérie aux Éditions de Minuit », *Actes de la Recherche en sciences sociales*, 111-112, 1996, p. 59-75.

SINEY-LANGE Charlotte, « Grandes et petites misères du grand exode des juifs nord-africains vers la France, L'exemple parisien », *Le Mouvement social*, octobre- décembre 2001, p. 29-55.

SINNO Henri, « La CGT et la guerre d'Algérie », *Cahiers de l'Institut CGT d'histoire sociale*, 79, 2001, p. 5-10.

SIRINELLI Jean-François (dir.), « Générations intellectuelles : effets d'âge et phénomènes de génération dans le milieu intellectuel français », *Cahiers de l'IHTP*, 6, novembre 1987, 104 p.

—, *Intellectuels et passions françaises : manifestes et pétitions au XXe siècle*, Fayard, 1990, 365 p.

—, *Deux intellectuels dans le siècle, Sartre et Aron*, Fayard, 1995, 395 p.

SIVAN Emmanuel, *Communisme et nationalisme en Algérie, 1920-1962*, Presses de la FNSP, 1976, 262 p.

SMITH Tony, *The French Stake in Algeria, 1945-1962*, London, Ithaca et Cornell University Press, 1978, 199 p.

STORA Benjamin, *Dictionnaire biographique des militants nationalistes algériens, 1926-1954*, L'Harmattan, 1985, 404 p.

—, *Messali Hadj (1898-1974) pionnier du nationalisme algérien*, L'Harmattan, 1986, 306 p. (1re édition : Sycomore, 1982, 299 p.)

—, *La Gangrène et l'Oubli : la mémoire de la guerre d'Algérie*, La Découverte, 1991a, 368 p.

—, *Histoire de l'Algérie coloniale, 1830-1954*, La Découverte, « Repères », 1991b, 127 p.

—, *Ils venaient d'Algérie. L'immigration algérienne en France, 1912-1992*, Fayard, 1992a, 492 p.

—, *Aide-mémoire de l'immigration algérienne, 1922-1962 : chronologie, bibliographie,* L'Harmattan/CIEMI, 1992b, 136 p.

—, *Histoire de la guerre d'Algérie, 1954-1962*, La Découverte, « Repères », 1993, 123 p.

—, *Le Dictionnaire des livres de la guerre d'Algérie*, L'Harmattan, 1996, 347 p.

—, *Imaginaires de guerre : Algérie – Viêt-nam, en France et aux États-Unis,* La Découverte, 1997a, 251 p.

—, *Appelés en guerre d'Algérie*, Gallimard, 1997b, 128 p.

—, *Le Transfert d'une mémoire : de l'Algérie française au racisme anti-arabe*, La Découverte, 1999, 147 p.

—, *Algérie Maroc, histoires parallèles, destins croisés*, Maisonneuve et Larose, 2002, 195 p.

—, *La Dernière Génération d'octobre*, Stock, 2003, 274 p.

—, *Le Livre, mémoire de l'Histoire. Réflexions sur le livre et la guerre d'Algérie*, Le Préau des Collines, 2005, 267 p.

TALBOTT John, *The War without a Name – France in Algeria, 1954-1962*, New York, Alfred A. Knopf 1980, Londres, Faber and Faber, 1981, 306 p.

TARAUD Christelle, *La Prostitution coloniale. Algérie, Tunisie, Maroc (1830-1962)*, Payot, 2003, 495 p.

TEGUIA Mohamed, *L'Algérie en guerre,* Alger, OPU, 1988, 435 p.

TENGOUR Ouanassa Siari, « La municipalité de Constantine de 1947 à 1962 », *Bulletin de l'IHTP*, 83, juin 2004, p. 23-37.

TEISSIER Henri, *Histoire des chrétiens d'Afrique du Nord*, Desclée de Brouwer, 1991, 313 p.

THÉNAULT Sylvie, « Les juges et la guerre d'Algérie : une nouvelle affaire Dreyfus ? », *Cahiers Jean Jaurès*, 141, juillet-septembre 1996, p. 59-72

—, « Justice et politique en Algérie 1954-1962 », *Droit et Société*, 34, 1996, p. 575-587.

—, « Assignation à résidence et justice en Algérie (1954-1962) », *in* « Juger en Algérie, 1944-1962 », *Le Genre humain*, Le Seuil, 32, septembre 1997, 194 p., p. 105-120.

—, « Armée et justice dans la guerre d'Algérie », *Vingtième siècle. Revue d'histoire,* 57, janvier-mars 1998, p. 104-114.

—, « Mouloud Feraoun, un écrivain dans la guerre d'Algérie », *Vingtième Siècle. Revue d'histoire*, 63, septembre-décembre 1999, p. 65-74.

—, « Le fantasme du secret d'État autour du 17 octobre 1961 », *Matériaux pour l'histoire de notre temps*, 58, avril-juin 2000, p. 70-76.

—, *Une drôle de justice : les magistrats dans la guerre d'Algérie*, La Découverte, 2001, 347 p.

—, « La magistrature à l'épreuve de la guerre d'indépendance algérienne », *Outre-mers. Revue d'histoire*, 338-339, 1er semestre 2003, p. 153-162.

—, « Travailler sur la guerre d'Algérie : bilan d'une expérience historienne », *Afrique & Histoire,* 2, 2004, p. 174-189.

—, *Histoire de la guerre d'indépendance algérienne*, Flammarion, 2005, 303 p.

THÉOLLEYRE Jean-Marc, *Ces procès qui ébranlèrent la France*, Grasset, 1966, 342 p.

THIBAUD Paul, « Le 17 octobre 1961 : un moment de notre histoire », *Esprit,* novembre 2001, p. 6-19.

THOMAS Martin, « Policing Algeria's Borders, 1956-1960 : Arms Supplies, Frontier Defences and the Sakiet Affair », *War and Society*, volume 13, 1, mai 1995.

—, « France Accused : French North Africa before the United Nations, 1952-1962 », *Contemporary European History*, 10 (1), 2001, p. 91-121.

—, *The French North African Crisis. Colonial Breakdown and Anglo-French Relations, 1945-1962*, Londres, Palgrave, 2001, 287 p.

—, « The British Government and the End of French Algeria, 1958-62 », *Journal of Social Science*, 25 (2), 2002, p. 172-198.

TILLION Germaine, *L'Algérie en 1957*, Minuit, 1957, 121 p.

—, *Les Ennemis complémentaires*, Minuit, 1960, 219 p.

—, *Le Harem et les Cousins*, Le Seuil, 1966, 218 p.

TOUPIN-GUYOT Claire, *Les Intellectuels catholiques dans la société française. Le Centre catholique des intellectuels français, 1941-1976*, Rennes, Presses universitaires de Rennes, 2002, 369 p.

TRISTAN Anne, *Encyclopédie sonore et visuelle de la guerre d'Algérie*, CD-Rom, La Découverte/INA, 1992.

ULLOA Marie-Pierre, *Francis Jeanson : un intellectuel en dissidence. De la Résistance à la guerre d'Algérie*, Berg international, 2001, 286 p.

VAÏSSE Maurice, *Alger, le putsch*, Bruxelles, Complexe, 1983, 186 p.

—, *Vers la paix en Algérie. Les négociations d'Évian dans les archives diplomatiques françaises (15 janvier 1961-29 juin 1962)*, Bruxelles, Bruylant, 2003, 528 p.

VALETTE Jacques, *La Guerre d'Algérie des messalistes, 1954-1962*, L'Harmattan, 2001, 302 p.

VATIN Jean-Claude, *L'Algérie politique. Histoire et société*, Presses de la FNSP, 1974, 311 p.

—, « Science historique et conscience historiographique de l'Algérie coloniale, 1840-1962 », *Annuaire de l'Afrique du Nord*, CNRS Éditions, 1979, p. 1103-1122.

—, « Religious resistance and State power in Algeria », *in* Cudsi Alexander S. et Hillal Dessouki Ali E. (dir.), *Islam and Power*, Baltimore, Johns Hopkins University Press, 1981, 204 p.

VIANSSON-PONTÉ Pierre, *Histoire de la République gaullienne*, Fayard, 1970, tome 1 : « La fin d'une époque, mai 1958-juillet 1962 », 579 p.

VIDAL-NAQUET Pierre, *La Raison d'État*, Minuit, 1962, 330 p.

—, *La Torture dans la République : essai d'histoire et de politique contemporaines, 1954-1962*, Minuit, 1972, 205 p.

—, *Les Crimes de l'armée française*, Maspero, 1975, 172 p.

—, « Une fidélité têtue. La résistance française à la guerre d'Algérie », *Vingtième Siècle. Revue d'histoire*, 10, avril-juin 1986, p. 3-19.

—, *Face à la raison d'État*, La Découverte, 1989a, 264 p.

—, *L'Affaire Audin. 1957-1978,* Minuit, 1989b, 189 p. (1re édition : 1958)

—, *Mémoires. Le trouble et la lumière, 1955-1998*, Le Seuil/La Découverte, 1998, 383 p.

—, « Pourquoi et comment je suis devenu historien », *Esprit*, 297, août-septembre 2003, p. 56-75.

VIGNAUX Barbara, « L'AFP en guerre d'Algérie », *Vingtième Siècle. Revue d'histoire*, 83, juillet-septembre 2004, p. 121-130.

VILLATOUX Marie-Catherine et Paul, *La République et son armée face au péril subversif. Guerre et action psychologique en France (1945-1960)*, Les Indes savantes, 2004.

VINCENT Gérard, « La gangrène universelle », *in* Prost Antoine et Vincent Gérard (dir.), *Histoire de la vie privée*, t. 5, Plon, 634 p., p. 231-234.

WALL Irwin M., *France, the United States and the Algerian War*, Berkeley, Los Angeles et Londres, University of California Press, 2001, 335 p.

WHITFIELD Lee C., « The Rise of Student Political Power and the Fall of French Imperialism in North Africa : Montpellier, 1954-1962 », *Proceedings of the Annual Meeting of the Western Society for French History*, 1991, 18, p. 515-523.

—, « The French Military under Female Fire : the Public Opinion Campaign and Justice in the Case of Djamila Boupacha, 1960-1962 », *Contemporary French Civilization*, 20 (1), 1996, p. 76-90.

WIEVIORKA Olivier, « Les (non) incidences du procès de Nuremberg : l'affaire des "121" », *in* Wieviorka Annette (dir.), *Les Procès de Nuremberg et de Tokyo*, Bruxelles, Complexe, 1996, 328 p., p. 291-306.

WOOD Nancy, *Vectors of Memory : Legacies of Trauma in Postwar Europe*, Oxford, Berg, 1999, 204 p.

WINOCK Michel, *La République se meurt : chronique 1956-1958*, Le Seuil, 1978, 252 p.

—, *La Fièvre hexagonale : les grandes crises politiques de 1871 à 1968*, Calmann-Lévy, 1986, 428 p.

—, *Chroniques des années soixante*, Le Seuil, 1987, 379 p.

YACONO Xavier, « Mise au point », *Revue d'histoire et de civilisation du Maghreb*, juillet 1970.

—, « Les pertes algériennes de 1954 à 1962 », *Revue de l'Occident musulman et de la Méditerranée*, 34, 1982, p. 119-134.

—, *De Gaulle et le FLN, 1958-1962*, Versailles, Éditions de l'Atlanthrope, 1989, 128 p.

—, *Histoire de l'Algérie : de la fin de la Régence turque à l'insurrection de 1954*, Versailles, Éditions de l'Atlanthrope, 1993, 396 p.

YEFSAH Albdelkader, « L'armée et le pouvoir en Algérie de 1962 à 1992 », *Revue de l'Occident musulman et de la Méditerranée*, Aix-en-Provence, 65, 1993, p. 97-105.

ZYTNICKI Colette, « L'administration face à l'arrivée des rapatriés d'Algérie : l'exemple de la région Midi-Pyrénées (1962-1964) », *Annales du Midi*, 110 (224), 1998, p. 501-521.

Index des auteurs et des noms de personnes

Table

DEUXIÈME PARTIE

Quelles sources pour quelle histoire ?

TROISIÈME PARTIE

L'émergence d'une histoire du temps présent

Dans la collection « Points Histoire »,
série « L'Histoire en débats »

DÉJÀ PARUS

Marcel Gauchet (éd.)
Philosophie des sciences historiques
2002

Fanny Cosandey et Robert Descimon
L'Absolutisme en France
Histoire et historiographie
2002

Antoine Prost et Jay Winter
Penser la Grande Guerre
Un essai d'historiographie
2004

Philippe Poirrier
Les Enjeux de l'histoire culturelle
2004

Laurent Douzou
La Résistance française : une histoire périlleuse
2005

RÉALISATION : CURSIVES À PARIS
IMPRESSION : NORMANDIE ROTO IMPRESSION S.A.S. À LONRAI
DÉPÔT LÉGAL : OCTOBRE 2005. N° 58951 (05-2332)
IMPRIMÉ EN FRANCE